4-2

초등 수학

자습서

& 평가문제집

금성출판사

구성과 특징

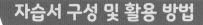

자습서 구성 및 활용 방법

수학 다잡기

수학 교과서의 본책

체계적인 예습, 진도, 평가
시스템을 갖춘 3단계 개념 학습

평가 문제 다잡기

**시험 대비
자료집**

다양한 유형의 문제로
평가 대비 강화

교과서 다잡기 구성과 특징

체계적인 3단계 개념 학습(선수 학습 , 본 학습 , 마무리 학습)과 다양한 유형의 문제로 교과서 개념과 각종 시험
까지 완벽 대비할 수 있습니다.

선수 학습 - 예습

❯❯ 단원 도입

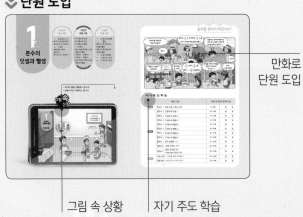

만화로
단원 도입

그림 속 상황   자기 주도 학습

❯❯ 준비 팡팡

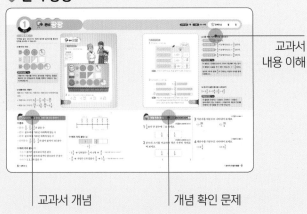

교과서
내용 이해

교과서 개념   개념 확인 문제

단원의 주요 개념을 파악합니다.

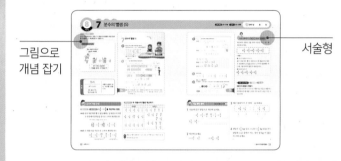

그림으로
개념 잡기

서술형

수학 교과
역량

문제 해결력
문제

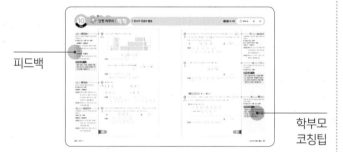

피드백

학부모
코칭팁

교과서
개념

참고 자료

다양한 유형의 문제를 통해 실력을 확인합니다.

개념+확인

교과서 개념과 확인 문제를 풀면서 개념을 이해합니다.

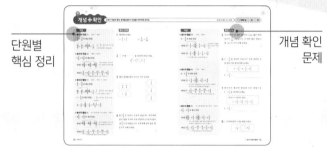

단원별
핵심 정리

개념 확인
문제

서술형 문제 해결하기

서술형 평가에 대비하며 문제 해결력을 기릅니다.

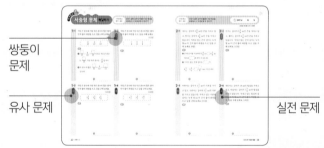

쌍둥이
문제

유사 문제

실전 문제

단원 평가

다양한 문제를 풀면서 단원에 대한 학습을 마무리합니다.

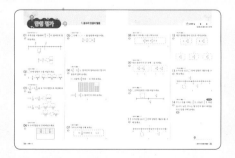

차례

지도 계획표 4-2

지도 계획표는 선생님들께서 사용하시는 지도서의 학기 지도 계획표를
『수학 다잡기』에 맞추어 수정 구성한 것입니다.
학교마다 다를 수 있으니 참고하시기 바랍니다.

3월

	차시	내용
1주	1차시	**1. 분수의 덧셈과 뺄셈** 단원 도입 / 준비 팡팡
	2차시	1 분수의 덧셈 (1)
	3차시	2 분수의 덧셈 (2)
	4차시	3 분수의 뺄셈 (1)
2주	5차시	4 분수의 뺄셈 (2)
	6차시	5 분수의 뺄셈 (3)
	7차시	6 분수의 뺄셈 (4)
3주	8차시	7 분수의 뺄셈 (5)
	9차시	문제 해결력 쑥쑥
	10차시	단원 마무리 척척
4주	11차시	놀이 속으로 풍덩 / 이야기로 키우는 생각
	1차시	**2. 삼각형** 단원 도입 / 준비 팡팡
	2차시	1 이등변삼각형

4월

	차시	내용
1주	3차시	2 이등변삼각형의 성질
	4차시	3 정삼각형
	5차시	4 정삼각형의 성질
2주	6차시	5 예각삼각형, 둔각삼각형
	7차시	문제 해결력 쑥쑥
	8차시	단원 마무리 척척
	9~10차시	문양 속으로 풍덩 / 이야기로 키우는 생각
3주	1차시	**3. 소수의 덧셈과 뺄셈** 단원 도입 / 준비 팡팡
	2차시	1 소수 두 자리 수
	3차시	2 소수 세 자리 수
	4차시	3 소수 사이의 관계
4주	5차시	4 소수의 크기 비교
	6차시	5 소수 한 자리 수의 덧셈
	7차시	6 소수 한 자리 수의 뺄셈

5월

	차시	내용
1주	8차시	7 소수 두 자리 수의 덧셈
	9차시	8 소수 두 자리 수의 뺄셈
	10차시	문제 해결력 쑥쑥
	11차시	단원 마무리 척척

5월

	차시	내용
2주	12차시	픽셀 속으로 풍덩 / 이야기로 키우는 생각
	1차시	**4. 사각형** 단원 도입 / 준비 팡팡
	2차시	1 수직
3주	3차시	2 평행
	4차시	3 평행선 사이의 거리
	5차시	4 사다리꼴
	6차시	5 평행사변형
	7차시	6 마름모
4주	8차시	7 직사각형, 정사각형의 성질
	9차시	문제 해결력 쑥쑥
	10차시	단원 마무리 척척
	11차시	미술 속으로 풍덩 / 이야기로 키우는 생각

6월

	차시	내용
1주	1차시	**5. 꺾은선그래프** 단원 도입 / 준비 팡팡
	2차시	1 꺾은선그래프 알아보기
	3차시	2 꺾은선그래프 그리기
	4차시	3 꺾은선그래프 해석하기
2주	5~6차시	4 물결선이 있는 꺾은선그래프로 나타내기
	7~8차시	5 자료를 조사하여 꺾은선그래프로 나타내기
3주	9차시	6 자료의 특성에 맞는 그래프로 나타내기
	10차시	문제 해결력 쑥쑥
	11차시	단원 마무리 척척
4주	12차시	행복 속으로 풍덩 / 이야기로 키우는 생각
	1차시	**6. 다각형** 단원 도입 / 준비 팡팡
	2~3차시	1 다각형

7월

	차시	내용
1주	4차시	2 정다각형
	5~6차시	3 대각선
	7차시	4 다각형으로 모양 만들기
	8차시	5 다각형으로 모양 채우기
2주	9차시	문제 해결력 쑥쑥
	10차시	단원 마무리 척척
	11~12차시	모양 속으로 풍덩 / 이야기로 키우는 생각

1

분수의
덧셈과 뺄셈

• 과자와 빵을 만들려고 합니다.
• 대분수끼리 더하려고 합니다.

그림 속 상황

자/기/주/도/학/습

학습 내용		계획 및 확인(공부한 날)		
예습	**1차시** | 단원 도입 / 준비 팡팡	6~9쪽	월	일
진도	**2차시** | **1** 분수의 덧셈 (1)	10~11쪽	월	일
	3차시 | **2** 분수의 덧셈 (2)	12~13쪽	월	일
	4차시 | **3** 분수의 뺄셈 (1)	14~15쪽	월	일
	5차시 | **4** 분수의 뺄셈 (2)	16~17쪽	월	일
	6차시 | **5** 분수의 뺄셈 (3)	18~19쪽	월	일
	7차시 | **6** 분수의 뺄셈 (4)	20~21쪽	월	일
	8차시 | **7** 분수의 뺄셈 (5)	22~23쪽	월	일
	9차시 | 문제 해결력 쑥쑥	24~25쪽	월	일
	10차시 | 단원 마무리 척척	26~27쪽	월	일
	11차시 | 놀이 속으로 풍덩 / 이야기로 키우는 생각	28~29쪽	월	일
평가	개념+확인 / 서술형 문제 해결하기	30~33쪽	월	일
	단원 평가 / 재미있는 수학 이야기	34~37쪽	월	일

1 차시

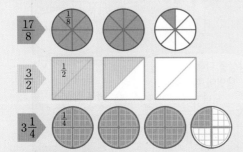

학습 목표

'무엇을 알고 있나요'와 '함께 생각해 볼까요'를 통하여 단원을 준비할 수 있습니다.

◆ 분수의 의미

$\dfrac{17}{8}$

$\dfrac{3}{2}$ → $\dfrac{1}{2}$

$3\dfrac{1}{4}$ → $\dfrac{1}{4}$

학부모 코칭 Tip

대분수와 가분수를 주어진 분수만큼 색칠하는 활동을 통하여 1과 단위분수의 개념을 정확히 이해하고 있는지 확인합니다.

◆ 대분수와 가분수

대분수는 가분수로, 가분수는 대분수로 나타내어 봅니다.

- 가분수로 고치기: $3\dfrac{1}{2}=\dfrac{7}{2}$, $2\dfrac{3}{5}=\dfrac{13}{5}$

- 대분수로 고치기: $\dfrac{11}{6}=1\dfrac{5}{6}$, $\dfrac{16}{9}=1\dfrac{7}{9}$

🔒 무엇을 알고 있나요

1 분수만큼 그림에 색칠해 보세요.

알면 쉬워요

전체를 똑같이 2로 나눈 것 중의 1을 $\dfrac{1}{2}$로 쓰고 2분의 1이라고 읽습니다.

준비물: 색연필

$\dfrac{17}{8}$

$\dfrac{3}{2}$ → $\dfrac{1}{2}$

$3\dfrac{1}{4}$ → $\dfrac{1}{4}$

2 대분수는 가분수로, 가분수는 대분수로 나타내어 보세요.

$3\dfrac{1}{2}=\dfrac{\boxed{7}}{\boxed{2}}$ $2\dfrac{3}{5}=\dfrac{\boxed{13}}{\boxed{5}}$ $\dfrac{11}{6}=\boxed{1}\dfrac{\boxed{5}}{\boxed{6}}$ $\dfrac{16}{9}=\boxed{1}\dfrac{\boxed{7}}{\boxed{9}}$

10

교과서 개념 완성 | 배운 것을 다시 생각하기

✖ 분수

- 분수: $\dfrac{1}{2}$, $\dfrac{2}{3}$, $\dfrac{3}{4}$과 같은 수

- 분모: 분수에서 가로선 아래쪽에 있는 수

- 분자: 분수에서 가로선 위쪽에 있는 수

- 단위분수: $\dfrac{1}{2}$, $\dfrac{1}{3}$, $\dfrac{1}{4}$과 같이 분자가 1인 분수

➡ 여러 가지 분수 (1)

진분수: 분자가 분모보다 작은 분수

가분수: 분자가 분모와 같거나 분모보다 큰 분수

자연수: 1, 2, 3과 같은 수

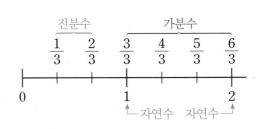

진분수   가분수

$\dfrac{1}{3}$ $\dfrac{2}{3}$ $\dfrac{3}{3}$ $\dfrac{4}{3}$ $\dfrac{5}{3}$ $\dfrac{6}{3}$

0   1   2

자연수   자연수

➡ 여러 가지 분수 (2)

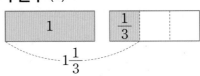

$1\dfrac{1}{3}$

- $1\dfrac{1}{3}$ ➡ 단위분수 $\dfrac{1}{3}$이 4개 ➡ $\dfrac{4}{3}$ ── 대분수를 가분수로 나타내기

- $\dfrac{4}{3}$ ➡ 자연수 1과 진분수 $\dfrac{1}{3}$ ➡ $1\dfrac{1}{3}$ ── 가분수를 대분수로 나타내기

🔑 **함께 생각해 볼까요**

1 ☐안에 알맞은 수를 써넣으세요.

1은 여러 가지 분수로 나타낼 수 있어요

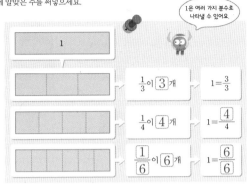

$\frac{1}{3}$이 ③개 $1=\frac{3}{3}$

$\frac{1}{4}$이 ④개 $1=\frac{4}{4}$

$\frac{1}{6}$이 ⑥개 $1=\frac{6}{6}$

풀이 1은 분모, 분자가 같은 다양한 분수로 나타낼 수 있습니다.

2 ☐안에 알맞은 수를 써넣으세요.

2   1   ➡ $1\frac{3}{3}$ $\frac{1}{3}$

3   1   ➡ $2\frac{4}{4}$ $\frac{1}{4}$

$2\frac{3}{5}$ 1 $\frac{1}{5}$ ➡ $1\frac{8}{5}$

풀이 자연수의 크기를 변화시키지 않으면서, 또한 대분수의 분모를 변화시키지 않으면서 크기가 같은 다양한 분수로 고칠 수 있다는 것을 이해하게 합니다.

11

🔲 1을 여러 가지 분수로 나타내기

· ☐은 1입니다.

· ☐은 $\frac{1}{3}$이 3개이므로 $1=\frac{3}{3}$입니다.

· ☐은 $\frac{1}{4}$이 4개이므로 $1=\frac{4}{4}$입니다.

· ☐은 $\frac{1}{6}$이 6개이므로 $1=\frac{6}{6}$입니다.

학부모 코칭 Tip

이 활동은 1만큼을 분수로 고쳐서 계산해야 하는 분수의 뺄셈에 도움을 주기 위한 것입니다. $1=\frac{3}{3}$이라는 결과적 지식과 함께 $\frac{1}{3}$이 3개라는 과정적 지식을 함께 이해합니다.

🔲 크기가 같은 분수로 나타내기

$2=1\frac{3}{3}, 3=2\frac{4}{4}, 2\frac{3}{5}=1\frac{8}{5}$

학부모 코칭 Tip

이 활동은 (자연수)−(진분수), (자연수)−(대분수), 받아내림이 있는 (대분수)−(대분수)의 계산의 원리를 이해하는 데 도움을 주기 위한 것입니다.

👩 **개념 확인 문제**   정답 및 풀이 202쪽

| 3-1 6. 분수와 소수 |

1 $\frac{1}{6}$보다 큰 분수에 ○표 하세요.

$\frac{1}{8}$ $\frac{1}{7}$ $\frac{1}{5}$

| 3-1 6. 분수와 소수 |

2 분수의 크기를 비교하여 작은 수부터 차례로 써 보세요.

$\frac{1}{4}$ $\frac{1}{7}$ $\frac{1}{9}$

(   )

| 3-2 5. 분수 |

3 가분수를 대분수로 나타내어 보세요.

(1) $\frac{28}{5}$ (2) $\frac{39}{6}$

| 3-2 5. 분수 |

4 대분수를 가분수로 나타내어 보세요.

(1) $2\frac{2}{4}$ (2) $3\frac{3}{7}$

2 차시

1 | 분수의 덧셈 (1)

학습 목표

두 진분수의 덧셈의 계산 원리를 이해하고 그 계산을 할 수 있습니다.

그림으로 개념 잡기

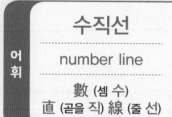

분자인 숫자 3과 2는 더해요.

$$\frac{3}{6}+\frac{2}{6}=\frac{3+2}{6}=\frac{5}{6}$$

분모인 숫자 6은 그대로~

참고 그림에 색칠을 해 보면서 분자끼리의 합으로 쉽게 구할 수 있음을 압니다.

수직선

어휘

number line

數 (셈 수)
直 (곧을 직) 線 (줄 선)

직선을 이루는 각각의 점에 수를 서로 짝지어 놓은 것을 말합니다.

---

1 분수의 덧셈 (1)

| 두 진분수의 덧셈의 계산 원리를 이해하고 그 계산을 할 수 있습니다.

생각 열기 은정이는 동생과 함께 초콜릿을 사용하여 쿠키를 만들고 있습니다. 처음에 초콜릿 전체의 $\frac{3}{6}$을 사용하였고, 쿠키를 더 만들기 위해 초콜릿 전체의 $\frac{2}{6}$를 더 사용하였습니다.

• 사용한 초콜릿은 전체의 얼마인지 구하는 식을 써 보세요.

$$\frac{3}{6}+\frac{2}{6}$$

탐구 하기 $\frac{3}{6}+\frac{2}{6}$ 를 어떻게 계산하는지 알아봅시다.

준비물 색연필

• 분수만큼 색칠하여 계산하는 방법을 알아보세요.

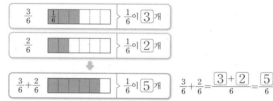

$$\frac{3}{6}+\frac{2}{6}=\frac{3+2}{6}=\frac{5}{6}$$

• 수직선을 보고 계산하는 방법을 알아보세요.

$$\frac{3}{6}+\frac{2}{6}=\frac{3+2}{6}=\frac{5}{6}$$

• $\frac{3}{6}+\frac{2}{6}$ 를 어떻게 계산하였는지 이야기해 보세요.

예 $\frac{3}{6}$ 은 $\frac{1}{6}$ 이 3개, $\frac{2}{6}$ 는 $\frac{1}{6}$ 이 2개이므로 $\frac{3}{6}+\frac{2}{6}$ 는 $\frac{1}{6}$ 이 5개 있는 것과 같습니다. ⇨ $\frac{3}{6}+\frac{2}{6}=\frac{3+2}{6}=\frac{5}{6}$ 입니다.

교과서 개념 완성

탐구하기 **정리하기** $\frac{3}{6}+\frac{2}{6}$ 를 계산하는 방법

• 단위분수를 이용하여 알아보기

$\frac{3}{6}$ 은 $\frac{1}{6}$ 이 3개, $\frac{2}{6}$ 는 $\frac{1}{6}$ 이 2개이므로 $\frac{3}{6}+\frac{2}{6}$ 는 $\frac{1}{6}$ 이 5개 있는 것과 같습니다.

• 계산하는 방법

분자끼리 더하기

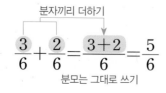

$$\frac{3}{6}+\frac{2}{6}=\frac{3+2}{6}=\frac{5}{6}$$

분모는 그대로 쓰기

확인하기 두 진분수의 덧셈 계산하기

• $\frac{3}{5}+\frac{1}{5}$ 은 $\frac{1}{5}$ 이 4개이므로 $\frac{3}{5}+\frac{1}{5}=\frac{4}{5}$ 입니다.

• $\frac{1}{7}+\frac{5}{7}$ 는 $\frac{1}{7}$ 이 6개이므로 $\frac{1}{7}+\frac{5}{7}=\frac{6}{7}$ 입니다.

• $\frac{5}{8}+\frac{7}{8}$ 은 $\frac{1}{8}$ 이 12개이므로 $\frac{5}{8}+\frac{7}{8}=\frac{12}{8}=1\frac{4}{8}$ 입니다.

• $\frac{8}{9}+\frac{2}{9}$ 는 $\frac{1}{9}$ 이 10개이므로 $\frac{8}{9}+\frac{2}{9}=\frac{10}{9}=1\frac{1}{9}$ 입니다.

학부모 코칭 Tip

분수의 덧셈에서 분모는 더하지 않도록 주의합니다.

$\frac{3}{5}+\frac{1}{5}=\frac{3+1}{5}=\frac{4}{5}$ (○) $\frac{3}{5}+\frac{1}{5}=\frac{3+1}{5+5}=\frac{4}{10}$ (×)

정리
하기 $\frac{3}{6}+\frac{2}{6}$ 를 계산하는 방법을 정리해 봅시다.

$\frac{3}{6}+\frac{2}{6}$ 는 $\frac{1}{6}$ 이 3개인 것과 $\frac{1}{6}$ 이 2개인 것을 더한 것과 같습니다.

$$\frac{3}{6}+\frac{2}{6}=\frac{3+2}{6}=\frac{5}{6}$$

* 계산해 보세요.

$$\frac{2}{7}+\frac{4}{7}=\frac{\boxed{2}+\boxed{4}}{7}=\frac{\boxed{6}}{7}$$

$$\frac{2}{4}+\frac{3}{4}=\frac{\boxed{2}+\boxed{3}}{4}=\frac{\boxed{5}}{4}=1\frac{\boxed{1}}{4}$$

분모는 변하지 않아요

확인
하기 계산해 보세요.

$\frac{3}{5}+\frac{1}{5}=\frac{4}{5}$ $\frac{1}{7}+\frac{5}{7}=\frac{6}{7}$

$\frac{5}{8}+\frac{7}{8}=1\frac{4}{8}$ $\frac{8}{9}+\frac{2}{9}=1\frac{1}{9}$

생각
솔솔 🧩 문제 해결
친구가 말한 계산 방법에서 잘못된 부분을 찾아 바르게 계산하는 방법을 이야기해 보세요.

분모는 그대로 두고 분자만 더하면 되므로

$\frac{7}{5}=1\frac{2}{5}$ 입니다.

분모끼리 더하고 분자끼리 더해서 계산했어.

$\frac{3}{5}+\frac{4}{5}=\frac{7}{10}$

풀이 $\frac{3}{5}+\frac{4}{5}=\frac{3+4}{5}=\frac{7}{5}=1\frac{2}{5}$

13

이런 문제가 서술형으로 나와요

가장 큰 분수와 가장 작은 분수의 합을 구하려고 합니다. 풀이 과정을 쓰고, 답을 구해 보세요.

$$\frac{7}{12} \qquad \frac{5}{12} \qquad \frac{3}{12}$$

| 풀이 과정 |

❶ 가장 큰 분수와 가장 작은 분수 구하기

가장 큰 분수는 $\frac{7}{12}$ 이고, 가장 작은 분수는 $\frac{3}{12}$ 입니다.

❷ 두 분수의 합 구하기

두 분수의 합은 $\frac{7}{12}+\frac{3}{12}=\frac{10}{12}$ 입니다.

답 $\frac{10}{12}$

● 수학 교과 역량   🧩 문제 해결

두 진분수의 바른 덧셈 방법 설명하기
두 진분수의 덧셈에서 오류를 찾아 바르게 계산하는 과정에서 문제 해결 능력을 기를 수 있습니다.

개념 확인 문제   정답 및 풀이 202쪽

1 수직선을 보고 ☐ 안에 알맞은 수를 써넣으세요.

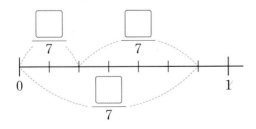

2 계산해 보세요.

(1) $\frac{3}{8}+\frac{4}{8}$ (2) $\frac{5}{9}+\frac{8}{9}$

3 빈 곳에 알맞은 수를 써넣으세요.

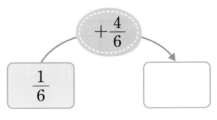

4 색 테이프를 수민이는 $\frac{3}{5}$ m, 혜원이는 $\frac{4}{5}$ m 사용했습니다. 수민이와 혜원이가 사용한 색 테이프는 모두 몇 m인지 구해 보세요.

(   )

2 | 분수의 덧셈 (2)

두 대분수의 덧셈의 계산 원리를 이해하고 그 계산을 할 수 있습니다.

그림으로 개념 잡기

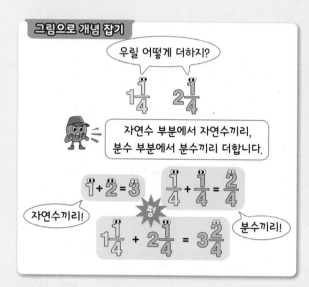

우릴 어떻게 더하지?

$1\frac{1}{4}$ $2\frac{1}{4}$

자연수 부분에서 자연수끼리, 분수 부분에서 분수끼리 더합니다.

$1 + 2 = 3$ $\frac{1}{4} + \frac{1}{4} = \frac{2}{4}$

자연수끼리!

평

분수끼리!

$1\frac{1}{4} + 2\frac{1}{4} = 3\frac{2}{4}$

어휘	분수	
	fraction	$\frac{1}{2}$, $\frac{2}{3}$, $\frac{2}{5}$와 같은 수를 말합니다.
	分 (나눌 분) 數 (셈 수)	

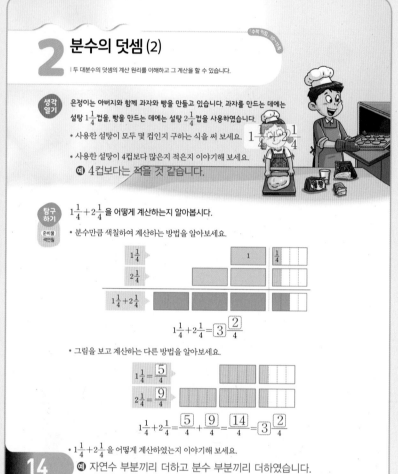

2 분수의 덧셈 (2)

두 대분수의 덧셈의 계산 원리를 이해하고 그 계산을 할 수 있습니다.

생각 열기 은정이는 아버지와 함께 과자와 빵을 만들고 있습니다. 과자를 만드는 데에는 설탕 $1\frac{1}{4}$컵을, 빵을 만드는 데에는 설탕 $2\frac{1}{4}$컵을 사용하였습니다.

• 사용한 설탕이 모두 몇 컵인지 구하는 식을 써 보세요. $1\frac{1}{4} + 2\frac{1}{4}$

• 사용한 설탕이 4컵보다 많은지 적은지 이야기해 보세요.

예 4컵보다는 적을 것 같습니다.

탐구 하기 $1\frac{1}{4} + 2\frac{1}{4}$ 을 어떻게 계산하는지 알아봅시다.

준비물 색연필

• 분수만큼 색칠하여 계산하는 방법을 알아보세요.

$1\frac{1}{4}$

$2\frac{1}{4}$

$1\frac{1}{4} + 2\frac{1}{4}$

$1\frac{1}{4} + 2\frac{1}{4} = \boxed{3}\frac{\boxed{2}}{4}$

• 그림을 보고 계산하는 다른 방법을 알아보세요.

$1\frac{1}{4} = \frac{5}{4}$

$2\frac{1}{4} = \frac{9}{4}$

$1\frac{1}{4} + 2\frac{1}{4} = \frac{\boxed{5}}{4} + \frac{\boxed{9}}{4} = \frac{\boxed{14}}{4} = \boxed{3}\frac{\boxed{2}}{4}$

• $1\frac{1}{4} + 2\frac{1}{4}$ 을 어떻게 계산하였는지 이야기해 보세요.

예 자연수 부분끼리 더하고 분수 부분끼리 더하였습니다.
/ 두 대분수를 가분수로 고쳐서 계산하였습니다.

14

교과서 개념 완성

탐구하기 1 **정리하기** $1\frac{1}{4} + 2\frac{1}{4}$ 을 계산하는 방법

방법 ① 자연수 부분에서 자연수끼리, 분수 부분에서 분수끼리 더합니다.

자연수끼리 더하기

$1\frac{1}{4} + 2\frac{1}{4} = 3\frac{2}{4}$

분수끼리 더하기

방법 ② 두 대분수를 가분수로 고쳐서 계산합니다.

$1\frac{1}{4} + 2\frac{1}{4} = \frac{5}{4} + \frac{9}{4} = \frac{13}{4} = 3\frac{1}{4}$

대분수를 가분수로   가분수를 대분수로

확인하기 두 대분수의 덧셈 계산하기

방법 ①	방법 ②
$3\frac{2}{5} + 1\frac{1}{5} = 4\frac{3}{5}$	$3\frac{2}{5} + 1\frac{1}{5} = \frac{17}{5} + \frac{6}{5} = \frac{23}{5} = 4\frac{3}{5}$
$5\frac{2}{4} + 2\frac{3}{4} = 7\frac{5}{4} = 8\frac{1}{4}$	$5\frac{2}{4} + 2\frac{3}{4} = \frac{22}{4} + \frac{11}{4} = \frac{33}{4} = 8\frac{1}{4}$
$3\frac{4}{6} + 1\frac{5}{6} = 4\frac{9}{6} = 5\frac{3}{6}$	$3\frac{4}{6} + 1\frac{5}{6} = \frac{22}{6} + \frac{11}{6} = \frac{33}{6} = 5\frac{3}{6}$

학부모 코칭 Tip

대분수의 덧셈에서 분수끼리의 합이 가분수이면 대분수로 바꿔야 합니다. 대분수의 분수 부분은 진분수이어야 합니다.

정리
하기
▶ $1\frac{1}{4}+2\frac{1}{4}$ 을 계산하는 방법을 정리해 봅시다.

방법 ❶ 자연수 부분에서 자연수끼리, 분수 부분에서 분수끼리 더합니다.

$$1\frac{1}{4}+2\frac{1}{4}=3\frac{2}{4}$$

자연수 부분 분수 부분 $1\frac{1}{4}$

방법 ❷ 두 대분수를 가분수로 고쳐서 계산합니다.

$$1\frac{1}{4}+2\frac{1}{4}=\frac{5}{4}+\frac{9}{4}=\frac{14}{4}=3\frac{2}{4}$$

• $1\frac{2}{3}+2\frac{2}{3}$ 를 계산해 보세요.

분수 부분의 합이 가분수가 되면 어떻게 해야 하나요?

방법 ❶ $1\frac{2}{3}+2\frac{2}{3}=3\frac{4}{3}=3+1\frac{1}{3}=4\frac{1}{3}$

방법 ❷ $1\frac{2}{3}+2\frac{2}{3}=\frac{5}{3}+\frac{8}{3}=\frac{13}{3}=4\frac{1}{3}$

풀이 자연수끼리, 분수끼리의 합을 구한 후 분수끼리의 합이 가분수이면 대분수로 바꿉니다.

확인
하기
계산해 보세요.

$3\frac{2}{5}+1\frac{1}{5}=4\frac{3}{5}$ $5\frac{2}{4}+2\frac{3}{4}=8\frac{1}{4}$ $3\frac{4}{6}+1\frac{5}{6}=5\frac{3}{6}$

문제 해결

생각
솔솔
큰 어항에는 물 $5\frac{1}{4}$ L가 들어 있고, 작은 어항에는 물 $2\frac{3}{4}$ L가 들어 있습니다. 두 어항에 들어 있는 물은 모두 몇 L인가요? 8 L

풀이 $5\frac{1}{4}+2\frac{3}{4}=7+\frac{4}{4}=8$ (L)

15

이런 문제가 서술형으로 나와요

숫자 카드 중에서 3장을 골라 한 번씩만 사용하여 만들 수 있는 분모가 8인 가장 큰 대분수와 가장 작은 대분수의 합은 얼마인지 풀이 과정을 쓰고, 답을 구해 보세요.

1 5 3 8 7

| 풀이 과정 |

❶ 만들 수 있는 가장 큰 대분수와 가장 작은 대분수 구하기

가장 큰 대분수는 $7\frac{5}{8}$ 이고, 가장 작은 대분수는 $1\frac{3}{8}$ 입니다.

❷ 만든 두 대분수의 합 구하기

두 대분수의 합은 $7\frac{5}{8}+1\frac{3}{8}=9$ 입니다.

답 9

• 수학 교과 역량 문제 해결

결과가 자연수가 되는 두 대분수의 합 구하기
대분수의 덧셈과 관련한 문장제를 해결하는 과정에서 문제 해결 능력을 기를 수 있습니다.

 개념 확인 문제   정답 및 풀이 202쪽

1 ☐안에 알맞은 수를 써넣으세요.

$$2\frac{2}{7}+1\frac{4}{7}=\frac{\boxed{}}{7}+\frac{\boxed{}}{7}$$

$$=\frac{\boxed{}}{7}=\boxed{}\frac{\boxed{}}{7}$$

2 계산해 보세요.

(1) $2\frac{3}{8}+3\frac{6}{8}$

(2) $3\frac{5}{6}+3\frac{4}{6}$

3 두 수의 합을 빈 곳에 써넣으세요.

$4\frac{5}{8}$	$2\frac{3}{8}$

4 인혜의 몸무게는 $35\frac{3}{5}$ kg이고, 희경이의 몸무게는 인혜보다 $1\frac{2}{5}$ kg 더 무겁습니다. 희경이의 몸무게는 몇 kg인지 구해 보세요.

(   )

3 | 분수의 뺄셈 (1)

학습 목표

두 진분수의 뺄셈, 1과 진분수의 뺄셈의 계산 원리를 이해하고 그 계산을 할 수 있습니다.

그림으로 개념 잡기

1을 가분수로 고쳐서 계산해.

$$1 - \frac{1}{4}$$

$$= \frac{4}{4} - \frac{1}{4}$$

학부모 코칭 Tip

분모가 같은 진분수끼리의 뺄셈도 분모는 그대로 두고 분자끼리만 자연수의 뺄셈처럼 계산하면 됨을 알고 계산 방법을 충분히 익힐 수 있도록 합니다.

어휘	진분수 proper fraction 眞 (참 진) 分 (나눌 분) 數 (셈 수)	분자가 분모보다 작은 분수를 말합니다.

---

3 분수의 뺄셈 (1)

두 진분수의 뺄셈, 1과 진분수의 뺄셈의 계산 원리를 이해하고 그 계산을 할 수 있습니다.

생각 열기

은정이는 초콜릿 맛 우유를 만드는 데 초콜릿 시럽 $\frac{3}{4}$ L 중 $\frac{1}{4}$ L를 사용하였고, 우유 1 L 중 $\frac{1}{4}$ L를 사용하였습니다.

- 사용하고 남은 초콜릿 시럽과 우유가 각각 몇 L인지 구하는 식을 써 보세요.

초콜릿 시럽: $\frac{3}{4} - \frac{1}{4}$, 우유: $1 - \frac{1}{4}$

- 사용하고 남은 초콜릿 시럽과 우유의 양이 각각 얼마일지 어림해 보세요.

예 초콜릿 시럽은 $\frac{2}{4}$ L, 우유는 $\frac{3}{4}$ L 정도 될 것 같습니다.

탐구 하기

$\frac{3}{4} - \frac{1}{4}$ 과 $1 - \frac{1}{4}$ 을 어떻게 계산하는지 알아봅시다.

준비물 색연필

활동 1 $\frac{3}{4} - \frac{1}{4}$ 을 계산하는 방법 알아보기

$\frac{3}{4}$ 은 $\frac{1}{4}$ 이 3개, $\frac{1}{4}$ 은 $\frac{1}{4}$ 이 1개야.

- $\frac{3}{4}$ 만큼 색칠하고, 색칠한 부분에서 $\frac{1}{4}$ 만큼 ×표 하여 알아보세요.

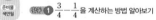

$$\frac{3}{4} - \frac{1}{4} = \frac{3-1}{4} = \frac{2}{4}$$

- 수직선을 보고 계산하는 방법을 알아보세요.

$$\frac{3}{4} - \frac{1}{4} = \frac{3-1}{4} = \frac{2}{4}$$

- $\frac{3}{4} - \frac{1}{4}$ 을 어떻게 계산하였는지 이야기해 보세요.

예 $\frac{1}{4}$ 이 3개인 것에서 $\frac{1}{4}$ 이 1개인 것을 빼서 계산하였습니다.

16

교과서 개념 완성

탐구하기 **정리하기** $\frac{3}{4} - \frac{1}{4}$ 과 $1 - \frac{1}{4}$ 을 계산하는 방법

활동 1 $\frac{3}{4} - \frac{1}{4}$ 의 계산 방법

$\frac{3}{4}$ 은 $\frac{1}{4}$ 이 3개이므로 $\frac{3}{4} - \frac{1}{4}$ 은 $\frac{1}{4}$ 이 3개인 것에서 $\frac{1}{4}$ 이 1개인 것을 뺀 것과 같습니다.

분자끼리 빼기

$$\frac{3}{4} - \frac{1}{4} = \frac{3-1}{4} = \frac{2}{4}$$

분모는 그대로 쓰기

활동 2 $1 - \frac{1}{4}$ 의 계산 방법

1을 가분수로 바꾸어 분모가 같은 진분수의 뺄셈과 같은 방법으로 계산합니다.

가분수로 고치기 / 분자끼리 빼기

$$1 - \frac{1}{4} = \frac{4}{4} - \frac{1}{4} = \frac{4-1}{4} = \frac{3}{4}$$

분모는 그대로 쓰기

참고 1은 분모와 분자가 같은 가분수로 나타낼 수 있습니다.

$$1 = \frac{2}{2} = \frac{3}{3} = \frac{4}{4} = \frac{5}{5} = \cdots\cdots$$

활동 ❷ $1-\dfrac{1}{4}$을 계산하는 방법 알아보기

• 1만큼 색칠하고, 색칠한 부분에서 $\dfrac{1}{4}$만큼 ×표 하여 알아보세요.

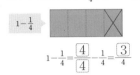

$1-\dfrac{1}{4}$

1은 $\dfrac{1}{4}$이 4개야.

$$1-\dfrac{1}{4}=\dfrac{4}{4}-\dfrac{1}{4}=\dfrac{3}{4}$$

• $1-\dfrac{1}{4}$을 어떻게 계산하였는지 이야기해 보세요.

예 1을 가분수 $\dfrac{4}{4}$로 고친 후 $\dfrac{1}{4}$을 빼서 계산했습니다.

 $\dfrac{3}{4}-\dfrac{1}{4}$과 $1-\dfrac{1}{4}$을 계산하는 방법을 정리해 봅시다.

• $\dfrac{3}{4}-\dfrac{1}{4}$은 $\dfrac{1}{4}$이 3개인 것에서 $\dfrac{1}{4}$이 1개인 것을 뺀 것과 같습니다.

$$\dfrac{3}{4}-\dfrac{1}{4}=\dfrac{3-1}{4}=\dfrac{2}{4}$$

• $1-\dfrac{1}{4}$은 1을 가분수 $\dfrac{4}{4}$로 고쳐서 계산합니다.

빼는 분수의 분모와 같게 1을 고쳐야 해요.

$$1-\dfrac{1}{4}=\dfrac{4}{4}-\dfrac{1}{4}=\dfrac{4-1}{4}=\dfrac{3}{4}$$

풀이 확인하기

• $\dfrac{4}{5}-\dfrac{1}{5}=\dfrac{4-1}{5}=\dfrac{3}{5}$　　• $\dfrac{5}{7}-\dfrac{2}{7}=\dfrac{5-2}{7}=\dfrac{3}{7}$

계산해 보세요.

$\dfrac{4}{5}-\dfrac{1}{5}=\dfrac{3}{5}$　　$\dfrac{5}{7}-\dfrac{2}{7}=\dfrac{3}{7}$

$1-\dfrac{1}{6}=\dfrac{5}{6}$　　$1-\dfrac{2}{9}=\dfrac{7}{9}$

• $1-\dfrac{1}{6}=\dfrac{6}{6}-\dfrac{1}{6}=\dfrac{6-1}{6}=\dfrac{5}{6}$

• $1-\dfrac{2}{9}=\dfrac{9}{9}-\dfrac{2}{9}=\dfrac{9-2}{9}=\dfrac{7}{9}$

17

👩 이런 문제가 서술형으로 나와요

가장 큰 분수와 가장 작은 분수의 차를 구하려고 합니다. 풀이 과정을 쓰고, 답을 구해 보세요.

| $\dfrac{9}{10}$ | $\dfrac{7}{10}$ | $\dfrac{2}{10}$ |

| 풀이 과정 |

❶ 가장 큰 분수와 가장 작은 분수 구하기

가장 큰 분수는 $\dfrac{9}{10}$이고, 가장 작은 분수는 $\dfrac{2}{10}$입니다.

❷ 두 분수의 차 구하기

두 분수의 차는 $\dfrac{9}{10}-\dfrac{2}{10}=\dfrac{7}{10}$입니다.

답 $\dfrac{7}{10}$

참고 두 진분수의 뺄셈의 계산 원리는 단위분수의 개수를 세어 그 차를 구하는 것입니다.

🙍 **개념 확인 문제**　　정답 및 풀이 202~203쪽

1 계산해 보세요.

(1) $\dfrac{7}{8}-\dfrac{2}{8}$　　　(2) $1-\dfrac{4}{6}$

2 ☐ 안에 알맞은 수를 써넣으세요.

$\dfrac{9}{11}$ ➡ $-\dfrac{7}{11}$ ➡ ☐

3 계산 결과가 더 큰 것의 기호를 써 보세요.

ㄱ $1-\dfrac{4}{9}$　　ㄴ $\dfrac{8}{9}-\dfrac{2}{9}$

（　　　　　　）

4 1 L의 우유 중에서 소영이가 $\dfrac{3}{8}$ L 마셨습니다. 남은 우유는 몇 L인지 구해 보세요.

（　　　　　　）

4 | 분수의 뺄셈 (2)

학습 목표

분수 부분끼리 뺄 수 있는 두 대분수의 뺄셈의 계산 원리를 이해하고 그 계산을 할 수 있습니다.

그림으로 개념 잡기

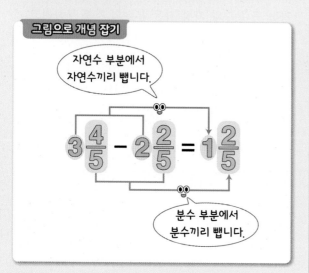

자연수 부분에서 자연수끼리 뺍니다.

$$3\frac{4}{5} - 2\frac{2}{5} = 1\frac{2}{5}$$

분수 부분에서 분수끼리 뺍니다.

어휘

가분수

improper fraction

假 (거짓 가)
分 (나눌 분) 數 (셈 수)

분자가 분모와 같거나 분모보다 큰 분수를 말합니다.

---

4 분수의 뺄셈 (2)

분수 부분끼리 뺄 수 있는 두 대분수의 뺄셈의 계산 원리를 이해하고 그 계산을 할 수 있습니다.

생각 열기 은정이는 아버지와 함께 빵을 만들고 있습니다. 빵을 만드는 데에 밀가루를 아버지는 $3\frac{4}{5}$ kg을 사용하였고, 은정이는 $2\frac{2}{5}$ kg을 사용하였습니다.

• 아버지가 은정이보다 더 사용한 밀가루가 몇 kg인지 구하는 식을 써 보세요.

• 아버지가 은정이보다 더 사용한 밀가루가 1 kg보다 많은지 적은지 이야기해 보세요.

예 1 kg보다 많을 것 같습니다.

탐구 하기 $3\frac{4}{5} - 2\frac{2}{5}$ 를 어떻게 계산하는지 알아봅시다.

• 그림을 보고 계산하는 방법을 알아보세요.

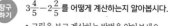

$$3\frac{4}{5} - 2\frac{2}{5} = 1\frac{2}{5}$$

• 그림을 보고 계산하는 다른 방법을 알아보세요.

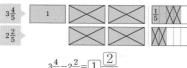

$$3\frac{4}{5} - 2\frac{2}{5} = \frac{19}{5} - \frac{12}{5} = \frac{7}{5} = 1\frac{2}{5}$$

• $3\frac{4}{5} - 2\frac{2}{5}$ 를 어떻게 계산하였는지 이야기해 보세요.

18

예 자연수 부분끼리 빼고 분수 부분끼리 뺀 결과를 더하였습니다.
/ 두 대분수를 가분수로 고쳐서 계산하였습니다.

교과서 개념 완성

탐구하기 **정리하기** $3\frac{4}{5} - 2\frac{2}{5}$ 를 계산하는 방법

방법 1 자연수 부분에서 자연수끼리, 분수 부분에서 분수끼리 뺍니다.

자연수끼리 빼기

$$3\frac{4}{5} - 2\frac{2}{5} = 1\frac{2}{5}$$

분수끼리 빼기

방법 2 두 대분수를 가분수로 고쳐서 계산합니다.

$$3\frac{4}{5} - 2\frac{2}{5} = \frac{19}{5} - \frac{12}{5} = \frac{7}{5} = 1\frac{2}{5}$$

대분수를 가분수로   가분수를 대분수로

확인하기 두 대분수의 뺄셈 계산하기

방법 1	방법 2
$3\frac{2}{3} - 1\frac{1}{3} = 2\frac{1}{3}$	$3\frac{2}{3} - 1\frac{1}{3} = \frac{11}{3} - \frac{4}{3} = \frac{7}{3} = 2\frac{1}{3}$
$5\frac{3}{4} - 2\frac{2}{4} = 3\frac{1}{4}$	$5\frac{3}{4} - 2\frac{2}{4} = \frac{23}{4} - \frac{10}{4} = \frac{13}{4} = 3\frac{1}{4}$
$9\frac{4}{5} - 3\frac{1}{5} = 6\frac{3}{5}$	$9\frac{4}{5} - 3\frac{1}{5} = \frac{49}{5} - \frac{16}{5} = \frac{33}{5} = 6\frac{3}{5}$
$6\frac{5}{7} - 4\frac{3}{7} = 2\frac{2}{7}$	$6\frac{5}{7} - 4\frac{3}{7} = \frac{47}{7} - \frac{31}{7} = \frac{16}{7} = 2\frac{2}{7}$

학부모 코칭 Tip

앞으로 배우게 될 분수의 곱셈과 나눗셈은 주로 가분수의 연산이므로 가분수로 고쳐서 계산하는 방법도 정확히 이해하게 합니다.

정리하기

■ $3\frac{4}{5} - 2\frac{2}{5}$ 를 계산하는 방법을 정리해 봅시다.

방법 1 자연수 부분에서 자연수끼리, 분수 부분에서 분수끼리 뺍니다.

$$3\frac{4}{5} - 2\frac{2}{5} = 1\frac{2}{5}$$

방법 2 두 대분수를 가분수로 고쳐서 계산합니다.

$$3\frac{4}{5} - 2\frac{2}{5} = \frac{19}{5} - \frac{12}{5} = \frac{7}{5} = 1\frac{2}{5}$$

• $4\frac{3}{4} - 1\frac{1}{4}$ 을 계산해 보세요.

방법 1 $4\frac{3}{4} - 1\frac{1}{4} = \boxed{3}\frac{\boxed{2}}{4}$

방법 2 $4\frac{3}{4} - 1\frac{1}{4} = \frac{\boxed{19}}{4} - \frac{\boxed{5}}{4} = \frac{\boxed{14}}{4} = \boxed{3}\frac{\boxed{2}}{4}$

 확인하기

계산해 보세요.

$3\frac{2}{3} - 1\frac{1}{3} = 2\frac{1}{3}$　　　　$5\frac{3}{4} - 2\frac{2}{4} = 3\frac{1}{4}$

$9\frac{4}{5} - 3\frac{1}{5} = 6\frac{3}{5}$　　　　$6\frac{5}{7} - 4\frac{3}{7} = 2\frac{2}{7}$

📖 문제 해결

 생각 솔솔

설탕 $10\frac{3}{5}$ kg 중에서 $8\frac{1}{5}$ kg을 사용하였습니다. 남은 설탕은 몇 kg인가요?

$2\frac{2}{5}$ kg

풀이 $10\frac{3}{5} - 8\frac{1}{5} = 2\frac{2}{5}$ (kg)

19

이런 문제가 서술형으로 나와요

은혜의 몸무게는 $34\frac{4}{5}$ kg이고, 성현이의 몸무게는 $33\frac{2}{5}$ kg입니다. 누구의 몸무게가 몇 kg 더 무거운지 풀이 과정을 쓰고, 답을 구해 보세요.

| 풀이 과정 |

❶ 더 무거운 사람 구하기

몸무게를 비교하면 $34\frac{4}{5}$ kg $> 33\frac{2}{5}$ kg이므로 몸무게가 더 무거운 사람은 은혜입니다.

❷ 누구의 몸무게가 몇 kg 더 무거운지 구하기

은혜의 몸무게가 $34\frac{4}{5} - 33\frac{2}{5} = 1\frac{2}{5}$ (kg) 더 무겁습니다.

답 은혜, $1\frac{2}{5}$ kg

 수학 교과 역량 📖 문제 해결

두 대분수의 뺄셈에 대한 문장제 문제 해결하기
대분수의 뺄셈과 관련한 문장제를 해결하는 과정에서 문제 해결 능력을 기를 수 있습니다.

 개념 확인 문제　　정답 및 풀이 203쪽

1 다음과 같은 방법으로 계산해 보세요.

$$2\frac{4}{5} - 1\frac{3}{5} = \frac{14}{5} - \frac{8}{5} = \frac{6}{5} = 1\frac{1}{5}$$

$4\frac{7}{8} - 2\frac{3}{8} =$

2 계산해 보세요.

(1) $6\frac{5}{6} - 1\frac{1}{6}$　　　　(2) $4\frac{8}{9} - 2\frac{5}{9}$

3 계산 결과를 비교하여 ◯ 안에 >, =, <를 알맞게 써넣으세요.

$$8\frac{6}{7} - 3\frac{2}{7} \bigcirc 7\frac{5}{7} - 1\frac{4}{7}$$

4 어머니는 빵을 만드는 데 밀가루 $4\frac{4}{6}$ kg 중에서 $2\frac{2}{6}$ kg을 사용하였습니다. 남은 밀가루는 몇 kg인지 구해 보세요.

(　　　　　　　　)

6 차시

5 | 분수의 뺄셈 (3)

자연수와 진분수의 뺄셈의 계산 원리를 이해하고 그 계산을 할 수 있습니다.

그림으로 개념 잡기

자연수에서 1만큼을 분수로 고쳐서 계산해.

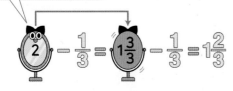

$$2 - \frac{1}{3} = 1\frac{3}{3} - \frac{1}{3} = 1\frac{2}{3}$$

참고 1을 분수로 고칠 때에는 빼는 분수의 분모와 같게 해야 합니다.

어휘	자연수	
	natural number	1, 2, 3과 같은 수를 말합니다.
	自 (스스로 자) 然 (그럴 연) 數 (셈 수)	

---

5 분수의 뺄셈 (3)

자연수와 진분수의 뺄셈의 계산 원리를 이해하고 그 계산을 할 수 있습니다.

생각 열기 은정이는 우유 2 L 중 $\frac{1}{3}$ L를 마셨습니다.

• 마시고 남은 우유가 몇 L인지 구하는 식을 써 보세요. $2 - \frac{1}{3}$

• 마시고 남은 우유가 1 L 보다 많은지 적은지 이야기해 보세요.

예 1 L보다 많을 것 같습니다.

탐구 하기 $2 - \frac{1}{3}$ 을 어떻게 계산하는지 알아봅시다.

• 2를 어떤 분수로 고쳐야 하는지 알아보세요.

2에서 $\frac{1}{3}$ 을 빼려면 2를 어떻게 고쳐야 할까요?

• 색칠한 부분에서 $\frac{1}{3}$ 만큼 ×표 하여 알아보세요.

$$2 - \frac{1}{3} = 1\frac{3}{3} - \frac{1}{3} = 1\frac{2}{3}$$

• 그림을 보고 계산하는 다른 방법을 알아보세요.

$$2 - \frac{1}{3} = \frac{6}{3} - \frac{1}{3} = \frac{5}{3} = 1\frac{2}{3}$$

• $2 - \frac{1}{3}$ 을 어떻게 계산하였는지 이야기해 보세요.

예 자연수에서 1만큼을 분수로 고쳐서 계산하였습니다.

/ 자연수를 가분수로 고쳐서 계산하였습니다.

20

 **교과서 개념 완성**

탐구하기 정리하기 $2 - \frac{1}{3}$ 을 계산하는 방법

방법 1 자연수에서 1만큼을 분수로 고쳐서 계산합니다.

자연수에서 1만큼을 분수로 고치기

$$2 - \frac{1}{3} = 1\frac{3}{3} - \frac{1}{3} = 1\frac{2}{3}$$

방법 2 자연수를 가분수로 고쳐서 계산합니다.

자연수를 가분수로 고치기

$$2 - \frac{1}{3} = \frac{6}{3} - \frac{1}{3} = \frac{5}{3} = 1\frac{2}{3}$$

확인하기 자연수와 진분수의 뺄셈 계산하기

방법 1	방법 2
$4 - \frac{2}{7} = 3\frac{7}{7} - \frac{2}{7} = 3\frac{5}{7}$	$4 - \frac{2}{7} = \frac{28}{7} - \frac{2}{7}$ $= \frac{26}{7} = 3\frac{5}{7}$
$6 - \frac{7}{12} = 5\frac{12}{12} - \frac{7}{12}$ $= 5\frac{5}{12}$	$6 - \frac{7}{12} = \frac{72}{12} - \frac{7}{12}$ $= \frac{65}{12} = 5\frac{5}{12}$

학부모 코칭 Tip

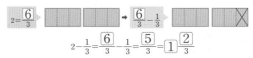

자연수 1은 $1 = \frac{2}{2} = \frac{3}{3} = \frac{4}{4} = \frac{5}{5} = \cdots$ 로 나타낼 수 있음을 알고 자연수에서 1만큼을 가분수로 나타낼 수 있도록 합니다.

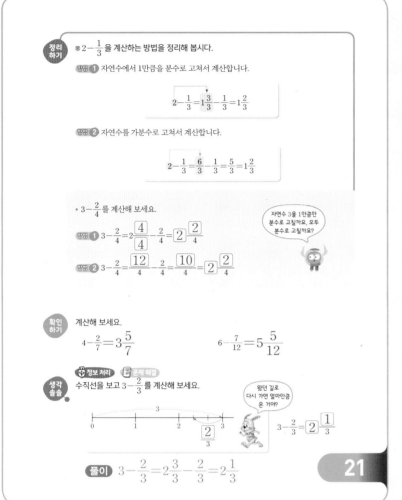

이런 문제가 서술형으로 나와요

소영이는 주스 $2 \, \text{L}$ 중에서 오전에 $\frac{2}{4} \, \text{L}$를 마셨고, 오후에 $1\frac{1}{4} \, \text{L}$를 마셨습니다. 남은 주스는 몇 L인지 풀이 과정을 쓰고, 답을 구해 보세요.

| 풀이 과정 |

❶ 오전에 마시고 남은 주스의 양 구하기

오전에 마시고 남은 주스의 양은

$2 - \frac{2}{4} = 1\frac{2}{4}$ (L)입니다.

❷ 오후에 마시고 남은 주스의 양 구하기

오후에 마시고 남은 주스의 양은

$1\frac{2}{4} - 1\frac{1}{4} = \frac{1}{4}$ (L)입니다.

답 $\frac{1}{4} \, \text{L}$

수학 교과 역량 정보 처리 문제 해결

수직선을 이용하여 (자연수)−(진분수) 계산하기

수직선에서 눈금 한 칸의 크기를 파악한 후 (자연수)−(진분수) 문제를 해결해 가는 과정에서 정보 처리 능력과 문제 해결 능력을 기를 수 있습니다.

개념 확인 문제

정답 및 풀이 203쪽

1 다음과 같은 방법으로 계산해 보세요.

$$3 - \frac{2}{3} = \frac{9}{3} - \frac{2}{3} = \frac{7}{3} = 2\frac{1}{3}$$

$8 - \frac{4}{9} =$

2 계산해 보세요.

(1) $5 - \frac{6}{8}$ (2) $7 - \frac{8}{10}$

3 두 수의 차를 구해 보세요.

| $\frac{2}{3}$ | 8 |

(   )

4 현숙이는 가지고 있던 찰흙 $3 \, \text{kg}$ 중 $\frac{6}{7} \, \text{kg}$을 사용했습니다. 남은 찰흙은 몇 kg인지 구해 보세요.

(   )

6 | 분수의 뺄셈 (4)

자연수와 대분수의 뺄셈의 계산 원리를 이해하고 그 계산을 할 수 있습니다.

그림으로 개념 잡기

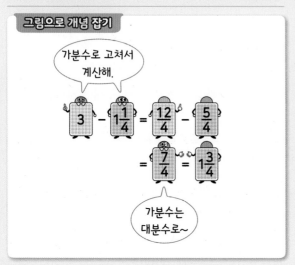

가분수로 고쳐서 계산해.

$$3 - 1\frac{1}{4} = \frac{12}{4} - \frac{5}{4}$$

$$= \frac{7}{4} = 1\frac{3}{4}$$

가분수는 대분수로~

어휘

대분수

mixed fraction

帶 (띠 대)
分 (나눌 분) 數 (셈 수)

자연수와 진분수로 이루어진 분수를 말합니다.

---

6 분수의 뺄셈 (4)

자연수와 대분수의 계산 원리를 이해하고 그 계산을 할 수 있습니다.

생각열기 은정이는 우유 3 L 중 $1\frac{1}{4}$ L를 사용하여 아이스크림을 만들었습니다.

• 사용하고 남은 우유가 몇 L인지 구하는 식을 써 보세요. $3 - 1\frac{1}{4}$

• 사용하고 남은 우유가 2 L보다 많은지 적은지 이야기해 보세요.

예 1 L보다는 많고 2 L보다는 적을 것 같습니다.

탐구하기 $3 - 1\frac{1}{4}$ 을 어떻게 계산하는지 알아봅시다.

• 3을 어떤 분수로 고쳐야 하는지 알아보세요.

3에서 $1\frac{1}{4}$ 을 빼려면 3을 어떻게 고쳐야 할까요?

• 색칠한 부분에서 $1\frac{1}{4}$ 만큼 ×표 하여 알아보세요.

$$3 - 1\frac{1}{4} = 2\frac{4}{4} - 1\frac{1}{4} = 1\frac{3}{4}$$

• 계산하는 다른 방법을 알아보세요.

$$3 - 1\frac{1}{4} = \frac{12}{4} - \frac{5}{4} = \frac{7}{4} = 1\frac{3}{4}$$

• $3 - 1\frac{1}{4}$ 을 어떻게 계산하였는지 이야기해 보세요. 예 자연수에서 1만큼을 분수로 고친 후 자연수 부분에서 자연수끼리, 분수 부분에서 분수끼리 빼어 계산하였습니다. / 자연수와 대분수를 가분수로 고쳐서 계산하였습니다.

22

교과서 개념 완성

탐구하기 **정리하기** $3 - 1\frac{1}{4}$ 을 계산하는 방법

방법 1 자연수에서 1만큼을 분수로 고친 후 자연수 부분에서 자연수끼리, 분수 부분에서 분수끼리 뺍니다.

자연수에서 1만큼을 분수로 고치기

$$3 - 1\frac{1}{4} = 2\frac{4}{4} - 1\frac{1}{4} = 1\frac{3}{4}$$

방법 2 자연수와 대분수를 가분수로 고쳐서 계산합니다.

$$3 - 1\frac{1}{4} = \frac{12}{4} - \frac{5}{4} = \frac{7}{4} = 1\frac{3}{4}$$

자연수와 대분수를 모두 가분수로 / 가분수를 대분수로

확인하기 자연수와 대분수의 뺄셈 계산하기

방법 1	방법 2
$7 - 3\frac{1}{5} = 6\frac{5}{5} - 3\frac{1}{5} = 3\frac{4}{5}$	$7 - 3\frac{1}{5} = \frac{35}{5} - \frac{16}{5}$ $= \frac{19}{5} = 3\frac{4}{5}$
$4 - 1\frac{5}{7} = 3\frac{7}{7} - 1\frac{5}{7} = 2\frac{2}{7}$	$4 - 1\frac{5}{7} = \frac{28}{7} - \frac{12}{7} = \frac{16}{7} = 2\frac{2}{7}$
$8 - 5\frac{3}{10} = 7\frac{10}{10} - 5\frac{3}{10}$ $= 2\frac{7}{10}$	$8 - 5\frac{3}{10} = \frac{80}{10} - \frac{53}{10}$ $= \frac{27}{10} = 2\frac{7}{10}$

학부모 코칭 Tip

자연수와 대분수를 모두 가분수로 고쳐서 뺄 때 결과가 가분수이면 대분수로 바꾸어 나타내도록 합니다.

정리하기

❀ $3-1\dfrac{1}{4}$ 을 계산하는 방법을 정리해 봅시다.

방법 ① 자연수에서 1만큼을 분수로 고친 후 자연수 부분에서 자연수끼리, 분수 부분에서 분수끼리 뺍니다.

$$3-1\frac{1}{4}=2\frac{4}{4}-1\frac{1}{4}=1\frac{3}{4}$$

방법 ② 자연수와 대분수를 가분수로 고쳐서 계산합니다.

$$3-1\frac{1}{4}=\frac{12}{4}-\frac{5}{4}=\frac{7}{4}=1\frac{3}{4}$$

* $4-2\dfrac{2}{3}$ 를 계산해 보세요.

방법 ① $4-2\dfrac{2}{3}=\boxed{3}\dfrac{\boxed{3}}{3}-2\dfrac{2}{3}=\boxed{1}\dfrac{\boxed{1}}{3}$

방법 ② $4-2\dfrac{2}{3}=\dfrac{\boxed{12}}{3}-\dfrac{\boxed{8}}{3}=\dfrac{\boxed{4}}{3}=\boxed{1}\dfrac{\boxed{1}}{3}$

 확인하기

계산해 보세요.

$$7-3\frac{1}{5}=3\frac{4}{5}\qquad 4-1\frac{5}{7}=2\frac{2}{7}\qquad 8-5\frac{3}{10}=2\frac{7}{10}$$

 생각쏙쏙   의사소통   문제 해결

친구의 말에서 잘못 계산한 부분을 찾아 바르게 계산하는 방법을 이야기해 보세요.

$5-2\dfrac{1}{6}$ 에서 $5-2=3$이니까

답은 $3\dfrac{1}{6}$이야.

예 $2\dfrac{1}{6}$ 은 2보다 큰 수이므로 $5-2\dfrac{1}{6}$ 의 결과는 3보다 작은 값이 되어야 해. 바르게 계산하면

$$5-2\frac{1}{6}=4\frac{6}{6}-2\frac{1}{6}=2\frac{5}{6}\text{이야.}$$

33

이런 문제가 서술형으로 나와요

자연수가 4이고 분모가 8인 가장 큰 대분수와 6의 차는 얼마인지 풀이 과정을 쓰고, 답을 구해 보세요.

| 풀이 과정 |

❶ 조건을 만족하는 대분수 구하기

자연수가 4이고 분모가 8인 가장 큰 대분수는 $4\dfrac{7}{8}$입니다.

❷ 조건을 만족하는 대분수와 6의 차를 구하기

두 수의 차는 $6-4\dfrac{7}{8}=5\dfrac{8}{8}-4\dfrac{7}{8}=1\dfrac{1}{8}$

답 $1\dfrac{1}{8}$

⟶ 수학 교과 역량 의사소통   문제 해결

(자연수)−(대분수)의 바른 계산 방법 이야기하기

(자연수)−(대분수)에서 잘못 계산한 곳을 찾아 바르게 계산하는 방법을 이야기해 보는 과정에서 의사 소통 능력과 문제 해결 능력을 기를 수 있습니다.

 개념 확인 문제   정답 및 풀이 203~204쪽

1 계산해 보세요.

(1) $6-2\dfrac{2}{6}$ (2) $5-2\dfrac{3}{5}$

2 빈 곳에 알맞은 수를 써넣으세요.

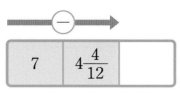

| 7 | $4\dfrac{4}{12}$ | |

3 가장 큰 수와 가장 작은 수의 차를 구해 보세요.

| $1\dfrac{4}{7}$ | 2 | $\dfrac{36}{12}$ | 4 |

(   )

4 들이가 8 L인 양동이에 물을 $6\dfrac{1}{2}$ L 채웠습니다. 양동이에 물을 가득 채우려면 몇 L를 더 부어야 하는지 구해 보세요.

(   )

8 차시

7 | 분수의 뺄셈 (5)

학습 목표

분수 부분끼리 뺄 수 없는 두 대분수의 뺄셈의 계산 원리를 이해하고 그 계산을 할 수 있습니다.

그림으로 개념 잡기

분수 부분끼리 뺄 수 없는데 어떡해?

$$3\frac{1}{5} - 1\frac{3}{5} = 2\frac{6}{5} - 1\frac{3}{5}$$

제가 자연수 부분에서 1만큼을 분수로 고치겠습니다.

어휘	**원리** principle 原 (언덕 원) 理 (다스릴 리)	사물의 근본이 되는 이치를 말합니다.

---

7 분수의 뺄셈 (5)

분수 부분끼리 뺄 수 없는 두 대분수의 뺄셈의 계산 원리를 이해하고 그 계산을 할 수 있습니다.

생각 열기

은정이는 어머니와 함께 치즈를 만들고 있습니다.
치즈를 만드는 데 우유 $3\frac{1}{5}$ L 중 $1\frac{3}{5}$ L를 사용하였습니다.

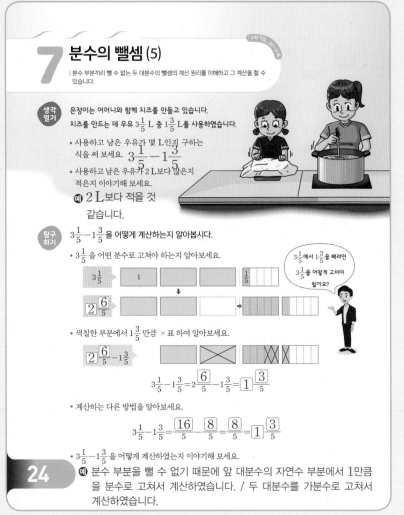

• 사용하고 남은 우유가 몇 L인지 구하는 식을 써 보세요. $3\frac{1}{5} - 1\frac{3}{5}$

• 사용하고 남은 우유가 2 L보다 많은지 적은지 이야기해 보세요.

예 2 L보다 적을 것 같습니다.

탐구하기

$3\frac{1}{5} - 1\frac{3}{5}$ 을 어떻게 계산하는지 알아봅시다.

• $3\frac{1}{5}$ 을 어떤 분수로 고쳐야 하는지 알아보세요.

$3\frac{1}{5}$ 에서 $1\frac{3}{5}$ 을 빼려면 $3\frac{1}{5}$ 을 어떻게 고쳐야 할까요?

• 색칠한 부분에서 $1\frac{3}{5}$ 만큼 ×표 하여 알아보세요.

$$3\frac{1}{5} - 1\frac{3}{5} = 2\frac{6}{5} - 1\frac{3}{5} = 1\frac{3}{5}$$

• 계산하는 다른 방법을 알아보세요.

$$3\frac{1}{5} - 1\frac{3}{5} = \frac{16}{5} - \frac{8}{5} = \frac{8}{5} = 1\frac{3}{5}$$

• $3\frac{1}{5} - 1\frac{3}{5}$ 을 어떻게 계산하였는지 이야기해 보세요.

예 분수 부분을 뺄 수 없기 때문에 앞 대분수의 자연수 부분에서 1만큼을 분수로 고쳐서 계산하였습니다. / 두 대분수를 가분수로 고쳐서 계산하였습니다.

24

교과서 개념 완성

탐구하기 **정리하기** $3\frac{1}{5} - 1\frac{3}{5}$ 을 계산하는 방법

방법 1 분수 부분끼리 뺄 수 없을 때에는 앞 대분수의 자연수 부분에서 1만큼을 분수로 고쳐서 계산합니다.

자연수에서 1만큼을 분수로 고치기

$$3\frac{1}{5} - 1\frac{3}{5} = 2\frac{6}{5} - 1\frac{3}{5} = 1\frac{3}{5}$$

방법 2 두 대분수를 가분수로 고쳐서 계산합니다.

$$3\frac{1}{5} - 1\frac{3}{5} = \frac{16}{5} - \frac{8}{5} = \frac{8}{5} = 1\frac{3}{5}$$

대분수를 가분수로   가분수를 대분수로

확인하기 두 대분수의 뺄셈 계산하기

방법 1	방법 2
$4\frac{1}{3} - 3\frac{2}{3} = 3\frac{4}{3} - 3\frac{2}{3} = \frac{2}{3}$	$4\frac{1}{3} - 3\frac{2}{3} = \frac{13}{3} - \frac{11}{3} = \frac{2}{3}$
$8\frac{4}{6} - 3\frac{5}{6} = 7\frac{10}{6} - 3\frac{5}{6} = 4\frac{5}{6}$	$8\frac{4}{6} - 3\frac{5}{6} = \frac{52}{6} - \frac{23}{6}$ $= \frac{29}{6} = 4\frac{5}{6}$
$5\frac{1}{8} - 2\frac{3}{8} = 4\frac{9}{8} - 2\frac{3}{8} = 2\frac{6}{8}$	$5\frac{1}{8} - 2\frac{3}{8} = \frac{41}{8} - \frac{19}{8}$ $= \frac{22}{8} = 2\frac{6}{8}$

참고 대분수에서 1만큼을 분수로 고치면 남은 자연수는 1 작아져야 합니다.

정리하기

● $3\frac{1}{5}-1\frac{3}{5}$ 을 계산하는 방법을 정리해 봅시다.

방법 ① 분수 부분끼리 뺄 수 없을 때에는 앞 대분수의 자연수 부분에서 1만큼을 분수로 고쳐서 계산합니다.

$$3\frac{1}{5}-1\frac{3}{5}=2\frac{6}{5}-1\frac{3}{5}=1\frac{3}{5}$$

$3=2\frac{5}{5}$
이니까……

방법 ② 두 대분수를 가분수로 고쳐서 계산합니다.

$$3\frac{1}{5}-1\frac{3}{5}=\frac{16}{5}-\frac{8}{5}=\frac{8}{5}=1\frac{3}{5}$$

● $4\frac{1}{4}-2\frac{2}{4}$ 를 계산해 보세요.

방법 ① $4\frac{1}{4}-2\frac{2}{4}=3\boxed{\frac{5}{4}}-2\frac{2}{4}=1\boxed{\frac{3}{4}}$

방법 ② $4\frac{1}{4}-2\frac{2}{4}=\boxed{\frac{17}{4}}-\boxed{\frac{10}{4}}=\boxed{\frac{7}{4}}=1\boxed{\frac{3}{4}}$

 확인하기 계산해 보세요.

$4\frac{1}{3}-3\frac{2}{3}=\frac{2}{3}$　　　$8\frac{4}{6}-3\frac{5}{6}=4\frac{5}{6}$　　　$5\frac{1}{8}-2\frac{3}{8}=2\frac{6}{8}$

 생각 솔솔 🧩 문제 해결　🔗 창의·융합

두 수를 골라 □ 안에 써넣어 그 계산 결과가 가장 작은 뺄셈식을 만들고 계산해 보세요.

나도 가능할까?

25

풀이 $6\frac{2}{7}-5\frac{5}{7}=5\frac{9}{7}-5\frac{5}{7}=\frac{4}{7}$

👩 **이런 문제가 서술형으로 나와요**

계산에서 잘못된 곳을 찾아 이유를 쓰고, 바르게 계산해 보세요.

$$6\frac{1}{4}-3\frac{2}{4}=6\frac{5}{4}-3\frac{2}{4}=3\frac{3}{4}$$

| 이유 |

❶ 계산이 잘못된 이유 쓰기

분수 부분끼리 뺄 수 없으므로 앞 대분수의 자연수 부분에서 1만큼을 분수로 고쳐서 계산해야 하는데 그렇게 하지 않았기 때문입니다.

❷ 바르게 계산하기

$$6\frac{1}{4}-3\frac{2}{4}=5\frac{5}{4}-3\frac{2}{4}=2\frac{3}{4}$$

수학 교과 역량　🧩 문제 해결　🔗 창의·융합

대분수의 뺄셈식 만들기

두 대분수의 차가 가장 작은 뺄셈식을 만들고 해결하는 과정에서 문제 해결 능력과 창의·융합 능력을 기를 수 있습니다.

 개념 확인 문제　　정답 및 풀이 204쪽

1 다음과 같은 방법으로 계산해 보세요.

$$4\frac{2}{4}-2\frac{3}{4}=\frac{18}{4}-\frac{11}{4}=\frac{7}{4}=1\frac{3}{4}$$

$5\frac{2}{5}-3\frac{4}{5}=$

2 계산해 보세요.

(1) $2\frac{4}{7}-1\frac{5}{7}$　　　(2) $5\frac{6}{9}-3\frac{8}{9}$

3 계산 결과가 더 큰 것에 ○표 하세요.

$$6\frac{2}{8}-3\frac{7}{8}$$　　$$7\frac{3}{8}-3\frac{6}{8}$$

（　　　）　　　　（　　　）

4 설탕은 $2\frac{2}{6}$ kg 있고, 소금은 $3\frac{1}{6}$ kg 있습니다. 설탕과 소금 중에서 어느 것이 몇 kg 더 많은지 구해 보세요.

（　　　　　，　　　　　　）

9 차시

문제 해결력 | 쑥쑥 — 조건에 맞는 물의 양 구하기

🔖 문제 해결 전략 거꾸로 풀기 전략

수학 교과 역량 📝 문제 해결 ♻ 창의·융합 🔧 정보 처리

조건에 맞는 물의 양 구하기

· 문제의 조건을 확인하고 문제 해결에 적절한 전략을 선택하는 과정에서 문제 해결 능력과 창의·융합 능력을 기를 수 있습니다.

· 문제 해결을 위한 조건을 확인하고 취사 선택하는 과정에서 정보 처리 능력을 기를 수 있습니다.

🔖 문제 해결 Tip 마지막에 민호와 은영이가 가진 물의 양은 알 수 있으므로 거꾸로 차근차근 되짚어 보면서 문제를 풀어 봅니다. 이때 식이나 그림, 표 등 다양한 방식으로 쉽게 문제를 해결할 수 있습니다.

학부모 코칭 Tip

그림 이외에도 식이나 표 등 다양한 방식으로 문제 해결 전략을 세울 수 있습니다.

🔖 문제 해결력 | 쑥쑥 조건에 맞는 물의 양 구하기

📝 문제 해결 ♻ 창의·융합 🔧 정보 처리

물 6 L를 민호와 은영이가 각자의 물뿌리개에 나누어 담은 후, 민호가 은영이에게 물 $\frac{2}{3}$ L를 주었더니 두 사람이 가진 물의 양이 서로 같아졌습니다. 처음에 두 사람이 나누어 가진 물은 각각 몇 L였는지 구해 보세요.

문제 이해하기 · 구하려고 하는 것은 무엇인가요? 민호와 은영이가 처음에 나누어 가진 물의 양입니다.

· 알고 있는 것은 무엇인가요?
민호가 은영이에게 물을 덜어주고 난 후의 두 사람의 물의 양은 각각 3 L입니다.

계획 세우기 · 어떤 방법으로 문제를 해결할 수 있을지 계획을 이야기해 보세요.

 마지막에 민호와 은영이가 가진 물의 양은 알 수 있어.

 받은 물의 양을 민호에게 돌려준다고 거꾸로 생각하면……

26

예 현재 민호와 은영이가 각각 가지고 있는 물의 양에서부터 거꾸로 차근차근 되짚어보면 문제를 풀 수 있을 것 같습니다.

📖 교과서 개념 완성

문제 이해하기

≫ 구하려고 하는 것

민호와 은영이가 처음에 나누어 가진 물의 양입니다.

≫ 알고 있는 것

· 처음에 있었던 물의 양은 6 L입니다.

· 민호가 은영이에게 물을 덜어주고 난 후의 두 사람의 물의 양은 각각 3 L입니다.

계획 세우기

· 현재 물의 양에서부터 거꾸로 차근차근 되짚어 봅니다.

· 그림을 그려 봅니다.

계획대로 풀기

[나누어 준 후]

| 민호 | | | 3 L |
| 은영 | | | 3 L |

↓

[나누어 주기 전]

| 민호 | | | | 3 L + $\frac{2}{3}$ L |
| 은영 | | | | 3 L − $\frac{2}{3}$ L |

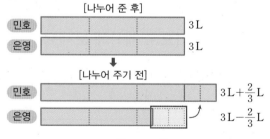

→ 처음에 민호는 $3 + \frac{2}{3} = 3\frac{2}{3}$ (L)를, 은영이는

$3 - \frac{2}{3} = 2\frac{3}{3} - \frac{2}{3} = 2\frac{1}{3}$ (L)를 나누어 가졌습니다.

되돌아보기

민호: $3\frac{2}{3} - \frac{2}{3} = 3$ (L), 은영: $2\frac{1}{3} + \frac{2}{3} = 3$ (L)

생각을 키워요

문제 해결　창의·융합　정보 처리

문제 이해하기

>> **구하려고 하는 것**

슬기와 지혜가 나누어 가진 물의 양입니다.

>> **알고 있는 것**

• 처음에 있었던 물의 양은 6 L입니다.

• 슬기가 지혜에게 물 $1\frac{2}{3}$ L를 덜어주고 난 후의 두 사람의 물의 양은 각각 3 L입니다.

계획 세우기

• 거꾸로 차근차근 생각해 봅니다.

• 식이나 표 등으로 표현해 봅니다.

계획대로 풀기

거꾸로 풀기	현재 물의 양(L)	주고 받기 전 물의 양(L)
슬기	3	$3+1\frac{2}{3}=4\frac{2}{3}$
지혜	3	$3-1\frac{2}{3}=1\frac{1}{3}$

되돌아보기

슬기: $4\frac{2}{3}-1\frac{2}{3}=3$ (L), 지혜: $1\frac{1}{3}+1\frac{2}{3}=3$ (L)

계획대로 풀기 • 자신이 계획한 방법으로 문제를 해결해 보세요.

예
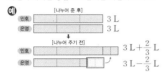
[나누어 준 후]
민호　3 L
은영　3 L
↓
[나누어 주기 전]
민호　$3 L+\frac{2}{3}$ L
은영　$3 L-\frac{2}{3}$ L

따라서 처음에 민호는 물 $3\frac{2}{3}$ L, 은영이는 물 $2\frac{1}{3}$ L를 나누어 가졌습니다.

되돌아보기 • 구한 답이 맞았는지 확인해 보세요.

• 문제를 해결한 방법을 친구들과 이야기해 보세요.

예 거꾸로 풀기 전략을 이용하여 그림을 그려 문제를 해결하였습니다.

풀이 문제 해결 과정에서 얻을 수 있는 새로운 사실이나 수학적 아이디어 의견을 함께 공유할 수 있게 합니다.

생각을 키워요

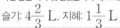

📋 물 6 L를 슬기와 지혜가 각자 물통에 나누어 담은 후, 슬기가 지혜에 물 $1\frac{2}{3}$ L를 주었더니 두 사람이 가진 물의 양이 서로 같아졌습니다. 처음에 두 사람이 나누어 가진 물은 각각 몇 L였는지 구해 보세요.

슬기: $4\frac{2}{3}$ L, 지혜: $1\frac{1}{3}$ L

27

문제 해결력 문제

정답 및 풀이 204쪽

1 어떤 수에서 $\frac{2}{6}$ 를 빼야 하는데 잘못하여 어떤 수에 $\frac{2}{6}$ 를 더했더니 3이 되었습니다. 바르게 계산한 값을 구해 보세요.

(　　　　　　)

2 어떤 수에서 $1\frac{1}{3}$ 을 빼야 하는데 잘못하여 어떤 수에 $1\frac{1}{3}$ 을 더했더니 4가 되었습니다. 바르게 계산한 값을 구해 보세요.

(　　　　　　)

3 어떤 수에 $\frac{3}{7}$ 을 더해야 하는데 잘못하여 어떤 수에서 $\frac{3}{7}$ 을 뺐더니 $2\frac{1}{7}$ 이 되었습니다. 바르게 계산한 값을 구해 보세요.

(　　　　　　)

4 어떤 수에 $2\frac{3}{4}$ 을 더해야 하는데 잘못하여 어떤 수에서 $2\frac{3}{4}$ 을 뺐더니 $2\frac{2}{4}$ 가 되었습니다. 바르게 계산한 값을 구해 보세요.

(　　　　　　)

 추론 **정보 처리**

분수의 덧셈과 뺄셈의 계산 원리 이해하기

▶자습서 12~13쪽, 18~19쪽

· (대분수)+(대분수)

자연수 부분에서 자연수끼리, 분수 부분에서 분수끼리 더합니다.

· (자연수)-(진분수)

자연수에서 1만큼을 분수로 고쳐서 계산합니다.

학부모 코칭 Tip

영역 모델, 수직선 모델을 이용하여 분수의 덧셈과 뺄셈의 계산 원리를 이해합니다.

추론 **정보 처리**

분수의 덧셈과 뺄셈 계산하기

▶자습서 10~21쪽

(자연수)-(대분수)

방법 1 자연수에서 1만큼을 분수로 고친 후 자연수 부분에서 자연수끼리, 분수 부분에서 분수끼리 뺍니다.

방법 2 자연수를 가분수로 고쳐서 계산합니다.

문제 해결 **태도 및 실천**

실생활에서 분수의 덧셈 문제 해결하기

자습서 12~13쪽

(대분수)+(대분수)

방법 1 자연수 부분에서 자연수끼리, 분수 부분에서 분수끼리 더합니다.

방법 2 두 대분수를 가분수로 고쳐서 계산합니다.

---

① 그림을 보고 ☐ 안에 알맞은 수를 써넣으세요.

14쪽, 21쪽

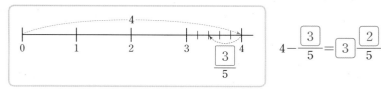

$$1\frac{1}{5} + \boxed{2}\frac{\boxed{2}}{5} = \boxed{3}\frac{\boxed{3}}{5}$$

풀이 1이 2개, $\frac{1}{5}$이 2개 있으므로 $2\frac{2}{5}$입니다. ⇨ $1\frac{1}{5} + 2\frac{2}{5} = 3\frac{3}{5}$

$$4 - \frac{\boxed{3}}{5} = \boxed{3}\frac{\boxed{2}}{5}$$

풀이 작은 눈금 한 칸은 $\frac{1}{5}$이므로 3칸은 $\frac{3}{5}$입니다.

3에서 $\frac{1}{5}$만큼 2칸 더 간 곳이므로 $4 - \frac{3}{5} = 3\frac{2}{5}$입니다.

---

② 계산해 보세요.

12~23쪽

$$\frac{4}{6} + \frac{3}{6} = 1\frac{1}{6}$$

$$3\frac{1}{5} + 2\frac{4}{5} = 6$$

$$4\frac{3}{4} - 2\frac{1}{4} = 2\frac{2}{4}$$

$$6 - 2\frac{5}{6} = 3\frac{1}{6}$$

풀이 · $\frac{4}{6} + \frac{3}{6} = \frac{7}{6} = 1\frac{1}{6}$ · $3\frac{1}{5} + 2\frac{4}{5} = 5\frac{5}{5} = 6$

· $4\frac{3}{4} - 2\frac{1}{4} = \frac{19}{4} - \frac{9}{4} = \frac{10}{4} = 2\frac{2}{4}$ · $6 - 2\frac{5}{6} = \frac{36}{6} - \frac{17}{6} = \frac{19}{6} = 3\frac{1}{6}$

---

③ 민수는 아버지와 함께 빨간색 페인트 $4\frac{3}{5}$ L와 노란색 페인트 $3\frac{4}{5}$ L를 사용하여 반려

14쪽 동물의 집을 칠하였습니다. 두 사람이 사용한 페인트는 모두 몇 L인가요?

식 $4\frac{3}{5} + 3\frac{4}{5} = 8\frac{2}{5}$ **답** $8\frac{2}{5}$ L

풀이 $4\frac{3}{5} + 3\frac{4}{5} = 7 + \frac{7}{5} = 7 + 1\frac{2}{5} = 8\frac{2}{5}$ (L)

또는 $4\frac{3}{5} + 3\frac{4}{5} = \frac{23}{5} + \frac{19}{5} = \frac{42}{5} = 8\frac{2}{5}$ (L)

28

4 미술 시간에 철사를 이용한 조형물을 만들었습니다. 진수네 모둠은 철사를 $7\frac{3}{10}$ m 사용하였고, 고은이네 모둠은 철사를 $5\frac{5}{10}$ m 사용하였습니다. 진수네 모둠은 고은이네 모둠보다 철사를 몇 m 더 사용하였나요?

24쪽

식 $7\frac{3}{10}-5\frac{5}{10}=1\frac{8}{10}$

답 $1\frac{8}{10}$ m

풀이 $7\frac{3}{10}-5\frac{5}{10}=6\frac{13}{10}-5\frac{5}{10}=1\frac{8}{10}$ (m)

또는 $7\frac{3}{10}-5\frac{5}{10}=\frac{73}{10}-\frac{55}{10}=\frac{18}{10}=1\frac{8}{10}$ (m)

문제 해결 태도 및 실천
실생활에서 분수의 뺄셈 문제 해결하기
▶ 자습서 22~23쪽
분수 부분끼리 뺄 수 없는
(대분수)−(대분수)

방법 **1** 빼지는 분수의 자연수에서 1만큼을 가분수로 바꾸어 계산합니다.

방법 **2** 대분수를 모두 가분수로 바꾸어 계산합니다.

5 ☐안에 들어갈 수 있는 자연수를 모두 구해 보세요.

24쪽

$$5\frac{2}{9}-\frac{8}{9}>4\frac{\boxed{}}{9}$$

답 1, 2

풀이 $5\frac{2}{9}-\frac{8}{9}=4\frac{11}{9}-\frac{8}{9}=4\frac{3}{9}$이므로 $4\frac{3}{9}>4\frac{\boxed{}}{9}$를 만족시키는 자연수를 찾으면 1, 2 입니다.

문제 해결 추론
분수의 뺄셈으로 조건에 맞는 분자 추론하기
▶ 자습서 22~23쪽

학부모 코칭 Tip
분수 부분끼리 뺄 수 없을 때에는 자연수에서 1만큼을 가분수로 고쳐서 계산하거나 대분수를 가분수로 고쳐서 계산합니다.

 **생각을 넓혀요** 문제 해결 의사소통

6 어떤 수에 $2\frac{3}{5}$을 더해야 하는데 잘못하여 어떤 수에서 $2\frac{3}{5}$을 뺐더니 $4\frac{4}{5}$가 되었습니다. 바르게 계산하면 얼마인지 풀이 과정을 쓰고, 답을 구해 보세요.

14쪽, 24쪽

풀이 **예** 어떤 수를 ☐라고 하면

$\boxed{}-2\frac{3}{5}=4\frac{4}{5}$, $\boxed{}=4\frac{4}{5}+2\frac{3}{5}=6\frac{7}{5}=7\frac{2}{5}$

바르게 계산하면 $7\frac{2}{5}+2\frac{3}{5}=9\frac{5}{5}=10$

답 10

풀이 잘못된 계산에서 어떤 수를 구한 후 바르게 계산해 봅니다.

문제 해결 의사소통
잘못 푼 분수의 덧셈과 뺄셈 문제 바르게 풀기
▶ 자습서 12~13쪽, 22~23쪽

학부모 코칭 Tip
대분수의 덧셈에서 분수끼리의 합이 가분수이면 대분수로 바꿔야 합니다. 대분수의 분수 부분은 진분수이어야 합니다.

29

11 차시

• 놀이 속으로 | 풍덩   **• 이야기로 키우는 | 생각**

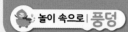 **분수의 덧셈식 만들기**

인 원 2명

준비물 주사위 3개

놀이 방법

두 사람이 가위바위보를 합니다. 가위바위보에서 이긴 사람이 주사위 3개를 동시에 던져 나온 눈의 수로 세 수를 구합니다. 두 사람은 각자 분모가 7인 분수의 덧셈식을 만듭니다.

예  ➡ 6, 5, 3 ➡ $\frac{\blacktriangle}{7} + \frac{\bullet}{7}$

 $6\frac{3}{7}+\frac{5}{7}$ $5\frac{6}{7}+\frac{3}{7}$

세 수 중에서 한 수는 자연수 부분(■)에 쓰고 나머지 두 수는 분자 부분(▲, ●)에 씁니다.

 $7\frac{1}{7}$ $6\frac{2}{7}$

계산 결과가 더 큰 덧셈식을 만든 사람이 이기게 됩니다. 단, 계산이 틀리면 상대방이 이깁니다.

❶ 두 분수의 덧셈을 하고 이긴 사람의 이름을 써 보세요.

계산 결과가 같을 경우, '같음'이라고 적어요.

주사위를 던져 나온 수	나와 친구가 만든 식		계산 결과가 더 큰 사람
	나	친구	
예 6, 5, 3	$6\frac{3}{7}+\frac{5}{7}=7\frac{1}{7}$	$5\frac{6}{7}+\frac{3}{7}=6\frac{2}{7}$	나
예 5, 4, 3	$4\frac{3}{7}+\frac{5}{7}=5\frac{1}{7}$	$5\frac{3}{7}+\frac{4}{7}=6$	친구

❷ 분수의 덧셈식의 계산 결과를 크게 만드는 방법을 친구들과 이야기해 보세요.

나온 수 중에서 가장 큰 수를 자연수 부분에 쓰면 됩니다.

30   31

 교과서 개념 완성

놀이 속으로 | 풍덩

❶ 두 분수의 덧셈을 하고 계산 결과 비교하기

• 분모가 7인 덧셈식을 만들고 계산합니다.

예 주사위를 던져 나온 수: 6, 5, 3

내가 만든 식: $6\frac{3}{7}+\frac{5}{7}=7\frac{1}{7}$

친구가 만든 식: $5\frac{6}{7}+\frac{3}{7}=6\frac{2}{7}$

• 친구와 자신의 계산 결과를 비교해 봅니다.

$7\frac{1}{7}>6\frac{2}{7}$ 이므로 내가 만든 분수의 덧셈식의 계산 결과가 더 큽니다.

❷ 분수의 덧셈식의 계산 결과를 크게 만드는 방법

세 수 중에서 어떤 수를 자연수 부분과 분자 부분에 쓰면 계산 결과가 크게 될지 생각해 보고 덧셈식을 만들게 합니다.

➡ 나온 수 중에서 가장 큰 수를 자연수 부분에 쓰면 됩니다.

예 주사위를 던져 나온 수: 5, 4, 3

$$5\frac{3}{7}+\frac{4}{7}=5\frac{7}{7}=6\left(5\frac{4}{7}+\frac{3}{7}=5\frac{7}{7}=6\right)$$

계산 결과가 가장 큽니다.

$$4\frac{3}{7}+\frac{5}{7}=4\frac{8}{7}=5\frac{1}{7}\left(4\frac{5}{7}+\frac{3}{7}=4\frac{8}{7}=5\frac{1}{7}\right)$$

$$3\frac{4}{7}+\frac{5}{7}=3\frac{9}{7}=4\frac{2}{7}\left(3\frac{5}{7}+\frac{4}{7}=3\frac{9}{7}=4\frac{2}{7}\right)$$

이야기로 키우는 생각

창의력 키우기

분수로 정확하게, 요리를 맛있게!

정확한 계량이 중요해!

요리를 할 때도 분수가 유용하게 사용된다는 거 아세요? 요리책, 음식 만드는 방법을 알려주는 텔레비전 요리 방송이나 인터넷 방송을 보면 어떤 재료를 얼마만큼 넣어야 하는지 알려줍니다. 음식에 들어가는 각종 재료들의 양을 재는 것을 '계량한다'고 하는데, 맛있는 음식을 만들기 위해서는 계량을 잘 하는 것이 중요합니다.

라면 봉지의 겉면을 살펴보면 라면을 맛있게 끓이는 방법이 표기되어 있습니다. 500~550 mL의 물을 냄비에 넣고 끓이라고 표기되어 있다면 과연 물을 어느 정도 넣어야 할까요? 100 mL가 얼마만큼의 양인지 알고 있는 사람들은 많지 않습니다. 그렇다면 어떤 물건을 사용할 수 있을까요? 가장 간단하게 사용할 수 있는 물건은 종이컵입니다. 종이컵을 이용하면 물의 양을 일정하게 담을 수 있습니다.

가루나 액체의 양을 어떻게 계량할 수 있을까?

가루 1 큰술	계량스푼 1 큰술은 밥숟가락으로 수북하게 떠서 담은 정도
가루 $\frac{1}{2}$ 큰술	계량스푼 $\frac{1}{2}$ 큰술은 밥숟가락으로 절반가량 담은 정도
액체 1 큰술	계량스푼 1 큰술은 밥숟가락으로 한가득 두 번 담은 정도
액체 $\frac{1}{2}$ 큰술	계량스푼 $\frac{1}{2}$ 큰술은 밥숟가락으로 한가득 한 번 담은 정도

맛있게 만들어 봐요!

종이컵과 숟가락으로 간단하게 계량하는 방법을 잘 알았나요? 이제 정확한 계량으로 맛있는 음식을 함께 만들어 봅시다.

감자샐러드샌드위치 4인분 만들기

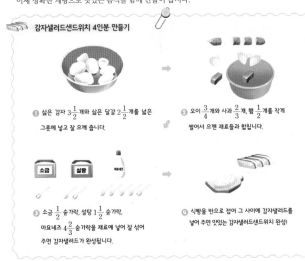

❶ 삶은 감자 $3\frac{1}{2}$개와 삶은 달걀 $2\frac{1}{2}$개를 넣은 그릇에 넣고 잘 으깨 줍니다.

❷ 오이 $\frac{3}{4}$개와 사과 $\frac{2}{3}$개, 햄 $\frac{1}{2}$개를 작게 썰어서 으깬 재료들과 합칩니다.

❸ 소금 $\frac{1}{2}$ 숟가락, 설탕 $1\frac{1}{2}$ 숟가락, 마요네즈 $4\frac{2}{3}$ 숟가락을 재료에 넣어 잘 섞어 주면 감자샐러드가 완성됩니다.

❹ 식빵을 반으로 접어 그 사이에 감자샐러드를 넣어 주면 맛있는 감자샐러드샌드위치 완성!

감자샐러드샌드위치를 8명이 먹으려면 재료가 얼마나 필요할까요?

바로, 위 재료들의 양을 한 번씩 더해서 두 배로 만들면 8명이 먹을 수 있답니다. 예를 들어 마요네즈는 $4\frac{2}{3}+4\frac{2}{3}=9\frac{1}{3}$(숟가락)만큼 필요합니다.

 이야기로 키우는 생각

법정 단위 — 정확성과 공정성을 확보하기 위해 정부가 법령에 의하여 정하는 상거래 및 증명용 단위입니다.

• **길이**

사용해야 하는 단위(법정 단위)	미터(m), 센티미터(cm), 킬로미터(km)
사용 금지 단위 (비법정 단위)	자(尺), 마, 리(里), 피트, 인치, 마일, 야드
비고 (환산 단위)	1자＝약 30.303 cm 1피트＝0.3048 m 1인치＝25.4 mm 1마일＝1.609344 km 1야드＝0.9144 m

• **무게**

사용해야 하는 단위(법정 단위)	그램(g), 킬로그램(kg), 톤(t)
사용 금지 단위 (비법정 단위)	근(斤), 관(貫), 파운드, 온스, 돈, 냥
비고 (환산 단위)	1근＝600 g＝0.6 kg 1관＝3750 g＝3.75 kg 1파운드＝453 g＝0.453 kg 1온스＝28.349 g＝0.028 kg 1돈＝3.75 g (1냥＝10돈)

[출처] 국가기술표준원, 2020.

개념

분수의 덧셈 (1) — (진분수)+(진분수)

· $\dfrac{3}{8}+\dfrac{4}{8}$ 의 계산 방법

$$\dfrac{3}{8}+\dfrac{4}{8}=\dfrac{3+4}{8}=\dfrac{7}{8}$$

$\dfrac{3}{8}+\dfrac{4}{8}$ 는 $\dfrac{1}{8}$ 이 3개인 것과 $\dfrac{1}{8}$ 이 4개인 것을 더한 것과 같습니다.

분수의 덧셈 (2) — (대분수)+(대분수)

· $1\dfrac{2}{6}+2\dfrac{3}{6}$ 의 계산 방법

방법 ❶ $1\dfrac{2}{6}+2\dfrac{3}{6}=3\dfrac{5}{6}$ — 자연수 부분에서 자연수끼리, 분수 부분에서 분수끼리 더합니다.

방법 ❷ $1\dfrac{2}{6}+2\dfrac{3}{6}=\dfrac{8}{6}+\dfrac{15}{6}=\dfrac{23}{6}=3\dfrac{5}{6}$
두 대분수를 가분수로 고쳐서 계산합니다.

분수의 뺄셈 (1) — (진분수)−(진분수), 1−(진분수)

· $\dfrac{4}{5}-\dfrac{3}{5}$ 의 계산 방법

$$\dfrac{4}{5}-\dfrac{3}{5}=\dfrac{4-3}{5}=\dfrac{1}{5}$$

$\dfrac{4}{5}-\dfrac{3}{5}$ 은 $\dfrac{1}{5}$ 이 4개인 것에서 $\dfrac{1}{5}$ 이 3개인 것을 뺀 것과 같습니다.

· $1-\dfrac{1}{3}$ 의 계산 방법 — $1-\dfrac{1}{3}$ 은 1을 가분수 $\dfrac{3}{3}$ 으로 고쳐서 계산합니다.

$$1-\dfrac{1}{3}=\dfrac{3}{3}-\dfrac{1}{3}=\dfrac{3-1}{3}=\dfrac{2}{3}$$

분수의 뺄셈 (2) — 분수 부분끼리 뺄 수 있는 (대분수)−(대분수)

· $4\dfrac{2}{3}-1\dfrac{1}{3}$ 의 계산 방법

방법 ❶ $4\dfrac{2}{3}-1\dfrac{1}{3}=3\dfrac{1}{3}$ 자연수 부분에서 자연수끼리, 분수 부분에서 분수끼리 뺍니다.

방법 ❷ $4\dfrac{2}{3}-1\dfrac{1}{3}=\dfrac{14}{3}-\dfrac{4}{3}=\dfrac{10}{3}=3\dfrac{1}{3}$
두 대분수를 가분수로 고쳐서 계산합니다.

확인 문제

1 계산해 보세요.

(1) $\dfrac{4}{7}+\dfrac{2}{7}$ (2) $\dfrac{8}{10}+\dfrac{9}{10}$

2 ◯안에 >, =, <를 알맞게 써넣으세요.

$$4\dfrac{6}{7}+2\dfrac{5}{7} \bigcirc 7\dfrac{3}{7}$$

3 계산 결과를 찾아 선으로 이어 보세요.

$\dfrac{8}{9}-\dfrac{6}{9}$	·		·	$\dfrac{3}{9}$
$1-\dfrac{6}{9}$	·		·	$\dfrac{1}{9}$
			·	$\dfrac{2}{9}$

4 물 $5\dfrac{2}{4}$ L가 담긴 수조가 있습니다. 주전자에 있던 물을 수조에 모두 부었더니 수조의 물이 $10\dfrac{3}{4}$ L가 되었습니다. 주전자에 있던 물은 몇 L인지 구해 보세요.

(   )

개념

✦ 분수의 뺄셈 (3) — (자연수)—(진분수)

· $2-\dfrac{1}{4}$의 계산 방법

방법 ❶ $2-\dfrac{1}{4}=1\dfrac{4}{4}-\dfrac{1}{4}=1\dfrac{3}{4}$ 자연수에서 1만큼을 분수로 고쳐서 계산합니다.

방법 ❷ $2-\dfrac{1}{4}=\dfrac{8}{4}-\dfrac{1}{4}=\dfrac{7}{4}=1\dfrac{3}{4}$

└ 자연수를 가분수로 고쳐서 계산합니다.

✦ 분수의 뺄셈 (4) — (자연수)—(대분수)

· $3-1\dfrac{2}{6}$의 계산 방법

방법 ❶ $3-1\dfrac{2}{6}=2\dfrac{6}{6}-1\dfrac{2}{6}=1\dfrac{4}{6}$

└ 자연수에서 1만큼을 분수로 고친 후 자연수 부분에서 자연수끼리, 분수 부분에서 분수끼리 뺍니다.

방법 ❷ $3-1\dfrac{2}{6}=\dfrac{18}{6}-\dfrac{8}{6}=\dfrac{10}{6}=1\dfrac{4}{6}$

└ 자연수와 대분수를 가분수로 고쳐서 계산합니다.

✦ 분수의 뺄셈 (5) — 분수 부분끼리 뺄 수 없는 (대분수)—(대분수)

· $4\dfrac{1}{3}-2\dfrac{2}{3}$의 계산 방법

방법 ❶ $4\dfrac{1}{3}-2\dfrac{2}{3}=3\dfrac{4}{3}-2\dfrac{2}{3}=1\dfrac{2}{3}$

└ 분수 부분끼리 뺄 수 없을 때에는 앞 대분수의 자연수 부분에서 1만큼을 분수로 고쳐서 계산합니다.

방법 ❷ $4\dfrac{1}{3}-2\dfrac{2}{3}=\dfrac{13}{3}-\dfrac{8}{3}=\dfrac{5}{3}=1\dfrac{2}{3}$

└ 두 대분수를 가분수로 고쳐서 계산합니다.

확인 문제

5 직사각형의 긴 변의 길이가 2 cm, 짧은 변의 길이가 $\dfrac{9}{10}$ cm입니다. 긴 변은 짧은 변보다 몇 cm 더 긴지 구해 보세요.

(   )

6 $5-1\dfrac{2}{4}$를 계산한 것입니다. 잘못 계산한 곳을 찾아 바르게 계산해 보세요.

$$5-1\dfrac{2}{4}=4+\dfrac{2}{4}=4\dfrac{2}{4}$$

$5-1\dfrac{2}{4}=$ ....

7 명진이가 계산한 방법과 다른 방법으로 $4-2\dfrac{3}{5}$을 계산해 보세요.

[명진이가 계산한 방법]
$$4-2\dfrac{3}{5}=3\dfrac{5}{5}-2\dfrac{3}{5}=1\dfrac{2}{5}$$

$4-2\dfrac{3}{5}=$ ....

8 ☐안에 알맞은 수를 써넣으세요.

$$2\dfrac{7}{6}+\boxed{}=8\dfrac{5}{6}$$

서술형 문제 해결하기

1-1 가장 큰 분수와 가장 작은 분수의 합은 얼마인지 풀이 과정을 쓰고, 답을 구해 보세요.

[8점]

$$\frac{6}{12} \qquad \frac{4}{12} \qquad \frac{7}{12}$$

풀이

❶ $\dfrac{\boxed{}}{12} > \dfrac{6}{12} > \dfrac{\boxed{}}{12}$ 이므로 가장 큰 분수

는 $\dfrac{\boxed{}}{12}$, 가장 작은 분수는 $\dfrac{4}{12}$ 입니다.

❷ 두 분수의 합은 $\dfrac{\boxed{}}{12} + \dfrac{4}{12} = \dfrac{\boxed{}}{12}$ 입니다.

답 ⬚ ....

1-2 가장 큰 분수와 가장 작은 분수의 합은 얼마인지 풀이 과정을 쓰고, 답을 구해 보세요.

[12점]

$$\frac{7}{8} \qquad \frac{5}{8} \qquad \frac{3}{8}$$

풀이

답 ⬚ ....

1-3 유사 가장 큰 분수와 가장 작은 분수의 합은 얼마인지 풀이 과정을 쓰고, 답을 구해 보세요.

[15점]

$$3\frac{2}{6} \qquad 2\frac{3}{6} \qquad 3\frac{1}{6}$$

풀이

답 ⬚ ....

1-4 실전 가장 큰 분수와 가장 작은 분수의 합은 얼마인지 풀이 과정을 쓰고, 답을 구해 보세요.

[15점]

$$4\frac{5}{7} \qquad 3\frac{2}{7} \qquad 7\frac{6}{7}$$

풀이

답 ⬚ ....

과정 중심 평가 내용 | 분모가 같은 분수의 뺄셈의 계산 원리를 이해하고 그 계산을 할 수 있는가?

공부한 날 월 일

➜ 정답 및 풀이 205~206쪽

2-1 지우는 길이가 $3\frac{4}{6}$ m인 끈을 가지고 있고, 현이는 길이가 $4\frac{5}{6}$ m인 끈을 가지고 있습니다. 가지고 있는 끈의 길이는 누가 몇 m 더 긴지 풀이 과정을 쓰고, 답을 구해 보세요. [8점]

풀이

❶ 끈의 길이를 비교하면 $3\frac{4}{6}$ m ◯ $4\frac{5}{6}$ m 이므로 □의 끈이 더 깁니다.

❷ 가지고 있는 끈의 길이는 □가

$4\frac{5}{6}-3\frac{4}{6}=\square\frac{\square}{6}$ (m) 더 깁니다.

답 ,

2-2 쌍둥이

민기는 길이가 $5\frac{5}{8}$ m인 끈을 가지고 있고, 세미는 길이가 $4\frac{3}{8}$ m인 끈을 가지고 있습니다. 가지고 있는 끈의 길이는 누가 몇 m 더 긴지 풀이 과정을 쓰고, 답을 구해 보세요. [12점]

풀이

답 ,

2-3 유사

아현이는 길이가 $4\frac{5}{7}$ m인 리본을 가지고 있고, 수빈이는 길이가 $5\frac{2}{7}$ m인 리본을 가지고 있습니다. 가지고 있는 리본의 길이는 누가 몇 m 더 긴지 풀이 과정을 쓰고, 답을 구해 보세요. [15점]

풀이

답 ,

2-4 실전

재민이는 길이가 10 m인 털실을 가지고 있고, 이슬이는 길이가 $7\frac{5}{9}$ m인 털실을 가지고 있습니다. 가지고 있는 털실의 길이는 누가 몇 m 더 긴지 풀이 과정을 쓰고, 답을 구해 보세요. [15점]

풀이

답 ,

| 분수의 덧셈 (1) |

01 수직선을 이용하여 $\dfrac{6}{7}+\dfrac{3}{7}$ 이 얼마인지 알아보세요.

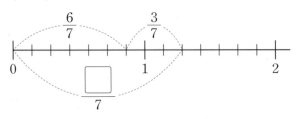

$$\dfrac{6}{7}+\dfrac{3}{7}=\dfrac{\boxed{}}{\boxed{}}$$

| 분수의 뺄셈 (1) |

02 □ 안에 알맞은 수를 써넣으세요.

$$1-\dfrac{3}{8}=\dfrac{\boxed{}}{8}-\dfrac{\boxed{}}{8}=\dfrac{\boxed{}-\boxed{}}{8}=\dfrac{\boxed{}}{8}$$

| 분수의 덧셈 (2) |

03 $1\dfrac{7}{12}+2\dfrac{3}{12}$ 을 두 가지 방법으로 계산해 보세요.

(1) $1\dfrac{7}{12}+2\dfrac{3}{12}=\boxed{}\dfrac{\boxed{}}{\boxed{}}$

(2) $1\dfrac{7}{12}+2\dfrac{3}{12}=\dfrac{\boxed{}}{12}+\dfrac{\boxed{}}{12}$

$=\dfrac{\boxed{}}{12}=\boxed{}\dfrac{\boxed{}}{12}$

| 분수의 덧셈 (1) |

04 두 수의 합을 빈 곳에 써넣으세요.

| 분수의 덧셈 (1) |

05 ○ 안에 >, =, <를 알맞게 써넣으세요.

$$\dfrac{5}{6}+\dfrac{2}{6}\ \bigcirc\ 1\dfrac{2}{6}$$

| 분수의 뺄셈 (2) |

06 $3\dfrac{3}{5}-2\dfrac{2}{5}$ 는 얼마인지 알아보려고 합니다. 물음에 답해 보세요.

(1) 그림에 $2\dfrac{2}{5}$ 만큼 × 로 지워 보세요.

(2) $3\dfrac{3}{5}-2\dfrac{2}{5}$ 는 얼마인지 구해 보세요.

(   )

| 분수의 뺄셈 (1) |

07 ㉠과 ㉡의 차를 구해 보세요.

| ㉠ $\dfrac{1}{12}$ 이 9개인 수   ㉡ 1 |

(   )

| 분수의 덧셈 (2) |

08 다음이 나타내는 수를 구해 보세요.
중

$$3\frac{3}{4}\text{보다 }2\frac{2}{4}\text{ 큰 수}$$

(　　　　　　　　)

| 분수의 덧셈 (2) |

09 계산 결과가 더 큰 것에 ○표 하세요.
중

$$2\frac{3}{9}+3\frac{7}{9}$$　　　　$$4\frac{8}{9}+1\frac{4}{9}$$

(　　　)　　　　　(　　　)

| 분수의 뺄셈 (2) |

10 ⬜ 안에 알맞은 수를 써넣으세요.
중

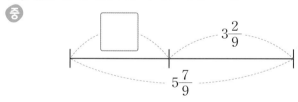

| 분수의 뺄셈 (4) |

11 수직선을 보고 ⬜ 안에 알맞은 대분수를 구
중 해 보세요.

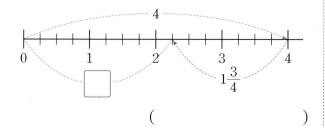

(　　　　　　　　)

| 분수의 뺄셈 (4) |

12 계산 결과를 찾아 선으로 이어 보세요.
중

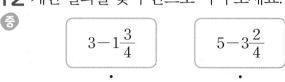

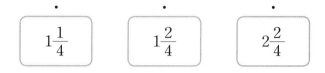

| 분수의 뺄셈 (5) |

13 수직선을 보고 ⬜ 안에 알맞은 대분수를 구
중 해 보세요.

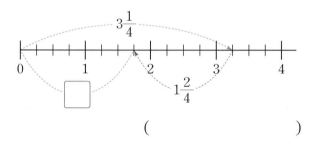

(　　　　　　　　)

| 분수의 뺄셈 (1) |　　　　　　　　서술형

14 주스 1 L를 어제는 $\frac{3}{7}$ L, 오늘은 $\frac{2}{7}$ L 마셨
중 습니다. 남은 주스는 몇 L인지 풀이 과정을
쓰고, 답을 구해 보세요.
풀이

답 ＿＿＿＿＿＿＿＿

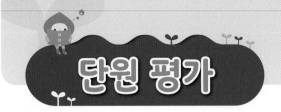

➜ 정답 및 풀이 206~207쪽

| 분수의 뺄셈 (4) |

15 어느 날의 낮의 길이는 $10\frac{11}{20}$ 시간이었습니다.
중 이날의 밤의 길이는 몇 시간인지 구해 보세요.

( )

| 분수의 뺄셈 (5) |

16 ☐ 안에 알맞은 수를 써넣으세요.
중

$$7\frac{7}{10} - \boxed{} = 5\frac{9}{10}$$

( )

| 분수의 뺄셈 (2) | **서술형**

17 숫자 카드를 모두 사용하여 만들 수 있는 분
상 모가 같은 가장 큰 대분수와 가장 작은 대분
수의 차를 구하려고 합니다. 풀이 과정을 쓰
고, 답을 구해 보세요.

풀이

답 _____

| 분수의 뺄셈 (5) |

18 계산 결과가 큰 순서대로 기호를 써 보세요.
중

$$\boxed{\begin{array}{ll} \text{㉠ } 4\frac{3}{5} - 1\frac{4}{5} & \text{㉡ } 4\frac{4}{5} - 2\frac{3}{5} \\[2mm] \text{㉢ } 6\frac{1}{5} - 3\frac{4}{5} & \text{㉣ } 7\frac{1}{5} - 4\frac{3}{5} \end{array}}$$

( )

| 분수의 뺄셈 (3) |

19 길이가 2 cm인 테이프 2장을 $\frac{9}{10}$ cm 겹쳐
상 이어 붙인다면 이어 붙인 테이프의 전체 길
이는 몇 cm일까요?

( )

| 분수의 뺄셈 (3) | **서술형**

20 초콜릿이 2 kg 있습니다. 과자 1판을 만드
상 는 데 $\frac{2}{3}$ kg만큼의 초콜릿이 사용된다면 초
콜릿으로 만들 수 있는 과자는 모두 몇 판인
지 풀이 과정을 쓰고, 답을 구해 보세요.

풀이

답 _____

요리를 할 때도 분수의 덧셈과 뺄셈을 알아야 한다고?

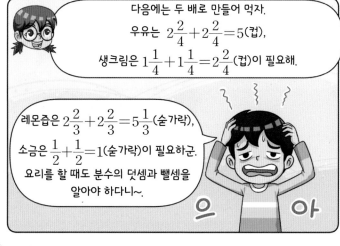

2

삼각형

- 수학 사진전을 관람하고 있습니다.
- 빨대를 이용한 삼각형 만들기 체험을 하고 있습니다.

그림 속 상황

자/기/주/도/학/습

학습 목표

'무엇을 알고 있나요'와 '함께 생각해 볼까요'를 통하여 단원을 준비할 수 있습니다.

● 직각삼각형 찾기

한 각이 직각인 삼각형을 직각삼각형이라고 합니다.

학부모 코칭 Tip

직각을 찾을 때에는 삼각자나 종이를 반듯하게 두 번 접었을 때 생기는 각을 이용하여 직각을 찾습니다.

● 예각, 직각, 둔각 구별하기

예각

직각

둔각

학부모 코칭 Tip

『수학 4-1』의 각도에서 배운 예각, 직각, 둔각에 대한 개념을 확인합니다.

준비 팡팡

🔒 무엇을 알고 있나요

1 직각삼각형이 있는 것에 ○표 하세요.

(   )   (○   )

풀이 한 각이 직각인 삼각형을 직각삼각형이라고 합니다.

2 각을 보고 예각, 직각, 둔각 중 어느 것인지 ☐ 안에 써넣으세요.

둔각   예각   직각

풀이 ·예각은 0°보다 크고 직각보다 작은 각입니다.
　　·직각은 90°인 각입니다.
　　·둔각은 직각보다 크고 180°보다 작은 각입니다.

36

교과서 개념 완성 | 배운 것을 다시 생각하기

➡ 직각 알아보기

그림과 같이 종이를 반듯하게 두 번 접었을 때 생기는 각을 직각이라고 합니다.

 ➡

직각 ㄱㄴㄷ을 나타낼 때에는 꼭짓점 ㄴ에 ㄴ 표시를 해요.

➡ 직각삼각형 알아보기

한 각이 직각인 삼각형을 직각삼각형이라고 합니다.

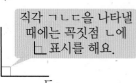

➡ 예각과 둔각 알아보기

· 각도가 0°보다 크고 직각보다 작은 각을 예각이라고 합니다.
· 각도가 직각보다 크고 180°보다 작은 각을 둔각이라고 합니다.

➡ 삼각형의 세 각의 크기의 합 알아보기

삼각형의 세 각의 크기의 합은 180°입니다.

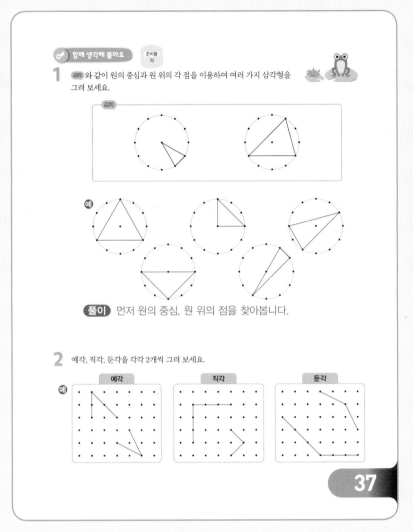

함께 생각해 볼까요 　준비물 자

1 보기 와 같이 원의 중심과 원 위의 각 점을 이용하여 여러 가지 삼각형을 그려 보세요.

보기

예

풀이 먼저 원의 중심, 원 위의 점을 찾아봅니다.

2 예각, 직각, 둔각을 각각 2개씩 그려 보세요.

예 　예각　　직각　　둔각

37

● **원의 점을 이어 삼각형 그리기**

원의 중심과 원 위의 각 점을 이용하여 여러 가지 삼각형을 그려 봅니다.

원의 중심 　원 위의 점

학부모 코칭 **Tip**

원의 점을 이어 삼각형 그리기는 이등변삼각형과 정삼각형을 알아보는 데 도움을 줍니다.

● **예각, 직각, 둔각 그리기**
- 예각 그리기: 0°보다 크고 직각보다 작은 각을 그립니다.
- 직각 그리기: 90°인 각을 그립니다.
- 둔각 그리기: 90°보다 크고 180°보다 작은 각을 그립니다.

학부모 코칭 **Tip**

예각, 직각, 둔각이 헷갈려요.

각도기를 사용하여 재어 보면서 90°는 직각, 0°보다 크고 90°보다 작은 각은 예각, 90°보다 크고 180°보다 작은 각은 둔각임을 알게 합니다.

개념 확인 문제　정답 및 풀이 208쪽

| 3-1 2. 평면도형 |

1 직각을 찾아 ○표 하세요.

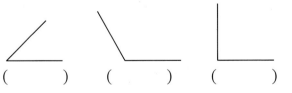

(　　　)　(　　　)　(　　　)

| 3-1 2. 평면도형 |

2 직각삼각형을 찾아 기호를 써 보세요.

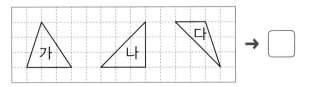

→ ☐

| 4-1 2. 각도 |

3 각을 보고 예각, 둔각 중 어느 것인지 ☐ 안에 써넣으세요.

(1)　　　　　　(2)

☐　　　　　☐

| 4-1 2. 각도 |

4 ☐ 안에 알맞은 수를 써넣으세요.

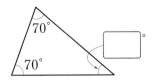

70°　☐°
70°

2. 삼각형 • **41**

2 차시

1 이등변삼각형

학습 목표

여러 가지 모양의 삼각형에 대한 분류 활동을 통하여 이등변삼각형을 이해합니다.

그림으로 개념 잡기

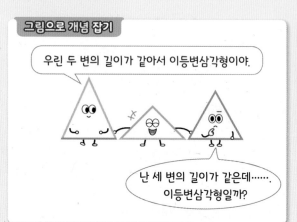

우린 두 변의 길이가 같아서 이등변삼각형이야.

난 세 변의 길이가 같은데…….
이등변삼각형일까?

참고 지붕, 화살촉 등에서 이등변삼각형을 찾을 수 있습니다.

변	
side	도형을 이루는 가장
邊 (가장자리 변)	자리를 말합니다.

어휘

---

1 이등변삼각형

| 여러 가지 모양의 삼각형에 대한 분류 활동을 통하여 이등변삼각형을 이해합니다.

생각 열기
준비물
색 빨대, 모루

지혜와 민수는 3개의 빨대를 연결하여 여러 가지 모양의 삼각형을 만들었습니다.

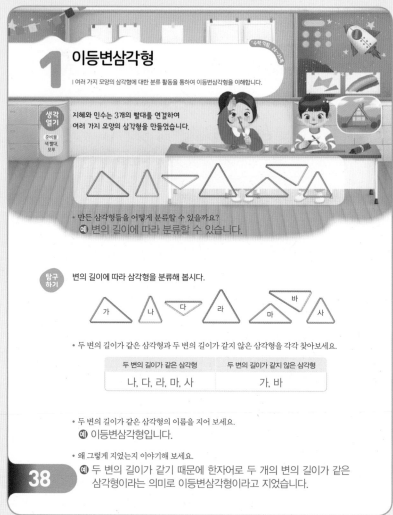

• 만든 삼각형들을 어떻게 분류할 수 있을까요?
예 변의 길이에 따라 분류할 수 있습니다.

탐구하기 변의 길이에 따라 삼각형을 분류해 봅시다.

 가 나 다 라 마 바 사

• 두 변의 길이가 같은 삼각형과 두 변의 길이가 같지 않은 삼각형을 각각 찾아보세요.

두 변의 길이가 같은 삼각형	두 변의 길이가 같지 않은 삼각형
나, 다, 라, 마, 사	가, 바

• 두 변의 길이가 같은 삼각형의 이름을 지어 보세요.
예 이등변삼각형입니다.

• 왜 그렇게 지었는지 이야기해 보세요.
예 두 변의 길이가 같기 때문에 한자어로 두 개의 변의 길이가 같은 삼각형이라는 의미로 이등변삼각형이라고 지었습니다.

38

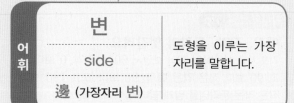

교과서 개념 완성

탐구하기 **정리하기** 변의 길이에 따라 삼각형 분류하기

두 변의 길이가 같은 삼각형을 이등변삼각형이라고 합니다.

 두 변의 길이가 같습니다.

 두 변의 길이가 같습니다.

 두 변의 길이가 같습니다.

학부모 코칭 Tip

이름 짓는 활동을 어려워해요.
여러 사람이 함께 사용할 수 있는 수학적 용어로 변의 길이, 각의 크기와 같은 도형의 요소를 관찰하여 이름을 지어 보게 합니다.

확인하기 **이등변삼각형 찾아보기**

두 변의 길이가 같은 삼각형은 가, 다, 라입니다.
└ 세 변의 길이가 모두 같습니다.

참고 세 변의 길이가 모두 같은 삼각형(정삼각형)은 이등변삼각형의 특수한 경우임을 이해하게 합니다.

생각 솔솔 **원에서 이등변삼각형 그리기**

원의 반지름의 성질인 '한 원에서 원의 반지름은 모두 같다.'를 이용하여 두 변의 길이가 같은 이등변삼각형을 그려 보게 합니다.

정리하기 ✎ 이등변삼각형을 알아봅시다.

두 변의 길이가 같은 삼각형을 이등변삼각형이라고 합니다.

> 이등변삼각형에서 '이'는 '2'를, '등'은 '같다'를 뜻합니다.

* 세 변의 길이가 모두 같은 삼각형도 이등변삼각형인지 이야기해 보세요.

길이가 같은 변이 두 개 있으니까……

예 길이가 같은 변이 2개 있기 때문에 이 삼각형도 이등변삼각형입니다.

확인하기　이등변삼각형을 모두 찾아보세요. 가, 다, 라

  5 cm 가 5 cm 4 cm

 3 cm 나 5 cm 4 cm

 5 cm 다 5 cm 8 cm

 3 cm 라 3 cm 3 cm

생각솔솔 🔅창의·융합

준비물 자

보기 와 같이 원의 중심과 반지름을 이용하여 이등변삼각형을 그려 보세요.

예

39

🗣 이런 문제가 서술형으로 나와요

세 변의 길이가 모두 같은 삼각형도 이등변삼각형이라고 할 수 있습니다. 그 이유를 써 보세요.

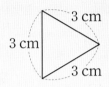
3 cm
3 cm
3 cm

| 이유 |

주어진 삼각형이 이등변삼각형이라고 할 수 있는 이유 쓰기

세 변의 길이가 모두 같은 삼각형도 두 변의 길이가 같기 때문입니다.

◆ 수학 교과 역량 🔅창의·융합

원에서 이등변삼각형 그리기

원의 중심과 반지름을 이용하여 여러 가지 이등변삼각형을 그려 보는 과정에서 창의·융합 능력을 기를 수 있습니다.

💗 **개념 확인 문제**　　정답 및 풀이 208쪽

1 ☐ 안에 알맞은 말을 써넣으세요.

그림과 같이 두 변의 길이가 같은 삼각형을 ☐ 이라고 합니다.

2 이등변삼각형에 ◯표 하세요.

(　　)　　　(　　)

3 다음 도형은 이등변삼각형입니다. ☐ 안에 알맞은 수를 써넣으세요.

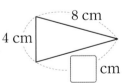
8 cm
4 cm
☐ cm

4 주어진 선분을 한 변으로 하는 이등변삼각형을 그려 보세요.

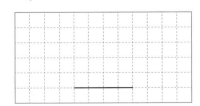

2 | 이등변삼각형의 성질

학습 목표

이등변삼각형의 성질을 이해합니다.

그림으로 개념 잡기

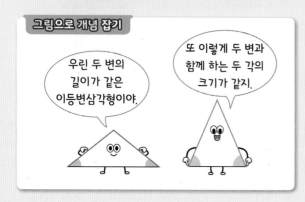

우리 두 변의 길이가 같은 이등변삼각형이야.

또 이렇게 두 변과 함께 하는 두 각의 크기가 같지.

어휘

이등변삼각형

isosceles triangle

二 (두 이) 等 (같을 등) 邊 (가장자리 변)
三 (셋 삼) 角 (뿔 각) 形 (모양 형)

두 변의 길이가 같은 삼각형을 말합니다.

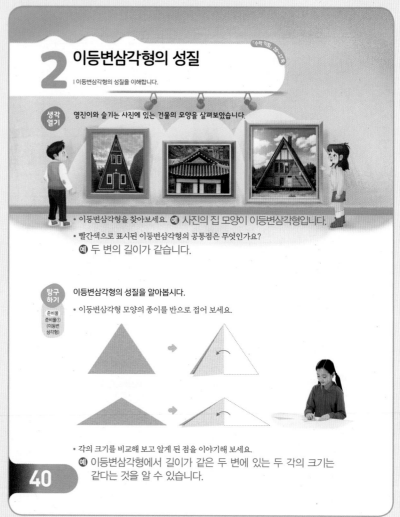

2 이등변삼각형의 성질

이등변삼각형의 성질을 이해합니다.

생각 열기 영진이와 슬기는 사진에 있는 건물의 모양을 살펴보았습니다.

- 이등변삼각형을 찾아보세요. **예** 사진의 집 모양이 이등변삼각형입니다.
- 빨간색으로 표시된 이등변삼각형의 공통점은 무엇인가요?
  예 두 변의 길이가 같습니다.

탐구 하기 이등변삼각형의 성질을 알아봅시다.

준비물 준비물① (이등변 삼각형)

- 이등변삼각형 모양의 종이를 반으로 접어 보세요.

- 각의 크기를 비교해 보고 알게 된 점을 이야기해 보세요.
  예 이등변삼각형에서 길이가 같은 두 변에 있는 두 각의 크기는 같다는 것을 알 수 있습니다.

40

  이등변삼각형의 성질 탐구하기

→ 이등변삼각형에서 길이가 같은 두 변이 만나도록 접어 보면 두 각이 겹쳐집니다.
└ 두 각의 크기는 같습니다.

학부모 코칭 Tip

이등변삼각형 모양의 종이를 길이가 같은 두 변이 만나 도록 접으면 어떻게 될까요?
- 두 각의 크기가 같습니다.
- 나머지 변이 둘로 나누어져서 나뉜 두 부분의 길이가 같아집니다.
- 길이가 같은 두 변의 사이에 있는 각이 둘로 똑같이 나누어집니다.

생각 솔솔 한 변에 크기가 같은 두 각을 그려 이등변 삼각형 만들기

하나의 선분에 크기가 같은 두 각을 그려 삼각형을 만 들면 이등변삼각형이 됩니다.

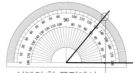 

선분의 한 끝점에서 50°인 각 그리기

선분의 다른 끝점 에서 50°인 각 그리기

└ 두 각이 만난 점을 이어 삼각형 완성하기

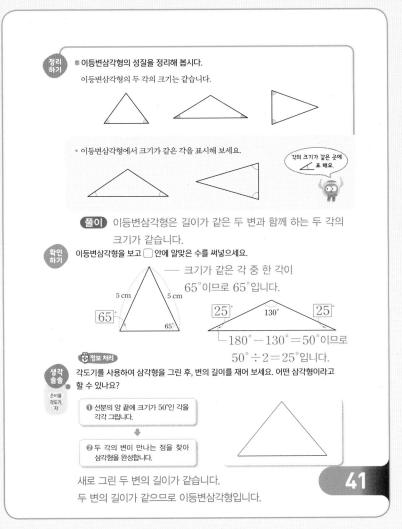

정리하기 ● 이등변삼각형의 성질을 정리해 봅시다.

이등변삼각형의 두 각의 크기는 같습니다.

● 이등변삼각형에서 크기가 같은 각을 표시해 보세요.

각의 크기가 같은 곳에 □ 표 해요.

풀이 이등변삼각형은 길이가 같은 두 변과 함께 하는 두 각의 크기가 같습니다.

확인하기 이등변삼각형을 보고 □ 안에 알맞은 수를 써넣으세요.

크기가 같은 각 중 한 각이 65°이므로 65°입니다.

5 cm   5 cm
65°   65°

25°   130°   25°

180°−130°=50°이므로 50°÷2=25°입니다.

정보 처리
생각솔솔 각도기를 사용하여 삼각형을 그린 후, 변의 길이를 재어 보세요. 어떤 삼각형이라고 할 수 있나요?

준비물
각도기,
자

❶ 선분의 양 끝에 크기가 50°인 각을 각각 그립니다.
↓
❷ 두 각의 변이 만나는 점을 찾아 삼각형을 완성합니다.

새로 그린 두 변의 길이가 같습니다.
두 변의 길이가 같으므로 이등변삼각형입니다.

41

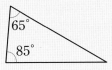
이런 문제가 서술형으로 나와요

주어진 삼각형이 이등변삼각형이 아닌 이유를 써 보세요.

65°
85°

| 이유 |

❶ 나머지 한 각의 크기 구하기

나머지 한 각의 크기는 $180°−65°−85°=30°$ 입니다.

❷ 이등변삼각형이 아닌 이유 쓰기

크기가 같은 두 각이 없으므로 이등변삼각형이 아닙니다.

수학 교과 역량   정보 처리

한 변에 크기가 같은 두 각을 그려 이등변삼각형 만들기

각도기, 자 등의 도구를 활용하여 제시된 범례를 탐구하는 과정에서 정보 처리 능력을 기를 수 있습니다.

개념 확인 문제   정답 및 풀이 208쪽

[1~2] 각도기를 사용하여 각의 크기를 재어 보고 크기가 같은 각을 찾아 ○표 하세요.

1
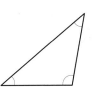

2

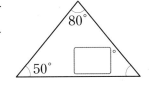
3 오른쪽 도형은 이등변삼각형입니다. □ 안에 알맞은 수를 써넣으세요.

80°
50°

4 각도기를 사용하여 주어진 선분의 양 끝에 두 각의 크기가 각각 55°인 이등변삼각형을 그려 보세요.

ㄱ   ㄴ

3 | 정삼각형

학습 목표

여러 가지 모양의 삼각형에 대한 분류 활동을 통하여 정삼각형을 이해합니다.

그림으로 개념 잡기

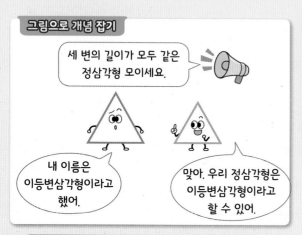

세 변의 길이가 모두 같은 정삼각형 모이세요.

내 이름은 이등변삼각형이라고 했어.

맞아. 우리 정삼각형은 이등변삼각형이라고 할 수 있어.

참고 트라이앵글, 삼각대 등에서 정삼각형을 찾을 수 있습니다.

어휘

정삼각형
equilateral triangle
正 (바를 정) 三角形
세 변의 길이가 모두 같은 삼각형을 말합니다.

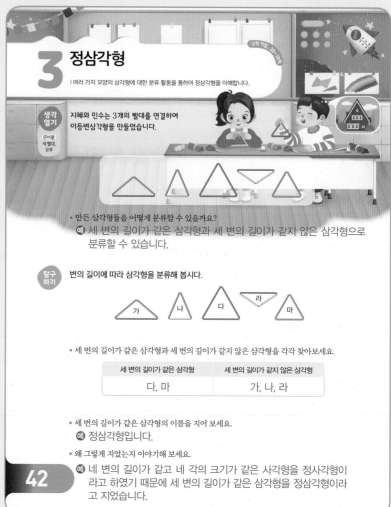

3 정삼각형

여러 가지 모양의 삼각형에 대한 분류 활동을 통하여 정삼각형을 이해합니다.

생각 열기
준비물
색 빨대, 고무

지혜와 민수는 3개의 빨대를 연결하여 이등변삼각형을 만들었습니다.

• 만든 삼각형들을 어떻게 분류할 수 있을까요?
예 세 변의 길이가 같은 삼각형과 세 변의 길이가 같지 않은 삼각형으로 분류할 수 있습니다.

탐구하기 변의 길이에 따라 삼각형을 분류해 봅시다.

가 나 다 라 마

• 세 변의 길이가 같은 삼각형과 세 변의 길이가 같지 않은 삼각형을 각각 찾아보세요.

세 변의 길이가 같은 삼각형	세 변의 길이가 같지 않은 삼각형
다, 마	가, 나, 라

• 세 변의 길이가 같은 삼각형의 이름을 지어 보세요.
예 정삼각형입니다.

• 왜 그렇게 지었는지 이야기해 보세요.
예 네 변의 길이가 같고 네 각의 크기가 같은 사각형을 정사각형이라고 하였기 때문에 세 변의 길이가 같은 삼각형을 정삼각형이라고 지었습니다.

42

 교과서 개념 완성

 탐구하기 **정리하기** 변의 길이에 따라 삼각형 분류하기

세 변의 길이가 모두 같은 삼각형을 정삼각형이라고 합니다.

세 변의 길이가 모두 같습니다.

세 변의 길이가 모두 같습니다.

세 변의 길이가 모두 같습니다.

학부모 코칭 Tip

정삼각형(正三角形)의 정(正)은 도형을 나타내는 일부 명사 앞에 붙어, '간격이나 거리, 길이 따위가 같은'의 뜻을 더하는 말임을 알게 합니다.

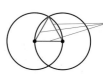 **두 원에 그린 삼각형이 정삼각형인 이유 설명하기**

반지름이 같은 두 원을 겹치게 그린 후 반지름의 양 끝인 원의 중심과 두 원이 만나는 한 점을 연결하면 정삼각형이 됩니다.

원의 반지름이므로 세 변의 길이가 모두 같습니다.

참고 변의 길이에 따라 삼각형 분류하기

• 두 변의 길이가 같은 삼각형을 이등변삼각형이라고 합니다.
• 세 변의 길이가 같은 삼각형을 정삼각형이라고 합니다.

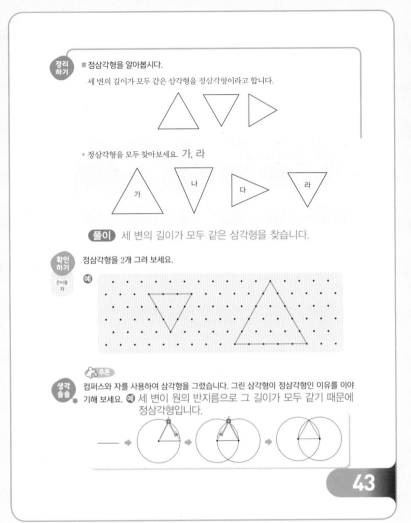

정리하기 ☞ 정삼각형을 알아봅시다.

세 변의 길이가 모두 같은 삼각형을 정삼각형이라고 합니다.

• 정삼각형을 모두 찾아보세요. 가, 라

풀이 세 변의 길이가 모두 같은 삼각형을 찾습니다.

확인하기
준비물: 자

정삼각형을 2개 그려 보세요. 예

생각 솔솔 ✿추론
컴퍼스와 자를 사용하여 삼각형을 그렸습니다. 그린 삼각형이 정삼각형인 이유를 이야기해 보세요. 예 세 변이 원의 반지름으로 그 길이가 모두 같기 때문에 정삼각형입니다.

43

이런 문제가 서술형으로 나와요

세 변의 길이의 합이 33 cm인 정삼각형의 한 변은 몇 cm인지 풀이 과정을 쓰고, 답을 구해 보세요.

| 풀이 과정 |

❶ 정삼각형은 세 변의 길이가 같음을 알기

정삼각형은 세 변의 길이가 같습니다.

❷ 정삼각형의 한 변의 길이 구하기

정삼각형의 한 변은 $33 \div 3 = 11$ (cm)입니다.

답 11 cm

● 수학 교과 역량   ✿추론

두 원에 그린 삼각형이 정삼각형인 이유 설명하기
반지름이 같은 두 원에 그린 삼각형이 정삼각형임을 설명하는 과정에서 추론 능력을 기를 수 있습니다.

 개념 확인 문제   정답 및 풀이 209쪽

1 ☐ 안에 알맞게 말을 써넣으세요.

세 변의 길이가 모두 같은 삼각형을
☐ 이라고 합니다.

2 정삼각형에 ○표 하세요.

( )   ( )

3 다음 도형은 정삼각형입니다. ☐ 안에 알맞은 수를 써넣으세요.

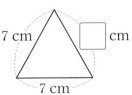

7 cm   ☐ cm
7 cm

4 정삼각형입니다. 이 삼각형의 세 변의 길이의 합은 몇 cm일까요?

8 cm   ( )

5 차시

4 | 정삼각형의 성질

학습 목표

정삼각형의 성질을 이해합니다.

그림으로 개념 잡기

물끄럼

정삼각형님은 세 변의 길이와 세 각의 크기가 같군요.

참고 | 반으로 접었을 때 세 각이 모두 완전히 포개어졌으므로 정삼각형의 세 각의 크기는 모두 같습니다.

어휘	성질 -------- properties 性 (성품 성) 質 (바탕 질)	물질마다 지니고 있는 고유한 특성을 말합니다.

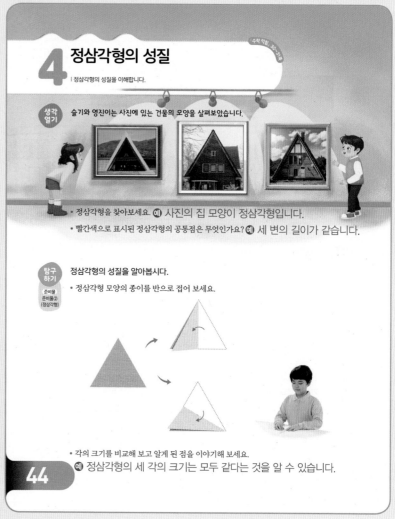

4 정삼각형의 성질

| 정삼각형의 성질을 이해합니다.

생각 열기 | 슬기와 영진이는 사진에 있는 건물의 모양을 살펴보았습니다.

• 정삼각형을 찾아보세요. 예 사진의 집 모양이 정삼각형입니다.
• 빨간색으로 표시된 정삼각형의 공통점은 무엇인가요? 예 세 변의 길이가 같습니다.

탐구 하기 | 정삼각형의 성질을 알아봅시다.
준비물 준비물② (정삼각형)
• 정삼각형 모양의 종이를 반으로 접어 보세요.

• 각의 크기를 비교해 보고 알게 된 점을 이야기해 보세요.
예 정삼각형의 세 각의 크기는 모두 같다는 것을 알 수 있습니다.

44

교과서 개념 완성

탐구하기 **정리하기** **정삼각형의 성질**

삼각형의 세 각의 크기의 합은 $180°$이고 정삼각형의 세 각의 크기는 같으므로 한 각의 크기는 $180° \div 3 = 60°$입니다.

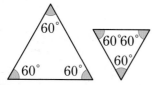

학부모 코칭 Tip

정삼각형의 한 각의 크기를 각도기로 직접 재어 알아볼 수도 있으나 삼각형의 세 각의 크기의 합이 $180°$라는 사실에서 추론할 수 있게 합니다.

확인하기 **정삼각형의 성질 적용하기**

• 한 변의 길이가 $12\,\mathrm{cm}$, 한 각의 크기가 $60°$인 정삼각형입니다.
• 한 변의 길이가 $8\,\mathrm{cm}$, 한 각의 크기가 $60°$인 정삼각형입니다.

생각 솔솔 **색종이를 접어 정삼각형 만들기**

• 색종이에 그린 두 변의 길이는 색종이의 한 변의 길이와 같으므로 삼각형의 세 변의 길이가 모두 같습니다.
• 세 변의 길이가 모두 같은 삼각형은 정삼각형이므로 색종이로 만든 삼각형은 정삼각형입니다. 정삼각형의 세 각의 크기는 같습니다.

☞ 정삼각형의 성질을 정리해 봅시다.

정삼각형의 세 각의 크기는 같습니다.

• 정삼각형의 한 각의 크기는 얼마일까요?

삼각형의 세 각의 크기의 합은 180°예요.

정삼각형을 보고 ☐ 안에 알맞은 수를 써넣으세요.

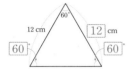

☞ 정보 처리

 색종이로 그림과 같이 삼각형을 만들었습니다. 삼각형의 세 변의 길이와 세 각의 크기를 각각 확인해 보세요.

준비물
각도기,
자

 삼각형의 세 변의 길이가 모두 같고, 세 각의 크기도 모두 같습니다.

45

이런 문제가 서술형으로 나와요

주어진 삼각형이 정삼각형이 아닌 이유를 써 보세요.

| 이유 |

❶ 나머지 한 각의 크기 구하기

나머지 한 각의 크기는
$180° - 55° - 65° = 60°$입니다.

❷ 정삼각형이 아닌 이유 쓰기

세 각의 크기가 모두 같지 않으므로 정삼각형이 아닙니다.

● **수학 교과 역량** ☞ 정보 처리

색종이를 접어 정삼각형 만들기

각도기, 삼각자 등의 도구를 활용하여 제시된 범례를 탐구하는 과정에서 정보 처리 능력을 기를 수 있습니다.

개념 확인 문제   정답 및 풀이 209쪽

[1~2] 다음 도형은 정삼각형입니다. ☐ 안에 알맞은 수를 써넣으세요.

1
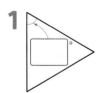

2
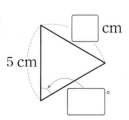

3 ☐ 안에 알맞은 수를 써넣으세요.
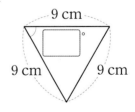

4 두 정삼각형의 공통점을 써 보세요.

5 | 예각삼각형, 둔각삼각형

학습 목표

여러 가지 모양의 삼각형에 대한 분류 활동을 통하여 예각삼각형, 둔각삼각형을 이해합니다.

그림으로 개념 잡기

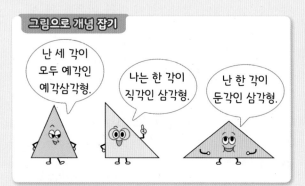

난 세 각이 모두 예각인 예각삼각형.

나는 한 각이 직각인 삼각형.

난 한 각이 둔각인 삼각형.

학부모 코칭 Tip

삼각형을 분류할 때 변의 길이뿐만 아니라 각의 크기에 따라서도 분류가 가능하다는 것을 알 수 있도록 삼각형의 분류 기준을 삼각형의 세 각에 중점을 두어 생각하게 합니다.

어휘	예각삼각형
	acute triangle
	銳 (날카로울 예) 角 (뿔 각) 三角形
	세 각이 모두 예각인 삼각형을 말합니다.

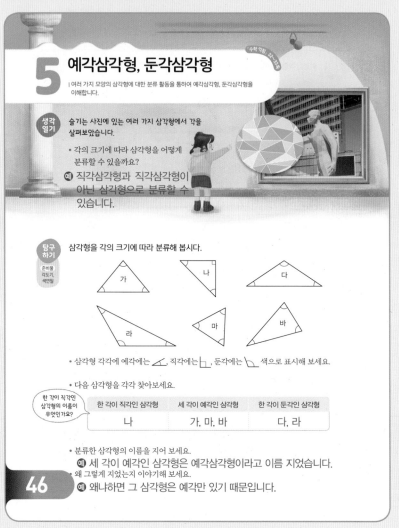

5 예각삼각형, 둔각삼각형

여러 가지 모양의 삼각형에 대한 분류 활동을 통하여 예각삼각형, 둔각삼각형을 이해합니다.

생각 열기 슬기는 사진에 있는 여러 가지 삼각형에서 각을 살펴보았습니다.

· 각의 크기에 따라 삼각형을 어떻게 분류할 수 있을까요?

예 직각삼각형과 직각삼각형이 아닌 삼각형으로 분류할 수 있습니다.

탐구하기 삼각형을 각의 크기에 따라 분류해 봅시다.

준비물 각도기, 색연필

가 나 다 라 마 바

· 삼각형 각각에 예각에는 ⬭, 직각에는 ⬭, 둔각에는 ⬭ 색으로 표시해 보세요.

· 다음 삼각형을 각각 찾아보세요.

한 각이 직각인 삼각형의 이름이 무엇인가요?

한 각이 직각인 삼각형	세 각이 예각인 삼각형	한 각이 둔각인 삼각형
나	가, 마, 바	다, 라

· 분류한 삼각형의 이름을 지어 보세요.

예 세 각이 예각인 삼각형은 예각삼각형이라고 이름 지었습니다.

왜 그렇게 지었는지 이야기해 보세요.

예 왜냐하면 그 삼각형은 예각만 있기 때문입니다.

46

교과서 개념 완성

탐구하기 정리하기 각의 크기에 따라 삼각형 분류하기

삼각형을 각의 크기에 따라 예각삼각형, 직각삼각형, 둔각삼각형으로 분류할 수 있습니다.

예각삼각형	직각삼각형	둔각삼각형
세 각이 모두 예각인 삼각형	한 각이 직각인 삼각형	한 각이 둔각인 삼각형
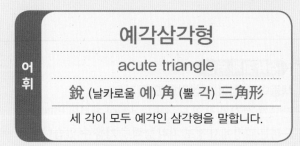		

확인하기 여러 가지 삼각형에서 예각삼각형, 직각삼각형, 둔각삼각형 찾기

삼각형을 분류할 때 삼각형의 세 각의 구성에 초점을 맞추어 생각합니다. 예각만으로 구성되었는지, 예각과 직각으로 구성되었는지, 예각과 둔각으로 구성되었는지에 알아봅니다.

└ 직각이나 둔각이 있는 경우 나머지 두 각은 모두 예각입니다.

생각 솔솔 예각삼각형, 직각삼각형, 둔각삼각형 그리기

예각삼각형, 직각삼각형, 둔각삼각형을 각각 그린 후, 각도기로 세 각의 크기를 각각 재어서 예각, 직각, 둔각임을 확인합니다.

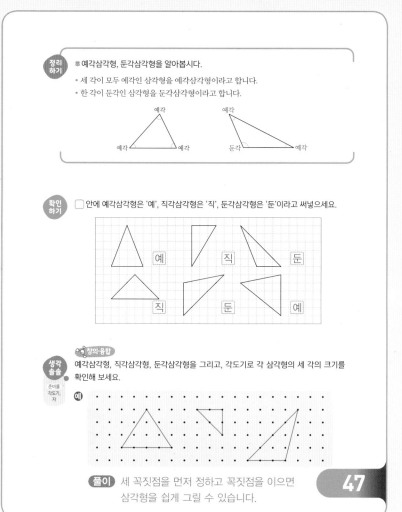

정리하기 ⊕예각삼각형, 둔각삼각형을 알아봅시다.
• 세 각이 모두 예각인 삼각형을 예각삼각형이라고 합니다.
• 한 각이 둔각인 삼각형을 둔각삼각형이라고 합니다.

확인하기 ☐안에 예각삼각형은 '예', 직각삼각형은 '직', 둔각삼각형은 '둔'이라고 써넣으세요.

생각솔솔 🔹창의·융합
준비물
각도기, 자
예각삼각형, 직각삼각형, 둔각삼각형을 그리고, 각도기로 각 삼각형의 세 각의 크기를 확인해 보세요.

풀이 세 꼭짓점을 먼저 정하고 꼭짓점을 이으면 삼각형을 쉽게 그릴 수 있습니다.

47

이런 문제가 서술형으로 나와요

세 각의 크기가 각각 40°, 100°, 40°인 삼각형이 있습니다. 이 삼각형의 이름이 될 수 있는 것을 모두 찾아 기호를 쓰려고 합니다. 풀이 과정을 쓰고, 답을 구해 보세요.

| ㉠ 이등변삼각형 | ㉡ 정삼각형 |
| ㉢ 예각삼각형 | ㉣ 둔각삼각형 |

| 풀이 과정 |

❶ 삼각형의 이름 한 가지 찾기
삼각형의 두 각의 크기가 40°로 같으므로 이등변삼각형입니다.

❷ 삼각형의 다른 이름 한 가지 찾기
삼각형의 한 각이 둔각이므로 둔각삼각형입니다.

답 ㉠, ㉣

🔹수학 교과 역량 🔹창의·융합

예각삼각형, 직각삼각형, 둔각삼각형 그리기
예각삼각형, 직각삼각형, 둔각삼각형을 그리는 과정에서 창의·융합 능력을 기를 수 있습니다.

개념 확인 문제　　　　정답 및 풀이 209쪽

1 ☐안에 알맞은 수를 써넣으세요.

예각삼각형에는 예각이 ☐개 있습니다.

2 예각삼각형에 ◯표 하세요.

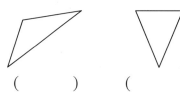

(　)　(　)

3 ☐안에 알맞은 수를 써넣으세요.

둔각삼각형에는 둔각이 ☐개 있습니다.

4 둔각삼각형에 ◯표 하세요.

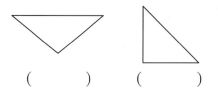

(　)　(　)

학습 목표

단순화하기 전략을 이용하여 문제를 해결하고, 문제를 어떻게 해결하였는지 설명할 수 있습니다.

문제 해결 전략 단순화하기 전략

수학 교과 역량 문제 해결 추론

정삼각형 조각의 개수 구하기

- 문제를 해결하기 위해 다양한 방법을 생각해 보는 과정에서 문제 해결 능력을 기를 수 있습니다.
- 구해야 할 것을 단순화하여 해결한 후 이를 이용하여 본 문제를 해결할 수 있는 방법을 찾는 과정에서 추론 능력을 기를 수 있습니다.

문제 해결 Tip 한 변의 길이가 8 cm인 정삼각형을 만들기 위하여 필요한 정삼각형 조각 개수의 규칙을 찾아 구하면 될 것 같습니다.

문제 해결력 | 쑥쑥 정삼각형 조각의 개수 구하기

문제 해결 추론

한 변의 길이가 4 cm인 정삼각형 모양 조각으로 한 변의 길이가 12 cm인 정삼각형을 만들려고 합니다. 겹치지 않게 빈틈없이 놓으려면 몇 개의 조각이 필요할까요?

4 cm

문제 이해하기
- 구하려고 하는 것은 무엇인가요? 한 변의 길이가 12 cm인 정삼각형을 만들기 위해 필요한 정삼각형 조각의 개수입니다.
- 알고 있는 것은 무엇인가요?
  조각의 모양은 한 변의 길이가 4 cm인 정삼각형입니다.

예 한 변의 길이가 12 cm인 정삼각형을 만들기 위해 필요한 정삼각형 조각의 개수를 바로 구하기 어려운 것 같으니까 한 변의 길이가 8 cm인 정삼각형을 만들기 위해 필요한 정삼각형 조각의 개수를 먼저 구해 보는 것이 좋겠습니다.

계획 세우기
- 어떤 방법으로 문제를 해결할 수 있을지 계획을 이야기해 보세요.
- 한 변의 길이가 8 cm인 정삼각형을 만들려면 몇 개의 조각이 필요할까요? 4개

직접 그려 보거나 표를 만들어 보세요.

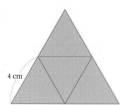
4 cm

48

 교과서 개념 완성

문제 이해하기

>> **구하려고 하는 것**

한 변의 길이가 12 cm인 정삼각형을 만들기 위해 필요한 정삼각형 조각의 개수입니다.

>> **알고 있는 것**

- 조각의 모양은 한 변의 길이가 4 cm인 정삼각형입니다.
- 한 변의 길이가 4 cm인 정삼각형을 겹치지 않게 빈틈없이 놓아야 합니다.

계획 세우기

한 변의 길이가 8 cm인 정삼각형을 만들기 위하여 필요한 정삼각형 조각 개수의 규칙을 찾아 구해 봅니다. ➡ 1+3=4(개)

계획대로 풀기

한 변의 길이가 12 cm인 정삼각형을 만드는 데 필요한 정삼각형 조각의 개수는 1+3+5=9(개)입니다.

되돌아보기

한 변의 길이가 4 cm인 정삼각형 조각으로 한 변의 길이가 12 cm인 정삼각형을 직접 만들고 정삼각형 조각의 개수를 세어 보았더니 맞습니다.

계획대로 풀기

예 한 변의 길이가 12 cm인 정삼각형을 만드는 데 필요한 정삼각형 조각의 개수는 $1+3+5=9$(개)입니다.

• 자신이 계획한 방법으로 문제를 해결해 보세요.

• 한 변의 길이가 12 cm인 정삼각형을 만들려면 몇 개의 조각이 필요할까요? 9개

되돌아보기

예 한 변의 길이가 4 cm인 정삼각형 조각으로 한 변의 길이가 12 cm인 정삼각형을 직접 만들고 정삼각형 조각의 개수를 세어 보았더니 맞습니다.

• 구한 답이 맞았는지 확인해 보세요.

• 문제를 해결한 방법을 친구들과 이야기해 보세요.

• 한 변의 길이가 16 cm인 정삼각형을 만들려면 몇 개의 조각이 필요할까요? 16개

풀이 $1+3+5+7=16$(개)

🧩 생각을 키워요   📋 문제 해결 🧩 추론

■ 한 변의 길이가 4 cm인 정삼각형 모양 조각으로 한 변의 길이가 20 cm인 정삼각형을 만들려고 합니다. 겹치지 않게 빈틈없이 놓으려면 몇 개의 조각이 필요할까요? 25개

4 cm

풀이 $1+3+5+7+9=25$(개)

49

🧩 생각을 키워요   📋 문제 해결 🧩 추론

문제 이해하기

▶▶ **구하려고 하는 것**

한 변의 길이가 20 cm인 정삼각형을 만들기 위해 필요한 정삼각형 조각의 개수입니다.

▶▶ **알고 있는 것**

• 조각의 모양은 한 변의 길이가 4 cm인 정삼각형입니다.

• 한 변의 길이가 4 cm인 정삼각형을 겹치지 않게 빈틈없이 놓아야 합니다.

계획 세우기

한 변의 길이가 8 cm, 12 cm, 16 cm인 정삼각형을 만들기 위하여 필요한 정삼각형 조각 개수의 규칙을 찾아 구하면 될 것 같습니다.

계획대로 풀기

한 변의 길이가 20 cm인 정삼각형을 만드는 데 필요한 정삼각형 조각의 개수는

$1+3+5+7+9=25$(개)입니다.

되돌아보기

한 변의 길이가 4 cm인 정삼각형 조각으로 한 변의 길이가 20 cm인 정삼각형을 직접 만들고 정삼각형 조각의 개수를 세어 보았더니 맞습니다.

 문제 해결력 문제   정답 및 풀이 209~210쪽

1 그림에서 찾을 수 있는 크고 작은 예각삼각형은 모두 몇 개인지 구하려고 합니다. ☐ 안에 알맞은 수를 써넣으세요.

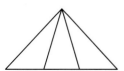

작은 삼각형 1개짜리 예각삼각형은 ☐ 개,

작은 삼각형 2개짜리 예각삼각형은 ☐ 개,

작은 삼각형 3개짜리 예각삼각형은 ☐ 개이므로 크고 작은 예각삼각형은 모두 ☐ 개입니다.

2 그림에서 찾을 수 있는 크고 작은 예각삼각형은 모두 몇 개일까요?

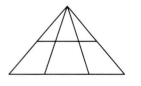

(   )

3 그림에서 찾을 수 있는 크고 작은 둔각삼각형은 모두 몇 개일까요?

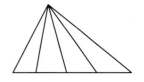

(   )

추론 **정보 처리**

이등변삼각형, 정삼각형 찾기

▶자습서 42~43쪽, 46~47쪽

변의 길이에 따라 삼각형 분류하기

• 두 변의 길이가 같은 삼각형을 이등변삼각형이라고 합니다.

• 세 변의 길이가 같은 삼각형을 정삼각형이라고 합니다.

추론 **정보 처리**

이등변삼각형 이해하기

▶자습서 44~45쪽

이등변삼각형은 두 각의 크기가 같습니다.

학부모 코칭 Tip

세 각의 크기가 같은 삼각형도 이등변삼각형입니다.

추론 **정보 처리**

정삼각형 이해하기

▶자습서 48~49쪽

정삼각형은 세 각의 크기가 같습니다.

학부모 코칭 Tip

삼각형의 세 각의 크기의 합이 $180°$임을 이용하면 $180° \div 3 = 60°$이므로 정삼각형의 한 각의 크기는 $60°$입니다.

---

1 삼각형을 보고 물음에 답해 보세요.

38쪽, 42쪽

 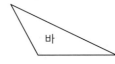

• 이등변삼각형을 모두 찾아 기호를 써 보세요. 나, 다, 마, 사

• 정삼각형을 모두 찾아 기호를 써 보세요. 나, 마

풀이 • 이등변삼각형은 두 변의 길이가 같은 삼각형이므로 나, 다, 마, 사입니다.

• 정삼각형은 세 변의 길이가 모두 같은 삼각형이므로 나, 마입니다.

---

2 ☐ 안에 알맞은 수를 써넣으세요.

41쪽

풀이 • 두 변의 길이가 같으므로 이등변삼각형입니다. 이때 두 각의 크기는 같으므로 $40°$입니다.

• 두 각의 크기가 같으므로 이등변삼각형입니다. 이때 두 변의 길이는 같으므로 6 cm입니다.

---

3 ☐ 안에 알맞은 수를 써넣으세요.

45쪽

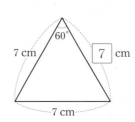

풀이 • 한 변의 길이가 7 cm, 한 각의 크기가 $60°$인 정삼각형입니다.

• 한 변의 길이가 9 cm, 한 각의 크기가 $60°$인 정삼각형입니다.

50

4 각의 크기에 따라 삼각형을 분류하여 빈칸에 알맞은 기호와 그 이유를 써넣으세요.

46쪽

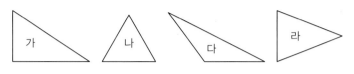

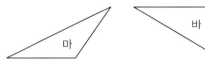

예각삼각형	직각삼각형	둔각삼각형
나, 라, 사	가, 바	다, 마
이유 세 각이 모두 예각이기 때문입니다.	**이유** 한 각이 직각이기 때문입니다.	**이유** 한 각이 둔각이기 때문입니다.

풀이 예각삼각형: 세 각이 모두 예각인 삼각형을 찾습니다.
직각삼각형: 한 각이 직각인 삼각형을 찾습니다.
둔각삼각형: 한 각이 둔각인 삼각형을 찾습니다.

5 반지름이 5 cm인 원에 삼각형 가, 나를 그렸습니다. 삼각형 가, 나의 이름으로 알맞은 것을 ( )에서 모두 골라 ○표 하세요.
39쪽, 43쪽

삼각형 가는 (정삼각형, (이등변삼각형), 예각삼각형, (둔각삼각형))이야.

삼각형 나는 ((정삼각형), 이등변삼각형, (예각삼각형), 둔각삼각형)이야.

풀이 • 삼각형 가는 두 변의 길이가 같고, 한 각이 둔각이기 때문에
이등변삼각형 또는 둔각삼각형입니다.
• 삼각형 나는 세 변의 길이가 같고, 세 각이 예각이기 때문에 정삼각형 또는 예각삼각형입니다.

생각을 넓혀요 추론 의사소통 태도 및 실천

6 오른쪽 도형에 두 꼭짓점을 이은 선분을 2개 그어서 3개의 둔각삼각형을 만들려고 합니다. 선분을 긋고 어떻게 그었는지 이야기해 보세요.
47쪽

예 한 각이 둔각인 삼각형이 되도록 선분을 긋습니다.

추론 의사소통 정보 처리

예각삼각형, 직각삼각형, 둔각삼각형 분류하기
▶자습서 50~51쪽

각의 크기에 따라 삼각형 분류하기
• 세 각이 모두 예각인 삼각형을 예각삼각형이라고 합니다.
• 한 각이 직각인 삼각형을 직각삼각형이라고 합니다.
• 한 각이 둔각인 삼각형을 둔각삼각형이라고 합니다.

학부모 코칭 Tip
분류 활동을 할 때에는 분류 기준을 정하는 것이 중요합니다. 직각을 기준으로 하여 직각보다 큰 각과 직각보다 작은 각으로 분류해 보도록 합니다.

추론 창의·융합 의사소통

이등변삼각형, 정삼각형, 예각삼각형, 둔각삼각형 활용하기
▶자습서 42~43쪽, 46~47쪽, 50~51쪽
변의 길이와 각의 크기에 따라 삼각형을 분류할 수 있습니다.

추론 의사소통 태도 및 실천

둔각삼각형 만들기
▶자습서 50~51쪽
학부모 코칭 Tip
둔각삼각형에서 둔각은 1개만 있음을 알게 합니다.

51

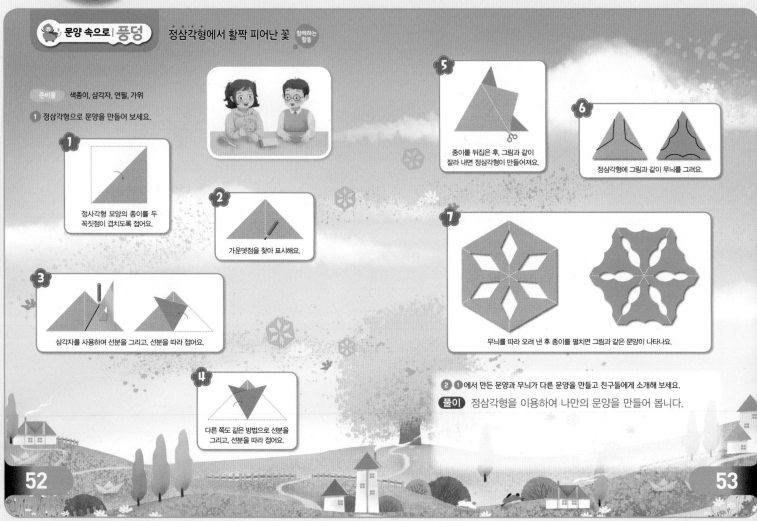

● 문양 속으로 | 풍덩 ● 이야기로 키우는 | 생각

문양 속으로 | 풍덩 정삼각형에서 활짝 피어난 꽃 <함께하는 활동>

준비물: 색종이, 삼각자, 연필, 가위

① 정삼각형으로 문양을 만들어 보세요.

1 정사각형 모양의 종이를 두 꼭짓점이 겹치도록 접어요.

2 가운뎃점을 찾아 표시해요.

3 삼각자를 사용하여 선분을 그리고, 선분을 따라 접어요.

4 다른 쪽도 같은 방법으로 선분을 그리고, 선분을 따라 접어요.

5 종이를 뒤집은 후, 그림과 같이 잘라 내면 정삼각형이 만들어져요.

6 정삼각형에 그림과 같이 무늬를 그려요.

7 무늬를 따라 오려 낸 후 종이를 펼치면 그림과 같은 문양이 나타나요.

② ①에서 만든 문양과 무늬가 다른 문양을 만들고 친구들에게 소개해 보세요.

풀이 정삼각형을 이용하여 나만의 문양을 만들어 봅니다.

교과서 개념 완성

 문양 속으로 | 풍덩

1 정삼각형으로 문양 만들기

• 정사각형 모양의 종이를 접어 정삼각형을 만드는 과정을 살펴봅니다.

• 자신이 원하는 문양을 만들기 위해서는 어느 부분을, 어떻게 잘라내야 하는지 예상하고 확인해 봅니다.

학부모 코칭 Tip

정삼각형으로 문양 만들기를 하면 어떤 점이 좋을까요?
색종이를 이용하여 여러 가지 문양을 만들면서 미술 속에 활용된 수학을 발견하고 수학의 아름다움을 경험할 수 있게 합니다.

2 자신이 만든 나만의 문양을 친구들에게 소개해 보기

• 정삼각형을 이용하여 나만의 무늬를 그려 나만의 문양을 만들어 봅니다. 정삼각형이 되는 부분을 잘라낼 때 가위에 손을 다치는 일이 없도록 주의시킵니다.

• 각자 자신이 만든 나만의 문양을 친구들에게 소개하며 창의적인 아이디어를 공유합니다.

학부모 코칭 Tip

다른 친구들이 발표할 때에는 듣는 사람으로서의 예절을 지키고 실생활에서 가질 수 있는 수학적인 아름다움을 느낄 수 있도록 합니다.

이야기로 키우는 생각

무엇이든 척척, 여기저기 만능인 삼각형 <창의력 키우기>

종이비행기를 접을 때는 특히 날개 부분을 잘 접어야 합니다. 양쪽 날개가 서로 똑같은 모양과 크기의 삼각형이어야 완벽하게 균형을 이루면서 종이비행기가 더 멀리 날 수 있습니다.

삼각형 모양을 이용한 물건은 우리 생활 가까운 곳에도 있습니다. 사진을 찍을 때 사용하는 삼각대를 생각해 봅시다. 평평한 곳에서 삼각대가 흔들리지 않고 서 있을 수 있는 이유는 무엇일까요?

삼각대의 세 다리 끝을 꼭짓점으로 하는 도형은 정삼각형이 되고, 세 점은 항상 한 평면 위에 있게 되므로 삼각대가 흔들리지 않는 것입니다. 특히 정삼각형의 세 꼭짓점에 힘이 골고루 나누어지게 되므로 삼각대가 안정적으로 카메라를 지탱할 수 있는 것입니다. 만약 다리가 하나 더 있다고 하면 다리 하나가 지면 위에 떠 있을 수 있어서 카메라가 흔들릴 수 있습니다.

삼각형은 단순하고 기본적인 도형이면서도 강하고 튼튼한 도형입니다. 그래서 안전하면서 튼튼하게 지어야 하는 건축물이나 다리에 삼각형 모양을 자주 이용합니다. 사각형은 바람 등 외부의 힘에 모양이 쉽게 바뀌지만 삼각형은 안정된 모양을 유지하기 때문에 외부의 힘에도 잘 견딥니다.

[출처] 『유클리드가 들려주는 삼각형 이야기』, 2007.

▲ 프랑스의 유명한 건축물인 에펠탑을 자세히 보면 많은 삼각형을 찾을 수 있습니다.

▲ 튼튼한 다리도 삼각형으로 이루어져 있습니다.

54   55

이야기로 키우는 생각

에펠탑

에펠탑은 자유의 여신상의 뼈대를 만드는 일을 맡기도 했던 건축가 에펠(Eiffel, A. G., 1832~1923)에 의해 설계되었습니다. 높이 324 m의 철탑으로 전 세계에서 가장 유명한 건축물 중 하나입니다.

에펠탑은 프랑스 혁명 100주년이 되는 해와 맞물려서 1889년 만국 박람회에서 시선을 끌 건축물로 공모된 건축물입니다.

에펠탑은 그 당시에 세계에서 가장 높은 건물이었기 때문에 이상적인 해결책이었지만 모든 이가 마음에 들어 했던 것은 아니었습니다.

에펠탑은 '비극적인 가로등', '체육관의 훈련 도구 한 짝', '철사 다리로 만든 깡마른 피라미드', '강철을 연결해 만든 꼴 보기 싫은 기둥' 등의 말로 조롱을 받았으나, 결국 비판하는 사람들보다 찬양하는 이들이 늘게 되었습니다.

당초 20년만 유지하기로 했던 에펠탑은 1909년에 해체될 예정이었지만 그 무렵 발명된 무선 전신 전화의 안테나로 탑을 이용할 수 있다는 사실이 알려져 탑의 해체는 중단되었습니다. 이후 전파 송신탑으로의 이용은 물론 세계에서 가장 인기 있는 관광 명소 중 하나로 자리 잡아 많은 사람들의 사랑을 받고 있습니다.

[출처] 『죽기 전에 꼭 봐야 할 세계 역사 유적 1001』, 2009.

개념

이등변삼각형

두 변의 길이가 같은 삼각형을 이등변삼각형이라고 합니다.

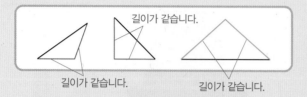

이등변삼각형의 성질

이등변삼각형의 두 각의 크기는 같습니다.

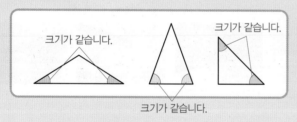

정삼각형

• 세 변의 길이가 모두 같은 삼각형을 정삼각형이라고 합니다.

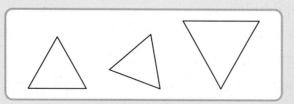

└─ 세 변의 길이가 같은 정삼각형은 두 변의 길이가 같은 이등변삼각형이라고 할 수 있습니다.

• 정삼각형은 이등변삼각형이라고 할 수 있지만 이등변삼각형은 정삼각형이라고 할 수 없습니다.

확인 문제

[1~2] 삼각형을 보고 물음에 답해 보세요.

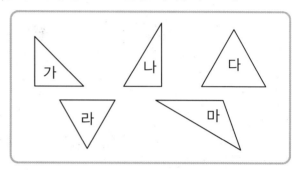

1 이등변삼각형을 모두 찾아 기호를 써 보세요.

(   )

2 정삼각형을 모두 찾아 기호를 써 보세요.

(   )

3 도형은 이등변삼각형입니다. ☐ 안에 알맞은 수를 써넣으세요.

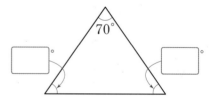

4 도형은 정삼각형입니다. 세 변의 길이의 합은 몇 cm일까요?

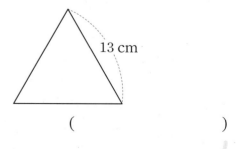

(   )

→ 정답 및 풀이 210쪽

개념

➡ 정삼각형의 성질

정삼각형의 세 각의 크기는 모두 같습니다.

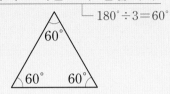
└ $180° \div 3 = 60°$

➡ 예각삼각형, 둔각삼각형

• 세 각이 모두 예각인 삼각형을 예각삼각형이라 고 합니다.
  └ 0°보다 크고 직각보다 작은 각

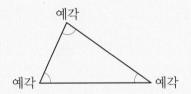

• 한 각이 둔각인 삼각형을 둔각삼각형이라고 합 니다.
  └ 직각보다 크고 180°보다 작은 각

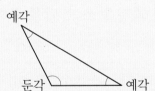

• 삼각형을 각의 크기에 따라 예각삼각형, 직각삼 각형, 둔각삼각형으로 분류할 수 있습니다.

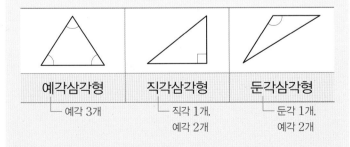

예각삼각형	직각삼각형	둔각삼각형
└ 예각 3개	└ 직각 1개, 예각 2개	└ 둔각 1개, 예각 2개

확인 문제

5 정삼각형에 대해 잘못 설명한 것을 찾아 기호 를 써 보세요.

> ㉠ 세 변의 길이가 모두 같은 삼각형입니다.
> ㉡ 세 각의 크기가 모두 같은 삼각형입니다.
> ㉢ 한 각의 크기는 90°입니다.
> ㉣ 세 각의 크기의 합은 180°입니다.

(   )

6 삼각형의 세 각 중 두 각의 크기를 나타낸 것 입니다. 예각삼각형, 직각삼각형, 둔각삼각형 중 삼각형의 이름이 될 수 있는 것을 써 보세요.

60°	70°

(   )

7 주어진 선분을 한 변으로 하는 둔각삼각형을 그려 보세요.

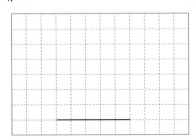

단계별로

서술형 문제 해결하기

과정 중심 평가 내용: 각의 크기에 따라 삼각형을 분류할 수 있는가?

1-1 두 각의 크기가 각각 55°, 60°인 삼각형의 이름은 무엇인지 풀이 과정을 쓰고, 답을 구해 보세요. [8점]

풀이

❶ 나머지 한 각의 크기는

180° − 55° − 60° = ☐°입니다.

❷ 세 각이 모두 (예각, 직각, 둔각)이므로

☐입니다.

답 ....

1-2 쌍둥이

두 각의 크기가 각각 70°, 50°인 삼각형의 이름은 무엇인지 풀이 과정을 쓰고, 답을 구해 보세요. [12점]

풀이

답 ....

1-3 유사

두 각의 크기가 각각 40°, 30°인 삼각형의 이름은 무엇인지 풀이 과정을 쓰고, 답을 구해 보세요. [15점]

풀이

답 ....

1-4 실전

삼각형의 세 각 중 두 각의 크기가 다음과 같습니다. 이 삼각형의 이름은 무엇인지 풀이 과정을 쓰고, 답을 구해 보세요. [15점]

30° 50°

풀이

답 ....

공부한 날   월   일

→ 정답 및 풀이 210~211쪽

2-1 삼각형 ㄱㄴㄷ은 이등변삼각형입니나. 각 ㄴㄱㄷ의 크기를 구하는 풀이 과정을 쓰고, 답을 구해 보세요. [8점]

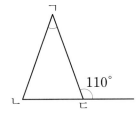

풀이

❶ (각 ㄱㄷㄴ) $= 180° - 110° = $ ◻ °

(각 ㄱㄴㄷ) = (각 ㄱㄷㄴ) $=$ ◻ °

❷ (각 ㄴㄱㄷ) $= 180° - $ ◻ ° $- $ ◻ °

$= $ ◻ °

답 ....

2-2 삼각형 ㄱㄴㄷ은 이등변삼각형입니다. 각 ㄴㄱㄷ의 크기를 구하는 풀이 과정을 쓰고, 답을 구해 보세요. [12점]

쌍둥이

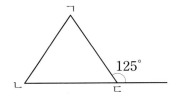

풀이

답 ....

2-3 삼각형 ㄱㄴㄷ은 이등변삼각형입니다. 각 ㄴㄱㄷ의 크기를 구하는 풀이 과정을 쓰고, 답을 구해 보세요. [15점]

유사

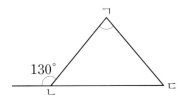

풀이

답 ....

2-4 삼각형 ㄱㄴㄷ은 이등변삼각형입니다. ㉠의 각도를 구하는 풀이 과정을 쓰고, 답을 구해 보세요. [15점]

실전

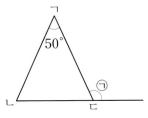

풀이

답 ....

단원 평가

[01~04] 삼각형을 보고 물음에 답해 보세요.

| 이등변삼각형 |

01 이등변삼각형을 모두 찾아 기호를 써 보세요.
하

( )

| 정삼각형 |

02 정삼각형을 찾아 기호를 써 보세요.
하

( )

| 이등변삼각형 |

03 이등변삼각형입니다. ☐ 안에 알맞은 수를
하 써넣으세요.

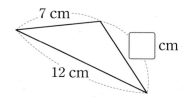

| 정삼각형 |

04 정삼각형입니다. ☐ 안에 알맞은 수를 써넣
하 으세요.

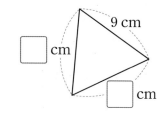

| 이등변삼각형의 성질 |

05 이등변삼각형입니다. ☐ 안에 알맞은 수를
중 써넣으세요.

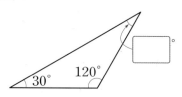

| 정삼각형의 성질 |

06 ☐ 안에 알맞은 수를 써넣으세요.
중

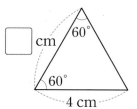

| 이등변삼각형 |

07 어떤 삼각형의 세 변의 길이를 잰 것입니다.
중 이 삼각형은 어떤 삼각형인지 써 보세요.

| 6 cm   6 cm   9 cm |

( )

| 이등변삼각형의 성질 |

08 ☐ 안에 알맞은 수를 써넣으세요.
중

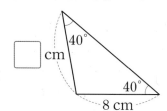

| 정삼각형 |

09 정삼각형입니다. 세 변의 길이의 합은 몇
중 cm인지 구해 보세요.

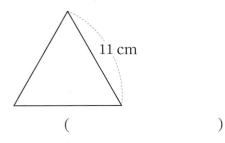

(　　　　　　)

| 정삼각형의 성질 |

10 삼각형의 세 변의 길이의 합은 몇 cm인지
중 구해 보세요.

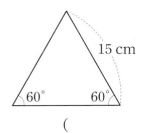

(　　　　　　)

| 이등변삼각형의 성질 |

11 이등변삼각형입니다. 세 변의 길이의 합은
중 몇 cm인지 구해 보세요.

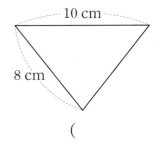

(　　　　　　)

| 예각삼각형, 둔각삼각형 |

12 삼각형의 세 각 중에서 두 각의 크기가 50°,
중 80°입니다. 이 삼각형의 이름이 될 수 있는
것을 모두 써 보세요.

(　　　　　　　　　　　)

| 예각삼각형, 둔각삼각형 |

13 삼각형 ㄱㄴㄷ의 이름으로 알맞은 것을 모
중 두 찾아 기호를 써 보세요.

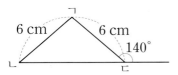

| ㉠ 예각삼각형 | ㉡ 둔각삼각형 |
| ㉢ 이등변삼각형 | ㉣ 정삼각형 |

(　　　　　　　　　　)

| 이등변삼각형 | 서술형

14 이등변삼각형 ㄱㄴㄷ의 세 변의 길이의 합
중 은 24 cm입니다. 변 ㄴㄷ의 길이는 몇 cm
인지 풀이 과정을 쓰고, 답을 구해 보세요.

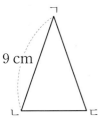

풀이

답

| 이등변삼각형의 성질 |

15 각도기를 사용하여 주어진 선분의 양 끝에
중 두 각의 크기가 각각 35°인 이등변삼각형을
그려 보세요.

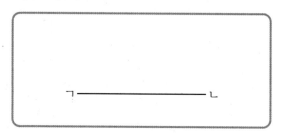

| 예각삼각형, 둔각삼각형 |

16 원 위에 같은 간격으로 6개의 점이 있습니다.
상 세 점을 연결하여 만들 수 있는 둔각삼각형
은 모두 몇 개일까요?

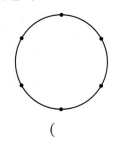

( )

| 예각삼각형, 둔각삼각형 | 서술형

17 한 각의 크기가 90°인 삼각형이 둔각삼각형
상 이 아닌 이유를 써 보세요.

 이유

[18~20] 다음 도형은 정삼각형과 이등변삼각형
을 이어 붙인 것입니다. 삼각형 ㄴㄷㄹ의
세 변의 길이의 합이 38 cm일 때 사각형
ㄱㄴㄷㄹ의 네 변의 길이의 합을 구하
려고 합니다. 물음에 답해 보세요.

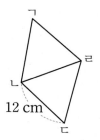

| 이등변삼각형 |

18 변 ㄴㄹ의 길이는 몇 cm일까요?
중

( )

| 정삼각형 |

19 변 ㄴㄱ의 길이는 몇 cm일까요?
중

( )

| 정삼각형, 이등변삼각형 | 서술형

20 사각형 ㄱㄴㄷㄹ의 네 변의 길이의 합은 몇
상 cm인지 풀이 과정을 쓰고, 답을 구해 보세요.

 풀이

답

둔각삼각형에는
둔각이 몇 개일까요?

예각삼각형은 예각이 3개인데 둔각삼각형은 왜 둔각이 1개예요?

번쩍

좋은 질문이에요. 만약 둔각이 2개이면 삼각형을 그릴 수 있을까요?

음~~ 글쎄요.

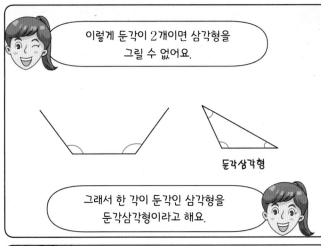

이렇게 둔각이 2개이면 삼각형을 그릴 수 없어요.

둔각삼각형

그래서 한 각이 둔각인 삼각형을 둔각삼각형이라고 해요.

우리 주변 어디에서 둔각삼각형 모양을 찾을 수 있을까요?

지붕에서 볼 수 있습니다.

우 와

넌 어떻게 금방 생각이 났어?

우리 집 지붕 모양이 둔각삼각형 모양이야.

우쭐

서점 옆의 집이 너의 집이구나. 지나가다 보았어. 너무 멋진 집이더라.

와 예쁘다

서점

크흑

부러워하면 지는 건데……

2. 삼각형 • 65

3

소수의 덧셈과 뺄셈

• 엄지공주와 친구들이 곤충들의 운동회를 보면서 소수의 덧셈 상황을 이야기하고 있습니다.
• 1.78 + 0.14를 계산하는 방법을 궁금해하고 있습니다.

그림 속 상황

자/기/주/도/학/습

	학습 내용	계획 및 확인(공부한 날)		
예습	**1차시** ǀ 단원 도입 / 준비 팡팡	68~69쪽	월	일
진도	**2차시** ǀ **1** 소수 두 자리 수	70~73쪽	월	일
	3차시 ǀ **2** 소수 세 자리 수	74~77쪽	월	일
	4차시 ǀ **3** 소수 사이의 관계	78~79쪽	월	일
	5차시 ǀ **4** 소수의 크기 비교	80~81쪽	월	일
	6차시 ǀ **5** 소수 한 자리 수의 덧셈	82~83쪽	월	일
	7차시 ǀ **6** 소수 한 자리 수의 뺄셈	84~85쪽	월	일
	8차시 ǀ **7** 소수 두 자리 수의 덧셈	86~87쪽	월	일
	9차시 ǀ **8** 소수 두 자리 수의 뺄셈	88~89쪽	월	일
	10차시 ǀ 문제 해결력 쑥쑥	90~91쪽	월	일
	11차시 ǀ 단원 마무리 척척	92~93쪽	월	일
	12차시 ǀ 픽셀 속으로 풍덩 / 이야기로 키우는 생각	94~95쪽	월	일
평가	개념+확인 / 서술형 문제 해결하기	96~99쪽	월	일
	단원 평가 / 재미있는 수학 이야기	100~103쪽	월	일

1 차시

'무엇을 알고 있나요'와 '함께 생각해 볼까요'를 통하여 단원을 준비할 수 있습니다.

🔷 분수와 소수

· 눈금 한 칸의 크기는 0.1입니다.

· 0.1이 2개이면 0.2, 0.1이 4개이면 0.4, 0.1이 9개이면 0.9이므로 소수는 왼쪽부터 0.2, 0.4, 0.9입니다.

· $\frac{1}{10}$이 3개이면 $\frac{3}{10}$, $\frac{1}{10}$이 8개이면 $\frac{8}{10}$, $\frac{1}{10}$이 10개이면 $\frac{10}{10}$이므로 분수는 왼쪽부터 $\frac{3}{10}$, $\frac{8}{10}$, $\frac{10}{10}$입니다.

🔷 소수 한 자리 수의 크기 비교하기

· 1.2＝1＋0.2이므로 메뚜기는 1 m보다 0.2 m 더 뛰었습니다.

· 0.6은 0.1이 6개로 이루어진 소수이므로 사마귀가 뛴 거리는 0.1 m를 6번 뛴 것과 같습니다.

· 0.6＜1.2이므로 메뚜기가 사마귀보다 더 멀리 뛰었습니다.

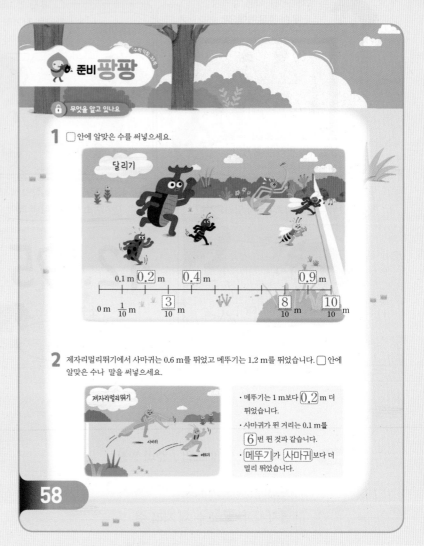

🧑 교과서 개념 완성 | 배운 것을 다시 생각하기

➡ 소수 알아보기

· 분수 $\frac{1}{10}$을 소수로 나타내기

$\frac{1}{10}$ ➡ [쓰기] 0.1 [읽기] 영 점 일

0.1, 0.2, 0.3과 같은 수를 소수라 하고 '.'을 소수점이라고 합니다.

```
   1   2   3   4   5   6   7   8   9
0 ─── ─── ─── ─── ─── ─── ─── ─── ─── 1
  10  10  10  10  10  10  10  10  10
├───┼───┼───┼───┼───┼───┼───┼───┼───┼───┤
0  0.1 0.2 0.3 0.4 0.5 0.6 0.7 0.8 0.9  1
```

· 1보다 큰 소수를 쓰고 읽기

1과 0.5만큼인 수 ➡ [쓰기] 1.5 [읽기] 일 점 오

➡ 소수의 크기 비교

· 0.3은 0.1이 3개인 수이고, 0.7은 0.1이 7개인 수이므로 0.7이 0.3보다 더 큽니다.

➡ 0.3＜0.7

· 2.3은 0.1이 23개인 수이고, 1.4는 0.1이 14개인 수이므로 2.3이 1.4보다 더 큽니다.

➡ 2.3＞1.4

[참고]
① 자연수 부분의 크기가 같은 경우 소수 부분의 크기가 큰 소수가 더 큽니다.

$\underset{3<7}{0.3 < 0.7}$

② 자연수 부분의 크기가 큰 소수가 더 큽니다.

$\underset{2>1}{2.3 > 1.4}$

함께 생각해 볼까요

1 전체 크기가 1인 모눈종이에 색칠된 부분을 분수로 나타내려고 합니다. ☐ 안에 알맞은 수를 써넣으세요.

 $\dfrac{\boxed{1}}{10}$

 $\dfrac{\boxed{4}}{10}$

 $\dfrac{\boxed{1}}{100}$

 $\dfrac{\boxed{25}}{100}$

2 가, 나, 다는 각각 전체 크기가 1인 모눈종이입니다. 물음에 답해 보세요.

가   나   다

• 가의 $\dfrac{1}{10}$ 만큼 나에 색칠해 보세요.

• 나에서 색칠한 부분의 $\dfrac{1}{10}$ 만큼 다에 색칠해 보세요.

59

🌼 **모눈종이에 색칠한 부분을 분수로 나타내기**

분모가 10이면 10칸으로 똑같이 나눈 것이고, 분모가 100이면 100칸으로 똑같이 나눈 것입니다.

• 10칸 중의 1칸이므로 $\dfrac{1}{10}$입니다.

• 10칸 중의 4칸이므로 $\dfrac{4}{10}$입니다.

• 100칸 중의 1칸이므로 $\dfrac{1}{100}$입니다.

• 100칸 중의 25칸이므로 $\dfrac{25}{100}$입니다.

🔷 **전체의 $\dfrac{1}{10}$ 만큼 색칠하기**

• 가에서 색칠한 부분의 $\dfrac{1}{10}$만큼은 나에서 10칸 중 눈금 한 칸입니다.

• 나에서 색칠한 부분의 $\dfrac{1}{10}$만큼은 다에서 10칸 중 눈금 한 칸입니다.

개념 확인 문제

정답 및 풀이 213쪽

| 3-1 | 6. 분수와 소수 |

1 두 분수의 크기를 ◯ 안에 >, =, <를 알맞게 써넣으세요.

(1) $\dfrac{6}{7}$ ◯ $\dfrac{4}{7}$ (2) $\dfrac{1}{8}$ ◯ $\dfrac{1}{7}$

| 3-1 | 6. 분수와 소수 |

2 분수를 소수로, 소수를 분수로 나타내어 보세요.

(1) $\dfrac{8}{10} =$ ☐   (2) $0.6 =$ ☐

| 3-1 | 6. 분수와 소수 |

3 색칠한 부분을 분수와 소수로 나타내어 보세요.

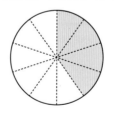

분수	
소수	

| 3-1 | 6. 분수와 소수 |

4 더 큰 소수의 기호를 써 보세요.

㉠ 3.7   ㉡ 2.9

(   )

2 차시

1 | 소수 두 자리 수

자릿값의 원리를 바탕으로 소수 두 자리 수를 이해하고, 그 수를 읽고 쓸 수 있습니다.

그림으로 개념 잡기

분모가 100이면 소수점 아래 두 자리 수가 있어.

$$\frac{1}{100} = 0.01$$

어휘 — 소수

decimal

小 (작을 소)
數 (셀 수)

일의 자리보다 작은 자리의 값을 가진 수를 말합니다.

참고

$\frac{1}{10}(=0.1)$을 10등분한 것 중의 1개가 $\frac{1}{100}(=0.01)$입니다.

---

1 소수 두 자리 수

자릿값의 원리를 바탕으로 소수 두 자리 수를 이해하고, 그 수를 읽고 쓸 수 있습니다.

생각 열기

개미들이 조각보를 만들기 위해 정사각형으로 자른 나뭇잎 한 장을 100칸으로 나누고 그중 12칸에 색칠하였습니다.

• 색칠한 부분을 분수로 나타내면 얼마일까요? $\frac{12}{100}$

탐구 하기 ① 전체 크기가 1인 모눈종이에서 분수 $\frac{1}{100}$이 소수로 어떻게 나타내어지는지 알아봅시다.

• $\frac{1}{10}$만큼 색칠해 보세요.

• $\frac{1}{10}$을 소수로 어떻게 나타내고 읽었나요?
0.1로 쓰고, 영 점 일이라고 읽었습니다.

• $\frac{1}{100}$만큼 색칠해 보세요.

• $\frac{1}{100}$은 소수로 어떻게 나타내고 읽어야 할지 이야기해 보세요.
0.01로 쓰고, 영 점 영일이라고 읽을 것 같습니다.

60

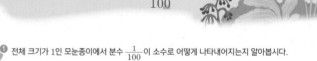

교과서 개념 완성

탐구하기 1 정리하기 · $\frac{1}{100}$을 소수로 나타내고 읽는 방법 약속하기

$\frac{1}{100}$을 0.01로 쓰고, 영 점 영일 이라고 읽습니다.

$$\frac{1}{100} = 0.01$$

· $\frac{12}{100}$를 소수로 나타내고 읽는 방법 약속하기

$\frac{12}{100}$를 0.12로 쓰고, 영 점 일이 라고 읽습니다.

$$\frac{12}{100} = 0.12$$

0.12는 0.01이 12개인 수입니다.

확인하기 분수를 소수로 나타내고 읽기

· $\frac{6}{100}$ → 쓰기 0.06 읽기 영 점 영육

· $\frac{54}{100}$ → 쓰기 0.54 읽기 영 점 오사

· $\frac{73}{100}$ → 쓰기 0.73 읽기 영 점 칠삼

생각 솔솔 소수 두 자리 수를 모눈종이와 수직선에 나타내기

· $0.17 = \frac{17}{100}$이므로 모눈종이 100칸 중의 17칸에 색칠합니다.

· 수직선은 0.1이 10등분 되었으므로 작은 눈금 한 칸의 크기는 0.01입니다.

정리하기

▪ $\frac{1}{100}$ 을 소수로 나타내고 읽어 봅시다.

$\frac{1}{100}$ 을 **0.01**로 쓰고, 영 점 영일이라고 읽습니다.

$$\frac{1}{100}=0.01$$

• 전체 크기가 1인 모눈종이에 $\frac{12}{100}$ 만큼 색칠해 보세요.

• $\frac{12}{100}$ 는 $\frac{1}{100}$ 이 몇 칸인가요? **12칸**

• $\frac{12}{100}$ 를 소수로 어떻게 나타낼 수 있나요? **0.12**

• $\frac{12}{100}$ 를 **0.12**로 쓰고, 영 점 일이라고 읽습니다.
• 0.12는 0.01이 12개인 수입니다.

$$\frac{12}{100}=0.12$$

확인하기

분수를 소수로 나타내고 읽어 보세요.

$\frac{6}{100}=\boxed{0.06}$ 읽기
영 점 영육

$\frac{54}{100}=\boxed{0.54}$ 읽기
영 점 오사

$\frac{73}{100}=\boxed{0.73}$ 읽기
영 점 칠삼

🔷 정보 처리

생각 솔솔 0.17을 전체 크기가 1인 모눈종이와 수직선에 각각 나타내어 보세요.

0.17만큼 색칠해 보세요

화살표(↑)로 나타내어 보세요

0   0.1   ↑   0.2

풀이 수직선은 0.1을 10등분한 것이므로 작은 눈금 한 칸은 0.01입니다. 0.17은 0.1에서 오른쪽으로 7칸 이동한 것입니다.

61

이런 문제가 서술형으로 나와요

화살표가 나타내는 소수는 얼마인지 풀이 과정을 쓰고, 답을 구해 보세요.

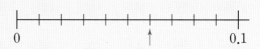

0   ↑   0.1

| 풀이 과정 |

❶ 작은 눈금 한 칸의 크기 구하기

0.1을 똑같이 10칸으로 나누었으므로 작은 눈금 한 칸의 크기는 0.01입니다.

❷ 화살표가 나타내는 소수 구하기

화살표가 나타내는 소수는 0에서 오른쪽으로 6칸 만큼 이동한 것이므로 0.06입니다.

답 0.06

수학 교과 역량   🔷 정보 처리

소수 두 자리 수를 모눈종이와 수직선에 나타내기

전체의 크기가 1인 모눈종이를 100등분하면 모눈 한 칸의 크기가 작아진다는 것을 이해하고 이를 소수로 어떻게 표현할지 생각하고 수직선에 나타내는 과정에서 정보 처리 능력을 기를 수 있습니다.

개념 확인 문제
정답 및 풀이 213쪽

1 전체 크기가 1인 모눈종이에 색칠된 부분의 크기를 분수와 소수로 나타내어 보세요.

(1)

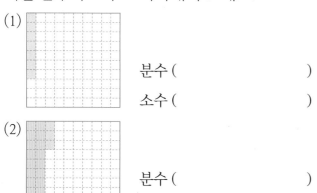

분수 (   )
소수 (   )

(2)

분수 (   )
소수 (   )

2 소수를 읽어 보세요.

(1) 0.09

(   )

(2) 0.64

(   )

3 소수로 나타내어 보세요.

(1) 영 점 영삼 → (   )

(2) 영 점 사칠 → (   )

소수를 여러 가지로 나타낼 수 있어요.

1.25

① 1이 1개, 0.1이 2개, 0.01이 5개인 수

② 0.01이 125개인 수

③ 0.1이 12개, 0.01이 5개인 수

참고 소수 두 자리 수 1.25는 0.01이 125개인 수라는 것과 1.25=1+0.2+0.05와 같이 소수의 자릿값의 덧셈식으로도 나타낼 수 있음을 알게 합니다.

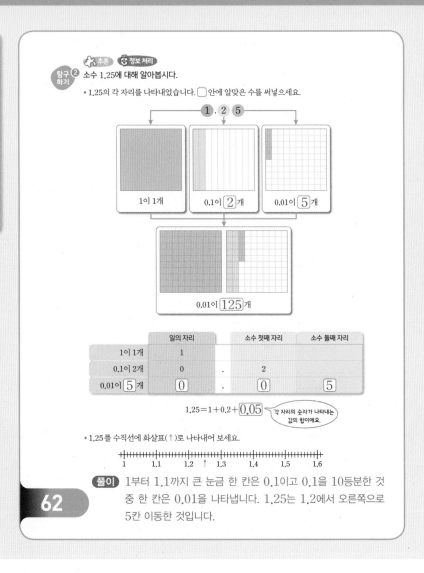

추론 정보 처리

탐구하기 2 소수 1.25에 대해 알아봅시다.

• 1.25의 각 자리를 나타내었습니다. ☐ 안에 알맞은 수를 써넣으세요.

1 . 2 5

1이 1개 0.1이 2개 0.01이 5개

0.01이 125개

	일의 자리		소수 첫째 자리	소수 둘째 자리
1이 1개	1			
0.1이 2개	0	.	2	
0.01이 5개	0	.	0	5

1.25=1+0.2+0.05 각 자리의 숫자가 나타내는 값의 합이에요.

• 1.25를 수직선에 화살표(↑)로 나타내어 보세요.

1 1.1 1.2 ↑ 1.3 1.4 1.5 1.6

풀이 1부터 1.1까지 큰 눈금 한 칸은 0.1이고 0.1을 10등분한 것 중 한 칸은 0.01을 나타냅니다. 1.25는 1.2에서 오른쪽으로 5칸 이동한 것입니다.

62

 교과서 개념 완성

탐구하기 2 소수 1.25의 자릿값 탐구하기

1.25는   1이 1개 → 0.01이 100개

0.1이 2개 → 0.01이 20개

0.01이 5개 → 0.01이 5개

———————————————

0.01이 125개인 수입니다.

정리하기 소수 1.25의 자릿값 정리하기

1.25

일의 자리 숫자이고, 1을 나타냅니다.

→소수 첫째 자리 숫자이고, 0.2를 나타냅니다.

→소수 둘째 자리 숫자이고, 0.05를 나타냅니다.

확인하기 소수 두 자리 수를 쓰고 읽기

• 5.28=5+0.2+0.08이므로 5.28은 1이 5개, 0.1이 2개, 0.01이 8개인 수입니다.

• 6.03과 같이 소수 첫째 자리에 0이 올 수 있음을 알게 하고, 6.3과 같이 쓰지 않도록 합니다.

• 8.71을 1이 8개, 0.1이 7개, 0.01이 1개인 수로도 나타내고 8.71=8+0.7+0.01과 같이 소수의 자릿값의 덧셈식으로도 나타내어 보게 합니다.

학부모 코칭 Tip

소수점 앞의 숫자들은 자연수의 자릿값 그대로 이해하고, 소수점 뒤의 숫자들은 소수점 바로 뒤의 숫자부터 차례대로 소수 첫째 자리, 소수 둘째 자리를 나타낸다는 것을 설명해 줍니다.

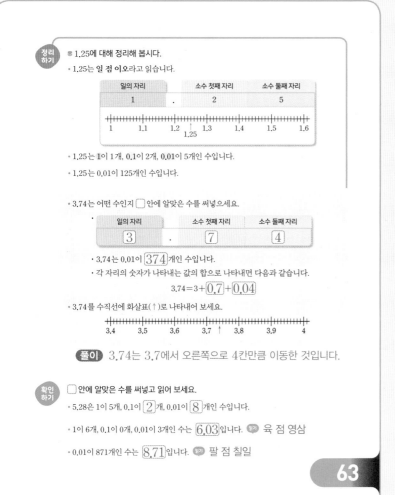

정리하기

☞ 1.25에 대해 정리해 봅시다.

• 1.25는 일 점 이오라고 읽습니다.

일의 자리		소수 첫째 자리	소수 둘째 자리
1	.	2	5

• 1.25는 1이 1개, 0.1이 2개, 0.01이 5개인 수입니다.

• 1.25는 0.01이 125개인 수입니다.

• 3.74는 어떤 수인지 ☐ 안에 알맞은 수를 써넣으세요.

일의 자리		소수 첫째 자리	소수 둘째 자리
3	.	7	4

• 3.74는 0.01이 374 개인 수입니다.
• 각 자리의 숫자가 나타내는 값의 합으로 나타내면 다음과 같습니다.
  3.74=3+ 0.7 + 0.04

• 3.74를 수직선에 화살표(↑)로 나타내어 보세요.

풀이 3.74는 3.7에서 오른쪽으로 4칸만큼 이동한 것입니다.

확인하기

☐ 안에 알맞은 수를 써넣고 읽어 보세요.

• 5.28은 1이 5개, 0.1이 2 개, 0.01이 8 개인 수입니다.

• 1이 6개, 0.1이 0개, 0.01이 3개인 수는 6.03 입니다. 읽기 육 점 영삼

• 0.01이 871개인 수는 8.71 입니다. 읽기 팔 점 칠일

63

이런 문제가 서술형으로 나와요

수직선에서 ☐ 안에 알맞은 수는 얼마인지 풀이 과정을 쓰고, 답을 구해 보세요.

| 풀이 과정 |

❶ 작은 눈금 한 칸의 크기 구하기

수직선에서 작은 눈금 10칸이 0.1을 나타내므로 작은 눈금 한 칸의 크기는 0.01입니다.

❷ ☐ 안에 알맞은 수 구하기

2.2에서 오른쪽으로 6칸 이동했으므로 2.26입니다.

답 2.26

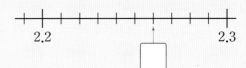

소수 두 자리 수의 자릿값 알아보기

소수의 자릿값을 알아보고 수직선에서 모눈 한 칸의 크기가 얼마인지 파악해 보는 과정에서 추론 능력, 정보 처리 능력을 기를 수 있습니다.

개념 확인 문제

정답 및 풀이 213쪽

1 분수를 소수로 나타내고 읽어 보세요.

$$1\frac{27}{100}$$

쓰기 (   ), 읽기 (   )

2 다음이 나타내는 소수를 써 보세요.

1이 4개, 0.1이 5개, 0.01이 2개인 수

(   )

3 7.69를 보고 ☐ 안에 알맞은 수나 말을 써넣으세요.

(1) 6은 [   ] 자리 숫자이고,

[   ]을 나타냅니다.

(2) 9는 [   ] 자리 숫자이고,

[   ]를 나타냅니다.

4 숫자 8이 나타내는 수를 구해 보세요.

5.38

(   )

학습 목표

자릿값의 원리를 바탕으로 소수 세 자리 수를 이해하고, 그 수를 읽고 쓸 수 있습니다.

그림으로 개념 잡기

분모가 1000이면 소수점 아래 세 자리 수가 있어.

$$\frac{1}{1000} = 0.001$$

참고 이미 알고 있는 $0.01(=\frac{1}{100})$의 개념을 바탕으로 $0.01(=\frac{1}{100})$을 10등분한 것 중의 1개가 $\frac{1}{1000}(=0.001)$임을 알도록 합니다.

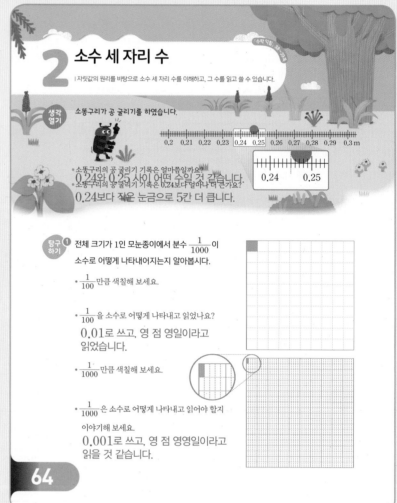

2 소수 세 자리 수

자릿값의 원리를 바탕으로 소수 세 자리 수를 이해하고, 그 수를 읽고 쓸 수 있습니다.

생각 열기 소똥구리가 공 굴리기를 하였습니다.

0.2 0.21 0.22 0.23 0.24 0.25 0.26 0.27 0.28 0.29 0.3 m

0.24 0.25

• 소똥구리의 공 굴리기 기록은 얼마쯤일까요?
0.24와 0.25 사이 어떤 수일 것 같습니다.
• 소똥구리의 공 굴리기 기록은 0.24보다 얼마나 더 큰가요?
0.24보다 작은 눈금으로 5칸 더 큽니다.

탐구하기 1 전체 크기가 1인 모눈종이에서 분수 $\frac{1}{1000}$이 소수로 어떻게 나타내어지는지 알아봅시다.

• $\frac{1}{100}$만큼 색칠해 보세요.

• $\frac{1}{100}$을 소수로 어떻게 나타내고 읽었나요?
0.01로 쓰고, 영 점 영일이라고 읽었습니다.

• $\frac{1}{1000}$만큼 색칠해 보세요.

• $\frac{1}{1000}$은 소수로 어떻게 나타내고 읽어야 할지 이야기해 보세요.
0.001로 쓰고, 영 점 영영일이라고 읽을 것 같습니다.

64

교과서 개념 완성

탐구하기 1 **정리하기** · $\frac{1}{1000}$을 소수로 나타내고 읽는 방법 약속하기

• $\frac{1}{1000}$을 0.001로 쓰고, 영 점 영영일이라고 읽습니다.

$$\frac{1}{1000} = 0.001$$

• $\frac{245}{1000}$를 소수로 나타내고 읽는 방법 약속하기

• $\frac{245}{1000}$를 0.245로 쓰고, 영 점 이사오라고 읽습니다.

$$\frac{245}{1000} = 0.245$$

확인하기 분수를 소수로 나타내고 읽기

$\frac{1}{1000} = 0.001$, $\frac{2}{1000} = 0.002$와 같이 분수를 소수로 나타낼 때에는 소수점 다음에 세 숫자가 나옵니다.

생각 솔솔 소수 세 자리 수를 수직선에 나타내기

0.01을 10등분하면 작은 눈금 한 칸은 0.001을 나타냅니다.

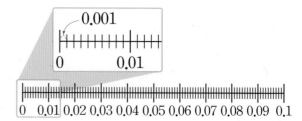

0.001

0   0.01

0 0.01 0.02 0.03 0.04 0.05 0.06 0.07 0.08 0.09 0.1

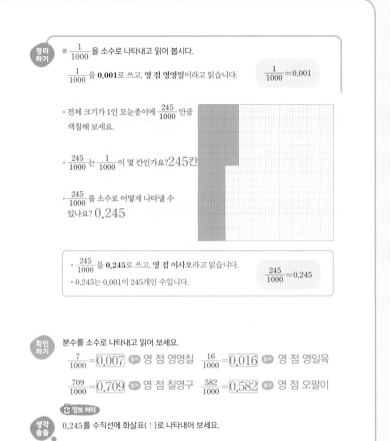

정리하기 ● $\frac{1}{1000}$ 을 소수로 나타내고 읽어 봅시다.

・$\frac{1}{1000}$ 을 **0.001**로 쓰고, 영 점 영영일이라고 읽습니다. $\frac{1}{1000}=0.001$

・전체 크기가 1인 모눈종이에 $\frac{245}{1000}$ 만큼 색칠해 보세요.

・$\frac{245}{1000}$ 는 $\frac{1}{1000}$ 이 몇 칸인가요? **245칸**

・$\frac{245}{1000}$ 를 소수로 어떻게 나타낼 수 있나요? **0.245**

・$\frac{245}{1000}$ 를 **0.245**로 쓰고, 영 점 이사오라고 읽습니다. $\frac{245}{1000}=0.245$
・0.245는 0.001이 245개인 수입니다.

확인하기 분수를 소수로 나타내고 읽어 보세요.

$\frac{7}{1000}=\boxed{0.007}$ 읽기 영 점 영영칠 $\frac{16}{1000}=\boxed{0.016}$ 읽기 영 점 영일육

$\frac{709}{1000}=\boxed{0.709}$ 읽기 영 점 칠영구 $\frac{582}{1000}=\boxed{0.582}$ 읽기 영 점 오팔이

🍎정보 처리

생각 솔솔 0.245를 수직선에 화살표(↑)로 나타내어 보세요.

풀이 0.23부터 0.24까지 0.01이고 작은 눈금 한 칸은 0.01을 10등분한 것 중 한 칸이므로 0.001을 나타냅니다. 0.245는 0.24에서 오른쪽으로 5칸 이동한 것입니다.

65

이런 문제가 서술형으로 나와요

화살표로 나타낸 수는 얼마인지 풀이 과정을 쓰고, 답을 구해 보세요.

|——|——|——|——|——|——|——|——|——|——|
　　0.63　　　　　　↑　　　　0.64

| 풀이 과정 |

❶ 눈금 한 칸의 크기 구하기

0.63과 0.64는 0.01 차이가 나고 10등분 되어 있으므로 작은 눈금 한 칸의 크기는 0.001입니다.

❷ 화살표로 나타낸 수 구하기

화살표로 나타낸 수는 0.63에서 오른쪽으로 6칸만큼 더 간 곳이므로 0.636을 나타냅니다.

답 0.636

・수학 교과 역량 **🍎정보 처리**

소수 세 자리 수를 수직선에 나타내기
소수를 수직선에 나타내어 보는 과정에서 정보 처리 능력을 기를 수 있습니다.

💗 개념 확인 문제 정답 및 풀이 213쪽

1 분수를 소수로 나타내어 보세요.

$$\frac{406}{1000} \rightarrow (\qquad\qquad)$$

2 소수를 읽어 보세요.

(1) 0.074 → (　　　　　　)

(2) 0.319 → (　　　　　　)

3 ⬜ 안에 알맞은 소수를 써넣으세요.

$\frac{1}{1000}$ 이 145개인 수는 ⬜입니다.

4 관계있는 것끼리 선으로 이어 보세요.

| 0.581 | ・ | ・ | 영 점 영오일 |

| $\frac{508}{1000}$ | ・ | ・ | 영 점 오팔일 |

| 0.001이 51개인 수 | ・ | ・ | 영 점 오영팔 |

그림으로 개념 잡기

소수를 여러 가지로
나타내어 볼까?

1.245

① 1이 1개, 0.1이 2개, 0.01이 4개, 0.001
이 5개인 수

② 0.001이 1245개인 수

③ 0.1이 12개, 0.01이 4개, 0.001이 5개인 수

④ 0.01이 124개, 0.001이 5개인 수

참고
소수점 앞의 숫자들은 자연수의 자릿값 그
대로 이해하고 소수점 뒤의 숫자들은 소수
점 바로 뒤의 숫자부터 차례대로 소수 첫째
자리, 소수 둘째 자리, 소수 셋째 자리로 나
타낸다는 것을 알게 합니다.

추론 **정보 처리**
탐구 하기 ② 소수 1.245에 대해 알아봅시다.

• 1.245의 각 자리를 나타내었습니다. ☐ 안에 알맞은 수를 써넣으세요.

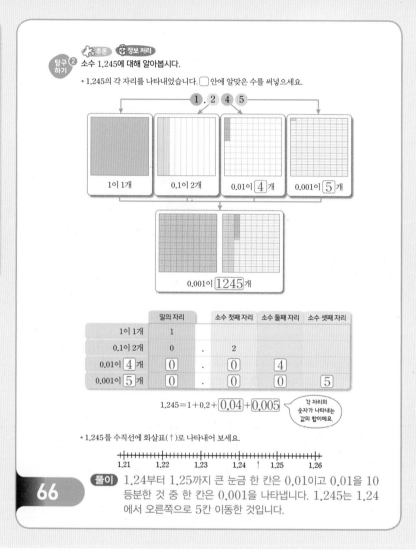

1.245 = 1 + 0.2 + $\boxed{0.04}$ + $\boxed{0.005}$

각 자리의 숫자가 나타내는 값의 합이에요

• 1.245를 수직선에 화살표(↑)로 나타내어 보세요.

1.21 1.22 1.23 1.24 ↑ 1.25 1.26

풀이 1.24부터 1.25까지 큰 눈금 한 칸은 0.01이고 0.01을 10
등분한 것 중 한 칸은 0.001을 나타냅니다. 1.245는 1.24
에서 오른쪽으로 5칸 이동한 것입니다.

66

교과서 개념 완성

탐구하기 2 **정리하기** 소수 1.245의 자릿값 정리하기

1.245는 1이 1개 → 0.001이 1000개
0.1이 2개 → 0.001이 200개
0.01이 4개 → 0.001이 40개
0.001이 5개 → 0.001이 5개
───────────────────
0.001이 1245개인 수

1.2 4 5

일의 자리 숫자이고, 1을 나타냅니다.
소수 첫째 자리 숫자이고, 0.2를 나타냅니다.
소수 둘째 자리 숫자이고, 0.04를 나타냅니다.
소수 셋째 자리 숫자이고, 0.005를 나타냅니다.

확인하기 소수 세 자리 수를 쓰고 읽기

• 8.052
소수 첫째 자리 수가 0이므로 0.1이 0개입니다.

• 1이 5개이면 5, 0.1이 3개이면 0.3, 0.01이 4개이
면 0.04, 0.001이 6개이면 0.006이므로 5.346입
니다.

• 0.001이 5271개인 수는 $\frac{1}{1000}$이 5271개인 수이므

로 $\frac{5271}{1000} = 5\frac{271}{1000} = 5 + 0.271 = 5.271$입니다.

학부모 코칭 Tip

8.052는 0.001이 8052개이고 8.052 = 8 + 0.05 + 0.002와
같이 소수의 자릿값의 덧셈식으로 나타내어 보게 합니다.

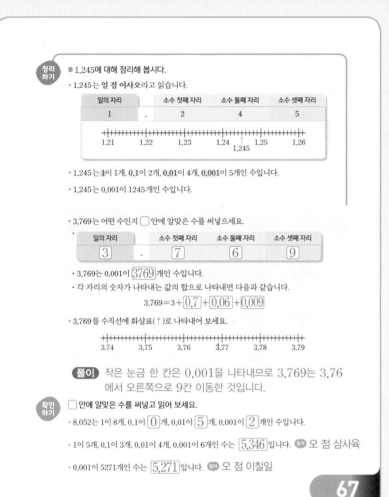

이런 문제가 **서술형**으로 나와요

5가 나타내는 수가 더 작은 것의 기호를 쓰려고 합니다. 풀이 과정을 쓰고, 답을 구해 보세요.

| ㉠ 2.365 | ㉡ 3.457 |

| 풀이 과정 |

❶ 5가 나타내는 수 구하기

㉠ 2.**3**6**5** → 5는 소수 셋째 자리 숫자이므로 0.005를 나타냅니다.

㉡ 3.4**5**7 → 5는 소수 둘째 자리 숫자이므로 0.05를 나타냅니다.

❷ 5가 나타내는 수가 더 작은 것 찾기

0.005 < 0.05이므로 5가 나타내는 수가 더 작은 것은 ㉠입니다.

답 ㉠

• **수학 교과 역량** ✦추론 ✿정보 처리

소수 세 자리 수의 자릿값 알아보기

소수 세 자리 수의 자릿값을 알아보고 수직선에서 모눈 한 칸의 크기가 얼마인지 파악해 보는 과정에서 추론 능력, 정보 처리 능력을 기를 수 있습니다.

개념 확인 문제   정답 및 풀이 214쪽

1 2.157을 보고 빈칸에 알맞은 수를 써넣으세요.

일의 자리		소수 첫째 자리	소수 둘째 자리	소수 셋째 자리
	.			

2 일의 자리 숫자가 7, 소수 첫째 자리 숫자가 4, 소수 둘째 자리 숫자가 8, 소수 셋째 자리 숫자가 3인 소수 세 자리 수를 써 보세요.

(   )

3 ☐ 안에 알맞은 소수를 써넣으세요.

1이 13개, 0.1이 7개, 0.01이 4개, 0.001이 5개인 수는 ☐ 입니다.

4 9가 나타내는 수를 써 보세요.

(1) 3.294 → (   )

(2) 7.169 → (   )

3 | 소수 사이의 관계

차시 4

학습 목표

1, 0.1, 0.01, 0.001 사이의 관계를 이해할 수 있습니다.

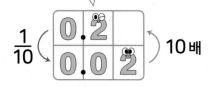

그림으로 개념 잡기

소수를 10배 하면 소수점을
기준으로 수가 왼쪽으로 이동하고
소수의 $\frac{1}{10}$을 하면 소수점을
기준으로 수가 오른쪽으로 이동해.

$\frac{1}{10}$ ⟳ | 0 . 2 |
                | 0 . 0 2 | ⟲ 10배

참고 어떤 수를 10배, 100배, ...하면 그 수의 크기가 커지고, 어떤 수의 $\frac{1}{10}$, $\frac{1}{100}$, ...을 하면 그 수의 크기가 작아진다는 것을 이해하도록 합니다.

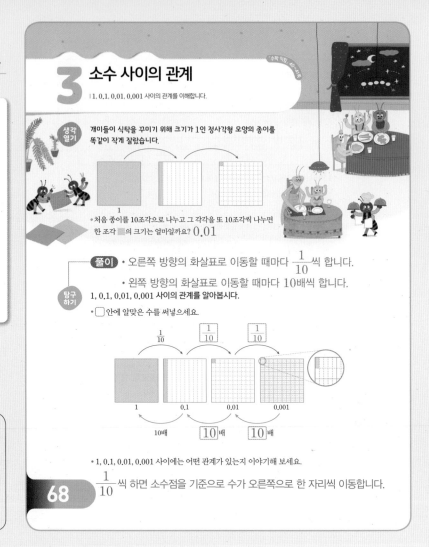

3 소수 사이의 관계

1, 0.1, 0.01, 0.001 사이의 관계를 이해합니다.

생각 열기 개미들이 식탁을 꾸미기 위해 크기가 1인 정사각형 모양의 종이를 똑같이 작게 잘랐습니다.

* 처음 종이를 10조각으로 나누고 그 각각을 또 10조각씩 나누면 한 조각 □의 크기는 얼마일까요? 0.01

풀이
* 오른쪽 방향의 화살표로 이동할 때마다 $\frac{1}{10}$씩 합니다.
* 왼쪽 방향의 화살표로 이동할 때마다 10배씩 합니다.

탐구 하기 1, 0.1, 0.01, 0.001 사이의 관계를 알아봅시다.

* □ 안에 알맞은 수를 써넣으세요.

* 1, 0.1, 0.01, 0.001 사이에는 어떤 관계가 있는지 이야기해 보세요.
$\frac{1}{10}$씩 하면 소수점을 기준으로 수가 오른쪽으로 한 자리씩 이동합니다.

68

교과서 개념 완성

탐구하기 **1, 0.1, 0.01, 0.001 사이의 관계 알아보기**

$$1 \xrightarrow[10배]{\frac{1}{10}} 0.1 \xrightarrow[10배]{\frac{1}{10}} 0.01 \xrightarrow[10배]{\frac{1}{10}} 0.001$$

* $\frac{1}{10}$씩 하면 소수점을 기준으로 수가 오른쪽으로 한 자리씩 이동합니다.
* 10배씩 하면 소수점을 기준으로 수가 왼쪽으로 한 자리씩 이동합니다.

학부모 코칭 Tip

수가 왼쪽으로 한 자리 이동할 때마다 10배가 되고 오른쪽으로 한 자리 이동할 때마다 $\frac{1}{10}$이 된다는 것을 이해하게 합니다.

정리하기 **1, 0.1, 0.01, 0.001 사이의 관계 정리하기**

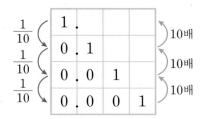

$\frac{1}{10}$	1 .		
$\frac{1}{10}$	0 . 1		
$\frac{1}{10}$	0 . 0 1		
	0 . 0 0 1		

1과 같이 자연수는 맨 오른쪽 끝에 소수점이 있다고 생각하고 자리를 이동합니다.

학부모 코칭 Tip

* 길이: 1 mm＝0.1 cm, 1 cm＝0.01 m
* 들이: 1 mL＝0.001 L
* 무게: 1 g＝0.001 kg, 1 kg＝0.001 t

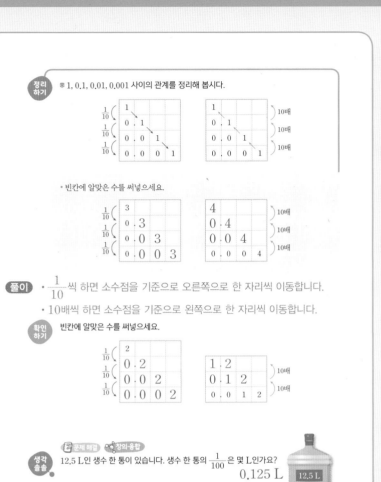

정리하기 ☞ 1, 0.1, 0.01, 0.001 사이의 관계를 정리해 봅시다.

• 빈칸에 알맞은 수를 써넣으세요.

풀이
• $\frac{1}{10}$씩 하면 소수점을 기준으로 오른쪽으로 한 자리씩 이동합니다.
• 10배씩 하면 소수점을 기준으로 왼쪽으로 한 자리씩 이동합니다.

확인하기 빈칸에 알맞은 수를 써넣으세요.

생각솔솔 🔲문제 해결 　🔲창의·융합
12.5 L인 생수 한 통이 있습니다. 생수 한 통의 $\frac{1}{100}$ 은 몇 L인가요?
0.125 L

풀이 12.5 L의 $\frac{1}{10}$ 이 1.25 L이고, 12.5 L의 $\frac{1}{100}$ 은 1.25 L의 $\frac{1}{10}$ 과 같으므로 0.125 L입니다.

69

이런 문제가 서술형으로 나와요

㉠이 나타내는 수는 ㉡이 나타내는 수의 몇 배인지 풀이 과정을 쓰고, 답을 구해 보세요.

$$\underset{㉠\ \ ㉡}{13.736}$$

| 풀이 과정 |

❶ ㉠과 ㉡이 나타내는 수 구하기

㉠은 일의 자리 숫자이므로 3을 나타내고 ㉡은 소수 둘째 자리 숫자이므로 0.03을 나타냅니다.

❷ ㉠이 나타내는 수는 ㉡이 나타내는 수의 몇 배인지 구하기

3은 0.03을 100배 한 수이므로 ㉠이 나타내는 수는 ㉡이 나타내는 수의 100배입니다.

답 100배

• 수학 교과 역량 🔲문제 해결 　🔲창의·융합
소수 사이의 관계에 대한 실생활 문제 해결하기
소수 사이의 관계를 활용하여 소수의 크기 변화에 대한 실생활 문제를 해결하는 과정에서 문제 해결 능력과 창의·융합 능력을 기를 수 있습니다.

개념 확인 문제
정답 및 풀이 214쪽

1 빈칸에 알맞은 수를 써넣으세요.

(1)
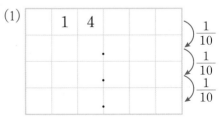

(2)
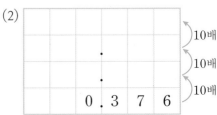

2 빈 곳에 알맞은 수를 써넣으세요.

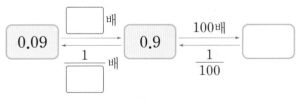

3 ☐ 안에 알맞은 수를 써넣으세요.

(1) 5의 $\frac{1}{10}$ 은 0.5이고, $\frac{1}{100}$ 은 ☐를 나타냅니다.

(2) 12.7의 10배는 ☐이고, 100배는 ☐을 나타냅니다.

5 차시

4 | 소수의 크기 비교

소수의 각 자리 수를 보고 소수의 크기를 비교할 수 있습니다.

그림으로 개념 잡기

소수 **첫째** 자리 비교하기
↓
소수 **둘째** 자리 비교하기
↓
소수 **셋째** 자리 비교하기

> 자연수 부분부터 같은 자리 수끼리 차례로 수의 크기를 비교해요.

어휘

비교

比 (견줄 비)
較 (견줄 교)

둘 이상의 사물을 견주어 서로 간의 유사점, 차이점을 밝히는 것을 말합니다.

참고

소수의 크기를 비교할 때는 큰 자리 수부터 비교하고 소수의 크기를 비교하는 것에 어려움을 느낄 경우에는 수직선, 자릿값 표를 사용하도록 합니다.

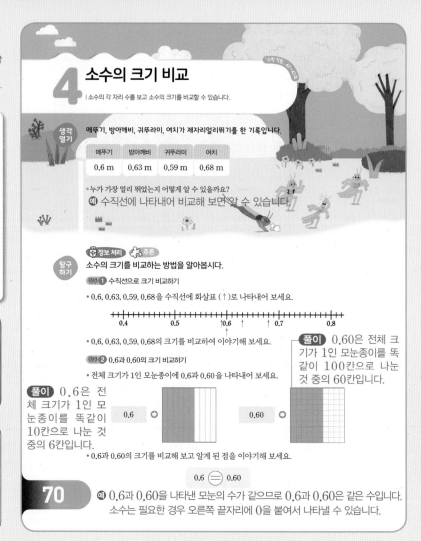

4 소수의 크기 비교

| 소수의 각 자리 수를 보고 소수의 크기를 비교할 수 있습니다.

생각 열기

메뚜기, 방아깨비, 귀뚜라미, 여치가 제자리멀리뛰기를 한 기록입니다.

메뚜기	방아깨비	귀뚜라미	여치
0.6 m	0.63 m	0.59 m	0.68 m

• 누가 가장 멀리 뛰었는지 어떻게 알 수 있을까요?
예 수직선에 나타내어 비교해 보면 알 수 있습니다.

탐구하기 정보 처리 추론

소수의 크기를 비교하는 방법을 알아봅시다.

활동 ❶ 수직선으로 크기 비교하기

• 0.6, 0.63, 0.59, 0.68을 수직선에 화살표(↑)로 나타내어 보세요.

0.4 0.5 0.6 0.7 0.8

• 0.6, 0.63, 0.59, 0.68의 크기를 비교하여 이야기해 보세요.

활동 ❷ 0.6과 0.60의 크기 비교하기

• 전체 크기가 1인 모눈종이에 0.6과 0.60을 나타내어 보세요.

풀이 0.6은 전체 크기가 1인 모눈종이를 똑같이 10칸으로 나눈 것 중의 6칸입니다.

0.6

풀이 0.60은 전체 크기가 1인 모눈종이를 똑같이 100칸으로 나눈 것 중의 60칸입니다.

0.60

• 0.6과 0.60의 크기를 비교해 보고 알게 된 점을 이야기해 보세요.

0.6 = 0.60

예 0.6과 0.60을 나타낸 모눈의 수가 같으므로 0.6과 0.60은 같은 수입니다. 소수는 필요한 경우 오른쪽 끝자리에 0을 붙여서 나타낼 수 있습니다.

70

교과서 개념 완성

탐구하기 **정리하기** 소수의 크기 비교하는 방법 정리하기

| 자연수 부분 비교 **예** 2.5 > 0.16 | → | 소수 첫째 자리 수 비교 **예** 0.49 < 0.63 | → |

| 소수 둘째 자리 수 비교 **예** 1.74 < 1.79 | → | 소수 셋째 자리 수 비교 **예** 3.165 < 3.168 |

소수의 자릿수가 서로 다를 경우에는 자릿수가 작은 소수의 끝자리에 0을 붙여 자릿수를 같게 만든 후 수의 크기를 비교합니다.

예 2.340 < 2.346

확인하기 소수의 크기 비교하기

• 자연수 부분끼리 비교하면 3 > 1이므로 3.12 > 1.8입니다.

• 소수 첫째 자리끼리 비교하면 4 > 2이므로 0.4 > 0.25입니다.

• 소수 둘째 자리끼리 비교하면 0 < 2이므로 0.407 < 0.42입니다.

• 소수 셋째 자리끼리 비교하면 4 < 6이므로 5.274 < 5.276입니다.

학부모 코칭 Tip

소수의 표현은 십진법을 따르기 때문에 자연수의 크기 비교와 같은 방법으로 큰 자리 수부터 비교하게 합니다.

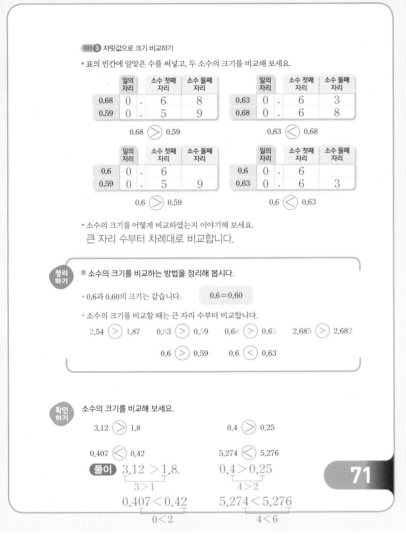

활동 3 자릿값으로 크기 비교하기

- 표의 빈칸에 알맞은 수를 써넣고, 두 소수의 크기를 비교해 보세요.

	일의 자리		소수 첫째 자리	소수 둘째 자리
0.68	0	.	6	8
0.59	0	.	5	9

0.68 ⟩ 0.59

	일의 자리		소수 첫째 자리	소수 둘째 자리
0.63	0	.	6	3
0.68	0	.	6	8

0.63 ⟨ 0.68

	일의 자리		소수 첫째 자리	소수 둘째 자리
0.6	0	.	6	
0.59	0	.	5	9

0.6 ⟩ 0.59

	일의 자리		소수 첫째 자리	소수 둘째 자리
0.6	0	.	6	
0.63	0	.	6	3

0.6 ⟨ 0.63

- 소수의 크기를 어떻게 비교하였는지 이야기해 보세요.
  큰 자리 수부터 차례대로 비교합니다.

정리하기 ※ 소수의 크기를 비교하는 방법을 정리해 봅시다.

- 0.6과 0.60의 크기는 같습니다.　　0.6＝0.60

- 소수의 크기를 비교할 때는 큰 자리 수부터 비교합니다.

2.54 ⟩ 1.87　　0.63 ⟩ 0.59　　0.68 ⟩ 0.63　　2.685 ⟩ 2.682

　　　　0.6 ⟩ 0.59　　0.6 ⟨ 0.63

확인하기 소수의 크기를 비교해 보세요.

3.12 ⟩ 1.8　　　　　　0.4 ⟩ 0.25

0.407 ⟨ 0.42　　　　5.274 ⟨ 5.276

풀이 3.12 ⟩ 1.8 ,　　0.4 ⟩ 0.25
　　　　└3 > 1┘　　　└4 > 2┘
　　0.407 ⟨ 0.42　　5.274 ⟨ 5.276
　　　└0 < 2┘　　　　└4 < 6┘

71

👩 **이런 문제가 서술형으로 나와요**

오늘 우유를 정훈이는 0.75 L, 수빈이는 824 mL 마셨습니다. 누가 우유를 더 많이 마셨는지 풀이 과정을 쓰고, 답을 구해 보세요.

| 풀이 과정 |

❶ 수빈이가 마신 우유의 양을 L 단위로 나타내기

1000 mL＝0.001 L이므로
824 mL＝0.824 L입니다.

❷ 우유를 더 많이 마신 사람 구하기

0.75 < 0.824이므로 우유를 더 많이 마신 사람은 수빈이입니다.

답 수빈

🔹 **수학 교과 역량**　⊕ 정보 처리　🧩 추론

소수의 크기 비교

수직선과 모눈종이에서 눈금과 모눈 한 칸의 크기가 각각 얼마인지를 파악하는 과정에서 정보 처리 능력을 기르고, 소수의 크기를 비교해 보는 과정에서 추론 능력을 기를 수 있습니다.

👧 **개념 확인 문제**　　　　정답 및 풀이 214쪽

1 ◯ 안에 ＞, ＝, ＜를 알맞게 써넣으세요.

(1)

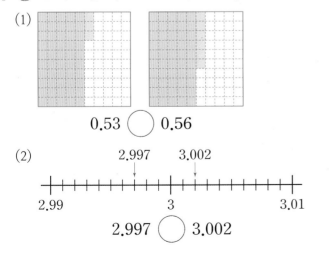

0.53 ◯ 0.56

(2)

2.99 —+—+—+—2.997↑—+—3↑3.002—+—+—+—+— 3.01

2.997 ◯ 3.002

2 소수에서 생략할 수 있는 0을 찾아 /로 모두 그어 보세요.

| 5.03 | 4.900 | 0.760 |

3 두 수의 크기를 비교하여 ◯ 안에 ＞, ＝, ＜를 알맞게 써넣으세요.

(1) 3.95 ◯ 5.17

(2) 9.361 ◯ 8.46

5 | 소수 한 자리 수의 덧셈

학습 목표

소수 한 자리 수의 덧셈의 계산 원리를 이해하고, 그 계산을 할 수 있습니다.

그림으로 개념 잡기

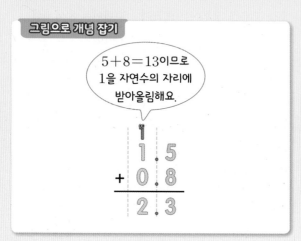

5+8=13이므로
1을 자연수의 자리에
받아올림해요.

$$\begin{array}{r} 1 \\ 1.5 \\ +\ 0.8 \\ \hline 2.3 \end{array}$$

참고 · 0.9+0.3의 값이 1보다 클지 작을지 어림해 보게 하고 0.12로 답하면 그 값이 더해지는 수인 0.9보다 작아짐을 깨닫게 합니다.

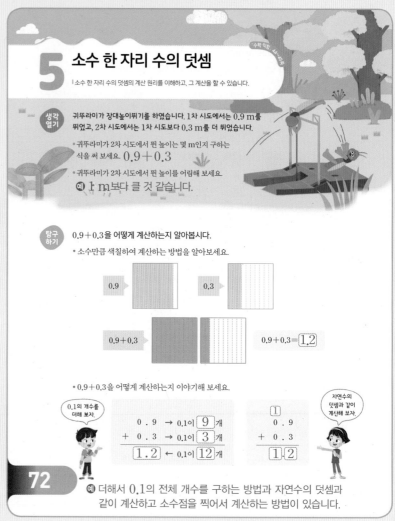

5 소수 한 자리 수의 덧셈

소수 한 자리 수의 덧셈의 계산 원리를 이해하고, 그 계산을 할 수 있습니다.

생각열기 귀뚜라미가 장대높이뛰기를 하였습니다. 1차 시도에서는 0.9 m를 뛰었고, 2차 시도에서는 1차 시도보다 0.3 m를 더 뛰었습니다.

· 귀뚜라미가 2차 시도에서 뛴 높이는 몇 m인지 구하는 식을 써 보세요. 0.9+0.3

· 귀뚜라미가 2차 시도에서 뛴 높이를 어림해 보세요.
예 1 m보다 클 것 같습니다.

탐구하기 0.9+0.3을 어떻게 계산하는지 알아봅시다.

· 소수만큼 색칠하여 계산하는 방법을 알아보세요.

0.9+0.3=1.2

· 0.9+0.3을 어떻게 계산하는지 이야기해 보세요.

0.1의 개수를 더해 보자.

$$\begin{array}{r} 0.9 \rightarrow 0.1\text{이 } \boxed{9} \text{개} \\ +\ 0.3 \rightarrow 0.1\text{이 } \boxed{3} \text{개} \\ \hline \boxed{1.2} \leftarrow 0.1\text{이 } \boxed{12} \text{개} \end{array}$$

자연수의 덧셈과 같이 계산해 보자.

$$\begin{array}{r} 1 \\ 0.9 \\ +\ 0.3 \\ \hline \boxed{1.2} \end{array}$$

72

예 더해서 0.1의 전체 개수를 구하는 방법과 자연수의 덧셈과 같이 계산하고 소수점을 찍어서 계산하는 방법이 있습니다.

 교과서 개념 완성

탐구하기 0.9+0.3의 계산 원리 탐구하기

· 모눈종이로 알아보기
0.9는 9칸을 색칠하고 이어서 0.3은 3칸을 더 색칠하면 모두 12칸이므로 0.9+0.3=1.2입니다.

· 0.1의 개수로 알아보기
0.9는 0.1이 9개인 수이고, 0.3은 0.1이 3개인 수이므로 0.9+0.3은 0.1이 모두 9+3=12(개)인 수와 같습니다. ➡ 0.9+0.3=1.2

· 자연수의 덧셈으로 알아보기
9+3=12이므로 소수점을 찍으면 0.9+0.3=1.2입니다.

정리하기 0.9+0.3의 계산 방법 정리하기

$$\begin{array}{r} 1 \\ 0.9 \\ +\ 0.3 \\ \hline 1.2 \end{array}$$

① 소수점끼리 맞추어 세로로 씁니다.
② 받아올림에 주의하여 같은 자리 수끼리 더합니다.
③ 소수점을 그대로 내려 찍습니다.

확인하기 소수 한 자리 수의 덧셈 계산하기

$$\begin{array}{r} 1 \\ 0.9 \\ +\ 0.6 \\ \hline 1.5 \end{array} \qquad \begin{array}{r} 1 \\ 1.7 \\ +\ 0.8 \\ \hline 2.5 \end{array} \qquad \begin{array}{r} 1.8 \\ +\ 4.1 \\ \hline 5.9 \end{array} \qquad \begin{array}{r} 1 \\ 5.7 \\ +\ 2.3 \\ \hline 8.0 \end{array}$$

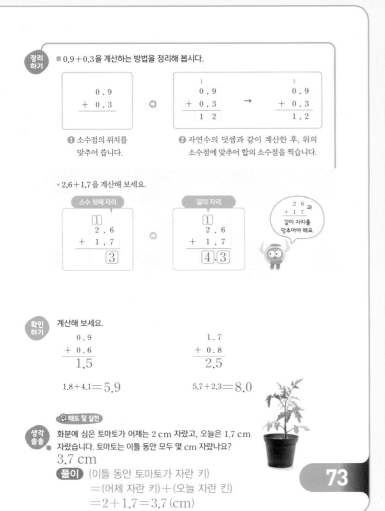

정리하기

例 0.9＋0.3을 계산하는 방법을 정리해 봅시다.

```
    0.9
  + 0.3
```
○
```
  1
    0.9
  + 0.3
  ───
    1 2
```
→
```
  1
    0.9
  + 0.3
  ───
    1.2
```

❶ 소수점의 위치를 맞추어 씁니다.　❷ 자연수의 덧셈과 같이 계산한 후, 위의 소수점에 맞추어 합의 소수점을 찍습니다.

• 2.6＋1.7을 계산해 보세요.

소수 첫째 자리
```
    ①
    2.6
  + 1.7
  ───
    ③
```
○
일의 자리
```
    ①
    2.6
  + 1.7
  ───
   ④.③
```

2 6 과 1 7 을 같이 자리를 맞추어야 해요.

확인하기 계산해 보세요.
```
    0.9
  + 0.6
  ───
    1.5
```
```
    1.7
  + 0.8
  ───
    2.5
```

1.8＋4.1＝5.9　　5.7＋2.3＝8.0

태도 및 실천

생각 솔솔 화분에 심은 토마토가 어제는 2 cm 자랐고, 오늘은 1.7 cm 자랐습니다. 토마토는 이틀 동안 모두 몇 cm 자랐나요?

3.7 cm

풀이 (이틀 동안 토마토가 자란 키)
　　＝(어제 자란 키)＋(오늘 자란 키)
　　＝2＋1.7＝3.7 (cm)

73

이런 문제가 서술형으로 나와요

도현이는 빨간색 리본 1.5 m와 파란색 리본 0.7 m를 미술시간에 사용하였습니다. 도현이가 사용한 리본의 길이는 모두 몇 m인지 풀이 과정을 쓰고, 답을 구해 보세요.

| 풀이 과정 |

❶ 도현이가 사용한 리본의 길이를 구하는 식 세우기

(도현이가 사용한 리본의 길이)
＝(빨간색 리본의 길이)＋(파란색 리본의 길이)
＝1.5＋0.7

❷ 도현이가 사용한 리본의 길이 구하기

1.5＋0.7＝2.2이므로 도현이가 사용한 리본의 길이는 모두 2.2 m입니다.

답 2.2 m

수학 교과 역량　**태도 및 실천**

소수의 덧셈에 대한 실생활 문제 해결하기

소수의 개념을 바탕으로 소수의 덧셈에 대한 실생활 문제를 해결하는 과정에서 태도 및 실천 능력을 기를 수 있습니다.

개념 확인 문제
정답 및 풀이 214쪽

1 수직선을 보고 ☐ 안에 알맞은 수를 써넣으세요.

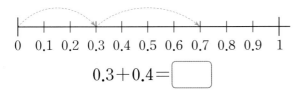

0.3＋0.4＝☐

2 계산해 보세요.
　(1) 2.5＋0.7
　(2) 6.3＋1.8

3 빈 곳에 알맞은 수를 써넣으세요.

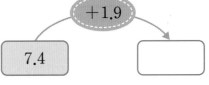

+1.9

7.4 →

4 소윤이는 딸기 원액 0.3 L와 우유 1.2 L를 섞어서 딸기 우유를 만들었습니다. 소윤이가 만든 딸기 우유의 양은 모두 몇 L인지 구해 보세요.

(　　　　　　)

6 | 소수 한 자리 수의 뺄셈

학습 목표

소수 한 자리 수의 뺄셈의 계산 원리를 이해하고, 그 계산을 할 수 있습니다.

그림으로 개념 잡기

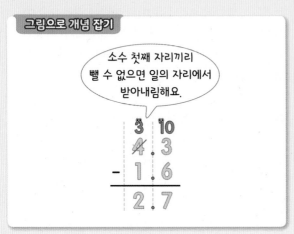

소수 첫째 자리끼리 뺄 수 없으면 일의 자리에서 받아내림해요.

$$\begin{array}{r} \overset{3}{\cancel{4}}.\overset{10}{3} \\ -\ 1.6 \\ \hline 2.7 \end{array}$$

참고 2−1.7과 같이 (자연수)−(소수)의 계산을 어려워 하는 경우에는 2.0−1.7로 계산하여 자리를 맞추도록 합니다.

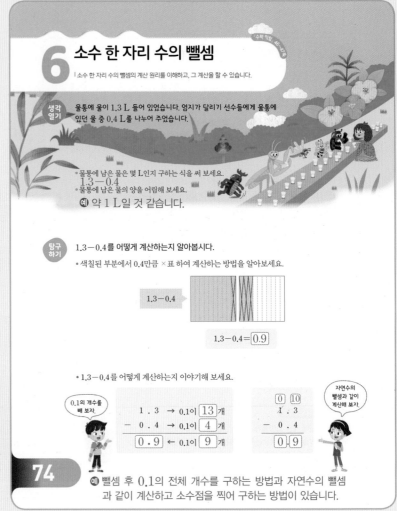

6 소수 한 자리 수의 뺄셈

소수 한 자리 수의 뺄셈의 계산 원리를 이해하고, 그 계산을 할 수 있습니다.

생각 열기

물통에 물이 1.3 L 들어 있었습니다. 엄지가 달리기 선수들에게 물통에 있던 물 중 0.4 L를 나누어 주었습니다.

• 물통에 남은 물은 몇 L인지 구하는 식을 써 보세요.
  1.3 − 0.4
• 물통에 남은 물의 양을 어림해 보세요.
  예 약 1 L일 것 같습니다.

탐구하기 1.3−0.4를 어떻게 계산하는지 알아봅시다.

• 색칠된 부분에서 0.4만큼 ×표 하여 계산하는 방법을 알아보세요.

$$1.3-0.4=\boxed{0.9}$$

• 1.3−0.4를 어떻게 계산하는지 이야기해 보세요.

0.1의 개수를 세어 보자.

$$\begin{array}{rl} 1.3 & \to 0.1이\ \boxed{13}\ 개 \\ -\ 0.4 & \to 0.1이\ \boxed{4}\ 개 \\ \hline \boxed{0.9} & \leftarrow 0.1이\ \boxed{9}\ 개 \end{array}$$

자연수의 뺄셈과 같이 계산해 보자.

$$\begin{array}{r} \overset{0}{\cancel{1}}.\overset{10}{3} \\ -\ 0.4 \\ \hline \boxed{0.9} \end{array}$$

74

예 뺄셈 후 0.1의 전체 개수를 구하는 방법과 자연수의 뺄셈과 같이 계산하고 소수점을 찍어 구하는 방법이 있습니다.

교과서 개념 완성

탐구하기 1.3−0.4의 계산 원리 탐구하기

• 모눈종이로 알아보기
  1.3만큼 색칠한 부분에서 0.4만큼 ×표 하면 모눈 9칸이 남습니다. ➔ 1.3−0.4=0.9

• 0.1의 개수로 알아보기
  1.3은 0.1이 13개인 수이고, 0.4는 0.1이 4개인 수이므로 1.3−0.4는 0.1이 13−4=9(개)인 수와 같습니다. ➔ 1.3−0.4=0.9

• 자연수의 뺄셈으로 알아보기
  13−4=9이므로 소수점을 찍으면 1.3−0.4=0.9 입니다.

정리하기 1.3−0.4의 계산 방법 정리하기

$$\begin{array}{r} \overset{0}{\cancel{1}}.\overset{10}{3} \\ -\ 0.4 \\ \hline 0.9 \end{array}$$

① 소수점끼리 맞추어 세로로 씁니다.
② 받아내림에 주의하여 같은 자리 수끼리 뺍니다.
③ 소수점을 그대로 내려 찍습니다.

확인하기 소수 한 자리 수의 뺄셈 계산하기

$$\begin{array}{r} 0.9 \\ -\ 0.2 \\ \hline 0.7 \end{array} \qquad \begin{array}{r} \overset{5}{\cancel{6}}.\overset{10}{2} \\ -\ 4.8 \\ \hline 1.4 \end{array} \qquad \begin{array}{r} 1.3 \\ -\ 0.3 \\ \hline 1.0 \end{array} \qquad \begin{array}{r} 4.7 \\ -\ 3 \\ \hline 1.7 \end{array}$$

정리 하기 ※ 1.3−0.4를 계산하는 방법을 정리해 봅시다.

```
  1.3
− 0.4
```
⟹
```
  0  10
  1.3
− 0.4
─────
  0  9
```
→
```
  0  10
  1.3
− 0.4
─────
  0.9
```

❶ 소수점의 위치를 맞추어 씁니다.

❷ 자연수의 뺄셈과 같이 계산한 후, 위의 소수점에 맞추어 차의 소수점을 찍습니다.

• ☐ 안에 알맞은 수를 써넣으세요.

```
 ① 10
  2.3
− 0.9
─────
 1.4
```

```
    3    → 0.1이 30 개
−  1.8   → 0.1이 18 개
─────
  1.2   ← 0.1이 12 개
```

```
 ② 10
    3
−  1.8
─────
  1.2
```

확인 하기 계산해 보세요.

```
  0.9
− 0.2
─────
  0.7
```

```
  6.2
− 4.8
─────
  1.4
```

1.3−0.3 = 1.0

4.7−3 = 1.7

문제 해결 태도 및 실천

생각 출술 어느 숲에서 천연기념물인 장수하늘소 암수 한 쌍이 발견되었습니다. 몸길이를 재어 보니 수컷이 10.8 cm, 암컷이 8.5 cm였습니다. 수컷의 몸길이는 암컷보다 몇 cm 더 긴가요? 2.3 cm

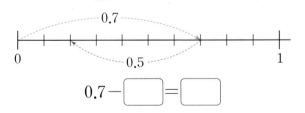

풀이 10.8 > 8.5이므로 수컷의 몸길이는 암컷보다 10.8−8.5 = 2.3 (cm) 더 깁니다.

75

이런 문제가 서술형으로 나와요

수정이가 가지고 있는 철사는 8.4 cm이고 도훈이가 가지고 있는 철사는 69 mm입니다. 누구의 철사가 몇 cm 더 긴지 풀이 과정을 쓰고, 답을 구해 보세요.

| 풀이 과정 |

❶ 도훈이가 가지고 있는 철사를 cm 단위로 나타내기

10 mm=0.1 cm이므로 69 mm=6.9 cm 입니다.

❷ 누구의 철사가 몇 cm 더 긴지 구하기

8.4 > 6.9이므로 수정이의 철사가 8.4−6.9=1.5 (cm) 더 깁니다.

답 1.5 cm

 수학 교과 역량 문제 해결 태도 및 실천

소수의 뺄셈에 대한 실생활 문제 해결하기

소수의 개념을 바탕으로 소수의 뺄셈에 대한 실생활 문제를 해결하는 과정에서 문제 해결 능력과 태도 및 실천 능력을 기를 수 있습니다.

 개념 확인 문제 정답 및 풀이 215쪽

1 수직선을 보고 ☐안에 알맞은 수를 써넣으세요.

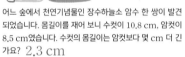
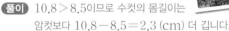

0.7 − ☐ = ☐

2 계산해 보세요.
(1) 3.9−0.6
(2) 5.1−2.4

3 ☐안에 알맞은 수를 써넣으세요.

4.2 ➡ −1.6 ➡ ☐

4 물병에 물이 1.5 L 들어 있었습니다. 지민이가 0.6 L를 마셨다면 남은 물은 몇 L인가요?

( )

학습 목표

소수 두 자리 수의 덧셈의 계산 원리를 이해하고, 그 계산을 할 수 있습니다.

그림으로 개념 잡기

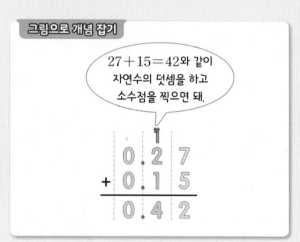

27＋15＝42와 같이
자연수의 덧셈을 하고
소수점을 찍으면 돼.

```
    1
  0 . 2 7
+ 0 . 1 5
─────────
  0 . 4 2
```

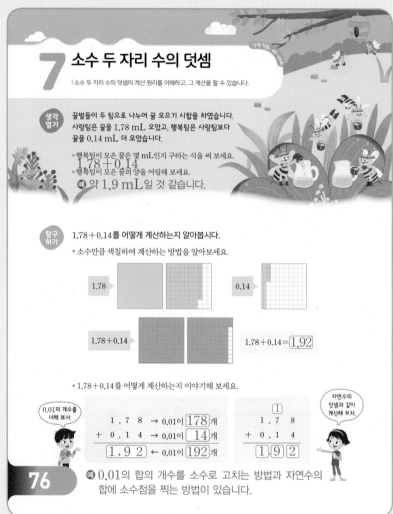

7 소수 두 자리 수의 덧셈

소수 두 자리 수의 덧셈의 계산 원리를 이해하고, 그 계산을 할 수 있습니다.

생각 열기

꿀벌들이 두 팀으로 나누어 꿀 모으기 시합을 하였습니다. 사랑팀은 꿀을 1.78 mL 모았고, 행복팀은 사랑팀보다 꿀을 0.14 mL 더 모았습니다.

• 행복팀이 모은 꿀은 몇 mL인지 구하는 식을 써 보세요.
1.78＋0.14
• 행복팀이 모은 꿀의 양을 어림해 보세요.
예 약 1.9 mL일 것 같습니다.

탐구 하기

1.78＋0.14를 어떻게 계산하는지 알아봅시다.

• 소수만큼 색칠하여 계산하는 방법을 알아보세요.

1.78   0.14

1.78＋0.14   1.78＋0.14＝1.92

• 1.78＋0.14를 어떻게 계산하는지 이야기해 보세요.

0.01의 개수를 더해 보자.

```
  1 . 7 8  → 0.01이 178개
+ 0 . 1 4  → 0.01이  14개
─────────
  1 . 9 2  ← 0.01이 192개
```

자연수의 덧셈과 같이 계산해 보자.

```
    1
  1 . 7 8
+ 0 . 1 4
─────────
  1 . 9 2
```

예 0.01의 합의 개수를 소수로 고치는 방법과 자연수의 합에 소수점을 찍는 방법이 있습니다.

76

교과서 개념 완성

탐구하기 1.78＋0.14의 계산 원리 탐구하기

• 모눈종이로 알아보기
178칸을 색칠한 후 14칸을 더 색칠하면 모두 192칸이 됩니다. ➡ 1.78＋0.14＝1.92

• 0.01의 개수로 알아보기
1.78은 0.01이 178개인 수이고, 0.14는 0.01이 14개인 수이므로 1.78＋0.14는 0.01이 178＋14＝192(개)인 수와 같습니다. ➡ 1.78＋0.14＝1.92

• 자연수의 덧셈으로 알아보기
178＋14＝192이므로 소수점을 찍으면 1.78＋0.14＝1.92입니다.

정리하기 1.78＋0.14의 계산 방법 정리하기

```
    1
  1 . 7 8
+ 0 . 1 4
─────────
  1 . 9 2
```

① 소수점끼리 맞추어 세로로 씁니다.
② 받아올림에 주의하여 같은 자리 수끼리 더합니다.
③ 소수점을 그대로 내려 찍습니다.

확인하기 소수 두 자리 수의 덧셈 계산하기

```
  0 . 4 2        1 . 7        2 . 8 1        5 . 7 2
+ 2 . 1 5      + 3 . 6 5    + 0 . 1 9      + 2 . 7
─────────      ─────────    ─────────      ─────────
  2 . 5 7        5 . 3 5      3 . 0 0        8 . 4 2
```

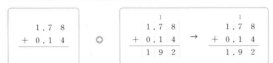

정리하기　📝 1.78+0.14를 계산하는 방법을 정리해 봅시다.

```
  1.7 8
+ 0.1 4
```
　○　
```
    1
  1.7 8
+ 0.1 4
  1 9 2
```
　→　
```
    1
  1.7 8
+ 0.1 4
  1.9 2
```

❶ 소수점의 위치를　　　❷ 자연수의 덧셈과 같이 계산한 후, 위의
맞추어 씁니다.　　　　소수점에 맞추어 합의 소수점을 찍습니다.

• ☐안에 알맞은 수를 써넣으세요.

```
    ①
  2.1 6
+ 0.4 9
  2.6 5
```

```
  3.5  → 0.01이 350 개
+ 1.2 3 → 0.01이 123 개
  4.7 3 ← 0.01이 473 개
```

확인하기　계산해 보세요.

```
  0.4 2
+ 2.1 5
  2.57
```

```
  1.7 0 ← 0을 붙여 자리 수를 맞추어
+ 3.6 5    계산할 수도 있습니다.
  5.35
```

2.81+0.19＝3.00　　　5.72+2.7＝8.42

생각 솔솔　어느 해 2월의 독도의 물결 높이를 나타낸 것입니다. 가장 큰 소수와 가장 작은 소수의 합을 구해 보세요. (단위: m)

0.77	0.53	0.90	1.34	0.83

1.87　[출처] 울릉군 누리집, 2020.

풀이　1.34＞0.90＞0.83＞0.77＞0.53이므로 가장 큰 소수는
1.34이고 가장 작은 소수는 0.53입니다. ⇨ 0.34+0.53=1.87

77

👩 **이런 문제가 서술형으로 나와요**

잘못 계산한 곳을 찾아 이유를 쓰고, 바르게 계산해 보세요.

```
  0.4 5
+   0.9
  0.5 4
```
　❷→　
```
  0.4 5
+   0.9
  1.3 5
```

| 이유 |

❶ 소수점을 맞추어 쓰지 않아서 잘못 계산하였습니다.

• **수학 교과 역량**　창의·융합　정보 처리

가장 큰 소수와 가장 작은 소수의 합 구하기기
독도의 물결 높이 중에서 가장 큰 수와 가장 작은 소수를 찾고 소수의 덧셈을 하는 과정에서 창의·융합 능력과 정보 처리 능력을 기를 수 있습니다.

👧 **개념 확인 문제**　정답 및 풀이 215쪽●

1 모눈종이 전체의 크기가 1이라고 할 때 그림을 보고 ☐안에 알맞은 수를 써넣으세요.

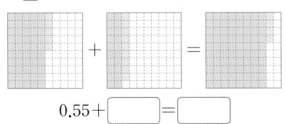

0.55+☐＝☐

2 계산해 보세요.
　(1) 0.15+0.43　　(2) 2.28+0.17

3 계산 결과를 찾아 선으로 이어 보세요.

| 2.35+0.17 | · | · | 3.02 |

| 1.44+1.58 | · | · | 2.52 |

4 지민이는 자전거를 어제는 5.16 km, 오늘은 4.08 km 탔습니다. 지민이가 어제와 오늘 자전거를 탄 거리는 모두 몇 km인지 구해 보세요.

(　　　　　　　)

9 차시

8 | 소수 두 자리 수의 뺄셈

소수 두 자리 수의 뺄셈의 계산 원리를 이해하고, 그 계산을 할 수 있습니다.

그림으로 개념 잡기

43−28=15와 같이 계산하고 소수점을 찍으면 돼.

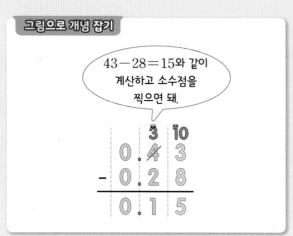

$$
\begin{array}{r}
\overset{3}{\cancel{4}}\ \overset{10}{} \\
0.\cancel{4}\ 3 \\
-\ 0.2\ 8 \\
\hline
0.1\ 5
\end{array}
$$

참고 · 3.50−1.46과 같이 자리 수가 다른 소수의 뺄셈에서는 필요한 경우 0을 사용하여 자리 수를 맞추어 계산하도록 합니다.

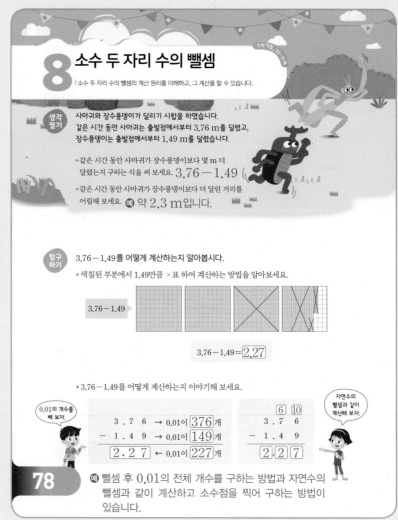

8 소수 두 자리 수의 뺄셈

| 소수 두 자리 수의 뺄셈의 계산 원리를 이해하고, 그 계산을 할 수 있습니다.

생각 열기

사마귀와 장수풍뎅이가 달리기 시합을 하였습니다. 같은 시간 동안 사마귀는 출발점에서부터 3.76 m를 달렸고, 장수풍뎅이는 출발점에서부터 1.49 m를 달렸습니다.

· 같은 시간 동안 사마귀가 장수풍뎅이보다 몇 m 더 달렸는지 구하는 식을 써 보세요. 3.76−1.49

· 같은 시간 동안 사마귀가 장수풍뎅이보다 더 달린 거리를 어림해 보세요. 예 약 2.3 m입니다.

탐구 하기

3.76−1.49를 어떻게 계산하는지 알아봅시다.

· 색칠된 부분에서 1.49만큼 ×표 하여 계산하는 방법을 알아보세요.

3.76−1.49

3.76−1.49=2.27

· 3.76−1.49를 어떻게 계산하는지 이야기해 보세요.

0.01의 개수를 세 보자.

$$
\begin{array}{r}
3.7\ 6\ \rightarrow 0.01\text{이}\ \boxed{376}\text{개} \\
-\ 1.4\ 9\ \rightarrow 0.01\text{이}\ \boxed{149}\text{개} \\
\hline
\boxed{2.2\ 7}\ \leftarrow 0.01\text{이}\ \boxed{227}\text{개}
\end{array}
$$

자연수의 뺄셈과 같이 계산해 보자.

$$
\begin{array}{r}
\overset{6}{} \overset{10}{} \\
3.7\ 6 \\
-\ 1.4\ 9 \\
\hline
\boxed{2}.\boxed{2}\ \boxed{7}
\end{array}
$$

예 뺄셈 후 0.01의 전체 개수를 구하는 방법과 자연수의 뺄셈과 같이 계산하고 소수점을 찍어 구하는 방법이 있습니다.

78

 교과서 개념 완성

탐구하기 3.76−1.49의 계산 원리 탐구하기

· 모눈종이로 알아보기

376칸 색칠된 부분에서 149칸을 ×표 하면 227칸이 남습니다. ➡ 3.76−1.49=2.27

· 0.01의 개수로 알아보기

3.76은 0.01이 376개인 수이고, 1.49는 0.01이 149개인 수이므로 3.76−1.49는 0.01이 227개인 수와 같습니다. ➡ 3.76−1.49=2.27

· 자연수의 뺄셈 알아보기

376−149=227이므로 소수점을 찍으면 3.76−1.49=2.27입니다.

정리하기 3.76−1.49의 계산 방법 정리하기

$$
\begin{array}{r}
\overset{6}{} \overset{10}{} \\
3.7\ 6 \\
-\ 1.4\ 9 \\
\hline
2.2\ 7
\end{array}
$$

① 소수점끼리 맞추어 세로로 씁니다.
② 받아내림에 주의하여 같은 자리 수끼리 뺍니다.
③ 소수점을 그대로 내려 찍습니다.

확인하기 소수 두 자리 수의 뺄셈 계산하기

$$
\begin{array}{r}
0.5\ 4 \\
-\ 0.2\ 3 \\
\hline
0.3\ 1
\end{array}
\qquad
\begin{array}{r}
\overset{1}{}\ \overset{10}{} \\
3.2 \\
-\ 1.0\ 5 \\
\hline
2.1\ 5
\end{array}
\qquad
\begin{array}{r}
\overset{0}{}\ \overset{14}{}\ \overset{15}{} \\
1.5\ 7 \\
-\ 0.5\ 9 \\
\hline
0.9\ 8
\end{array}
\qquad
\begin{array}{r}
\overset{3}{}\ \overset{10}{} \\
4.0\ 3 \\
-\ 2.4 \\
\hline
1.6\ 3
\end{array}
$$

정리 하기   3.76−1.49를 계산하는 방법을 정리해 봅시다.

```
    3. 7 6          6  10            6  10
  − 1. 4 9        3. 7 6           3. 7 6
            ○   − 1. 4 9    →   − 1. 4 9
                  2. 2 7           2. 2 7
```

❶ 소수점의 위치를 맞추어 씁니다.   ❷ 자연수의 뺄셈과 같이 계산한 후, 위의 소수점에 맞추어 차의 소수점을 찍습니다.

• □ 안에 알맞은 수를 써넣으세요.

```
     8 10                     4 10
   4. 9 5                   3. 5   → 0.01이 350 개
  − 2. 3 7                − 1. 4 6 → 0.01이 146 개
   2 . 5 8                  2 . 0 4 ← 0.01이 204 개
```

 확인 하기   계산해 보세요.

```
   0. 5 4            3. 2 0 ← 0을 붙여 자리 수를 맞추어
 − 0. 2 3          − 1. 0 5    계산할 수도 있습니다.
   0. 3 1            2. 1 5
```

1.57−0.59＝0.98   4.03−2.4＝1.63

정보 처리   문제 해결

 생각 솔솔   4−1.05를 계산해 보세요.

```
   4. 0 0  → 0.01이 400 개
 − 1. 0 5  → 0.01이 105 개
   2. 9 5  ← 0.01이 295 개
```
0.01의 개수의 차를 생각하면……

79

풀이   4는 0.01이 400개, 1.05는 0.01이 105개 수입니다.
400−105＝295이므로 4−1.05＝2.95입니다.

이런 문제가 서술형으로 나와요

학교에서 집까지의 거리는 1.4 km이고 학교에서 도서관까지의 거리는 920 m입니다. 학교에서 집과 도서관 중에서 어느 곳이 몇 km 더 먼지 풀이 과정을 쓰고, 답을 구해 보세요.

| 풀이 과정 |

❶ 학교에서 도서관까지의 거리를 km 단위로 나타내기

1000 m＝0.001 km이므로
920 m＝0.92 km입니다.

❷ 학교에서 집과 도서관 중에서 어느 곳이 몇 km 더 먼지 구하기

1.4＞0.92이므로 학교에서 집까지의 거리가
1.4−0.92＝0.48 (km) 더 멉니다.

답 집, 0.48 km

 수학 교과 역량   정보 처리   문제 해결

자리 수가 다른 소수의 뺄셈 계산하기

4와 1.05가 각각 0.01이 몇 개로 이루어져 있는지 분석한 후, 0.01의 개수를 세어 답을 구해 보는 과정에서 정보 처리 능력과 문제 해결 능력을 기를 수 있습니다.

 개념 확인 문제   정답 및 풀이 215쪽

1 계산해 보세요.

```
(1)   3. 7 9       (2)   6. 4 2
    − 0. 2 3           − 4. 5 1
```

3 설명하는 수를 구해 보세요.

> 15.2보다 3.77 작은 수

(   )

2 두 수의 차를 구해 보세요.

> 1.6   5.34

(   )

4 밀가루가 3.45 kg 있었습니다. 어머니께서 쿠키를 만들고 남은 밀가루가 0.57 kg이었습니다. 어머니께서 쿠키를 만드는 데 사용한 밀가루는 몇 kg인지 구해 보세요.

(   )

10 차시

학습 목표

그림 그리기 전략을 이용하여 문제를 해결하고 어떻게 문제를 해결하였는지 설명할 수 있습니다.

문제 해결 전략 그림 그리기 전략으로 문제 해결하기

수학 교과 역량 📖 문제 해결 💡 정보 처리

조건에 맞는 리본의 길이 구하기

· 문제의 조건을 확인하고 문제 해결에 적절한 전략을 선택하는 과정에서 문제 해결 능력을 기를 수 있습니다.

· 문제 해결을 위한 조건을 확인하고 취사 선택하는 과정에서 주어진 정보를 수집, 분석, 활용하는 정보 처리 능력을 기를 수 있습니다.

문제 해결 Tip 그림으로 나타내어 은지, 서준, 영수의 리본의 길이를 구합니다.

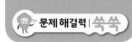 문제 해결력 | 쑥쑥 · 조건에 맞는 리본의 길이 구하기

🎀 민선, 은지, 서준, 영수가 선물을 포장하는 데 사용할 리본을 각각 가지고 있습니다. **조건** 을 읽고 서준이와 영수가 가지고 있는 리본은 각각 몇 m인지 구해 보세요.

> **조건**
> · 민선이는 길이가 0.79 m인 리본을 가지고 있습니다.
> · 은지가 가지고 있는 리본의 길이는 1 m보다 0.28 m 더 짧습니다.
> · 서준이가 가지고 있는 리본의 길이는 민선이가 가지고 있는 것보다 0.13 m 더 깁니다.
> · 영수가 가지고 있는 리본의 길이는 은지가 가지고 있는 것보다 0.19 m 더 깁니다.

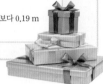

문제 이해하기 · 구하려고 하는 것은 무엇인가요?
서준이와 영수가 가지고 있는 각 리본의 길이입니다.
· 알고 있는 것은 무엇인가요?
예 서준이가 가지고 있는 리본의 길이는 민선이가 가지고 있는 것보다 0.13 m 더 깁니다.

계획 세우기 · 어떤 방법으로 문제를 해결할 수 있을지 계획을 이야기해 보세요.

> 그림을 그려 보면 문제를 해결할 수 있을 것 같아.

> 식을 세워서 문제를 해결할 수 있을 것 같아.

80

그림 그리기 전략 또는 식 세우기 전략으로 문제를 해결할 수 있습니다.

교과서 개념 완성

문제 이해하기

>> **구하려고 하는 것**

서준이와 영수가 가지고 있는 리본의 길이입니다.

>> **알고 있는 것**

민선, 은지, 서준, 영수가 가지고 있는 리본의 길이에 대한 조건이 주어져 있습니다.

계획 세우기

각 사람이 가지고 있는 리본의 길이 사이의 관계가 잘 드러나도록 그림으로 나타냅니다.

계획대로 풀기

· (서준이의 리본의 길이)=0.79+0.13=0.92 (m)

· (은지의 리본의 길이)=1-0.28=0.72 (m)

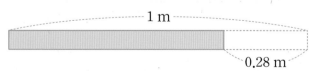

· (영수의 리본의 길이)=0.72+0.19=0.91 (m)

3. 소수의 덧셈과 뺄셈

계획대로 풀기 •자신이 계획한 방법으로 문제를 해결해 보세요.

서준: 0.79+0.13=0.92 (m)
영수: 0.72+0.19=0.91 (m)

되돌아보기 •구한 답이 맞았는지 확인해 보세요.

•문제를 해결한 방법을 친구들과 이야기해 보세요.
例 주어진 조건을 그림으로 나타내어 서준이와 영수가 가지고 있는 리본의 길이를 구했습니다.

생각을 키워요

📖 나은, 태성, 민호, 수지가 운동장에서 0.6 km 달리기를 하고 있습니다. [조건] 을 읽고 물음에 답해 보세요.

[조건]
• 나은이는 출발 지점에서부터 0.39 km를 달렸습니다.
• 태성이는 도착 지점을 0.17 km 앞에 두고 있습니다.
• 민호는 나은이보다 0.15 km 앞에 있습니다.
• 수지는 태성이보다 0.18 km 뒤에 있습니다.

•친구들이 지금까지 달린 거리를 각각 구해 보세요.

나은	태성	민호	수지
0.39 km	0.43 km	0.54 km	0.25 km

•앞서 달리고 있는 친구부터 순서대로 이름을 써 보세요.
(민호)-(태성)-(나은)-(수지)

풀이 태성: 0.6-0.17=0.43 (km), 민호: 0.39+0.15=0.54 (km),
수지: 0.43-0.18=0.25 (km)
0.54>0.43>0.39>0.25이므로 앞서 달리고 있는
친구부터 순서대로 이름을 쓰면 민호, 태성, 나은, 수지입니다.

81

생각을 키워요　📖 문제 해설　⚙ 정보 처리

문제 이해하기

≫ **구하려고 하는 것**
네 사람이 지금까지 달린 거리와 앞서 달리고 있는 사람들의 순서입니다.

≫ **알고 있는 것**
나은, 태성, 민호, 수지의 위치에 대한 조건이 주어져 있습니다.

계획 세우기

주어진 조건을 그림으로 나타내어 나은, 태성, 민호, 수지가 지금까지 달린 거리를 구합니다.

계획대로 풀기

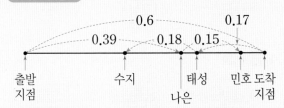

앞서 달리고 있는 친구부터 순서대로 이름을 쓰면 민호, 태성, 나은, 수지입니다.

👨 **문제 해결력 문제**　정답 및 풀이 215쪽

[1~3] 서진, 주영, 진수, 예나가 1 km 공 굴리기를 하고 있습니다. 물음에 답해 보세요.

• 서진이의 공은 시작 지점에서부터 0.34 km까지 갔습니다.
• 주영이의 공은 끝 지점을 0.28 km 앞에 두고 멈췄습니다.
• 진수의 공은 서진이의 공보다 0.15 km 뒤에 있습니다.
• 예나의 공은 주영이의 공보다 0.12 km 뒤에 있습니다.

1 서진, 주영, 진수, 예나의 공의 위치를 그림으로 나타내어 보세요.

2 진수가 굴린 공이 간 거리는 몇 km인가요?
(　　　　　　　)

3 예나가 굴린 공이 간 거리는 몇 km인가요?
(　　　　　　　)

단원 마무리 | 척척 　　3. 소수의 덧셈과 뺄셈

추론　정보 처리

소수 두 자리 수, 소수 세 자리 수, 소수 사이의 관계 이해하기

▶자습서 70~79쪽

어떤 수의 10배를 하면 수가 커지고, $\frac{1}{10}$을 하면 수가 작아집니다.

학부모 코칭 Tip

소수 두 자리 수와 소수 세 자리 수의 자릿값의 원리를 이해하고 소수를 쓰고 읽을 수 있는지 확인합니다.

---

1 □안에 알맞은 소수를 써넣고 읽어 보세요.

61쪽, 65쪽, 67쪽, 69쪽

0.01

소수 [0.36]

읽기 영 점 삼육

1이 2개
0.1이 8개
0.01이 7개
0.001이 3개 　인 수는 [2.873]

읽기 이 점 팔칠삼

$\frac{412}{1000}=$ [0.412] 읽기 영 점 사일이

2.47의 10배인 수는 [24.7] 읽기 이십사 점 칠

2.47의 $\frac{1}{10}$인 수는 [0.247] 읽기 영 점 이사칠

풀이 · 모눈 100칸 중 36칸에 색칠되어 있으므로 0.36(영 점 삼육)입니다.
· 1이 2개이면 2, 0.1이 8개이면 0.8, 0.01이 7개이면 0.07, 0.001이 3개이면 0.003 이므로 2.873(이 점 팔칠삼)입니다.
· 2.47의 10배인 수는 소수점을 기준으로 수가 왼쪽으로 한 자리 이동하므로 24.7입니다.
· 2.47의 $\frac{1}{10}$인 수는 소수점을 기준으로 수가 오른쪽으로 한 자리 이동하므로 0.247입니다.

정보 처리

소수 세 자리 수 이해하기

▶자습서 74~77쪽

학부모 코칭 Tip

수직선에서 눈금 한 칸의 크기를 이해하고 각 위치에 해당하는 부분을 소수로 정확히 나타내었는지 확인합니다.

---

2 수직선을 보고 □안에 알맞은 소수를 써넣으세요.

67쪽

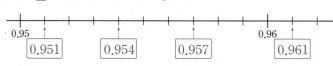

0.95　[0.951]　[0.954]　[0.957]　0.96　[0.961]

풀이 0.95부터 0.96까지 0.01이고 작은 눈금 한 칸은 0.01을 10등분한 것 중의 하나이므로 0.001을 나타냅니다.

문제 해결　추론

소수의 덧셈과 뺄셈 계산하기

▶자습서 82~89쪽

학부모 코칭 Tip

소수의 덧셈과 뺄셈을 계산할 수 있는지 확인합니다.

---

3 계산해 보세요.

72~79쪽

```
   1.5            1.9⁸6¹⁰
 + 0.3          − 0.17
 ─────          ──────
   1.8            1.79
```

1.9+0.87＝2.77　　1.5−0.37＝1.13

2.93+0.17＝3.10　　2−1.56＝0.44

풀이
```
  1              4 10         1           1 9 10
  1.9            1.5̶         2.9 3        2̶
+ 0.8 7        − 0.3 7      + 0.1 7      − 1.5 6
───────        ───────      ───────      ───────
  2.7 7          1.1 3        3.1 0        0.4 4
```

82

4 학교에서부터 서준, 나은, 지은이네 집까지의 거리입니다.
학교에서 가장 가까운 친구부터 순서대로 이름을 써 보세요.

71쪽

| 서준 | 나은 | 지은 |
| 0.54 km | 0.504 km | 0.539 km |

(나은)―(지은)―(서준)

풀이 0.504 < 0.539 < 0.54이므로 학교에서 가장 가까운 친구부터 순서대로 이름을 쓰면 나은, 지은, 서준입니다.

소수의 크기 비교하기
▶ 자습서 80~81쪽
학부모 코칭 Tip
소수의 크기를 비교할 수 있는지 확인합니다.

5 사육사가 아기 기린을 안고 무게를 재었더니 95.7 kg이었습니다.
사육사의 무게가 68.9 kg이면 아기 기린의 무게는 몇 kg인가요?

75쪽

26.8 kg

풀이 (아기 기린의 무게)=95.7－68.9=26.8 (kg)

소수의 뺄셈 계산하기
▶ 자습서 84~85쪽
학부모 코칭 Tip
소수의 뺄셈을 계산할 수 있는지 확인합니다.

생각을 넓혀요 의사소통 태도 및 실천

6 친구의 말에서 잘못된 부분을 찾아 바르게 계산하는 방법을 이야기해 보세요.

77쪽

0.4＋0.25=0.29
0.4는 소수점 아래의 수가
4이고, 0.25는 소수점 아래의
수가 25이기 때문에
4＋25=29야.
그래서 0.4＋0.25는 0.29야.

예 0.4＋0.25=0.65야.
소수의 덧셈을 계산할 때에는
같은 자리끼리 더해야 하므로
0.4＋0.25=0.65라고 할
수 있어.

풀이 0.4는 0.01이 40개이고, 0.25는 0.01이 25개이므로 0.4＋0.25는
0.01이 40＋25=65(개)인 수입니다. → 0.4＋0.25=0.65

소수의 덧셈에서 틀린 부분 설명하기
▶ 자습서 86~87쪽
학부모 코칭 Tip
0.01의 개수로 덧셈의 결과를 설명해 보거나 자연수의 덧셈처럼 계산한 후 소수점을 찍어 계산한다는 것을 설명하였는지 확인합니다.

83

12 차시

●픽셀 속으로 | 풍덩 ●이야기로 키우는 | 생각

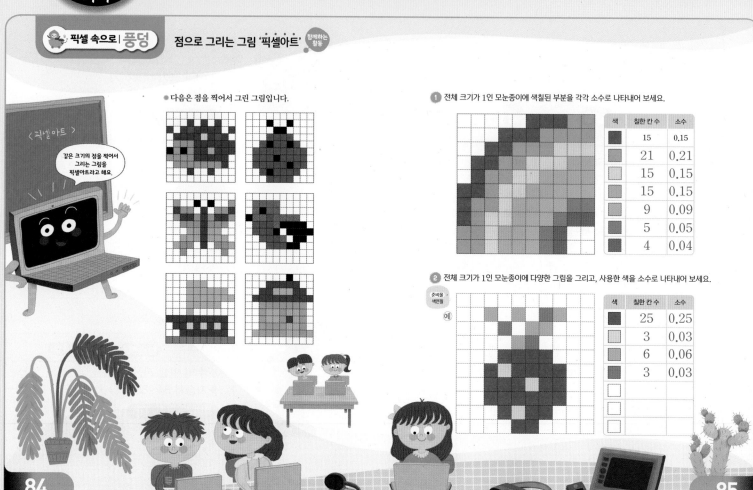

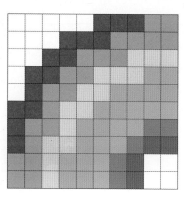

교과서 개념 완성

●픽셀 속으로 | 풍덩

1 전체 크기가 1인 모눈종이에 색칠된 부분을 각각 소수로 나타내기

작은 정사각형 하나의 크기는 100등분한 것 중의 하나이므로 0.01 입니다.

색	칠한 칸 수	분수	소수
	15	$\frac{15}{100}$	0.15
	21	$\frac{21}{100}$	0.21
	15	$\frac{15}{100}$	0.15
	15	$\frac{15}{100}$	0.15
	9	$\frac{9}{100}$	0.09
	5	$\frac{5}{100}$	0.05
	4	$\frac{4}{100}$	0.04

이야기로 키우는 생각

소수점 아래 숫자들의 세상 창의력 키우기

인간의 한계에 도전하는 사람들

소수점 아래 숫자들의 세상을 생각해 본 적이 있나요?
아마도 매우 작은 수들이라 생각해 본 적이 없을 겁니다. 하지만
스포츠에서는 소수점 아래에서부터 치열한 경쟁이 시작됩니다.

100 m 달리기

육상 100 m 9초 벽, 수영 자유형 50 m 20초 벽, 마라톤 2시간 벽. 인간의 한계에 도전하는 '마의
벽'은 어디까지일까요? 인간이 100 m를 10초 안으로 기록하는 것은 불가능할 것이라는 예상을 깨
고, 1968년 전미 육상선수권대회에서 미국의 짐 하인즈 선수는 9.95초를 기록했습니다. 이후 2009년
자메이카의 우사인 볼트 선수는 9.58초까지 기록을 줄였습니다. 인류의 새로운 도전은 100 m를 9초
안에 기록하는 것입니다. 과연 우리 인간은 해낼 수 있을까요?

연도(년)	이름	기록
1912	도널드 리핀코트	10.06초
1968	짐 하인즈	9.95초
1991	칼 루이스	9.86초
2009	우사인 볼트	9.58초

약 100년간 인간이 단
축한 기록은 단 0.48초,
0.48초를 위해 인간은
100년 동안 쉼 없이 도
전하고 달렸습니다.

$$\begin{array}{r} 9\ \ 9\ \ 10 \\ 1\ 0.\ 0\ 6 \\ -\ \ \ \ 9.\ 5\ 8 \\ \hline 0.\ 4\ 8 \end{array}$$

거스틴 게이틀린
9.79초

1위	우사인 볼트	9.63초
2위	블레이크	9.75초
3위	게이틀린	9.79초

$$\begin{array}{r} 9.\ 7\ 9 \\ -\ 9.\ 7\ 5 \\ \hline 0.\ 0\ 4 \end{array}$$

[출처] 『시사저널』, 2019. 10. 27.

요한 블레이크
9.75초

우사인 볼트
9.63초

86

피겨 스케이팅

2010년 2월 25일. 피겨 스케이팅 선수 김연아는 밴쿠버 동계 올림
픽에서 금메달을 목에 걸었습니다. 세계 신기록을 11번이나 깨뜨리
며 역대 최고의 피겨 스케이터로 활동한 김연아 선수입니다.

김연아 선수가 금메달을 딴 2010 밴쿠버 동계 올림픽 피겨 스케이팅
점수를 알아볼까요?

김연아 선수가 참가한 싱글 피겨 스케이팅의 경우 쇼트 프로그램
과 프리 스케이팅 점수를 합한 점수로 순위가 정해집니다.

먼저 김연아 선수는 쇼트 프로그램에서 기술 점수 44.70과 예술
점수 33.80을 받아 총 78.50점을 받았습니다. 2위인 아사다 마오
선수와는 4.72점, 3위인 조아니 로셰트와는 25.92점 차이가 납니다.

그 후 프리 스케이팅에서도 기술 점수 78.30과 구성 점수 71.76으로 합계 150.06점을 받았습니다.

최종적으로 쇼트 프로그램과 프리 스케이팅 점수를 합한 228.56점이라는 점수로 당당하게 올림픽
에서 금메달을 획득하였습니다.

$$\begin{array}{r} 1 \\ 4\ 4.\ 7\ 0 \\ +\ 3\ 3.\ 8\ 0 \\ \hline 7\ 8.\ 5\ 0 \end{array}$$

순위	국가	이름	쇼트 프로그램	프리 스케이팅	총점
1	한국	김연아	78.50	150.06	228.56
2	일본	아사다 마오	73.78	131.72	205.50
3	캐나다	조아니 로셰트	71.36	131.28	202.64

[출처] 『나무위키』, 2021. 2. 26.

87

 이야기로 키우는 생각

김연아

7살 때 처음 스케이트를 접한 뒤 초등학교 때부터 전
국 동계 체전 등 각종 국내 피겨 스케이트 대회에서
우승을 하며 일찍부터 재능을 보여 주었습니다. ISU
그랑프리 시리즈 및 세계선수권, 4대륙 대회 등에서
우승하는 등 좋은 성적을 거두었음은 물론, 2010년 2
월 캐나다 밴쿠버에서 열린 동계 올림픽에서는 쇼트
프로그램인 '제임스 본드 메들리'와 프리 프로그램인
조지 거슈윈의 '피아노 협주곡 바장조'에 맞추어 환상
적인 연기를 펼쳐 세계 신기록을 세움과 동시에 금메
달을 목에 걸었습니다.

[출처] 김연아 공식 누리집. 2020.

피겨 스케이팅

피겨 스케이팅의 기본 기술은 다음과 같습니다.

종류	기술
악셀	앞으로 뛰어서 뒤로 착지해 반 바퀴를 더 도는 기술 • 더블 악셀: 2회전 반 점프 • 트리플 악셀: 3회전 반 점프
이나 바우어	양발의 스케이트의 날을 다른 방향으로 향하게 하여 질주하는 기술
스파이럴	한쪽 발을 들어 엉덩이 위로 유지한 채 빙판을 앞으로 또는 뒤로 활주하는 기술
스핀	축이 되는 발 하나로 서서 그 자리에서 여러 자세로 도는 기술

개념

소수 두 자리 수

예) 3.25 알아보기

$3\frac{25}{100}$ → 쓰기 3.25 읽기 삼 점 이오

	일의 자리	소수 첫째 자리	소수 둘째 자리
숫자	3	2	5
나타내는 수	3	0.2	0.05

$$3.25 = 3 + 0.2 + 0.05$$

소수 세 자리 수

예) 2.735 알아보기

$2\frac{735}{1000}$ → 쓰기 2.735 읽기 이 점 칠삼오

	일의 자리	소수 첫째 자리	소수 둘째 자리	소수 셋째 자리
숫자	2	7	3	5
나타내는 수	2	0.7	0.03	0.005

$$2.735 = 2 + 0.7 + 0.03 + 0.005$$

소수 사이의 관계

1 .			
0 . 1			
0 . 0 1			
0 . 0 0 1			

$\frac{1}{10}$ (사이 10배)

- $\frac{1}{10}$씩 하면 소수점을 기준으로 수가 오른쪽으로 한 자리씩 이동합니다.
- 10배씩 하면 소수점을 기준으로 수가 왼쪽으로 한 자리씩 이동합니다.

확인 문제

1 분수를 소수로, 소수는 분수로 나타내어 보세요.

(1) $\frac{87}{100}$ (   )

(2) 2.156 (   )

2 3이 나타내는 수를 구해 보세요.

> 7.923

(   )

3 ☐ 안에 알맞은 수를 써넣으세요.

7.834는 1이 7개, 0.1이 ☐개, 0.01이 ☐개, ☐이 4개인 수입니다.

4 ☐ 안에 알맞은 수를 써넣으세요.

(1) 7의 $\frac{1}{10}$ 은 ☐ 입니다.

(2) 12.5의 10배는 ☐ 입니다.

개념

소수의 크기 비교

일의 자리, 소수 첫째 자리, 소수 둘째 자리, 소수 셋째 자리의 순서대로 비교합니다.

$$4.35 > 2.867$$
$$4 > 2$$

소수 한 자리 수의 덧셈

예 $0.5 + 0.8$의 계산

$$\begin{array}{r} \overset{1}{}0.5 \\ +\ 0.8 \\ \hline 1.3 \end{array}$$

소수점끼리 맞추어 세로로 쓰고 같은 자리 수끼리 더합니다.

소수 한 자리 수의 뺄셈

예 $2.3 - 0.6$의 계산

$$\begin{array}{r} \overset{1}{2}.\overset{10}{3} \\ -\ 0.6 \\ \hline 1.7 \end{array}$$

소수 첫째 자리 수끼리 뺄 수 없으면 일의 자리에서 받아내림하여 계산합니다.

소수 두 자리 수의 덧셈

예 $1.57 + 0.64$의 계산

$$\begin{array}{r} \overset{1}{1}.\overset{1}{5}7 \\ +\ 0.64 \\ \hline 2.21 \end{array}$$

소수점끼리 맞추어 세로로 쓰고 같은 자리 수끼리 더합니다.

소수 두 자리 수의 뺄셈

예 $2.34 - 0.57$의 계산

$$\begin{array}{r} \overset{1}{2}.\overset{12}{3}\overset{10}{4} \\ -\ 0.57 \\ \hline 1.77 \end{array}$$

같은 자리 수끼리 뺄 수 없으면 바로 윗자리에서 받아내림하여 계산합니다.

확인 문제

5 두 수의 크기를 비교하여 ◯ 안에 $>$, $=$, $<$ 를 알맞게 써넣으세요.

(1) 4.965 ◯ 7.52

(2) 2.082 ◯ 2.08

6 계산해 보세요.

(1) $0.08 + 3.17$

(2) $2.62 - 1.8$

7 물을 지후는 0.84 L, 서진이는 659 mL 마셨습니다. 지후와 서진이가 마신 물은 모두 몇 L인지 구해 보세요.

(   )

8 영주는 색 테이프를 5.17 m 가지고 있었습니다. 미술시간에 색 테이프를 사용하여 2.3 m가 남았다면 사용한 색 테이프는 몇 m인지 구해 보세요.

(   )

과정 중심 평가 내용 | 소수 사이의 관계를 알 수 있는가?

1-1 0.07과 같은 수의 기호를 쓰려고 합니다. 풀이 과정을 쓰고, 답을 구해 보세요.
[8점]

> ㉠ 0.7의 100배
> ㉡ 7의 $\frac{1}{100}$

풀이

❶ 각각의 수를 구하면

㉠ 0.7의 100배는 ☐ 이고,

㉡ 7의 $\frac{1}{100}$ 은 ☐ 입니다.

❷ 0.07과 같은 수는 ☐ 입니다.

답 ....

1-2 쌍둥이 2.4와 같은 수의 기호를 쓰려고 합니다. 풀이 과정을 쓰고, 답을 구해 보세요.
[12점]

> ㉠ 24의 $\frac{1}{100}$
> ㉡ 0.024의 100배

풀이

답 ....

1-3 유사 ㉠과 ㉡의 합은 얼마인지 풀이 과정을 쓰고, 답을 구해 보세요. [15점]

> 3.87은 387의 $\frac{1}{㉠}$ 인 수이고,
> 0.387을 ㉡배 한 수입니다.

풀이

답 ....

1-4 실전 어떤 수의 100배를 했더니 7.5가 되었습니다. 어떤 수의 10배를 한 수는 얼마인지 풀이 과정을 쓰고, 답을 구해 보세요.
[15점]

풀이

답 ....

과정 중심 평가 내용	소수의 크기를 비교하고 계산할 수 있는가?	공부한 날 월 일

➔ 정답 및 풀이 216쪽

2-1 카드를 한 번씩 모두 사용하여 소수 두 자리 수를 만들려고 합니다. 만들 수 있는 가장 큰 수와 가장 작은 수의 합은 얼마인지 풀이 과정을 쓰고, 답을 구해 보세요. [8점]

3 4 . 2

풀이

❶ 만들 수 있는 가장 큰 소수 두 자리 수는 ☐이고, 가장 작은 소수 두 자리 수는 ☐입니다.

❷ ❶에서 만든 두 수의 합은 ☐+☐=☐입니다.

답

2-2 쌍둥이

카드를 한 번씩 모두 사용하여 소수 두 자리 수를 만들려고 합니다. 만들 수 있는 가장 큰 수와 가장 작은 수의 차는 얼마인지 풀이 과정을 쓰고, 답을 구해 보세요. [12점]

1 5 . 7

풀이

답

2-3 유사

카드를 한 번씩 모두 사용하여 소수 두 자리 수를 만들려고 합니다. 만들 수 있는 가장 큰 수와 두 번째로 큰 수의 합은 얼마인지 풀이 과정을 쓰고, 답을 구해 보세요. [15점]

2 . 4 9

풀이

답

2-4 실전

카드를 한 번씩 모두 사용하여 만들 수 있는 소수 두 자리 수 중에서 4보다 작은 가장 큰 수와 가장 작은 수의 차를 구하려고 합니다. 풀이 과정을 쓰고, 답을 구해 보세요. [15점]

1 . 3 6

풀이

답

| 소수 두 자리 수 |

01 소수를 잘못 읽은 것을 찾아 기호를 써 보세요.
하

> ㉠ 0.76 ➡ 영 점 칠육
> ㉡ 6.05 ➡ 육 점 오
> ㉢ 10.32 ➡ 십점 삼이

(   )

| 소수 세 자리 수 |

02 ▢ 안에 알맞은 수를 써넣으세요.
하

$6.274 = 6 + \boxed{} + 0.07 + \boxed{}$

| 소수 두 자리 수의 덧셈 |

03 계산해 보세요.
하

(1)   1 . 3 7
     + 0 . 2 5

(2) 2.24 + 0.9

| 소수 두 자리 수의 뺄셈 |

04 계산 결과를 찾아 선으로 이어 보세요.
하

| 3.6 − 1.7 | · | · | 1.76 |

| 5.16 − 3.4 | · | · | 1.9 |

| 소수 두 자리 수 |

05 0.06과 0.09를 수직선에 화살표로 나타내어
중 보세요.

0   0.1

| 소수 두 자리 수 |

06 다음이 나타내는 수를 구해 보세요.
중

> 1이 2개, 0.1이 7개, $\dfrac{1}{100}$이 19개인 수입니다.

(   )

| 소수 세 자리 수 |

07 소수로 나타내었을 때 소수 셋째 자리 숫자
중 가 3인 것의 기호를 써 보세요.

> ㉠ $\dfrac{237}{1000}$ ㉡ 0.001이 463개인 수

(   )

| 소수 세 자리 수 |

08 5가 나타내는 수가 가장 작은 수를 찾아 써
중 보세요.

| 5.16 | 3.059 | 7.145 |

(   )

| 소수 사이의 관계 |

09 빈 곳에 알맞은 수를 써넣으세요.
중

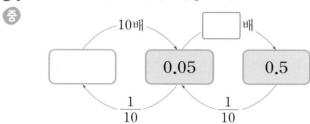

| 소수 사이의 관계 |

10 ☐ 안에 알맞은 수를 써넣으세요.
중

(1) 379의 $\dfrac{1}{\boxed{}}$ 인 수는 3.79입니다.

(2) 3.79는 0.379를 ☐ 배 한 수입니다.

| 소수의 크기 비교 |

11 두 수의 크기를 비교하여 ◯ 안에 >, <를
중 써넣으세요.

(1) 2.69 ◯ 2.083

(2) 4.15 ◯ 4.605

| 소수의 크기 비교 |

12 큰 수부터 차례대로 기호를 써 보세요.
중

| ㉠ 1.236 　 ㉡ 0.729 　 ㉢ 1.58 |

(　　　　　　)

| 소수의 크기 비교 |

13 ☐ 안에 들어갈 수 있는 수 중에서 가장 작
중 은 소수 세 자리 수를 구해 보세요.

| 2.656 < ☐ |

(　　　　　　)

| 소수 두 자리 수의 덧셈 |　　　　　　**서술형**

14 정원이네 집에서 학교까지는 0.73 km이고,
중 학교에서 도서관까지의 거리는 250 m입니다.
정원이네 집에서 학교를 지나 도서관까지의
거리는 몇 km인지 풀이 과정을 쓰고, 답을
구해 보세요.

풀이

답

| 소수 두 자리 수의 뺄셈 |

15 두 수의 차를 구해 보세요.
중

> ㉠ 0.1이 25개인 수
> ㉡ $\frac{1}{100}$ 이 31개인 수

( )

| 소수 두 자리 수의 뺄셈 |

16 다음이 나타내는 수보다 1.48 작은 수를 구
중 해 보세요.

> 0.365를 10배 한 수

( )

| 소수 두 자리 수의 뺄셈 |　　　　　　　　서술형

17 우유가 2.6 L 있었습니다. 진우가 우유를 마
중 시고 남은 우유가 2110 mL일 때 진우가
마신 우유의 양은 몇 L인지 풀이 과정을 쓰
고, 답을 구해 보세요.

풀이

답

| 소수 사이의 관계 |

18 ㉠이 나타내는 수는 ㉡이 나타내는 수의 몇
상 배인가요?

> 17.027
> ㉠ ㉡

( )

| 소수 두 자리 수의 덧셈 |

19 카드를 한 번씩만 사용하여 만들 수 있는 소
상 수 두 자리 수 중에서 가장 큰 수와 가장 작
은 수의 합을 구해 보세요.

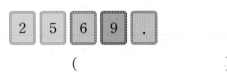

( )

| 소수 두 자리 수의 덧셈, 소수 두 자리 수의 뺄셈 |　서술형

20 어떤 수에 4.27을 더해야 할 것을 잘못하여
상 어떤 수에서 뺐더니 5.9가 되었습니다. 바르
게 계산한 값은 얼마인지 풀이 과정을 쓰고,
답을 구해 보세요.

풀이

답

소수점은 누가 먼저 사용했을까?

소수점은 누가 먼저 사용했는지 알아?

스코틀랜드 출생의 수학자 '존 네이피어'가 우리가 사용하는 소수점을 처음으로 사용했어.

3.145처럼 소수점의 사용으로 소수를 나타내기 쉬워졌지.

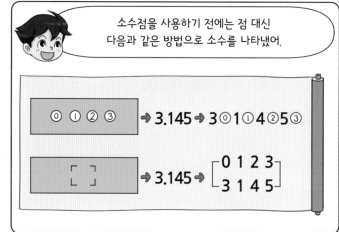

소수점을 사용하기 전에는 점 대신 다음과 같은 방법으로 소수를 나타냈어.

⓪ ① ② ③ → 3.145 → 3⓪1①4②5③

[ ] → 3.145 → $\begin{bmatrix} 0 & 1 & 2 & 3 \\ 3 & 1 & 4 & 5 \end{bmatrix}$

소수점이 없으니까 엄청 불편했을 것 같아.

그래서 우리 생활 속에서 소수를 사용할 수 있게 됐지.

그럼 소수는 우리 생활에서 어떻게 활용되고 있을까?

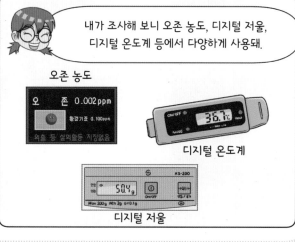

내가 조사해 보니 오존 농도, 디지털 저울, 디지털 온도계 등에서 다양하게 사용돼.

오존 농도

오 존 0.002 ppm

환경기준 0.100 ppm

외출 등 실외활동 지장없음

디지털 온도계

50.4 g

디지털 저울

4

사각형

• 다양한 지붕 모양을 관찰하고 있습니다.
• 비슷한 모양끼리 분류하려고 합니다.

그림 속 상황

자/기/주/도/학/습

1 차시

준비 팡팡

학습 목표

'무엇을 알고 있나요'와 '함께 생각해 볼까요'를 통하여 단원을 준비할 수 있습니다.

도형의 이름 말하기

• 가는 직각삼각형, 나는 정사각형, 다는 직사각형입니다.

• 세 도형에는 모두 직각이 있습니다.

각도가 가장 큰 각이 그려져 있는 사람에게 ○표 하기

• 각도는 각의 크기입니다.

• 세 사람의 팔에 그려져 있는 각은 왼쪽부터 차례대로 직각, 둔각, 예각입니다.

• 가운데 사람의 팔에 그려진 둔각에 ○표 합니다.
  각도가 가장 큰 각입니다.

각도의 합과 차 구하기

• ㉠, ㉡의 각도를 각각 재어 보면 ㉠=60°, ㉡=30° 입니다.

• 각도의 합과 차를 각각 구해 보면 다음과 같습니다.
  ㉠+㉡=90°, ㉠−㉡=30°

학부모 코칭 Tip

직각, 각도기의 사용법, 각의 크기에 대한 이해를 확인하여 이 단원에서 학습하는 데 필요한 선수 학습 내용을 확인합니다.

교과서 개념 완성 | 배운 것을 다시 생각하기

선분, 반직선, 직선 알아보기

• 선분: 두 점을 곧게 이은 선

  선분 ㄱㄴ 또는 선분 ㄴㄱ

• 반직선: 한 점에서 시작하여 한쪽으로 끝없이 늘인 곧은 선

  반직선 ㄱㄴ   반직선 ㄴㄱ

• 직선: 선분을 양쪽으로 끝없이 늘인 곧은 선

  직선 ㄱㄴ 또는 직선 ㄴㄱ

예각, 직각, 둔각 알아보기

• 예각: 0°보다 크고 직각보다 작은 각

• 직각: 90°

• 둔각: 직각보다 크고 180°보다 작은 각

사각형의 네 각의 크기의 합 알아보기

사각형의 네 각의 크기의 합은 360°입니다.

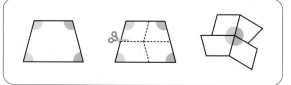

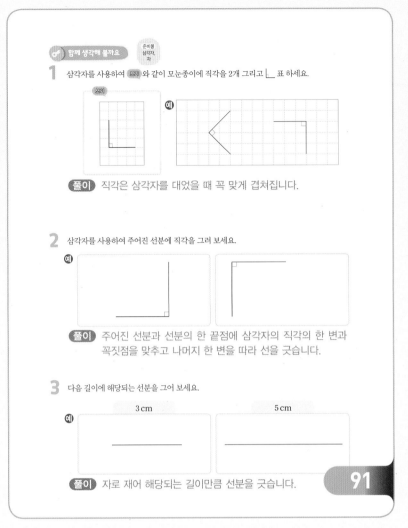

함께 생각해 볼까요

준비물 삼각자, 자

1 삼각자를 사용하여 보기 와 같이 모눈종이에 직각을 2개 그리고 └ 표 하세요.

풀이 직각은 삼각자를 대었을 때 꼭 맞게 겹쳐집니다.

2 삼각자를 사용하여 주어진 선분에 직각을 그려 보세요.

풀이 주어진 선분과 선분의 한 끝점에 삼각자의 직각의 한 변과 꼭짓점을 맞추고 나머지 한 변을 따라 선을 긋습니다.

3 다음 길이에 해당되는 선분을 그어 보세요.

예 3 cm　　　5 cm

풀이 자로 재어 해당되는 길이만큼 선분을 긋습니다.

91

직각 표시하고 그리기

모눈종이의 가로선과 세로선이 만나는 곳에 직각을 2개 그려 넣습니다.

직각 그리기

학부모 코칭 Tip

주어진 선분에 직각을 그려 보는 활동은 앞으로 배울 수선을 긋는 데 도움을 줍니다.

선분 긋기

자로 재어 3 cm, 5 cm가 되도록 선분을 긋습니다.

학부모 코칭 Tip

주어진 길이에 해당되는 선분을 그어 보는 활동은 앞으로 배울 평행선 사이의 거리 재기에 도움을 줍니다.

👧 **개념 확인 문제**　　정답 및 풀이 218쪽

| 3-1 2. 평면도형 |

1 선분 ㄷㄹ을 그려 보세요.

ㄷ 　　　 ㄹ

| 3-1 2. 평면도형 |

2 직선 ㄷㄹ을 그려 보세요.

ㄹ
ㄷ

| 4-1 2. 각도 |

3 주어진 선분을 이용하여 예각을 그려 보세요.

| 4-1 2. 각도 |

4 ☐ 안에 알맞은 수를 써넣으세요.

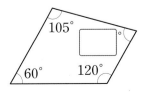

105° 　 ☐
60° 　 120°

1 수직

학습 목표

생활 주변에서 찾은 직각을 통하여 수직과 수선을 알고, 주어진 직선에 대한 수선을 그을 수 있습니다.

그림으로 개념 잡기

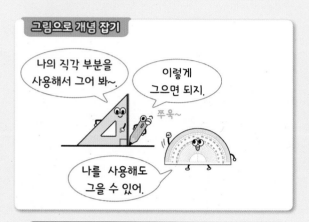

참고 | 모눈종이, 삼각자, 각도기를 사용하여 수선을 직접 그어 봅니다.

어휘	수직 verticality 垂 (드리울 수) 直 (곧을 직)	두 직선이 만나 직각을 이루는 상태를 말합니다.

1 수직

생활 주변에서 찾은 직각을 통하여 수직과 수선을 알고, 주어진 직선에 대한 수선을 그을 수 있습니다.

생각열기 준비물 자 | 점선을 따라 직선을 그어 보세요.

• 두 직선이 만나서 무엇이 만들어질까요? 각

탐구하기 | 두 직선이 만나서 생기는 각을 살펴봅시다.

• 직각을 찾아 └ 표 하세요.

종이를 반듯하게 두 번 접었을 때, 포개어지는 각을 직각이라고 해요.

• 직각이 있는 것과 직각이 없는 것을 각각 찾아보세요.

직각이 있는 것	직각이 없는 것
②, ③	①, ④

92

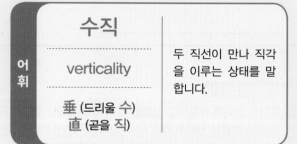

교과서 개념 완성

탐구하기 정리하기 **수직과 수선 알아보기**

• 두 직선이 만나서 이루는 각이 직각일 때, 두 직선은 서로 수직이라고 합니다.

• 두 직선이 서로 수직일 때, 한 직선을 다른 직선에 대한 수선이라고 합니다.

• 삼각자를 사용하여 수선 긋기

직각을 낀 변 중 한 변을 주어진 직선에 맞추고 직각을 낀 다른 한 변을 따라 선을 긋습니다.

• 각도기를 사용하여 수선 긋기

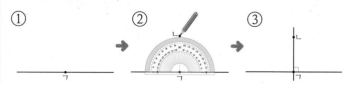

① 주어진 직선 위에 점 ㄱ을 찍습니다.

② 각도기의 중심을 점 ㄱ에 맞추고 각도기의 밑금을 주어진 직선과 일치하도록 맞춘 후, 각도기에서 90°가 되는 눈금 위에 점 ㄴ을 찍습니다.

③ 점 ㄱ과 점 ㄴ을 직선으로 잇습니다.

참고 | 한 점을 지나고 한 직선에 대한 수선은 1개뿐입니다.

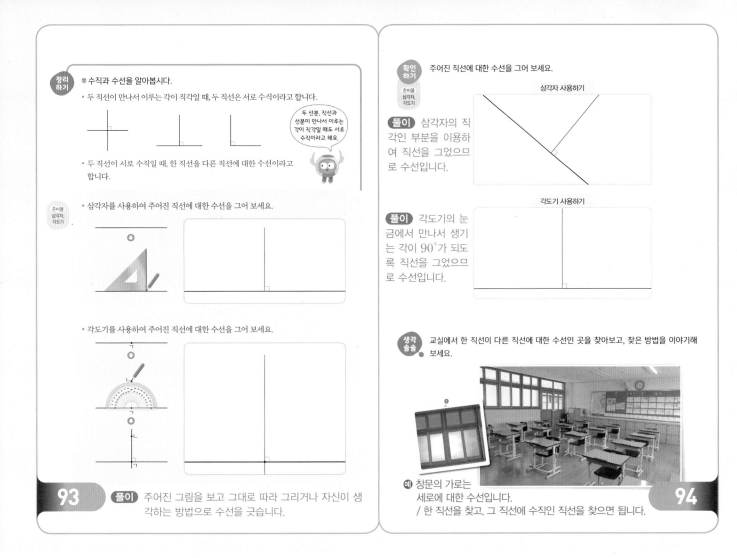

id="1"

정리하기 ⬢ 수직과 수선을 알아봅시다.

• 두 직선이 만나서 이루는 각이 직각일 때, 두 직선은 서로 수직이라고 합니다.

두 선분, 직선과 선분이 만나서 이루는 각이 직각일 때도 서로 수직이라고 해요.

• 두 직선이 서로 수직일 때, 한 직선을 다른 직선에 대한 수선이라고 합니다.

준비물 삼각자, 각도기

• 삼각자를 사용하여 주어진 직선에 대한 수선을 그어 보세요.

• 각도기를 사용하여 주어진 직선에 대한 수선을 그어 보세요.

93 **풀이** 주어진 그림을 보고 그대로 따라 그리거나 자신이 생각하는 방법으로 수선을 긋습니다.

확인하기 주어진 직선에 대한 수선을 그어 보세요.

준비물 삼각자, 각도기

삼각자 사용하기

풀이 삼각자의 직각인 부분을 이용하여 직선을 그었으므로 수선입니다.

각도기 사용하기

풀이 각도기의 눈금에서 만나서 생기는 각이 $90°$가 되도록 직선을 그었으므로 수선입니다.

생각 솔솔 교실에서 한 직선이 다른 직선에 대한 수선인 곳을 찾아보고, 찾은 방법을 이야기해 보세요.

⑩ 창문의 가로는 세로에 대한 수선입니다.
/ 한 직선을 찾고, 그 직선에 수직인 직선을 찾으면 됩니다.

94

개념 확인 문제   정답 및 풀이 218쪽

[1~2] 그림을 보고 ◯ 안에 알맞은 기호를 써넣으세요.

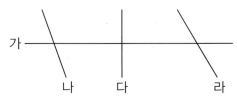

가 ─── 나 다 라

1 직선 가에 수직인 직선은 직선 ◯입니다.

2 직선 다에 수직인 직선은 직선 ◯입니다.

3 삼각자를 사용하여 주어진 직선에 대한 수선을 그어 보세요.

3 차시 | 2 평행

생활 주변에서 찾은 만나지 않는 직선을 통하여 평행과 평행선을 알고, 평행선을 그을 수 있습니다.

그림으로 개념 잡기

우리 만날 수 있을까요?

우린 평행선이어서 만날 수 없어요.

참고 직선들의 관계로 평행을 약속하고 있으나 직선의 일부인 '선분, 변, 모서리'로도 평행을 약속할 수 있습니다.

어휘	평행 parallel 平 (평평할 평) 行 (다닐 행)	계속 늘여도 서로 만나지 않는 상태를 말합니다.

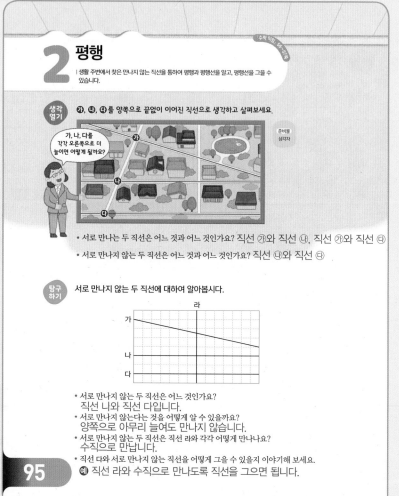

2 평행

생활 주변에서 찾은 만나지 않는 직선을 통하여 평행과 평행선을 알고, 평행선을 그을 수 있습니다.

생각 열기 ㉮, ㉯, ㉰를 양쪽으로 끝없이 이어진 직선으로 생각하고 살펴보세요.

가, 나, 다를 각각 오른쪽으로 더 늘이면 어떻게 될까요?

준비물 삼각자

• 서로 만나는 두 직선은 어느 것과 어느 것인가요? 직선 ㉮와 직선 ㉯, 직선 ㉮와 직선 ㉰

• 서로 만나지 않는 두 직선은 어느 것과 어느 것인가요? 직선 ㉯와 직선 ㉰

탐구 하기 서로 만나지 않는 두 직선에 대하여 알아봅시다.

• 서로 만나지 않는 두 직선은 어느 것인가요?
직선 나와 직선 다입니다.
• 서로 만나지 않는다는 것을 어떻게 알 수 있을까요?
양쪽으로 아무리 늘여도 만나지 않습니다.
• 서로 만나지 않는 두 직선은 직선 라와 각각 어떻게 만나나요?
수직으로 만납니다.
• 직선 다와 서로 만나지 않는 직선을 어떻게 그을 수 있을지 이야기해 보세요.
예 직선 라와 수직으로 만나도록 직선을 그으면 됩니다.

95

교과서 개념 완성

탐구하기 정리하기 평행과 평행선 알아보기

• 서로 만나지 않는 두 직선은 평행하다고 하며, 평행한 두 직선을 평행선이라고 합니다.
• 한 직선에 수직으로 그은 두 직선은 서로 평행합니다.
• 주어진 직선과 평행한 직선 긋기

① 삼각자 2개를 놓은 후 한 삼각자를 고정시킵니다.
② 다른 삼각자를 움직여 평행선을 긋습니다.

• 한 점을 지나고 주어진 직선과 평행한 직선 긋기

① 삼각자의 한 변을 직선에 맞추고 다른 한 변이 점 ㄱ을 지나도록 놓습니다.
② 다른 삼각자를 사용하여 점 ㄱ을 지나고 주어진 직선과 평행한 직선을 긋습니다.

학부모 코칭 Tip

평행선이 만나지 않는다는 것을 실제로 늘여서 확인하나요?
실제로 늘여서 확인하는 것이 아니라 두 직선과 동시에 수직인 직선을 그을 수 있는지로 확인합니다.

정리하기
◈ 평행과 평행선을 알아봅시다.

서로 만나지 않는 두 직선은 평행하다고 하며, 평행한 두 직선을 평행선이라고 합니다.

서로 만나지 않는 두 선분도 평행하다고 해요.

• 한 직선에 수직으로 그은 두 직선은 서로 평행합니다.

준비물 삼각자
• 삼각자 2개를 놓은 후 한 삼각자를 고정하고 다른 삼각자를 움직여 주어진 직선과 평행한 직선을 그어 보세요.

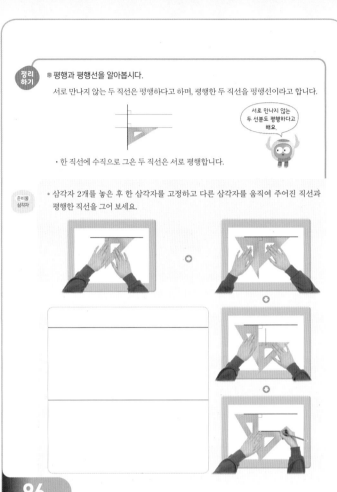

• 삼각자를 사용하여 점 ㄱ을 지나고 주어진 직선과 평행한 직선을 그어 보세요.

삼각자의 한 변을 직선에 맞추고 다른 한 변이 점 ㄱ을 지나도록 놓아보세요.

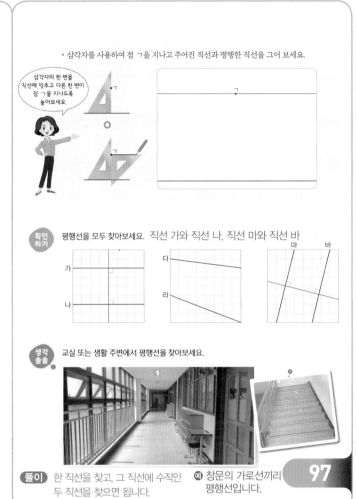

확인하기
평행선을 모두 찾아보세요. 직선 가와 직선 나, 직선 마와 직선 바

생각 송송
교실 또는 생활 주변에서 평행선을 찾아보세요.

풀이 한 직선을 찾고, 그 직선에 수직인 두 직선을 찾으면 됩니다.   예 창문의 가로선끼리 평행선입니다.

96   97

개념 확인 문제   정답 및 풀이 218쪽

[1~2] 그림을 보고 ◯ 안에 알맞은 기호를 써넣으세요.

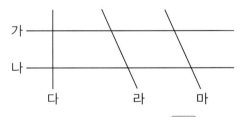

1 직선 가와 평행한 직선은 직선 ◯입니다.

2 직선 라와 평행한 직선은 직선 ◯입니다.

3 삼각자를 사용하여 주어진 직선과 평행한 직선을 그어 보세요.

4차시

3 | 평행선 사이의 거리

학습 목표

평행선 사이의 거리의 의미를 알고, 그 거리를 잴 수 있습니다.

그림으로 개념 잡기

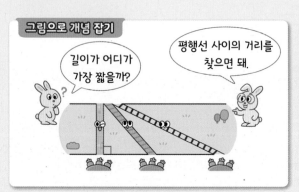

참고
- 평행선 사이의 선분 중에서 평행선에 수직인 선분의 길이가 가장 짧습니다.
- 평행선 사이의 거리를 나타내는 선분의 길이는 모두 같습니다.

어휘

평행선

parallel lines

平 (평평할 평)
行 (다닐 행) 線 (줄 선)

평행한 두 직선을 말합니다.

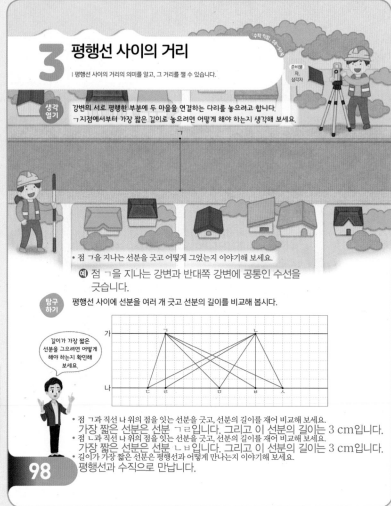

3 평행선 사이의 거리

평행선 사이의 거리의 의미를 알고, 그 거리를 잴 수 있습니다.

준비물 자, 삼각자

생각 열기 강변의 서로 평행한 부분에 두 마을을 연결하는 다리를 놓으려고 합니다. ㄱ지점에서부터 가장 짧은 길이로 놓으려면 어떻게 해야 하는지 생각해 보세요.

- 점 ㄱ을 지나는 선분을 긋고 어떻게 그었는지 이야기해 보세요.
  - **예** 점 ㄱ을 지나는 강변과 반대쪽 강변에 공통인 수선을 긋습니다.

탐구하기 평행선 사이에 선분을 여러 개 긋고 선분의 길이를 비교해 봅시다.

길이가 가장 짧은 선분을 그으려면 어떻게 해야 하는지 확인해 보세요.

- 점 ㄱ과 직선 나 위의 점을 잇는 선분을 긋고, 선분의 길이를 재어 비교해 보세요.
  가장 짧은 선분은 선분 ㄱㄹ입니다. 그리고 이 선분의 길이는 3 cm입니다.
- 점 ㄴ과 직선 나 위의 점을 잇는 선분을 긋고, 선분의 길이를 재어 비교해 보세요.
  가장 짧은 선분은 선분 ㄴㅂ입니다. 그리고 이 선분의 길이는 3 cm입니다.
- 길이가 가장 짧은 선분은 평행선과 어떻게 만나는지 이야기해 보세요.
  평행선과 수직으로 만납니다.

98

교과서 개념 완성

탐구하기 평행선 위의 두 점을 잇는 선분의 길이 비교하기

- 평행선의 한 직선에서 다른 직선에 수직인 선분을 그을 때, 이 수직인 선분의 길이를 평행선 사이의 거리라고 합니다.
- 평행선 사이의 선분 중에서 수직인 선분의 길이가 가장 짧습니다.

학부모 코칭 Tip
평행선 위의 두 점을 이은 여러 선분의 길이를 재어 보고 확인하는 활동으로 평행선 위의 두 점을 이은 선분 중에서 평행선에 수직인 선분의 길이가 가장 짧다는 것을 이해합니다.

정리하기 평행선 사이의 거리 의미 알아보기

평행선 사이의 선분 중 평행선에 수직인 선분의 길이가 가장 짧습니다. 이 선분의 길이를 평행선 사이의 거리라고 합니다.

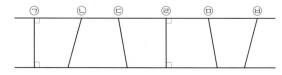

➡ 평행선 사이의 거리를 나타내는 선분은 ㉠과 ㉣입니다.

학부모 코칭 Tip
평행선 사이의 거리는 모두 같을까요?
평행선 사이의 거리는 어디에서 재어도 모두 같습니다.

정리하기 ● 평행선 사이의 거리를 알아봅시다.

오른쪽 그림과 같이 평행선의 한 직선에서 다른 직선에 수직인 선분을 그을 때, 이 수직인 선분의 길이를 **평행선 사이의 거리**라고 합니다.

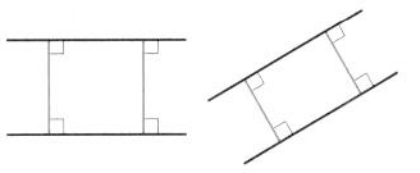

• 평행선 사이의 선분 중에서 수직인 선분의 길이가 가장 짧습니다.

• 평행선 사이의 거리를 나타내는 선분을 모두 찾아보세요. ㉠, ㉣

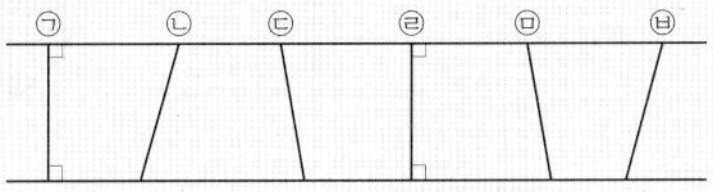

풀이 평행선의 한 직선에서 다른 직선에 수선을 긋고 그 수선의 길이를 잽니다.

확인하기 평행선 사이의 거리를 재어 보세요.

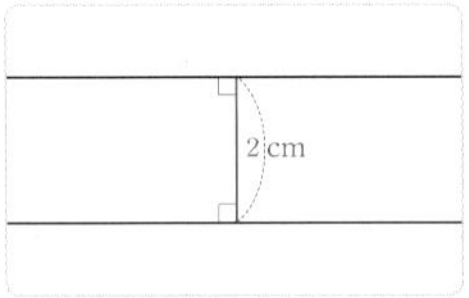

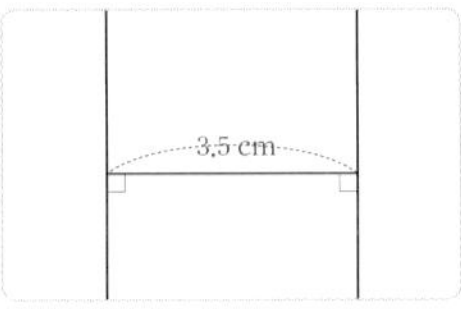

생각솔솔 의사소통 정보 처리

평행선 사이의 거리가 2 cm가 되도록 평행선을 긋고, 어떻게 그었는지 이야기해 보세요.

예 평행선 사이의 수직인 선분의 길이가 2 cm인 한 점을 잡고 이 점을 지나면서 주어진 직선에 평행한 직선을 그었습니다.

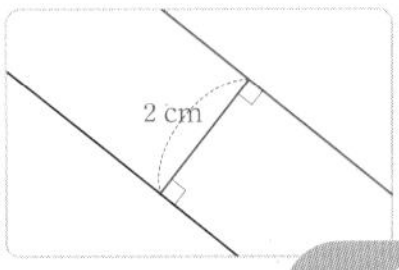

99

이런 문제가 서술형으로 나와요

평행선 사이의 거리를 나타내는 선분은 모두 몇 개인지 풀이 과정을 쓰고, 답을 구해 보세요.

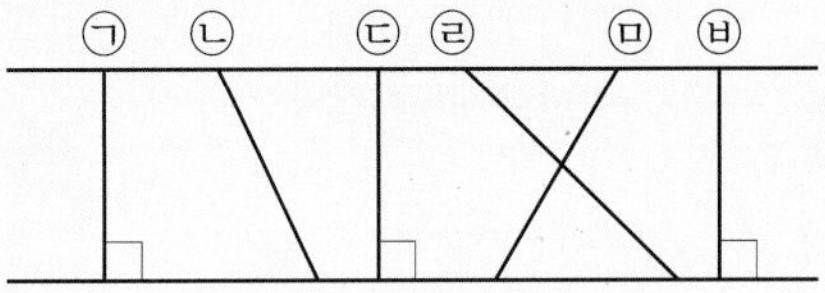

| 풀이 과정 |

❶ 평행선 사이의 거리를 나타내는 선분 찾기

평행선 사이의 거리를 나타내는 선분은 ㉠, ㉢, ㉥입니다.

❷ 평행선 사이의 거리를 나타내는 선분이 몇 개인지 구하기

평행선 사이의 거리를 나타내는 선분은 모두 3개입니다.

답 3개

수학 교과 역량 의사소통 정보 처리

평행선 사이의 거리가 2 cm인 평행선 긋기

평행선 사이의 거리가 주어진 직선에 그 거리만큼 평행선을 그어 보고 긋는 방법을 이야기하는 과정에서 의사소통 능력과 정보 처리 능력을 기를 수 있습니다.

개념 확인 문제

정답 및 풀이 218쪽

1 평행선 사이의 거리를 나타내는 선분을 찾아 기호를 써 보세요.

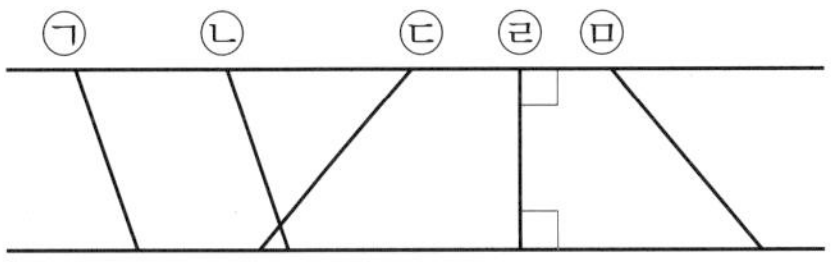

→ □

2 평행선 사이의 거리는 몇 cm일까요?

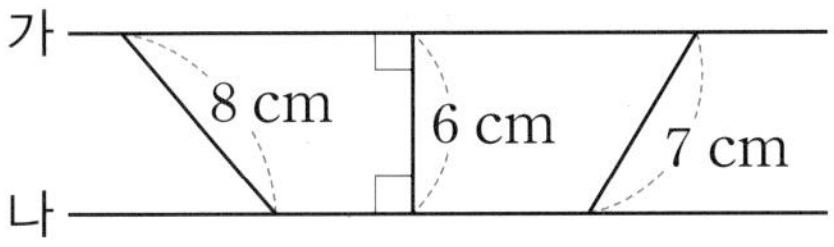

( )

3 도형에서 평행선 사이의 거리를 나타내는 변을 찾아 써 보세요.

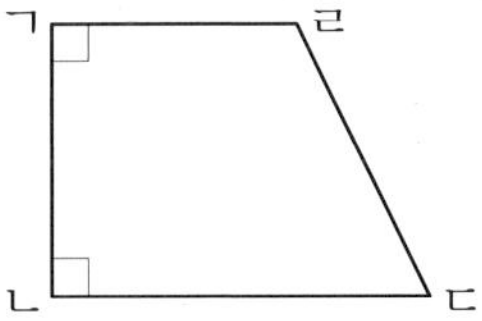

( )

4 평행선 사이의 거리를 재어 보세요.

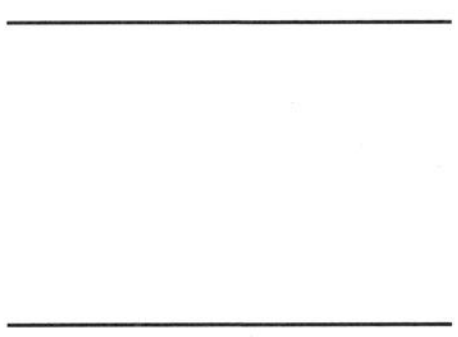

( )

4 | 사다리꼴

5 차시

학습 목표

여러 가지 모양의 사각형에 대한 분류 활동을 통하여 사다리꼴을 이해합니다.

그림으로 개념 잡기

참고

평행한 변이 한 쌍만 있는 사각형만 사다리꼴이 아니라 평행한 변이 두 쌍 있어도 사다리꼴입니다.

어휘	쌍 ──────── pair ──────── 雙 (두 쌍)	둘씩 짝을 이룬 것을 말합니다.

---

4 사다리꼴

| 여러 가지 모양의 사각형에 대한 분류 활동을 통하여 사다리꼴을 이해합니다.

생각열기 파란색으로 표시된 도형의 특징을 생각해 보세요.

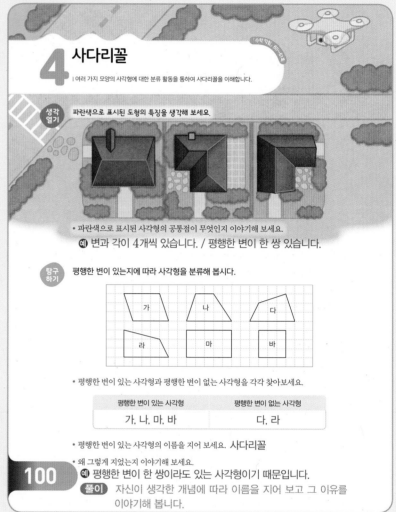

• 파란색으로 표시된 사각형의 공통점이 무엇인지 이야기해 보세요.
　예 변과 각이 4개씩 있습니다. / 평행한 변이 한 쌍 있습니다.

탐구하기 평행한 변이 있는지에 따라 사각형을 분류해 봅시다.

• 평행한 변이 있는 사각형과 평행한 변이 없는 사각형을 각각 찾아보세요.

평행한 변이 있는 사각형	평행한 변이 없는 사각형
가, 나, 마, 바	다, 라

• 평행한 변이 있는 사각형의 이름을 지어 보세요. **사다리꼴**

• 왜 그렇게 지었는지 이야기해 보세요.
　예 평행한 변이 한 쌍이라도 있는 사각형이기 때문입니다.

100

풀이 자신이 생각한 개념에 따라 이름을 지어 보고 그 이유를 이야기해 봅니다.

교과서 개념 완성

탐구하기 평행한 변이 있는지에 따라 사각형 분류하기

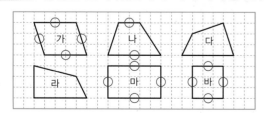

평행한 변이 있는 사각형	평행한 변이 없는 사각형
가, 나, 마, 바	다, 라

평행한 변이 있는 사각형, 즉 평행한 변이 한 쌍이라도 있는 사각형을 사다리꼴이라고 합니다.

➡ 사다리꼴은 가, 나, 마, 바입니다.

정리하기 사다리꼴 찾기

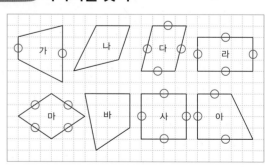

➡ 사다리꼴은 가, 다, 라, 마, 사, 아입니다.

학부모 코칭 Tip

도형의 이름을 어떻게 지어야 할지 어려워요.

마주 보는 변을 관찰하여 여러 사람이 함께 사용할 수 있는 수학적 용어로서 이름을 지어 봅니다.

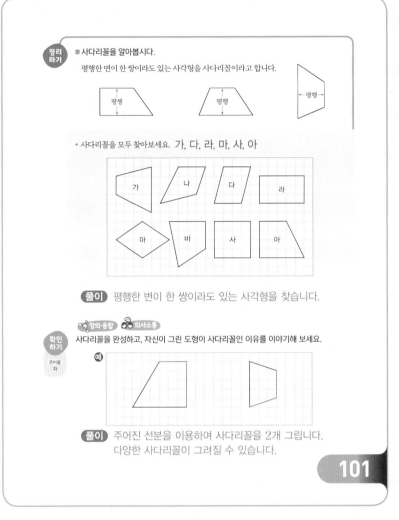

이런 문제가 서술형으로 나와요

다음 도형이 사다리꼴인지 아닌지 쓰고 그 이유를 써 보세요.

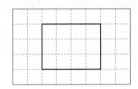

| 이유 |

❶ 도형이 사다리꼴인지 아닌지 쓰기

도형은 사다리꼴입니다.

❷ 그 이유를 쓰기

평행한 변이 있기 때문입니다.

•수학 교과 역량 창의·융합 의사소통

사다리꼴 그리기

모눈종이에 사다리꼴을 그려 보고 친구들과 그린 것을 공유하며 사다리꼴인 이유를 설명하는 과정에서 창의·융합 능력과 의사소통 능력을 기를 수 있습니다.

개념 확인 문제　　　정답 및 풀이 219쪽

1 알맞은 말에 ○표 하세요.
사다리꼴은 평행한 변이 (한 , 두) 쌍이라도 있는 사각형입니다.

2 사다리꼴에서 서로 평행한 변을 찾아보세요.

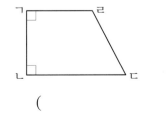

(　　　　　　　)

[3~4] 사다리꼴을 완성해 보세요.

3

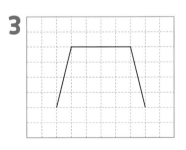

4

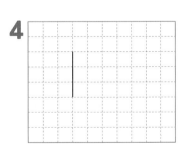

6 차시

5 | 평행사변형

학습 목표

여러 가지 모양의 사각형에 대한 분류 활동을 통하여 평행사변형을 알고, 그 성질을 이해합니다.

그림으로 개념 잡기

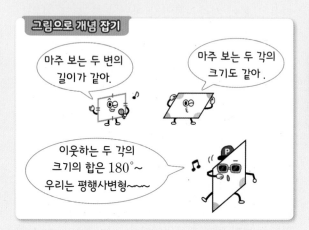

마주 보는 두 변의 길이가 같아.

마주 보는 두 각의 크기도 같아.

이웃하는 두 각의 크기의 합은 180°~ 우리는 평행사변형~~~

평행사변형

parallelogram

어휘

平 (평평할 평) 行 (다닐 행)
四 (넷 사) 邊 (가장자리 변) 形 (모양 형)

두 쌍의 마주 보는 변이 서로 평행한 사각형을 말합니다.

---

5 평행사변형

I 여러 가지 모양의 사각형에 대한 분류 활동을 통하여 평행사변형을 알고, 그 성질을 이해합니다.

생각 열기 파란색으로 표시된 도형의 특징을 생각해 보세요.

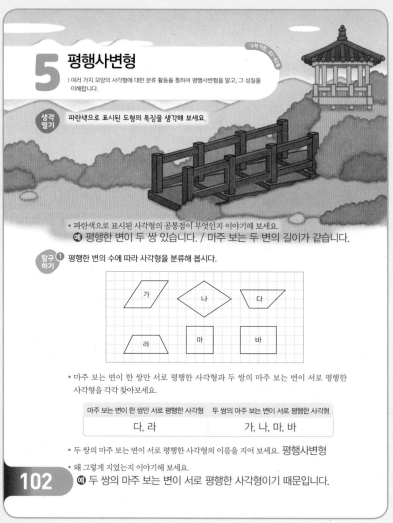

• 파란색으로 표시된 사각형의 공통점이 무엇인지 이야기해 보세요.
  예 평행한 변이 두 쌍 있습니다. / 마주 보는 두 변의 길이가 같습니다.

탐구하기 ① 평행한 변의 수에 따라 사각형을 분류해 봅시다.

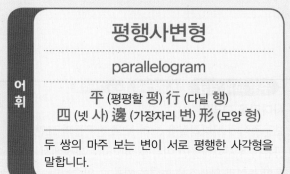

• 마주 보는 변이 한 쌍만 서로 평행한 사각형과 두 쌍의 마주 보는 변이 서로 평행한 사각형을 각각 찾아보세요.

마주 보는 변이 한 쌍만 서로 평행한 사각형	두 쌍의 마주 보는 변이 서로 평행한 사각형
다, 라	가, 나, 마, 바

• 두 쌍의 마주 보는 변이 서로 평행한 사각형의 이름을 지어 보세요. **평행사변형**

• 왜 그렇게 지었는지 이야기해 보세요.
  예 두 쌍의 마주 보는 변이 서로 평행한 사각형이기 때문입니다.

102

교과서 개념 완성

탐구하기 1 **정리하기** **평행사변형을 알아보기**

두 쌍의 마주 보는 변이 서로 평행한 사각형을 평행사변형이라고 합니다.

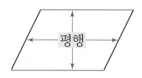 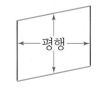

탐구하기 2 **정리하기** **평행사변형의 성질 알아보기**

① 마주 보는 두 변의 길이는 같습니다.

② 마주 보는 두 각의 크기는 같습니다.

③ 이웃한 두 각의 크기의 합은 180°입니다.

참고 평행사변형은 평행한 변이 있으므로 사다리꼴입니다.

생각 솔솔 **도형판에서 평행사변형 만들기**

두 쌍의 마주 보는 변이 평행하도록 꼭짓점을 한 개 옮깁니다.

학부모 코칭 Tip

도형판에서 평행사변형을 만들어 보는 과정에서 정보 처리 능력과 창의·융합 능력을 기를 수 있습니다.

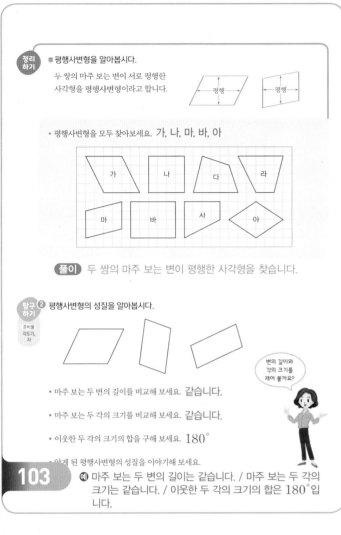

정리하기 평행사변형을 알아봅시다.

두 쌍의 마주 보는 변이 서로 평행한 사각형을 평행사변형이라고 합니다.

• 평행사변형을 모두 찾아보세요. **가, 나, 마, 바, 아**

풀이 두 쌍의 마주 보는 변이 평행한 사각형을 찾습니다.

탐구하기 ② 평행사변형의 성질을 알아봅시다.

• 마주 보는 두 변의 길이를 비교해 보세요. **같습니다.**

• 마주 보는 두 각의 크기를 비교해 보세요. **같습니다.**

• 이웃한 두 각의 크기의 합을 구해 보세요. **180°**

• 알게 된 평행사변형의 성질을 이야기해 보세요.

103

예 마주 보는 두 변의 길이는 같습니다. / 마주 보는 두 각의 크기는 같습니다. / 이웃한 두 각의 크기의 합은 180°입니다.

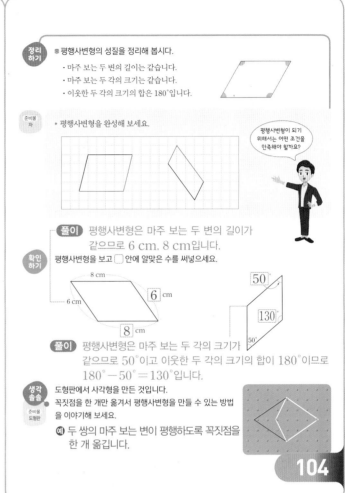

정리하기 평행사변형의 성질을 정리해 봅시다.

• 마주 보는 두 변의 길이는 같습니다.
• 마주 보는 두 각의 크기는 같습니다.
• 이웃한 두 각의 크기의 합은 180°입니다.

준비물 • 평행사변형을 완성해 보세요.

평행사변형이 되기 위해서는 어떤 조건을 만족해야 할까요?

풀이 평행사변형은 마주 보는 두 변의 길이가 같으므로 6 cm, 8 cm입니다.

확인하기 평행사변형을 보고 ☐ 안에 알맞은 수를 써넣으세요.

풀이 평행사변형은 마주 보는 두 각의 크기가 같으므로 50°이고 이웃한 두 각의 크기의 합이 180°이므로 180°−50°＝130°입니다.

생각솔솔 도형판에서 사각형을 만든 것입니다. 꼭짓점을 한 개만 옮겨서 평행사변형을 만들 수 있는 방법을 이야기해 보세요.

예 두 쌍의 마주 보는 변이 평행하도록 꼭짓점을 한 개 옮깁니다.

104

개념 확인 문제 정답 및 풀이 219쪽

1 평행사변형에서 서로 평행한 변은 모두 몇 쌍일까요?

(   )

2 평행사변형을 찾아 ○표 하세요.

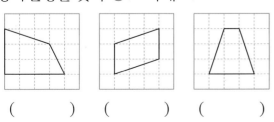

(   ) (   ) (   )

3 평행사변형의 네 변의 길이의 합은 몇 cm일까요?

(   )

4 도형판에서 꼭짓점을 한 개만 옮겨서 평행사변형을 만들어 보세요.

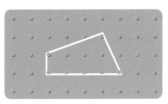

6 | 마름모

학습 목표

여러 가지 모양의 사각형에 대한 분류 활동을 통하여 마름모를 알고, 그 성질을 이해합니다.

그림으로 개념 잡기

우린 모양이 달라도 모두 마름모야.

네 변의 길이가 모두 같은 사각형이지.

참고
마름모는 마주 보는 두 쌍의 변이 서로 평행하므로 사다리꼴, 평행사변형입니다.

어휘

특징

characteristic

特 (특별할 특)
徵 (부를 징)

다른 것에 비하여 특별히 눈에 뜨이는 점을 말합니다.

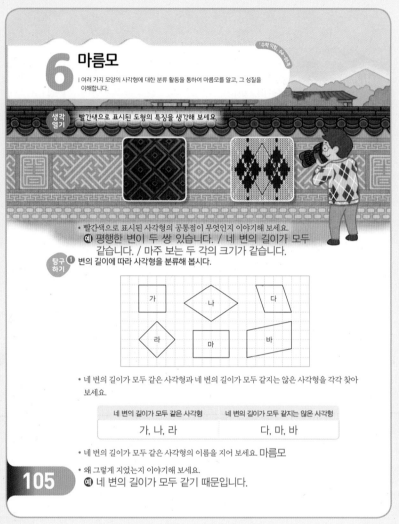

6 마름모

여러 가지 모양의 사각형에 대한 분류 활동을 통하여 마름모를 알고, 그 성질을 이해합니다.

생각열기 빨간색으로 표시된 도형의 특징을 생각해 보세요.

- 빨간색으로 표시된 사각형의 공통점이 무엇인지 이야기해 보세요.
  예 평행한 변이 두 쌍 있습니다. / 네 변의 길이가 모두 같습니다. / 마주 보는 두 각의 크기가 같습니다.

탐구하기 1 변의 길이에 따라 사각형을 분류해 봅시다.

- 네 변의 길이가 모두 같은 사각형과 네 변의 길이가 모두 같지는 않은 사각형을 각각 찾아 보세요.

네 변의 길이가 모두 같은 사각형	네 변의 길이가 모두 같지는 않은 사각형
가, 나, 라	다, 마, 바

- 네 변의 길이가 모두 같은 사각형의 이름을 지어 보세요. 마름모
- 왜 그렇게 지었는지 이야기해 보세요.
  예 네 변의 길이가 모두 같기 때문입니다.

105

교과서 개념 완성

탐구하기 1 정리하기 **마름모를 알아보기**

네 변의 길이가 모두 같은 사각형을 마름모라고 합니다.

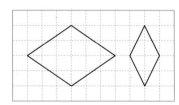

탐구하기 2 정리하기 **마름모의 성질 알아보기**

① 네 변의 길이가 모두 같습니다.

② 마주 보는 두 쌍의 변이 서로 평행합니다.

③ 마주 보는 두 각의 크기는 같습니다.

④ 이웃하는 두 각의 크기의 합이 180°입니다.

⑤ 마주 보는 꼭짓점끼리 이은 두 선분은 서로 수직이고, 서로를 똑같이 둘로 나눕니다.

학부모 코칭 **Tip**

마름모에서 마주 보는 각의 크기가 같으므로 이웃한 두 각의 크기의 합은 180°입니다.

확인하기 **마름모의 성질 적용하기**

- 네 변의 길이가 같고, 마주 보는 두 각의 크기가 같으므로 7 cm, 50°입니다.

- 마주 보는 꼭짓점끼리 이은 두 선분은 수직이고 서로를 똑같이 둘로 나누므로 90°, 6 cm, 8 cm입니다.

정리
하기   ※ 마름모를 알아봅시다.

네 변의 길이가 모두 같은 사각형을 마름모라고
합니다.

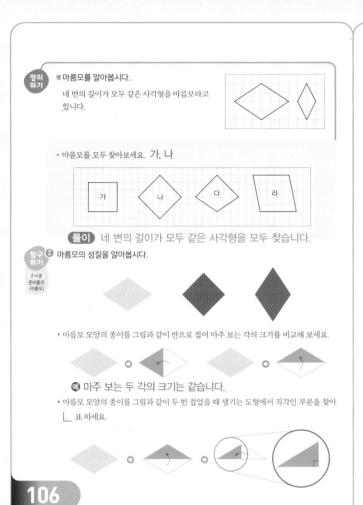

• 마름모를 모두 찾아보세요. **가, 나**

가	나	다	라

풀이   네 변의 길이가 모두 같은 사각형을 모두 찾습니다.

탐구
하기 ❷   마름모의 성질을 알아봅시다.

준비물
준비물③
(마름모)

• 마름모 모양의 종이를 그림과 같이 반으로 접어 마주 보는 각의 크기를 비교해 보세요.

예 마주 보는 두 각의 크기는 같습니다.

• 마름모 모양의 종이를 그림과 같이 두 번 접었을 때 생기는 도형에서 직각인 부분을 찾아 ∟ 표 하세요.

• 두 번 접은 마름모 모양의 종이를 펼쳤을 때, 두 접은 선이 만나는 점에서부터 각 꼭짓점까지의 선분의 길이를 비교해 보세요. **서로 같습니다.**

• 알게 된 마름모의 성질을 이야기해 보세요.

예 마주 보는 두 각의 크기는 같습니다.
/ 마주 보는 꼭짓점끼리 이은 두 선분은 서로 수직이고, 서로를 똑같이 둘로 나눕니다.

정리
하기   ※ 마름모의 성질을 정리해 봅시다.

• 마주 보는 두 각의 크기는 같습니다.
• 마주 보는 꼭짓점끼리 이은 두 선분은 서로 수직이고, 서로를 똑같이 둘로 나눕니다.

준비물
차   • 마름모를 완성해 보세요.

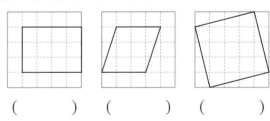

풀이   주어진 선분을 이용하여 마름모를 그립니다.

확인
하기   마름모를 보고 □ 안에 알맞은 수를 써넣으세요.

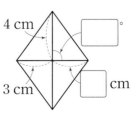

풀이   • 네 변의 길이가 모두 같고, 마주 보는 각의 크기가 같습니다.
• 마주 보는 꼭짓점끼리 이은 두 선분은 서로 수직이고, 서로를 똑같이 둘로 나눕니다.

106   107

💚 **개념 확인 문제**   정답 및 풀이 219쪽

1 알맞은 말에 ○표 하세요.

(1) 마름모는 네 변의 길이가 모두
(같습니다 , 다릅니다).

(2) 마름모는 마주 보는 두 변의 길이가
(같습니다 , 다릅니다).

(3) 마름모는 마주 보는 두 각의 크기가
(같습니다 , 다릅니다).

(4) 마름모에서 마주 보는 꼭짓점끼리 이은 두
선분은 서로 (수직, 평행)이고, 서로를 똑
같이 (둘로 , 셋으로) 나눕니다.

2 마름모를 찾아 ○표 하세요.

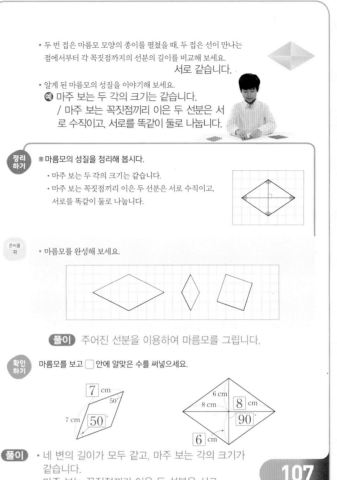

(   )   (   )   (   )

3 마름모를 보고 □ 안에 알맞은 수를 써넣으세요.

4 cm

3 cm   □ cm

8 차시

7 | 직사각형, 정사각형의 성질

학습 목표

직사각형, 정사각형의 성질을 이해합니다.

그림으로 개념 잡기

난 직사각형.
네 각이 모두
직각이야!

난 정사각형.
네 각이 모두 직각이고
네 변의 길이가 모두 같아.

이전에 배운 내용 | 3학년 1학기

- 네 각이 모두 직각인 사각형을 직사각형이라고 합니다.
- 네 각이 모두 직각이고 네 변의 길이가 모두 같은 사각형을 정사각형이라고 합니다.

| 어휘 | 성질
property
性(성품 성) 質(바탕 질) | 사물이 다른 것과
구별되는 특성을
말합니다. |

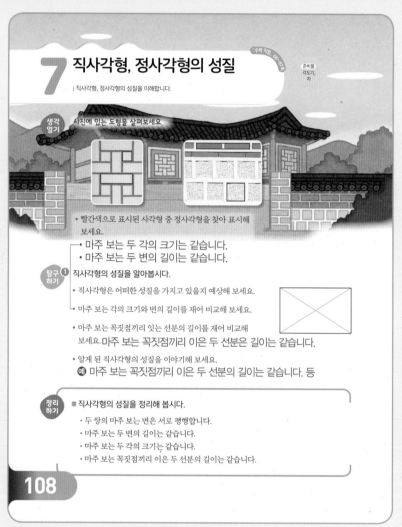

교과서 개념 완성

탐구하기 1 정리하기 직사각형의 성질 알아보기

① 네 각이 모두 직각입니다.
② 두 쌍의 마주 보는 변은 서로 평행합니다. — 사다리꼴, 평행사변형
③ 마주 보는 두 변의 길이는 같습니다.
④ 마주 보는 두 각의 크기는 같습니다.
⑤ 마주 보는 꼭짓점끼리 이은 두 선분의 길이는 같습니다.

참고 직사각형은 사다리꼴, 평행사변형이라고 할 수 있습니다.

탐구하기 2 정리하기 정사각형의 성질 알아보기

① 네 각이 모두 직각입니다. — 직사각형
② 네 변의 길이가 모두 같습니다. — 마름모
③ 두 쌍의 마주 보는 변은 서로 평행합니다. — 사다리꼴, 평행사변형
④ 마주 보는 두 변의 길이는 같습니다.
⑤ 마주 보는 두 각의 크기는 같습니다.
⑥ 마주 보는 꼭짓점끼리 이은 두 선분은 서로 수직이고 서로를 둘로 똑같이 나눕니다. — 마름모

참고
- 정사각형은 직사각형이지만 직사각형은 정사각형이 아닙니다.
- 정사각형은 사다리꼴, 평행사변형, 마름모, 직사각형이라고 할 수 있습니다.

• 마주 보는 두 각의 크기는 같습니다.
• 마주 보는 두 변의 길이는 같습니다.

탐구하기 ②
준비물
준비물④
(정사각형)

정사각형의 성질을 알아봅시다.

• 정사각형은 어떠한 성질을 가지고 있을지 예상해 보세요.

• 마주 보는 각의 크기와 변의 길이를 재어 비교해 보세요.

• 정사각형 모양의 종이를 그림과 같이 반으로 두 번 접었을 때 생기는 도형에서 직각인 부분을 찾아 ⌐ 표 하세요.

 ⇨ ⇨

• 알게 된 정사각형의 성질을 이야기해 보세요.

예
• 마주 보는 두 변의 길이는 같습니다.
• 마주 보는 두 각의 크기는 같습니다.
• 마주 보는 꼭짓점끼리 이은 두 선분은 수직으로 만납니다.

정리하기
📝 정사각형의 성질을 정리해 봅시다.

• 두 쌍의 마주 보는 변은 서로 평행합니다.
• 마주 보는 두 변의 길이는 같습니다.
• 마주 보는 두 각의 크기는 같습니다.
• 마주 보는 꼭짓점끼리 이은 두 선분은 수직으로 만납니다.

확인하기
📝 문제 해결
□ 안에 알맞은 수를 써넣으세요.

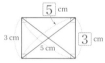

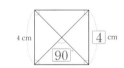

풀이 직사각형이므로 마주 보는 두 변의 길이가 같고, 마주 보는 꼭짓점끼리 이은 두 선분의 길이가 같습니다.

직사각형이므로 마주 보는 두 변의 길이가 같고, 마주 보는 꼭짓점끼리 이은 두 선분이 수직으로 만납니다.

109

이런 문제가 서술형으로 나와요

다음 도형이 직사각형이 아닌 이유를 써 보세요.

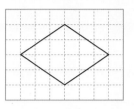

| **이유** |

직사각형이 아닌 이유 쓰기

주어진 도형은 마주 보는 꼭짓점끼리 이은 두 선분의 길이가 같지 않기 때문에 직사각형이 아닙니다.

수학 교과 역량 📝 문제 해결

직사각형, 정사각형의 성질 적용하기
직사각형과 정사각형의 성질을 적용하여 관련된 문제를 해결하는 과정에서 문제 해결 능력을 기를 수 있습니다.

 개념 확인 문제　　　정답 및 풀이 220쪽

1 직사각형의 성질입니다. 알맞은 말에 ○표 하세요.

(1) 네 각이 모두 (직각 , 둔각)입니다.

(2) 두 쌍의 마주 보는 변은 서로 평행하고 길이가 (같습니다 , 다릅니다).

(3) 마주 보는 두 각의 크기는 (같습니다 , 다릅니다).

(4) 마주 보는 꼭짓점끼리 이은 두 선분의 길이는 (같습니다 , 다릅니다).

2 정사각형의 성질입니다. 알맞은 말에 ○표 하세요.

(1) 네 각이 모두 (직각 , 둔각)입니다.

(2) 네 변의 길이가 모두 (같습니다 , 다릅니다).

(3) 두 쌍의 마주 보는 변은 서로 평행하고 길이가 (같습니다 , 다릅니다).

(4) 마주 보는 두 각의 크기는 (같습니다 , 다릅니다).

(5) 마주 보는 꼭짓점끼리 이은 두 선분은 (수직으로 만납니다 , 평행합니다).

9 차시

문제 해결력 쑥쑥

우리 집 지붕의 모양 찾기

논리적 추론 전략을 이용하여 문제를 해결하고, 문제를 어떻게 해결하였는지 설명할 수 있습니다.

🗝 문제 해결 전략 논리적 추론 전략

◆ 수학 교과 역량 문제 해결 정보 처리

우리 집 지붕의 모양 찾기

· 문제의 조건을 확인하고 문제 해결에 적절한 전략을 선택하는 과정에서 문제 해결 능력을 기를 수 있습니다.

· 문제 해결을 위한 조건을 확인하고 취사선택하는 과정에서 주어진 정보를 수집, 분석, 활용하는 정보 처리 능력을 기를 수 있습니다.

🖉 문제 해결 Tip 사각형의 정의 또는 성질과 관련된 것이므로 앞에서 배운 내용을 제대로 이해하고 있는지 확인합니다. 이해를 하지 못한 부분이 있다면 관련 차시로 돌아가 복습해 보도록 합니다.

 문제 해결력 쑥쑥   우리 집 지붕의 모양 찾기

문제 해결   정보 처리

새롬이가 사는 마을을 위에서 바라본 모습입니다. 새롬이가 자기 집의 지붕 모양을 설명하고 있습니다. 새롬이의 집 지붕의 모양은 어느 것인가요?

· 우리 집 지붕은 사각형 모양이야.
· 마주 보는 각의 크기가 같아.
· 네 변의 길이가 모두 같아.
· 두 각의 크기는 90°보다 커.

새롬

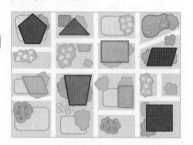

문제 이해하기   · 찾으려고 하는 것은 무엇인가요? 새롬이의 집 지붕의 모양에 대한 설명을 읽고 새롬이의 집 지붕의 모양을 찾는 것입니다.

· 알고 있는 것은 무엇인가요?
두 각의 크기가 90°보다 큽니다.

계획 세우기   · 어떤 방법으로 문제를 해결할 수 있을지 계획을 이야기해 보세요.
예 지붕을 보면서 새롬이가 설명한 성질에 대해 각각의 지붕 그림이 속하는지 판단해 보면 될 것 같습니다.

110

 교과서 개념 완성

문제 이해하기

≫ 구하려고 하는 것

새롬이의 집 지붕의 모양을 찾는 것입니다.

≫ 알고 있는 것

· 지붕 모양은 사각형입니다.

· 마주 보는 각의 크기가 같습니다.

· 네 변의 길이가 모두 같습니다.

· 두 각의 크기가 90°보다 큽니다.

계획 세우기

지붕을 보면서 새롬이가 설명한 성질에 대해 각각의 지붕 그림이 속하는지 판단해 봅니다.

계획대로 풀기

· 사각형 모양

· 마주 보는 각의 크기가 같은 사각형

· 그중 네 변의 길이가 같은 사각형

· 그중 두 각의 크기가 90°보다 큰 사각형

—새롬이의 집 지붕 모양입니다.

되돌아보기

풀이 과정과 답을 점검해 봅니다.

계획대로 풀기
• 자신이 계획한 방법으로 문제를 해결해 보세요.
먼저 사각형을 고른 후 새롬이의 설명에 해당하는 것을 찾으면 마름모입니다.

되돌아보기
• 찾은 답이 맞았는지 확인해 보세요.

• 문제를 해결한 방법을 친구들과 이야기해 보세요.
풀이 자신이 해결한 답에 대하여 친구들에게 설명합니다.

🔵 생각을 키워요

▨ 지훈이는 여러 가지 사각형 모양의 과자를 만들었습니다. 그중 한 종류의 과자를 바구니에 담아 들고 네 명의 친구 집을 방문하여 과자를 나누어 주었습니다. 지훈이가 준 과자의 모양을 보고 네 명의 친구들은 각자 다음과 같이 말하였습니다.

두 각의 크기는 90°보다 작았어.
이웃한 두 각의 크기의 합이 180°였어.
마주 보는 두 변의 길이가 같았어.
네 변의 길이가 모두 같지는 않았어.
지훈

지훈이가 친구들에게 나누어 준 과자는 어떤 모양의 사각형인가요? 평행사변형

111

🔵 생각을 키워요

🗂 문제 해결 🔰 정보 처리

문제 이해하기

≫ **구하려고 하는 것**
친구들이 말한 과자의 모양에 대한 설명을 읽고 과자는 어떤 모양의 사각형인지를 찾는 것입니다.

≫ **알고 있는 것**
• 한 종류 사각형 모양의 과자입니다.
• 마주 보는 두 변의 길이가 같습니다. …①
• 네 변의 길이가 모두 같지는 않습니다. …②
• 두 각의 크기는 90°보다 작습니다. …③
• 이웃한 두 각의 크기의 합이 180°입니다. …④

계획 세우기
네 명의 친구들이 설명한 성질에 대해 각각의 과자 그림이 속하는지 판단해 봅니다.

계획대로 풀기

① ▱ ▯ ◇

② ▱ ▯

③ ④ ▱

되돌아보기
풀이 과정과 답을 점검해 봅니다.

 문제 해결력 문제　　정답 및 풀이 220쪽 ○

1 다음을 모두 만족하는 도형의 이름을 보기 에서 찾아 써 보세요.

보기
평행사변형　　　마름모　　　직사각형

• 4개의 선분으로 둘러싸여 있습니다.
• 마주 보는 두 변의 길이가 같습니다.
• 네 각의 크기가 모두 같지만 네 변의 길이는 같지 않습니다.

(　　　　　　　)

2 다음을 모두 만족하는 도형의 이름을 보기 에서 찾아 써 보세요.

보기
사다리꼴　　　평행사변형　　　마름모
직사각형　　　정사각형

• 사각형입니다.
• 두 쌍의 마주 보는 변이 서로 평행합니다.
• 네 각이 모두 직각입니다.
• 네 변의 길이가 모두 같습니다.

(　　　　　　　)

추론 **정보 처리**

사다리꼴, 평행사변형, 마름모 이해하기

▶자습서 114~119쪽

학부모 코칭 Tip

사다리꼴, 평행사변형, 마름모를 알고 그 성질을 이해합니다.

1 그림을 보고 알맞은 사각형을 모두 찾아 기호를 써 보세요.

100쪽
~107쪽

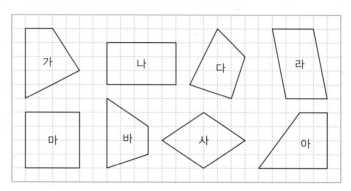

사다리꼴	나, 라, 마, 바, 사, 아
평행사변형	나, 라, 마, 사
마름모	마, 사

풀이 사다리꼴: 평행한 변이 한 쌍이라도 있는 사각형을 찾습니다.
평행사변형: 두 쌍의 마주 보는 변이 평행한 사각형을 찾습니다.
마름모: 네 변의 길이가 모두 같은 사각형을 찾습니다.

문제 해결 **정보 처리**

수직과 수선 이해하기

▶자습서 108~109쪽

한 직선에 대한 수선은 셀 수 없이 많이 그을 수 있지만 직선 밖의 한 점을 지나는 수선은 1개뿐입니다.

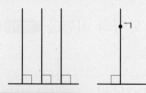

학부모 코칭 Tip

삼각자의 직각인 부분을 이용하여 직선을 그었으므로 수선입니다.

2 점 ㄷ을 지나고 직선 ㄱㄴ에 수직인 직선을 그어 보세요.

92쪽

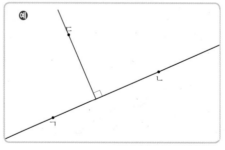

풀이 삼각자의 한 변을 직선 ㄱㄴ에 맞추고 다른 한 변이 점 ㄷ을 지나도록 놓은 후 점 ㄷ을 지나는 수선을 그으면 됩니다.

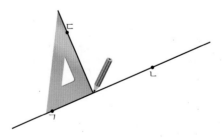

112

3 평행한 직선을 찾고, 평행선 사이의 거리를 재어 보세요.

98쪽

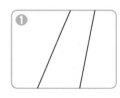 ❶ 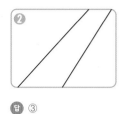 ❷  ❸

답 ③ , 1.5 cm

풀이 평행선을 찾고 평행선 사이의 거리를 잴 수 있는지 확인합니다. 평행선은 ❸이고, 두 직선 사이에 수선을 그어 그 길이를 재면 1.5 cm입니다.

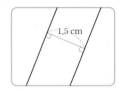

문제 해결 **정보 처리**

평행, 평행선 사이의 거리 이해하기

▶자습서 110~113쪽

평행선 사이에 수선을 긋고, 그 수선의 길이를 잽니다.

➡ 평행선 사이의 거리는 4 cm입니다.

4 평행사변형과 마름모를 보고 ▢ 안에 알맞은 수를 써넣으세요.

102쪽, 105쪽

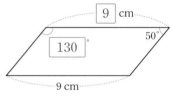

9 cm / 50° / 130 / 9 cm

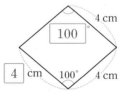

4 cm / 100 / 4 cm / 100° / 4 cm

풀이 • 평행사변형에서 마주 보는 두 변의 길이는 같으므로 구해야 하는 변의 길이는 9 cm입니다. 또 평행사변형의 이웃하는 각의 크기의 합은 $180°$이므로 구해야 하는 각의 크기는 $180° - 50° = 130°$입니다.
• 마름모의 네 변의 길이는 같으므로 구해야 하는 변의 길이는 4 cm입니다. 또 마름모의 마주 보는 각의 크기는 같으므로 구해야 하는 각의 크기는 100°입니다.

문제 해결 **정보 처리**

평행사변형과 마름모의 성질 이해하기

▶자습서 116~119쪽

마름모의 성질

① 네 변의 길이가 모두 같습니다.
② 마주 보는 두 쌍의 변이 서로 평행합니다.
③ 마주 보는 두 각의 크기는 같습니다.
④ 이웃하는 두 각의 크기의 합이 $180°$입니다.
⑤ 마주 보는 꼭짓점끼리 이은 두 선분은 서로 수직이고, 서로를 똑같이 둘로 나눕니다.

생각을 넓혀요 **추론** **의사소통**

5 직사각형 모양의 종이 두 장을 그림과 같이 겹쳐 놓을 때, 겹쳐진 부분에 만들어지는 도형의 이름을 쓰고, 그렇게 생각한 이유를 써 보세요.

102쪽

이름 평행사변형

이유 예 두 쌍의 마주 보는 변이 서로 평행하기 때문입니다.

풀이 직사각형에서 마주 보는 변은 서로 평행합니다.

추론 **의사소통**

색종이로 만들어지는 도형 찾고 이유 설명하기

▶자습서 116~117쪽

평행사변형의 성질

① 마주 보는 두 변의 길이는 같습니다.
② 마주 보는 두 각의 크기는 같습니다.
③ 이웃한 두 각의 크기의 합은 $180°$입니다.

113

미술 속으로 | 풍덩   몬드리안 따라 하기 (함께하는 활동)

① 사각형으로 이루어진 미술 작품을 살펴보세요.

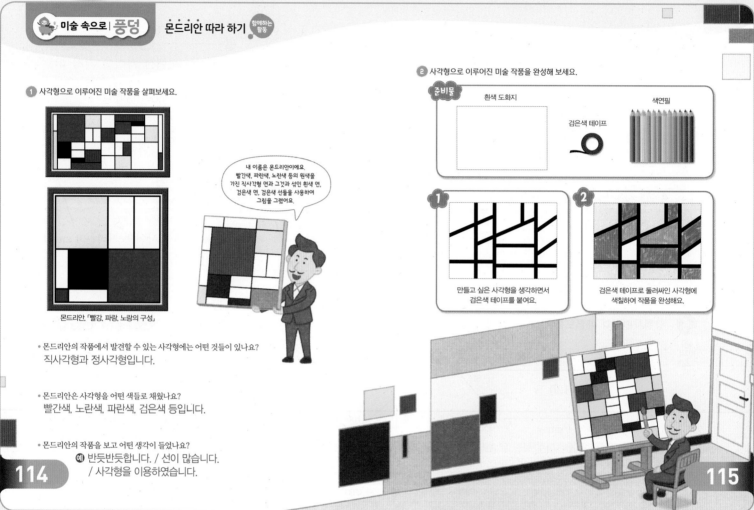

몬드리안, 「빨강, 파랑, 노랑의 구성」

내 이름은 몬드리안이에요. 빨간색, 파란색, 노란색 등의 원색을 가진 직사각형 면과 그것과 섞인 흰색 면, 검은색 면, 검은색 선들을 사용하여 그림을 그렸어요.

• 몬드리안의 작품에서 발견할 수 있는 사각형에는 어떤 것들이 있나요?
  직사각형과 정사각형입니다.

• 몬드리안은 사각형을 어떤 색들로 채웠나요?
  빨간색, 노란색, 파란색, 검은색 등입니다.

• 몬드리안의 작품을 보고 어떤 생각이 들었나요?
  예) 반듯반듯합니다. / 선이 많습니다.
  / 사각형을 이용하였습니다.

114

② 사각형으로 이루어진 미술 작품을 완성해 보세요.

준비물: 흰색 도화지, 검은색 테이프, 색연필

① 만들고 싶은 사각형을 생각하면서 검은색 테이프를 붙여요.

② 검은색 테이프로 둘러싸인 사각형에 색칠하여 작품을 완성해요.

115

교과서 개념 완성

미술 속으로 | 풍덩

1 사각형으로 이루어진 미술 작품 살펴보기

• 사각형만으로 이루어진 몬드리안의 작품을 보고 사각형이 어떻게 쓰였는지 살펴보게 합니다.

• 사각형 배열이 가지는 기하적 아름다움을 체험하고, 자신만의 작품을 만듭니다.

2 사각형으로 이루어진 미술 작품을 완성해 보기

• 여러 가지 사각형의 개념을 적용하여 자신만의 미술 작품을 만들면서 친구들과 수학적 개념 및 아이디어를 공유합니다.

• 자신이 생각한 구체물의 모습이 나오지 않을 수 있으므로 여러 가지로 시도해 보면서 어떤 모양이 필요한지 생각해 봅니다.

• 검은색 테이프를 활용하여 평행선과 수선 등을 만듭니다. 교차한 선들이 만들어 내는 여러 가지 사각형 모양을 찾아냅니다.
  사각형 모양에 따라 자신이 원하는 대로 색칠을 합니다.

학부모 코칭 Tip

여러 가지 사각형을 이용하여 미술 작품을 만들어 보는 활동을 통하여 도형과 미술의 융합을 경험할 수 있습니다.

이야기로 키우는 **생각**

사각형을 찾아라!　창의력 키우기

우리 생활 속에서 많이 볼 수 있는 도형인 사각형! 함께 찾아볼까요?

직사각형

교과서, 스마트폰, 텔레비전, 냉장고, 창문, 벽돌, 신문, 책, 문, 사진 등 다양한 곳에서 직사각형을 발견할 수 있습니다.

정사각형, 평행사변형

알록달록 예쁜 색종이와 맛있는 절편에서는 정사각형과 평행사변형을 볼 수 있어요!

사다리꼴

사다리와 뜀틀에서는 사다리꼴을 만날 수 있어요!

많은 건물들이 사각형인 이유는 무엇일까요?

건물 안에서 생활하기 위해서는 다양한 물건이 필요합니다. 이때 사각형으로 만든 건물이 물건들을 빈틈없이 효율적으로 놓을 수 있습니다. 삼각형이나 원형으로 만든 건물은 사각형 모양의 물건을 놓으면 많은 빈틈이 생깁니다. 그리고 좁은 공간에 많은 건물이 있어야 하는 도시에서는 원형으로 건물을 마음대로 지을 수가 없습니다. 원형으로 건물을 짓게 되면 주변에 빈틈이 너무 많이 생기기 때문입니다.

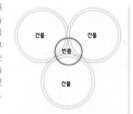

[출처] 『별별 이야기 속에 숨은 수학을 찾아라』, 2017.

또한 사각형은 편리한 모양입니다. 사각형은 세워서, 눕혀서, 기울여서, 가로로, 세로로 다양하게 활용할 수 있는 모양이기 때문에 공간을 효율적으로 쓸 수 있습니다. 도시의 많은 건물들이 삼각형이나 육각형, 원 모양이 아니라 사각형 모양인 이유도 바로 그 때문입니다.

116　117

 이야기로 키우는 **생각**

도형의 형태가 전달하는 의미와 감정

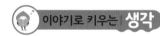

- **사각형**　평행한 직선 두 쌍이 서로 만난 형태는 질서정연하면서도 논리적인 느낌을 줍니다.

  연상되는 감정: 안정감, 편안함, 딱딱함, 질서정연함, 논리적, 간단함.

  연상되는 물건: 책, 모니터, 상자, 벽, 도시락, 식빵, 텔레비전

  사각형은 직선적 느낌의 딱딱함과 동시에 흔들림 없는 확실한 안정감으로 편안함을 전달합니다.

- **삼각형**　사선의 날이 서 있는 모양의 삼각형에서 날카롭고 예리한 느낌을 줍니다.

  연상되는 감정: 날카로움, 방향, 지시, 뾰족함, 논리적, 균형

  연상되는 물건: 피라미드, 산, 화살표, 가시

  삼각형의 사선의 꼭짓점으로부터 지시 방향을 인식합니다. 선명하고 날카로운 형태와 군더더기 없이 매끄러운 모습에서 모던하고 세련된 이미지를 전달받기도 합니다.

- **원**　부드럽고 편하며 원만한 느낌을 줍니다.

  연상되는 감정: 부드러움, 편함, 원만함, 완성됨, 풍만함, 유동성

  연상되는 물건: 지구, 태양, 달, 공, 바퀴

  원은 그 형태를 따라 주기를 반복하면서 끝없이 이어지는 궤도를 그리며, 영원을 나타내기도 합니다.

[출처] 『디자인의 폭을 넓혀 주는 웹 스타일북』, 2003.

개념 ÷ 확인

교과서 개념과 확인 문제를 풀면서 단원을 마무리해 보아요.

개념

수직

두 직선이 만나서 이루는 각이 직각일 때, 두 직선은 서로 수직이라고 합니다.

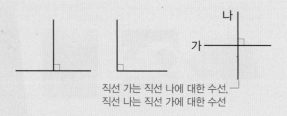

직선 가는 직선 나에 대한 수선,
직선 나는 직선 가에 대한 수선

평행

• 서로 만나지 않는 두 직선은 평행하다고 하며, 평행한 두 직선을 평행선이라고 합니다.
• 한 직선에 수직으로 그은 두 직선은 서로 평행합니다.

평행선 사이의 거리

평행선의 한 직선에서 다른 직선에 수직인 선분을 그을 때, 이 수직인 선분의 길이를 평행선 사이의 거리라고 합니다.

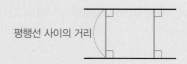

사다리꼴

평행한 변이 한 쌍이라도 있는 사각형을 사다리꼴이라고 합니다.

확인 문제

1 서로 수직인 변이 있는 도형을 모두 찾아 기호를 써 보세요.

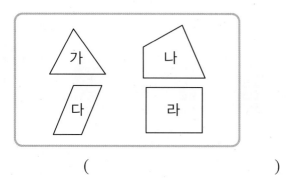

(   )

2 직선 가와 평행한 직선을 찾아보세요.

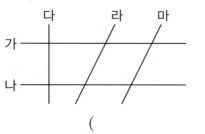

(   )

3 평행선 사이의 거리를 재어 보세요.

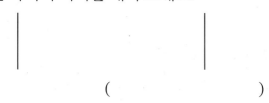

(   )

4 직사각형 모양의 종이를 선을 따라 잘랐을 때 잘라낸 도형들 중 사다리꼴은 모두 몇 개일까요?

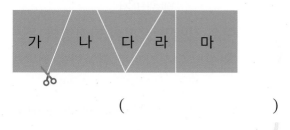

(   )

→ 정답 및 풀이 220쪽

개념

평행사변형

- 두 쌍의 마주 보는 변이 서로 평행한 사각형을 평행사변형이라고 합니다.

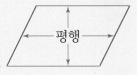

- 평행사변형의 성질
  ① 마주 보는 두 변의 길이는 같습니다.
  ② 마주 보는 두 각의 크기는 같습니다.
  ③ 이웃한 두 각의 크기의 합은 180°입니다.

마름모

- 네 변의 길이가 모두 같은 사각형을 마름모라고 합니다.

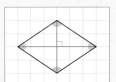

- 마름모의 성질
  ① 마주 보는 두 각의 크기는 같습니다.
  ② 마주 보는 꼭짓점끼리 이은 두 선분은 서로 수직이고 서로를 똑같이 둘로 나눕니다.

직사각형, 정사각형의 성질

- 직사각형의 성질
  ① 마주 보는 두 변은 서로 평행하고 길이가 같습니다.
  ② 마주 보는 두 각의 크기는 같습니다.
  ③ 마주 보는 꼭짓점끼리 이은 두 선분의 길이는 같습니다.
- 정사각형의 성질
  ① 마주 보는 두 변은 서로 평행하고 길이가 같습니다.
  ② 마주 보는 두 각의 크기는 같습니다.
  ③ 마주 보는 꼭짓점끼리 이은 두 선분은 수직으로 만납니다.

확인 문제

5 평행사변형을 보고 ☐ 안에 알맞은 수를 써넣으세요.

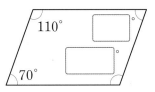

6 마름모는 모두 몇 개일까요?

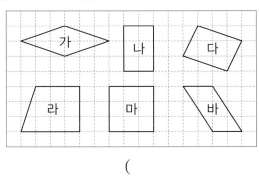

(   )

7 직사각형을 보고 ☐ 안에 알맞은 수를 써넣으세요.

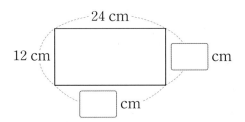

8 정사각형을 보고 ☐ 안에 알맞은 수를 써넣으세요.

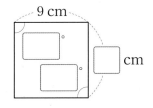

1-1 도형에서 평행선 사이의 거리는 몇 cm인지 풀이 과정을 쓰고, 답을 구해 보세요.

[8점]

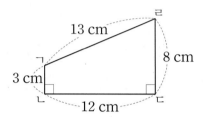

풀이

❶ 평행한 두 변은 변 □ 과 변 □ 입니다.

❷ 평행선 사이의 거리는 변 ㄴㄷ의 길이와 같으므로 □ cm입니다.

답 _____

1-2 도형에서 평행선 사이의 거리는 몇 cm인지 풀이 과정을 쓰고, 답을 구해 보세요.

쌍둥이

[12점]

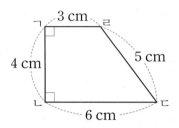

풀이

답 _____

1-3 도형에서 변 ㄱㄴ과 변 ㄴㄷ은 서로 수직입니다. 평행선 사이의 거리는 몇 cm인지 풀이 과정을 쓰고, 답을 구해 보세요.

유사

[15점]

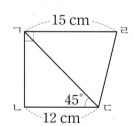

풀이

답 _____

1-4 변 ㄱㅂ과 변 ㄴㄷ은 서로 평행합니다. 두 평행선 사이의 거리는 몇 cm인지 풀이 과정을 쓰고, 답을 구해 보세요. [15점]

실전

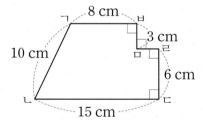

풀이

답 _____

2-1 마름모 ㄱㄴㄷㄹ에서 선분 ㄴㄹ의 길이는 몇 cm인지 풀이 과정을 쓰고, 답을 구해 보세요. [8점]

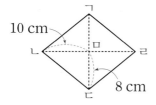

풀이

❶ 마름모에서 마주 보는 꼭짓점끼리 이은 두 선분은 서로를 똑같이 (둘로, 셋으로) 나눕니다.

❷ (선분 ㄴㄹ)=(선분 ㄴㅁ)×2

$=\boxed{}×\boxed{}=\boxed{}$ (cm)

답 _____

2-2 쌍둥이 마름모 ㄱㄴㄷㄹ에서 선분 ㄱㄷ의 길이는 몇 cm인지 풀이 과정을 쓰고, 답을 구해 보세요. [12점]

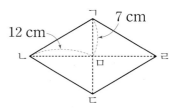

풀이

답 _____

2-3 유사 마름모 ㄱㄴㄷㄹ에서 선분 ㄴㄹ의 길이는 몇 cm인지 풀이 과정을 쓰고, 답을 구해 보세요. [15점]

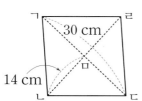

풀이

답 _____

2-4 실전 마름모 ㄱㄴㄷㄹ에서 선분 ㄱㄷ과 선분 ㄴㄹ의 길이의 차는 몇 cm인지 풀이 과정을 쓰고, 답을 구해 보세요. [15점]

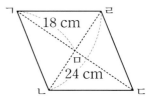

풀이

답 _____

| 수직 |

01 안에 알맞은 말을 써넣으세요.
(하)

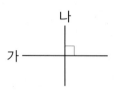

직선 가와 직선 나가 서로 수직일 때, 직선 가를 직선 나에 대한 ☐ 이라고 합니다.

| 평행선 사이의 거리 |

02 평행선 사이의 거리를 나타내는 선분을 찾
(하) 아 기호를 써 보세요.

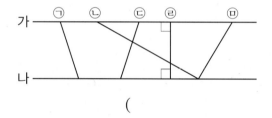

( )

| 마름모 |

03 다음과 같이 네 변의 길이가 모두 같은 사각
(하) 형을 무엇이라고 할까요?

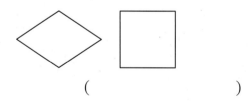

( )

| 직사각형, 정사각형의 성질 |

04 정사각형을 보고 ☐ 안에 알맞은 수를 써넣
(하) 으세요.

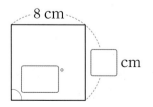

8 cm

☐ cm

[05~06] 사각형을 보고 물음에 답해 보세요.

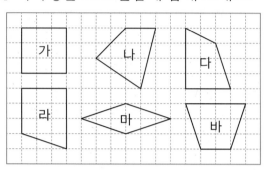

| 사다리꼴 |

05 서로 평행한 변이 있는 사각형을 모두 찾아
(중) 기호를 써 보세요.

( )

| 사다리꼴 |

06 05에서 찾은 사각형을 무엇이라고 할까요?
(중)

( )

| 평행사변형 |

07 평행사변형은 모두 몇 개일까요?
(중)

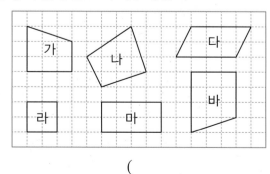

( )

[08~09] 그림을 보고 물음에 답해 보세요.

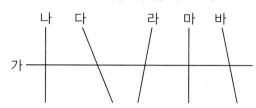

| 수직 |

08 직선 가에 수직인 직선은 모두 몇 개일까요?
중

(   )

| 평행 |

09 직선 나와 평행한 직선을 찾아 써 보세요.
중

(   )

| 평행 |

10 주어진 직선과 평행한 직선을 그어 보세요.
중

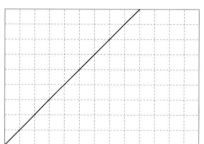

| 사다리꼴 |

11 도형판에서 꼭짓점을 한 개만 옮겨서 사다
중 리꼴을 만들어 보세요.

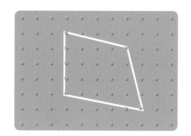

| 수직 |

12 삼각자를 사용하여 주어진 직선에 대한 수
중 선을 그어 보세요.

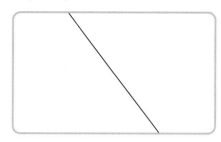

| 평행선 사이의 거리 |

13 평행선 사이의 거리는 몇 cm인지 구해 보
중 세요.

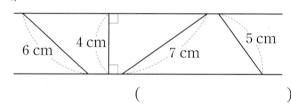

(   )

| 마름모 | 서술형

14 다음 도형이 마름모인지 아닌지 쓰고 그 이
중 유를 써 보세요.

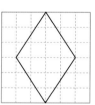

이유

답

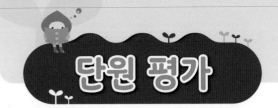

| 평행사변형 |

15 평행사변형의 네 변의 길이의 합은 몇 cm
중 인지 구해 보세요.

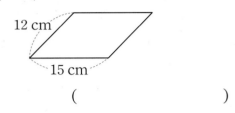

(　　　　　　)

| 마름모 |

16 마름모에서 ㉠의 크기는 몇 도인지 구해 보
중 세요.

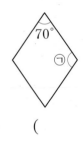

(　　　　　　)

| 평행사변형 | 　　　　　　　　 **서술형**

17 평행사변형에서 ㉠의 크기는 몇 도인지 풀
중 이 과정을 쓰고, 답을 구해 보세요.

풀이

답 _____

| 직사각형, 정사각형의 성질 |

18 오른쪽 도형의 이름이 될 수
상 있는 것에 모두 ○표 하세요.

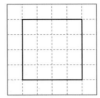

사다리꼴　　　평행사변형　　　마름모
직사각형　　　정사각형

| 평행 |

19 도형에서 변 ㄴㄷ과 평행한 변을 모두 찾아
상 써 보세요.

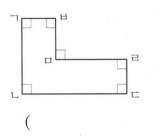

(　　　　　　)

| 직사각형, 정사각형의 성질 | 　　　　　 **서술형**

20 직사각형 가의 네 변의 길이의 합과 정사
상 각형 나의 네 변의 길이의 합이 같습니다.
정사각형 나의 한 변의 길이는 몇 cm인지
풀이 과정을 쓰고, 답을 구해 보세요.

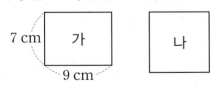

풀이

답 _____

평행선은
정말 만나지 않을까요?

저쪽 끝에서 기찻길이 서로 만날 것 같아.

착시야. 기찻길은 서로 만나지 않고 길게 뻗어 있어.

맞아. 서로 만나지 않는 두 직선이야. 즉 평행선이지.

척-

기찻길은 시각적으로 착시 현상을 일으켜서 그렇게 보이는 거란다.

여기 우리가 배운 사각형을 이용해서 착시 효과를 이용한 작품이 있어요.

와

옵아트라고 해요. 옵아트는 기하학적 형태와 미묘한 색채 관계, 원근법 등을 이용하여 사람의 눈에 착시를 일으켜 환상을 보이게 하는 과학적 예술의 종류예요. 빛, 색, 형태들 통하여 평면적 그림이 아닌 역동적인 입체를 보여 주지요.

팟!

생활 속에 옵아트는 신발, 옷, 커튼 등 디자인에 많이 이용되어요.

자꾸 보니 빨려들어 갈 것 같아요. 나 좀 잡아죠~.

못말려~.

휘 청 큭!

5
꺾은선
그래프

• 하루의 시간별 기온, 강아지의 무게, 교실 모습 등에 대해 이야기를 나누며 인터넷으로 그래프 자료를 찾고 있습니다.

• 하루의 시간별 기온의 변화를 쉽게 알려면 어떤 그래프를 그려야 하는지 궁금해하고 있습니다.

그림 속 상황

자/기/주/도/학/습

	학습 내용	계획 및 확인(공부한 날)		
예습	**1차시** | 단원 도입 / 준비 팡팡	138~139쪽	월	일
진도	**2차시** | **1** 꺾은선그래프 알아보기	140~141쪽	월	일
	3차시 | **2** 꺾은선그래프 그리기	142~143쪽	월	일
	4차시 | **3** 꺾은선그래프 해석하기	144~145쪽	월	일
	5~6차시 | **4** 물결선이 있는 꺾은선그래프로 나타내기	146~147쪽	월	일
	7~8차시 | **5** 자료를 조사하여 꺾은선그래프로 나타내기	148~151쪽	월	일
	9차시 | **6** 자료의 특성에 맞는 그래프로 나타내기	152~153쪽	월	일
	10차시 | 문제 해결력 쑥쑥	154~155쪽	월	일
	11차시 | 단원 마무리 척척	156~157쪽	월	일
	12차시 | 행복 속으로 풍덩 이야기로 키우는 생각	158~159쪽	월	일
평가	개념+확인 / 서술형 문제 해결하기	160~163쪽	월	일
	단원 평가 / 재미있는 수학 이야기	164~167쪽	월	일

준비 팡팡

'무엇을 알고 있나요'와 '함께 생각해 볼까요'를 통하여 단원을 준비할 수 있습니다.

● 막대그래프 해석하기

무엇을 조사하여 그래프로 나타낸 것인지 알아보고, 막대그래프를 보고 알 수 있는 내용을 이야기해 봅니다.

— 희망 직업별 학생 수를 조사하였습니다.

— 막대그래프의 가로는 직업, 세로는 학생 수를 나타냅니다.

— 세로 눈금 한 칸은 2명을 나타냅니다.

— 희망 직업별 학생 수가 교사는 6명, 의사는 4명, 운동선수는 12명입니다.

— 운동선수가 되고 싶은 학생 수는 교사가 되고 싶은 학생 수의 2배입니다.

● 막대그래프 나타내기

• 연예인이 되고 싶은 학생 수 구하기

　세로 눈금 한 칸은 2명을 나타냅니다.

　의사가 되고 싶은 학생은 막대가 2칸이므로 4명입니다.

　연예인이 되고 싶은 학생은 의사가 되고 싶은 학생보다 4명 더 많으므로 8명입니다.

• 막대그래프를 완성하기

　연예인 항목에 막대를 4칸 그립니다.

준비 팡팡

　🔒 무엇을 알고 있나요　　준비물

● 바름이는 반 친구들의 희망 직업을 조사하여 막대그래프로 나타내었습니다. 물음에 답해 보세요.

희망 직업별 학생 수

1 무엇을 조사하여 그래프로 나타낸 것인가요?
희망 직업별 학생 수를 나타낸 그래프입니다.

2 연예인이 되고 싶은 학생이 의사가 되고 싶은 학생보다 4명 더 많습니다. 막대그래프를 완성해 보세요.

120　　풀이 　의사가 되고 싶은 학생보다 4명 더 많으므로 8명입니다.

➜ 그림그래프 알아보기

• 조사한 수를 그림으로 나타낸 그래프를 그림그래프라고 합니다.

• 그림그래프는 그림의 크기와 개수로 나타냅니다.

마을별 쓰레기 배출량

마을	가구 수
가	🏠🏠🏠🏠
나	🏠🏠🏠
다	🏠🏚🏚

🏠 10가구
🏚 1가구

• 마을별 가구 수이므로 집 그림으로 나타내었습니다.

➜ 막대그래프 알아보기

• 조사한 자료의 수량을 막대 모양으로 나타낸 그래프를 막대그래프라고 합니다.

• 막대그래프를 이용하면 항목별 수량의 많고 적음을 한눈에 알아볼 수 있습니다.

좋아하는 운동별 학생 수

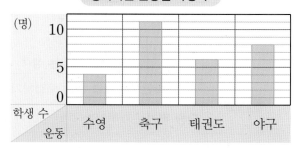

함께 생각해 볼까요

1 지난 4월 중 강낭콩의 키를 조사하여 나타낸 표입니다. 물음에 답해 보세요.

화분별 강낭콩의 키				
(4일 오전 10시 조사)				
화분	가	나	다	라
키(cm)	8	9	4	6

화분 가의 날짜별 강낭콩의 키				
(매일 오전 10시 조사)				
날짜(일)	2	4	6	8
키(cm)	2	8	14	20

• 강낭콩 여러 개의 키를 조사한 표는 어느 것인지 기호를 써 보세요. ㉮

• 시간의 흐름에 따라 강낭콩의 키의 변화를 조사한 표는 어느 것인지 기호를 써 보세요. ㉯

2 눈금에 나타낸 값을 보고 ◯ 안에 알맞은 수를 써넣으세요.

풀이 눈금 한 칸의 크기는 $200 \div 20 = 10$입니다.

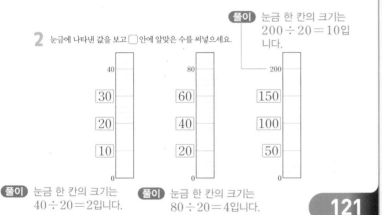

풀이 눈금 한 칸의 크기는 $40 \div 20 = 2$입니다.

풀이 눈금 한 칸의 크기는 $80 \div 20 = 4$입니다.

121

◆ 조사한 자료의 특성 알아보기

주어진 표를 보고 항목별 수량을 비교한 표인지, 시간의 흐름에 따라 변화를 나타낸 표인지 구별합니다.
자료의 특성에 따라 어떤 그래프로 나타내는 것이 좋은지 알아봅니다.

◆ 눈금 한 칸의 크기 정하기

숫자 눈금의 수와 눈금 칸수를 비교하여 눈금 한 칸의 크기를 구합니다.
– (첫 번째 그림) 눈금 한 칸의 크기는 $40 \div 20 = 2$이므로 ◯ 안에 알맞은 수는 밑에서부터 차례대로 10, 20, 30입니다.
– (두 번째 그림) 눈금 한 칸의 크기는 $80 \div 20 = 4$이므로 ◯ 안에 알맞은 수는 밑에서부터 차례대로 20, 40, 60입니다.
– (세 번째 그림) 눈금 한 칸의 크기는 $200 \div 20 = 10$이므로 ◯ 안에 알맞은 수는 밑에서부터 차례대로 50, 100, 150입니다.

개념 확인 문제

정답 및 풀이 223쪽

| 4-1 | 5. 막대그래프 |

[1~4] 유정이네 반 학생들이 태어난 계절을 조사하여 나타낸 막대그래프입니다. 물음에 답해 보세요.

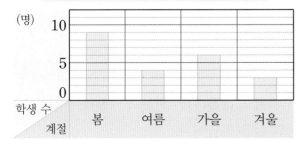

유정이네 반 학생들이 태어난 계절별 학생 수

1 그래프의 가로와 세로는 각각 무엇을 나타내나요?

가로 (　　　　)
세로 (　　　　)

2 세로 눈금 한 칸은 몇 명을 나타내나요?

(　　　　)

3 가을에 태어난 학생은 몇 명인가요?

(　　　　)

4 가장 많은 학생들이 태어난 계절은 무엇인가요?

(　　　　)

② 1 | 꺾은선그래프 알아보기
차시

꺾은선그래프를 알고, 그 특징을 이해합니다.

그림으로 개념 잡기

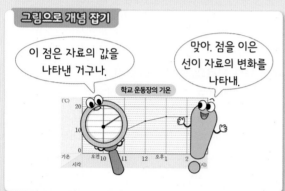

이 점은 자료의 값을 나타낸 거구나.

맞아. 점을 이은 선이 자료의 변화를 나타내.

학교 운동장의 기온

| 어휘 | 그래프 .... graph | 통계의 결과를 한눈에 볼 수 있도록 나타낸 표 |

---

1 꺾은선그래프 알아보기

| 꺾은선그래프를 알고, 그 특징을 이해합니다.

생각 열기 승원이는 11월 어느 하루 학교 운동장의 기온을 재어 막대그래프로 나타내었습니다.

"℃'는 온도의 단위로 '도'라고 읽어요.

학교 운동장의 기온

- 막대그래프를 보고 알 수 있는 것은 무엇인가요? **예** 오전 10시의 기온은 4 ℃입니다.
- 시간의 흐름에 따른 기온의 변화를 그래프로 어떻게 나타내면 좋을까요? **예** 막대의 끝부분을 선으로 연결하면 좋을 것 같습니다.

탐구 하기 조사한 내용을 점과 선으로 나타낸 그래프를 살펴봅시다.

학교 운동장의 기온

막대그래프와 이 그래프 중 기온의 변화를 더 알아보기 쉽게 나타낸 그래프는 어느 것일까요?

- 그래프의 가로와 세로는 각각 무엇을 나타내나요? 가로는 시각을, 세로는 기온을 나타냅니다.
- 시각별 기온을 어떻게 나타내었나요? **예** 기온을 점으로 표시하고 그 점들을 선분으로 이었습니다.
- 위 그래프와 막대그래프의 차이점은 무엇인가요? **예** 자료의 수량을 점으로 표시하고 그 점들을 선분으로 이었습니다.

122

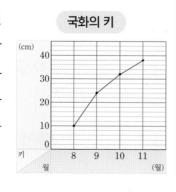

교과서 개념 완성

생각열기 **탐구하기** 꺾은선그래프 살펴보기

조사한 내용을 점과 선으로 나타낸 그래프를 알아봅니다.

정리하기 꺾은선그래프

오른쪽 그래프와 같이 연속적으로 변화하는 양을 점(·)으로 표시하고, 그 점들을 선분으로 이어 그린 그래프를 꺾은선그래프라고 합니다.

국화의 키

점과 선이 나타내는 것이 무엇인지 어려워해요.
시각별 기온을 점으로만 표시한 경우와 그 점을 선분으로 이은 경우를 비교하는 활동을 통하여 선분이 무엇을 나타내는지 알아보도록 합니다.

확인하기 꺾은선그래프의 특징 확인하기

- 가로는 날짜를, 세로는 강낭콩의 키를 나타낸 꺾은선그래프입니다.
- 세로 눈금 한 칸은 2 cm를 나타냅니다.

생각 술술

꺾은선그래프를 보고 두 항목 사이의 값을 예측해 봅니다.
- 두 자료의 값을 이은 선분의 가운데에 점을 찍고 그 점의 값을 읽습니다.

정리
하기　☀ 꺾은선그래프를 알아봅시다.

　　필수
　　하기의 그래프와 같이 연속적으로 변화하는 양을 점(·)으로 표시하고, 그 점들을 선분으로 이어 그린 그래프를 꺾은선그래프라고 합니다.

🔶 정보 처리

확인
하기　강낭콩의 키의 변화를 조사하여 나타낸 꺾은선그래프입니다. 물음에 답해 보세요.

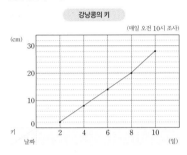

강낭콩의 키

(매일 오전 10시 조사)

• 그래프의 가로와 세로는 각각 무엇을 나타내나요?
　가로는 날짜를, 세로는 키를 나타냅니다.

• 세로 눈금 한 칸은 몇 cm를 나타내나요? **2 cm**　풀이　세로 눈금 5칸이 10 cm이므로 세로 눈금 한 칸은 $10 \div 5 = 2$ (cm)를 나타냅니다.

• 4일에는 강낭콩의 키가 몇 cm였나요? **8 cm**
　풀이　4일에는 세로 눈금 4칸이므로 $2 \times 4 = 8$ (cm)를 나타냅니다.

생각
솔솔　9일에는 강낭콩의 키가 몇 cm였을까요? 그렇게 생각한 이유는 무엇인가요?
　예 24 cm입니다. 8일과 10일의 값을 이은 선분의 가운데에 점을 찍고 그 점의 값을 읽으면 24 cm입니다.

123

👩 **이런 문제가 서술형으로 나와요**

어느 과수원의 사과 수확량의 변화를 조사하여 나타낸 꺾은선그래프입니다. 꺾은선그래프가 표에 비해 어떤 점이 편리한지 설명해 보세요.

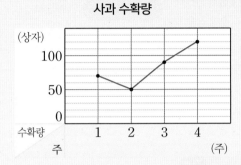

사과 수확량

| 설명 |

꺾은선그래프는 시간에 따른 변화를 한눈에 알아보기 편리합니다.

▶ 수학 교과 역량 　🔶 정보 처리

꺾은선그래프의 특징 확인하기

꺾은선그래프를 살펴보고 특징을 이해하는 과정과 꺾은선그래프로 나타내기에 알맞은 자료를 생각해 보는 과정에서 정보 처리 능력을 기를 수 있습니다.

 개념 확인 문제　　　정답 및 풀이 223쪽 ●

[1~4] 정우네 교실의 온도 변화를 조사하여 나타낸 꺾은선그래프입니다. 물음에 답해 보세요.

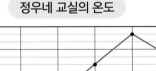

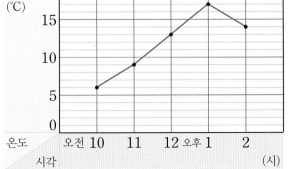

1 꺾은선그래프의 가로와 세로는 각각 무엇을 나타내나요?
　　　　가로 (　　　　　　　　)
　　　　세로 (　　　　　　　　)

2 세로 눈금 한 칸은 몇 ℃를 나타내나요?
　　　　　　　(　　　　　　　　)

3 오전 11시에 교실의 온도는 몇 ℃인가요?
　　　　　　　(　　　　　　　　)

4 교실의 온도는 몇 시 이후로 낮아졌나요?
　　　　　　　(　　　　　　　　)

3 차시

2 | 꺾은선그래프 그리기

자료를 꺾은선그래프로 나타낼 수 있습니다.

그림으로 개념 잡기

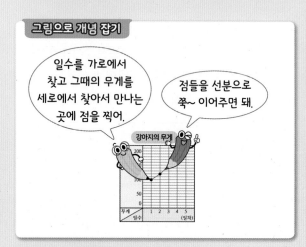

일수를 가로에서 찾고 그때의 무게를 세로에서 찾아서 만나는 곳에 점을 찍어.

점들을 선분으로 쭉~ 이어주면 돼.

학부모 코칭 Tip

꺾은선그래프를 그릴 때 점을 정확히 찍고, 점과 점을 선분으로 곧게 이어 주도록 합니다.

어휘	자료	
	data	연구나 조사 따위의 바탕이 되는 재료
	資 (재물 자) 料 (되질할 료)	

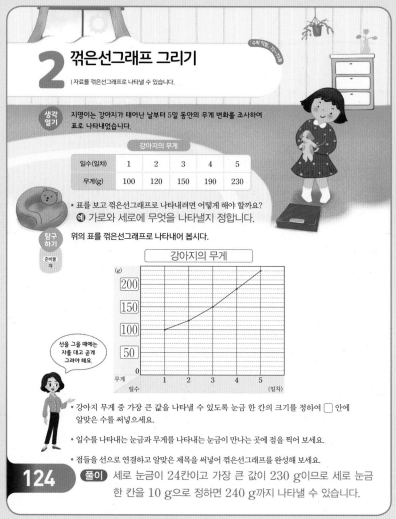

2 꺾은선그래프 그리기

| 자료를 꺾은선그래프로 나타낼 수 있습니다.

생각열기 지영이는 강아지가 태어난 날부터 5일 동안의 무게 변화를 조사하여 표로 나타내었습니다.

강아지의 무게

일수(일차)	1	2	3	4	5
무게(g)	100	120	150	190	230

• 표를 보고 꺾은선그래프로 나타내려면 어떻게 해야 할까요?
예 가로와 세로에 무엇을 나타낼지 정합니다.

탐구하기 위의 표를 꺾은선그래프로 나타내어 봅시다.

준비물 자

선을 그을 때에는 자를 대고 곧게 그려야 해요.

• 강아지 무게 중 가장 큰 값을 나타낼 수 있도록 눈금 한 칸의 크기를 정하여 ☐ 안에 알맞은 수를 써넣으세요.

• 일수를 나타내는 눈금과 무게를 나타내는 눈금이 만나는 곳에 점을 찍어 보세요.

• 점들을 선으로 연결하고 알맞은 제목을 써넣어 꺾은선그래프를 완성해 보세요.

124 **풀이** 세로 눈금이 24칸이고 가장 큰 값이 230 g이므로 세로 눈금 한 칸을 10 g으로 정하면 240 g까지 나타낼 수 있습니다.

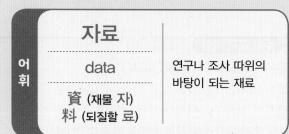

교과서 개념 완성

생각열기 **탐구하기** 꺾은선그래프를 나타내는 방법 알아보기

강아지가 태어난 날부터 5일 동안의 무게를 조사한 표를 보고 꺾은선그래프로 나타내는 방법을 알아봅니다.

정리하기 꺾은선그래프 그리는 순서

① 가로와 세로에 무엇을 나타낼지 정합니다. →

② 가장 큰 값을 나타낼 수 있도록 세로 눈금 한 칸의 크기를 정합니다.

→ ③ 가로 눈금과 세로 눈금이 만나는 곳에 점을 찍고 이 점들을 선분으로 이어 줍니다. →

④ 조사한 내용에 맞게 제목을 씁니다.

확인하기 스마트폰 이용 시간을 기록한 표를 보고 꺾은선그래프로 나타내기

• 꺾은선그래프의 가로에는 날짜를, 세로에는 시간을 나타냅니다.

• 세로 눈금 한 칸의 크기 정하기
세로 눈금이 24칸이고 가장 큰 값이 110분이므로 세로 눈금 한 칸을 5분으로 정하면 120분까지 나타낼 수 있습니다.

• 꺾은선그래프의 제목 정하기
영희의 스마트폰 이용 시간입니다.

• 꺾은선그래프를 완성합니다.

• 일별 스마트폰 이용 시간이 표와 같은지 확인합니다.

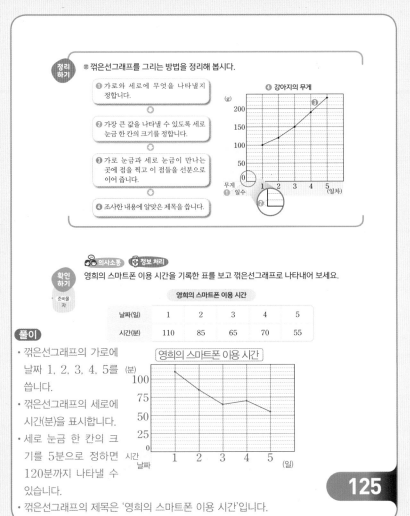

정리
하기
☞ 꺾은선그래프를 그리는 방법을 정리해 봅시다.

❶ 가로와 세로에 무엇을 나타낼지 정합니다.

❷ 가장 큰 값을 나타낼 수 있도록 세로 눈금 한 칸의 크기를 정합니다.

❸ 가로 눈금과 세로 눈금이 만나는 곳에 점을 찍고 이 점들을 선분으로 이어 줍니다.

❹ 조사한 내용에 알맞은 제목을 씁니다.

의사소통 정보 처리

확인
하기

준비물
상자

영희의 스마트폰 이용 시간을 기록한 표를 보고 꺾은선그래프로 나타내어 보세요.

영희의 스마트폰 이용 시간

날짜(일)	1	2	3	4	5
시간(분)	110	85	65	70	55

풀이
• 꺾은선그래프의 가로에 날짜 1, 2, 3, 4, 5를 씁니다.
• 꺾은선그래프의 세로에 시간(분)을 표시합니다.
• 세로 눈금 한 칸의 크기를 5분으로 정하면 120분까지 나타낼 수 있습니다.
• 꺾은선그래프의 제목은 '영희의 스마트폰 이용 시간'입니다.

125

이런 문제가 **서술형**으로 나와요

식물의 키의 변화를 조사한 표를 보고 꺾은선그래프로 나타내려고 합니다. 세로 눈금 한 칸의 크기는 몇 cm를 나타내는 것이 좋은지 쓰고, 그 이유를 써 보세요.

식물의 키

날짜(일)	2	4	6	8	10
키(cm)	12	16	22	26	32

| 풀이 과정 |
❶ 세로 눈금 한 칸은 몇 cm를 나타내는 것이 좋은지 쓰기
2 cm를 나타내는 것이 좋습니다.

❷ 이유 설명하기
식물의 키가 짝수이고, 가장 큰 키인 32 cm까지 나타내야 하므로 2 cm로 나타내는 것이 좋습니다.

수학 교과 역량 의사소통 정보 처리

표를 보고 꺾은선그래프로 나타내기

표를 꺾은선그래프로 나타내는 과정과 꺾은선그래프로 제대로 나타내었는지 확인하는 방법을 설명하는 과정에서 의사소통 능력과 정보 처리 능력을 기를 수 있습니다.

개념 확인 문제 정답 및 풀이 223쪽

[1~3] 강아지의 무게를 매월 1일에 조사하여 표로 나타내었습니다. 물음에 답해 보세요.

강아지의 무게

월(월)	5	6	7	8	9
무게(kg)	1	2	4	7	6

1 세로에 무게를 나타내면 가로에는 무엇을 나타내야 하나요?

(   )

2 세로 눈금 한 칸의 크기는 몇 kg을 나타내어야 하나요?

(   )

3 꺾은선그래프로 나타내어 보세요.

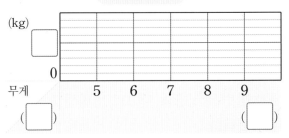

강아지의 무게

(kg)

0

무게   5   6   7   8   9

(   )   (   )

4차시

3 | 꺾은선그래프 해석하기

학습 목표

꺾은선그래프를 해석하여 여러 가지 내용을 말할 수 있습니다.

그림으로 개념 잡기

나는 빨리 올라가고 싶어! 하지만 기울어진 정도가 너무 심하잖아!

천천히 올라가지만 조금 기울어졌어.

참고

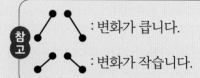 : 변화가 큽니다.

: 변화가 작습니다.

어휘

해석

interpretation

解 (풀 해) 釋 (풀 석)

어떤 현상이나 행동, 글 따위의 의미를 이해하거나 판단하는 것을 말합니다.

---

3 꺾은선그래프 해석하기

| 꺾은선그래프를 해석하여 여러 가지 내용을 말할 수 있습니다.

생각열기 새롬이는 학교의 연도별 신입생 수를 조사하여 꺾은선그래프로 나타내었습니다.

신입생 수

(그래프: 가로축 연도(2016~2020), 세로축 신입생 수(명))

- 꺾은선그래프를 보고 어떤 내용을 알 수 있을까요? 연도별 신입생 수를 알 수 있습니다.
- 꺾은선그래프를 보고 여러 가지 내용을 알아보려면 어떻게 해야 할까요?
  예 연도별 신입생 수의 변화 정도를 비교합니다.

탐구하기 위의 꺾은선그래프를 보고 알 수 있는 내용을 살펴봅시다.

- 연도별 신입생 수를 읽고 알 수 있는 내용을 이야기해 보세요.
  예 신입생 수가 2016년에는 54명, 2017년에는 38명입니다.
- 연도별 신입생 수는 어떻게 변화하고 있나요?
  예 신입생 수가 점점 줄어들었습니다.
- 2021년의 신입생 수는 어떻게 변화할지 예상해 보세요.
  예 2020년의 신입생 수보다 줄어들 것 같습니다.
  예 약 25명 정도가 될 것 같습니다.

126

교과서 개념 완성

생각열기 탐구하기 꺾은선그래프를 보고 알 수 있는 내용 살펴보기

- 신입생 수가 2016년 54명, 2017년 38명, 2018년 32명, 2019년 28명, 2020년 26명입니다.
- 신입생 수가 가장 많은 때는 2016년입니다.

정리하기 꺾은선그래프에서 알 수 있는 내용

- 점의 위치에 맞게 눈금을 읽어 수량을 확인할 수 있습니다.
- 자료의 변화 정도와 앞으로 변화될 모습을 예상할 수 있습니다.

확인하기 꺾은선그래프 해석하기

- 가로는 연도를, 세로는 자동차 수를 나타냅니다.
- 세로 눈금 한 칸의 크기는 1만 대입니다.
- 연도별 친환경 자동차 수
  2015년: 18만 대, 2016년: 24만 대,
  2017년: 34만 대, 2018년: 46만 대,
  2019년: 60만 대
- 친환경 자동차 수의 변화하는 모습 알아보기
  - 친환경 자동차 수가 가장 많이 늘어난 때는 2018년에서 2019년까지입니다.
  - 연도가 지날수록 친환경 자동차 수는 점점 많아지고 있습니다.

정리
하기

※ 꺾은선그래프를 보고 알 수 있는 내용을 정리해 봅시다.

• 점의 위치에 맞게 눈금을 읽어 수량을 확인할 수 있습니다.

• 자료의 변화 정도와 앞으로 변화될 모습을 예상할 수 있습니다.

정보 처리

확인
하기

우리나라의 연도별 친환경 자동차 수를 조사하여 나타낸 꺾은선그래프를 보고 알 수 있는 내용을 써 보세요.

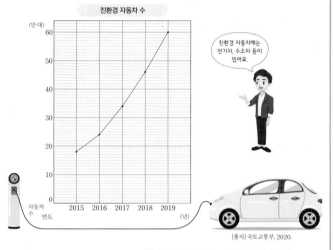

친환경 자동차 수

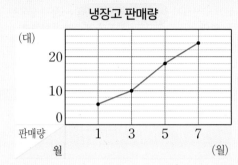

친환경 자동차에는 전기차, 수소차 등이 있어요.

[출처] 국토교통부, 2020.

• 우리나라의 친환경 자동차 수는 예 2015년도에는 18만 대였습니다.

• 시간의 흐름에 따라 친환경 자동차 수는 예 점점 늘어나고 있습니다.

• 앞으로 친환경 자동차 수의 변화될 모습은 예 60만 대보다 많을 것 같습니다.

127

이런 문제가 서술형으로 나와요

꺾은선그래프에서 4월에는 냉장고 판매량이 몇 대였을지 쓰고, 그 이유를 써 보세요.

냉장고 판매량

(대)

20

10

0

판매량

월   1   3   5   7   (월)

| 풀이 과정 |

❶ 4월의 판매량 구하기

4월의 판매량은 14대입니다.

❷ 이유 설명하기

3월과 5월의 값을 이은 선분의 가운데에 점을 찍고 그 점의 값을 읽으면 14대입니다.

수학 교과 역량 정보 처리

꺾은선그래프 해석하기

꺾은선그래프를 읽고 해석하는 과정에서 정보 처리 능력을 기를 수 있습니다.

 개념 확인 문제   정답 및 풀이 223쪽

[1~4] 5일 동안 하루 최고 기온을 조사하여 꺾은선그래프로 나타낸 것입니다. 물음에 답해 보세요.

하루 최고 기온

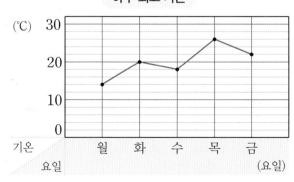

1 수요일의 최고 기온은 몇 ℃인가요?

(   )

2 화요일의 최고 기온은 월요일보다 몇 ℃ 더 높은가요?

(   )

3 5일 중 최고 기온이 가장 높은 때는 언제인가요?

(   )

4 전날에 비해 최고 기온의 변화가 가장 큰 요일은 언제인가요?

(   )

4 | 물결선이 있는 꺾은선그래프로 나타내기

학습 목표

꺾은선그래프에서 물결선의 필요성을 알고, 물결선이 있는 꺾은선그래프로 나타낼 수 있습니다.

그림으로 개념 잡기

변화가 뚜렷하지 않아.

물결선으로 필요 없는 부분을 줄이고 이렇게 필요한 부분을 늘리면 뚜렷해져!

학부모 코칭 Tip

물결선을 왜 사용해요?

세로 눈금 한 칸의 크기를 작게 하여 눈금 수를 늘리면 수량의 변화 모습을 뚜렷하게 나타낼 수 있지만, 그래프가 세로로 길어지게 됩니다. 따라서 물결선을 사용하면 세로 눈금에서 필요 없는 부분을 생략할 수 있습니다.

어휘

물결선

통계의 결과를 한눈에 볼 수 있도록 나타낸 표

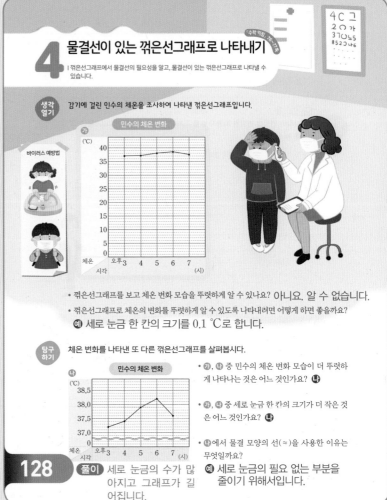

4 물결선이 있는 꺾은선그래프로 나타내기

꺾은선그래프에서 물결선의 필요성을 알고, 물결선이 있는 꺾은선그래프로 나타낼 수 있습니다.

생각열기 감기에 걸린 민수의 체온을 조사하여 나타낸 꺾은선그래프입니다.

바이러스 예방법

- 꺾은선그래프를 보고 체온 변화 모습을 뚜렷하게 알 수 있나요? 아니요, 알 수 없습니다.
- 꺾은선그래프로 체온의 변화를 뚜렷하게 알 수 있도록 나타내려면 어떻게 하면 좋을까요?
  예 세로 눈금 한 칸의 크기를 0.1 ℃로 합니다.

탐구하기 체온 변화를 나타낸 또 다른 꺾은선그래프를 살펴봅시다.

- ㉮, ㉯ 중 민수의 체온 변화 모습이 더 뚜렷하게 나타나는 것은 어느 것인가요? ㉯
- ㉮, ㉯ 중 세로 눈금 한 칸의 크기가 더 작은 것은 어느 것인가요? ㉯
- ㉯에서 물결 모양의 선(≈)을 사용한 이유는 무엇일까요?
  예 세로 눈금의 필요 없는 부분을 줄이기 위해서입니다.

128

풀이 세로 눈금의 수가 많아지고 그래프가 길어집니다.

교과서 개념 완성

생각열기 **탐구하기** **물결선을 사용한 꺾은선그래프**

두 그래프를 살펴보고 세로 눈금의 필요 없는 부분을 줄이기 위해서 물결선을 사용함을 이해하도록 합니다.

정리하기 **물결선이 있는 꺾은선그래프의 특징**

물결선(≈)을 사용하여 필요 없는 부분을 생략하면 수량이 변화하는 모습을 뚜렷하게 나타낼 수 있습니다.

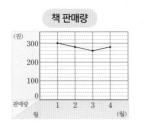

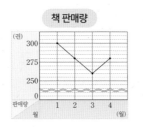

확인하기 **물결선을 사용하여 꺾은선그래프 그리기**

- 기록은 26초부터 20초까지 변하였으므로 20초 아래는 필요 없는 부분입니다.
- 기록의 일의 자리 수가 변하므로 세로 눈금 한 칸의 크기는 1초로 정하면 좋습니다.
- 기록에서 필요 없는 부분인 0초와 20초 사이에 물결선을 넣으면 좋습니다.

생각 솔솔 **물결선을 사용한 꺾은선그래프로 나타내면 편리한 자료에 대해 이야기하기**

0에서부터 자료의 가장 작은 값 사이에 생략할 수 있는 부분이 많은 자료입니다.

정리
하기

☞ 물결선이 있는 꺾은선그래프의 특징에 대해 정리해 봅시다.

물결선(≈)을 사용하여 필요 없는 부분을 생략하면 수량의 변화하는 모습을 뚜렷하게 나타낼 수 있습니다.

확인
하기
준비물
자

건강을 위하여 수영을 배우고 있는 영희는 5개월 동안의 자유형 25 m 기록을 표로 나타내었습니다. 이 표를 보고 기록의 변화 모습이 뚜렷하게 보이는 꺾은선그래프로 나타내려고 합니다. 물음에 답해 보세요.

영희의 자유형 25 m 기록
(매월 1일 조사)

월(월)	6	7	8	9	10
기록(초)	26	24	23	21	20

풀이 물결선으로 그리고 가로에 월, 세로에 기록을 나타내어 완성합니다.

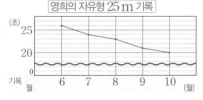

영희의 자유형 25 m 기록

- 기록은 몇 초부터 몇 초까지 변하였나요? 26초부터 20초까지
- 세로 눈금 한 칸의 크기를 몇 초로 정하면 좋을까요? 1초
- 물결선을 몇 초와 몇 초 사이에 넣으면 좋을까요? 0초와 20초 사이
- 물결선을 사용하여 꺾은선그래프를 완성해 보세요.　풀이 기록이 1초 단위로 다르므로 물결선으로 필요 없는 부분을 생략하고 세로 눈금 한 칸의 크기를 1초로 나타냅니다.

🌀 태도 및 실천

생각
솔솔

물결선을 사용한 꺾은선그래프로 나타내면 편리한 자료를 이야기해 보세요.

풀이 도시의 월별 인구 변화와 같이 0에서부터 자료의 가장 작은 값 사이에 생략할 수 있는 부분이 많은 자료입니다.

129

👩 이런 문제가 서술형으로 나와요

수학 점수를 나타낸 표를 보고 물결선을 사용하여 꺾은선그래프로 나타내려고 합니다. 물결선을 몇 점과 몇 점 사이에 넣으면 좋을지 쓰고, 그 이유를 써 보세요.

지우의 수학 점수

월(월)	3	4	5	6
점수(점)	85	81	88	92

| 풀이 과정 |

❶ 물결선을 몇 점과 몇 점 사이에 넣으면 좋을지 쓰기

0점과 80점 사이에 넣는 것이 좋습니다.

❷ 이유 쓰기

점수가 81점부터 92점까지 변하였으므로 물결선은 0점과 80점 사이에 넣는 것이 좋습니다.

◀ 수학 교과 역량　　🌀 태도 및 실천

물결선을 이용하여 나타내는 그래프 알아보기

하나의 자료를 다양하게 표현해 보는 과정에서 태도 및 실천 능력을 기를 수 있습니다.

개념 확인 문제
정답 및 풀이 224쪽 ◗

[1~3] 월별 배 한 상자의 가격을 조사하여 나타낸 꺾은선그래프를 보고 물음에 답해 보세요.

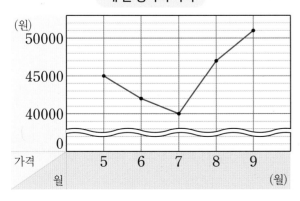

배 한 상자의 가격

1 세로 눈금 한 칸의 크기는 몇 원인가요?

(　　　　　　　　)

2 배 한 상자의 가격은 얼마부터 얼마까지 변했나요?

(　　　　　　)부터 (　　　　　　)까지

3 물결선을 몇 원과 몇 원 사이에 넣은 것인가요?

(　　　　　)과 (　　　　　) 사이

5 | 자료를 조사하여 꺾은선그래프로 나타내기

학습 목표

주제에 맞는 자료를 수집, 정리하여 꺾은선그래프로 나타내고 해석할 수 있습니다.

그림으로 개념 잡기

어떤 자료를 꺾은선그래프로 나타내는 게 좋을까?

이것 봐~ 새싹이 자란 키를 조사한 거야. 이렇게 변화하는 자료를 찾아.

5cm 11cm 15cm 20cm

| 어휘 | 조사 <br> investigation
 調 (고를 조)
 査 (사실할 사) | 사물의 내용을 자세히 살펴보거나 찾아보는 것을 말합니다. |

5 자료를 조사하여 꺾은선그래프로 나타내기

| 주제에 맞는 자료를 수집, 정리하여 꺾은선그래프로 나타내고 해석할 수 있습니다.

생각열기 민수는 친구들과 지난 여름철 날씨에 대해 이야기하고 있습니다.

우리나라의 최고 기온은 어떻게 변화하고 있을까?

기상청 누리집에서 최고 기온을 조사하면 알 수 있을 것 같아.

조사한 자료를 표와 그래프로 나타내면 어떨까?

* 어떤 내용을 조사하면 좋을까요?
예 우리나라의 연도별 최고 기온
* 어디에서 어떤 방법으로 조사하면 좋을까요?
예 신문이나 기상청 누리집에서 검색하면 좋을 것 같습니다.

추론 **의사소통** **정보 처리**

탐구하기 자료를 조사하여 꺾은선그래프로 나타내는 과정을 알아봅시다.

1. 주제 정하기

우리나라의 연도별 최고 기온

2. 자료 수집하기

* 조사 대상: 기상청 누리집
* 조사 방법: 자료 검색
* 조사한 자료: 2015부터 2019년까지 5년 동안의 우리나라의 최고 기온

130

 교과서 개념 완성

생각열기 **문제 인식 및 자료 조사 목적 생각하기**

* 우리나라의 연도별 최고 기온을 조사합니다.
* 필요한 자료를 신문이나 기상청 누리집에서 검색합니다.
* 조사한 자료를 표와 그래프로 정리합니다.

탐구하기 **통계적 문제 해결 과정 살펴보기**

* 주제 정하기
  우리나라의 연도별 최고 기온으로 정하였습니다.
* 자료 수집하기
  조사 대상, 방법, 내용 등을 조사하였습니다.

* 자료 정리하기
  표로 정리하고 꺾은선그래프를 그립니다.
* 결과 해석하기
  꺾은선그래프를 보고 여러 가지 사실을 알아봅니다.
  – 최고 기온이 2015년부터 2018년까지 최고 기온이 계속 높아지다가 2019년에 낮아졌습니다.
  – 앞으로 우리나라의 최고 기온은 점점 높아질 것 같습니다.

학부모 코칭 Tip

자료를 조사하는 목적을 생각하는 과정에서 자료의 변화 모습을 알아보기 위해 꺾은선그래프를 그릴 필요성을 인식할 수 있도록 합니다.

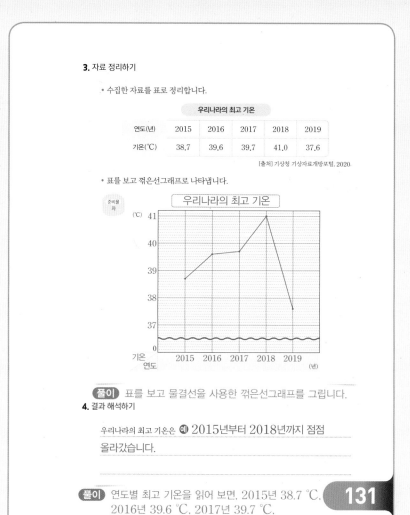

3. 자료 정리하기

• 수집한 자료를 표로 정리합니다.

우리나라의 최고 기온

연도(년)	2015	2016	2017	2018	2019
기온(°C)	38.7	39.6	39.7	41.0	37.6

[출처] 기상청 기상자료개방포털, 2020.

• 표를 보고 꺾은선그래프로 나타냅니다.

우리나라의 최고 기온

(풀이) 표를 보고 물결선을 사용한 꺾은선그래프를 그립니다.

4. 결과 해석하기

우리나라의 최고 기온은 (예) 2015년부터 2018년까지 점점 올라갔습니다.

(풀이) 연도별 최고 기온을 읽어 보면, 2015년 38.7 °C, 2016년 39.6 °C, 2017년 39.7 °C, 2018년 41.0 °C, 2019년 37.6 °C입니다.

131

학부모 코칭 Tip

결과 해석하기에서는 여러 가지 통계적 사실을 찾아보고, 자료를 조사한 목적을 해결하기 위해 어떤 사실을 이용하면 좋을지 생각해 보게 한다. 또한 학생들에게 충분한 시간을 주어, 꺾은선그래프를 보고 알 수 있는 내용을 말하게 합니다.

수학 교과 역량 🧩추론 💬의사소통 ⚙️정보 처리

자료를 조사하여 나타낸 꺾은선그래프를 보고 해석하기

민수네 모둠이 작성하고 있는 보고서를 살펴보는 과정에서 추론 능력을 기를 수 있고, 민수네 모둠이 작성하고 있는 보고서를 살펴보고 자신의 생각을 다른 사람에게 표현하는 과정과 꺾은선그래프를 보고 해석하는 과정에서 의사소통 능력과 정보 처리 능력을 기를 수 있습니다.

개념 확인 문제　　정답 및 풀이 224쪽

[1~3] 하늘이네 지역의 연도별 적설량을 조사하여 나타낸 표를 보고 꺾은선그래프로 나타내려고 합니다. 물음에 답해 보세요.

하늘이네 지역의 연도별 적설량

연도(년)	2019	2020	2021	2022
적설량(mm)	23	27	22	29

1 조사한 것은 무엇인가요?

(　　　　　　　　　　)

2 표를 보고 꺾은선그래프로 나타내어 보세요.

하늘이네 지역의 연도별 적설량

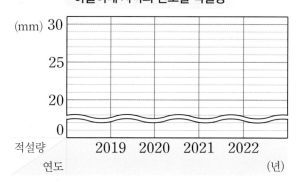

3 전년도에 비해 적설량이 줄어든 해는 언제인가요?

(　　　　　　　　　)

조사할 주제를 어떻게 정해요.
생활에서 문제를 인식하여 조사할 주제를 정하는 것을 어려워할 경우, '문제 설정하기' 과정에서는 구체적인 문제 장면을 제시하고, 친구들과 해결하고 싶은 주제를 선택하는 활동을 통하여 문제를 인식하고 좋은 주제를 정하도록 합니다. (주제 예시: 연도별 자원 봉사자 수, 연도별 눈이 온 날 수, 월별 도서 대출 권수 등)

참고

자료 조사 방법
관찰 조사, 면접 조사, 전화 조사, 우편 조사, 인터넷 조사 등이 있는데 각각의 방법에는 장단점이 있으므로 가장 적절한 조사 방법을 선택할 필요가 있습니다.

어휘

수집
acquisition
蒐 (꼭두서니 수)
集 (모일 집)

취미나 연구를 위하여 여러 가지 물건이나 자료를 찾아 모으는 것을 말합니다.

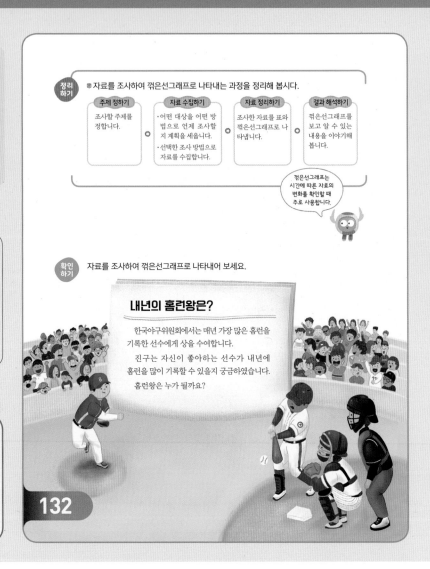

정리하기 ● 자료를 조사하여 꺾은선그래프로 나타내는 과정을 정리해 봅시다.

주제 정하기	자료 수집하기	자료 정리하기	결과 해석하기
조사할 주제를 정합니다.	• 어떤 대상을 어떤 방법으로 언제 조사할지 계획을 세웁니다. • 선택한 조사 방법으로 자료를 수집합니다.	조사한 자료를 표와 꺾은선그래프로 나타냅니다.	꺾은선그래프를 보고 알 수 있는 내용을 이야기해 봅니다.

꺾은선그래프는 시간에 따른 자료의 변화를 확인할 때 주로 사용합니다.

확인하기 자료를 조사하여 꺾은선그래프로 나타내어 보세요.

내년의 홈런왕은?
한국야구위원회에서는 매년 가장 많은 홈런을 기록한 선수에게 상을 수여합니다.
진구는 자신이 좋아하는 선수가 내년에 홈런을 많이 기록할 수 있을지 궁금하였습니다.
홈런왕은 누가 될까요?

132

 교과서 개념 완성

정리하기 ▶ **자료를 조사하여 꺾은선그래프로 나타내는 과정**

주제 정하기	자료 수집하기
조사할 필요가 있는 주제를 정합니다.	• 어떤 대상을 어떤 방법으로 언제 조사할지 계획을 세웁니다. • 선택한 조사 방법으로 자료를 수집합니다.

자료 조사하기	결과 해석하기
조사한 자료를 표와 꺾은선그래프로 나타냅니다.	꺾은선그래프를 보고 알 수 있는 내용을 이야기해 봅니다.

확인하기 **자료를 조사하여 꺾은선그래프로 나타내기**

• 주제 정하기: 진구네 모둠이 좋아하는 선수의 지난 연도의 홈런 수로 정합니다.

• 자료 수집하기: 선수별 홈런 수를 뉴스나 신문, 프로야구팀 누리집 등에서 조사합니다.

• 자료 정리하기
   – 가로와 세로에 각각 무엇을 나타낼 것인지 정합니다.
   – 세로 눈금 한 칸의 크기를 정하고 수를 적습니다.
   – 세로 눈금의 수를 조사된 수량보다 더 많게 합니다.
   – 필요한 경우 물결선을 사용합니다.

• 결과 해석하기: 꺾은선그래프를 보고 여러 가지 통계적 사실을 알아봅니다.

주제 정하기

• 조사하려는 주제는 무엇인가요?
예 진구네 모둠이 좋아하는 선수의 지난 연도의 홈런 수

풀이
자료 수집하기

• 올해 홈런을 많이 기록한 선수들 중에서 한 명씩 모둠별로 정해 보세요.
선수별 홈런 수를 뉴스나 신문, 프로야구팀 누리집 등에서 조사합니다.
• 인터넷을 이용하여 정한 선수의 최근 5년간 홈런 수를 조사해 보세요.

자료 정리하기

• 수집한 자료를 표로 정리해 보세요.

예 ○○○ 선수의 홈런 수

연도(년)	2016	2017	2018	2019	2020
홈런 수(개)	31	26	25	17	29

[출처] 한국야구위원회, 2020.

• 표를 보고 꺾은선그래프로 나타내어 보세요.

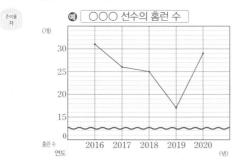

예 ○○○ 선수의 홈런 수

결과 해석하기

• 꺾은선그래프를 보고 알 수 있는 내용을 이야기해 보세요.
풀이 여러 가지 통계적 사실 중에서 문제 해결에 필요한 사실을 이용하여 문제를 해결합니다.

133

이런 문제가 서술형으로 나와요

성진이의 주별 오래매달리기 기록을 조사하여 나타낸 표를 보고 꺾은선그래프로 나타내고 5주차에는 어떻게 변할지 써 보세요.

성진이의 오래매달리기 기록

주(주)	1	2	3	4
기록(초)	25	27	28	30

성진이의 오래매달리기 기록

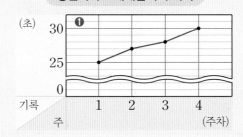

| 설명 |

❷ 5주차 기록 예상하기

기록이 점점 올라가므로 5주차에도 기록이 더 좋아질 것입니다.

개념 확인 문제

정답 및 풀이 224쪽

[1~2] 어느 대리점의 월별 자동차 판매량을 조사하여 표로 나타내었습니다. 표를 보고 꺾은선그래프로 나타내려고 합니다. 물음에 답해 보세요.

자동차 판매량

월(월)	7	8	9	10	11
판매량(대)	220	210	190	170	150

1 표를 보고 꺾은선그래프로 나타내어 보세요.

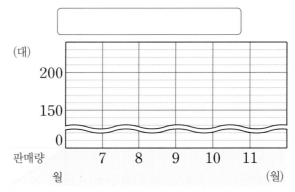

2 꺾은선그래프를 보고 알 수 있는 내용을 써 보세요.
자동차 판매량이 _____

자료의 특성에 맞는 그래프를 선택하여 나타낼 수 있습니다.

그림으로 개념 잡기

나는 곤충을 종류별로 조사했으니까 막대그래프로!

나는 나비의 성장을 조사했으니까 꺾은선그래프로!

어휘	특성	일정한 사물에만 있는 특수한 성질을 말합니다.
	characteristic	
	特 (수컷 특)	
	性 (성품 성)	

---

6 자료의 특성에 맞는 그래프로 나타내기

| 자료의 특성에 맞는 그래프를 선택하여 나타낼 수 있습니다.

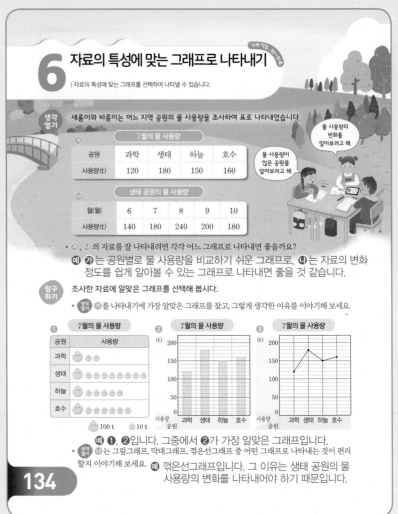

생각열기 새롬이와 바름이는 어느 지역 공원의 물 사용량을 조사하여 표로 나타내었습니다.

㉮

7월의 물 사용량				
공원	과학	생태	하늘	호수
사용량(t)	120	180	150	160

㉯

생태 공원의 물 사용량					
월(월)	6	7	8	9	10
사용량(t)	140	180	240	200	180

물 사용량의 변화를 알아보려고 해.

물 사용량이 많은 공원을 알아보려고 해.

- ㉮, ㉯의 자료를 잘 나타내려면 각각 어느 그래프로 나타내면 좋을까요?

예 ㉮는 공원별로 물 사용량을 비교하기 쉬운 그래프로, ㉯는 자료의 변화 정도를 쉽게 알아볼 수 있는 그래프로 나타내면 좋을 것 같습니다.

탐구하기 조사한 자료에 알맞은 그래프를 선택해 봅시다.

- **생각열기** ㉮를 나타내기에 가장 알맞은 그래프를 찾고, 그렇게 생각한 이유를 이야기해 보세요.

예 ❶, ❷입니다. 그중에서 ❷가 가장 알맞은 그래프입니다.

- **생각열기** ㉯는 그림그래프, 막대그래프, 꺾은선그래프 중 어떤 그래프로 나타내는 것이 편리할지 이야기해 보세요. 예 꺾은선그래프입니다. 그 이유는 생태 공원의 물 사용량의 변화를 나타내어야 하기 때문입니다.

134

교과서 개념 완성

생각열기 **탐구하기** 자료의 특성에 맞는 그래프

- ㉮ 공원별 7월의 물 사용량을 나타낸 표
  물 사용량이 많은 공원을 알아보려고 조사한 것이므로 공원별로 물 사용량을 비교하기 쉬운 그래프로 나타내는 것이 좋습니다.
  ➡ 그림그래프, 막대그래프로 나타내는 것이 좋습니다.

- ㉯ 월별 생태 공원의 물 사용량을 나타낸 표
  물 사용량의 변화하는 모습을 알아보려고 조사한 것이므로 자료의 변화 정도를 쉽게 알아볼 수 있는 그래프로 나타내는 것이 좋습니다.
  ➡ 꺾은선그래프로 나타내는 것이 좋습니다.

정리하기 자료의 특성에 맞는 그래프를 선택하는 방법

- 항목별 수량을 비교하는 자료는 그림그래프나 막대그래프로 나타내는 것이 편리합니다.
- 시간에 따른 변화가 드러나는 자료는 꺾은선그래프로 나타내는 것이 편리합니다.

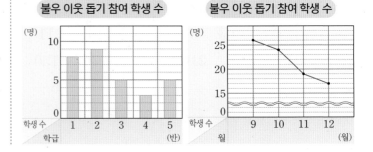

정리 하기 ◉ 자료의 특성을 보고 어떤 그래프로 나타낼 수 있는지 정리해 봅시다.

• 항목별 수량을 비교하는 자료는 그림그래프나 막대그래프로 나타내는 것이 편리합니다.

• 시간에 따른 변화가 드러나는 자료는 꺾은선그래프로 나타내는 것이 편리합니다.

• 다음 중 꺾은선그래프로 나타내기에 적절한 자료를 모두 찾아보세요.

　　• 진형이네 모둠의 학생별 줄넘기 기록
　　◎ 진형이의 일주일간 줄넘기 기록
　　• 우리나라의 주요 도시별 강수량
　　◎ 독도의 월별 강수량

확인 하기 　준비물 자

🚴 의사소통　🌸 태도 및 실천

어느 지역의 연도별 자전거 도로의 길이를 조사하여 나타낸 표입니다. 자전거 도로의 길이의 변화를 한눈에 알아보기 쉽게 나타내려면 어느 그래프로 나타내면 좋을지 이야기해 보고, 알맞은 그래프로 나타내 보세요.

자전거 도로의 길이

연도(년)	2011	2013	2015	2017	2019
길이(km)	20.2	20.8	21.2	22.6	23.8

자전거 도로의 길이

[출처] 국가통계포털, 2020.

풀이 꺾은선그래프입니다.
이유: 연도별 자전거 도로의 길이의 변화를 나타내기 위해서는 꺾은선그래프가 편리하기 때문입니다.

135

이런 문제가 서술형으로 나와요

유진이는 과목별 점수를 조사하였고, 세영이는 월별 국어 점수를 조사하였습니다. 두 사람이 조사한 것을 그래프로 나타낼 때 막대그래프, 꺾은선그래프 중 알맞은 그래프는 각각 무엇인지 쓰고, 그 이유를 써 보세요.

| 이유 |

❶ 유진이에게 알맞은 그래프와 이유 쓰기

과목별 점수는 막대그래프로 나타냅니다.
과목별 점수를 비교하기에 알맞기 때문입니다.

❷ 세영이에게 알맞은 그래프와 이유 쓰기

월별 국어 점수는 꺾은선그래프로 나타냅니다.
국어 점수의 변화를 나타내기에 알맞기 때문입니다.

◀ 수학 교과 역량 ▶　🚴 의사소통　🌸 태도 및 실천

자료의 특성에 맞는 그래프를 선택하여 나타내기

자료를 보고 가장 알맞은 그래프가 어느 것인지 찾고, 합리적으로 의사 결정해 보는 과정에서 의사소통 능력과 태도 및 실천 능력을 기를 수 있습니다.

개념 확인 문제　정답 및 풀이 224쪽 ◗

1 연우네 모둠의 윗몸말아올리기 횟수를 나타낸 표입니다. 어떤 그래프로 나타내는 것이 편리한가요?

연우네 모둠의 윗몸말아올리기 횟수

이름	연우	서영	진우	민서	우진
횟수(회)	6	11	15	4	13

(　　　　　　　)

2 지호가 5일 동안 멀리뛰기를 한 기록을 나타낸 표를 보고 알맞은 그래프로 나타내어 보세요.

지호의 멀리뛰기 기록

날짜(일)	7	8	9	10	11
기록(cm)	195	197	199	200	203

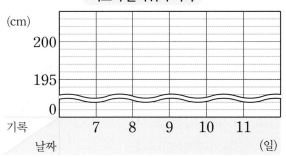

지호의 멀리뛰기 기록

10 차시 문제 해결력 쑥쑥 | 조건에 맞는 꺾은선그래프 찾기

학습 목표

논리적 추론 전략을 이용하여 조건에 맞는 꺾은선그래프를 찾아 문제를 해결하고 어떻게 해결하였는지 설명할 수 있게 합니다.

🔷 문제 해결 전략 표 만들기

학부모 코칭 Tip

주어진 조건을 고려하여 논리적으로 판단할 수 있는 문제 해결 전략을 세울 수 있도록 합니다.

● 수학 교과 역량 📝 문제 해결 🌐 정보 처리

조건에 맞는 꺾은선그래프 찾기

- 문제의 조건을 확인하고 문제 해결에 적절한 전략을 선택하는 과정에서 문제 해결 능력을 기를 수 있습니다.
- 문제 해결을 위한 조건을 확인하고 취사 선택하는 과정에서 정보 처리 능력을 기를 수 있습니다.

🔷 문제 해결 Tip
- 주어진 조건을 고려하여 논리적으로 판단할 수 있는 문제 해결 전략을 세우도록 합니다.
- 꺾은선그래프에서 눈금 한 칸이 나타내는 크기가 그래프마다 다를 수 있음에 유의합니다.
- 발표한 내용에서 얻게 되는 새로운 발견이나 수학적 아이디어나 의견을 함께 공유할 수 있도록 합니다.

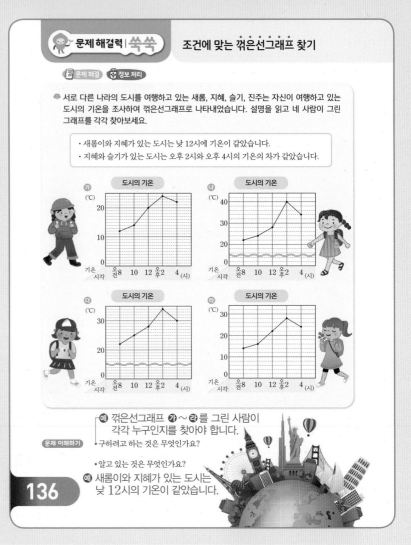

📝 문제 해결 🌐 정보 처리

서로 다른 나라의 도시를 여행하고 있는 새롬, 지혜, 슬기, 진주는 자신이 여행하고 있는 도시의 기온을 조사하여 꺾은선그래프로 나타내었습니다. 설명을 읽고 네 사람이 그린 그래프를 각각 찾아보세요.

- 새롬이와 지혜가 있는 도시는 낮 12시에 기온이 같았습니다.
- 지혜와 슬기가 있는 도시는 오후 2시와 오후 4시의 기온의 차가 같았습니다.

문제 이해하기
- ⑩ 꺾은선그래프 ㉮~㉣를 그린 사람이 각각 누구인지를 찾아야 합니다.
- 구하려고 하는 것은 무엇인가요?
- 알고 있는 것은 무엇인가요?
- ⑩ 새롬이와 지혜가 있는 도시는 낮 12시의 기온이 같았습니다.

136

 ▶ 교과서 개념 완성

문제 이해하기

≫ 구하려고 하는 것
- 새롬, 지혜, 슬기, 진주가 각각 어떤 꺾은선그래프를 그렸는지 찾기
- 꺾은선그래프를 그린 사람은 각각 누구인지 찾기

≫ 알고 있는 것
- 새롬, 지혜가 있는 도시는 낮 12시의 기온이 같았습니다.
- 지혜, 슬기가 있는 도시는 오후 2시와 오후 4시의 기온의 차가 같았습니다.

계획 세우기

표를 만들어서 주어진 조건에 해당하는 그래프가 아닌 것에는 × 표 하면 좋겠습니다.

계획대로 풀기

- 낮 12시의 기온은 ㉮ 20 ℃, ㉯ 28 ℃, ㉰ 28 ℃, ㉱ 22 ℃입니다. 따라서 새롬이와 지혜가 그린 그래프는 ㉯와 ㉰ 중의 하나입니다.
- 오후 2시와 오후 4시의 기온 차는 ㉮ 2 ℃, ㉯ 6 ℃, ㉰ 4 ℃, ㉱ 4 ℃입니다. 따라서 지혜와 슬기가 그린 그래프는 ㉰와 ㉱ 중의 하나입니다.
- 새롬이의 그래프는 ㉯, 지혜의 그래프는 ㉰, 슬기의 그래프는 ㉱, 진주의 그래프는 ㉮입니다.

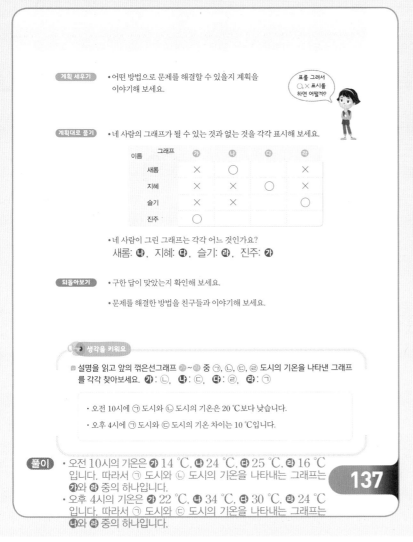

계획 세우기 · 어떤 방법으로 문제를 해결할 수 있을지 계획을 이야기해 보세요.

표를 그려서 ○, ×표시를 하면 어떨까?

계획대로 풀기 · 네 사람의 그래프가 될 수 있는 것과 없는 것을 각각 표시해 보세요.

이름 ＼ 그래프	㉮	㉯	㉰	㉱
새롬	×	○		×
지혜	×	×	○	×
슬기	×	×		○
진주	○			

· 네 사람이 그린 그래프는 각각 어느 것인가요?
새롬: ㉯, 지혜: ㉰, 슬기: ㉱, 진주: ㉮

되돌아보기 · 구한 답이 맞았는지 확인해 보세요.

· 문제를 해결한 방법을 친구들과 이야기해 보세요.

생각을 키워요

▣ 설명을 읽고 앞의 꺾은선그래프 ㉮~㉱ 중 ㉠, ㉡, ㉢, ㉣ 도시의 기온을 나타낸 그래프를 각각 찾아보세요. ㉮: ㉡, ㉯: ㉢, ㉰: ㉣, ㉱: ㉠

· 오전 10시에 ㉠ 도시와 ㉡ 도시의 기온은 20 ℃보다 낮습니다.
· 오후 4시에 ㉠ 도시와 ㉢ 도시의 기온 차이는 10 ℃입니다.

풀이 · 오전 10시의 기온은 ㉮ 14 ℃, ㉯ 24 ℃, ㉰ 25 ℃, ㉱ 16 ℃ 입니다. 따라서 ㉠ 도시와 ㉡ 도시의 기온을 나타내는 그래프는 ㉮와 ㉱ 중의 하나입니다.
· 오후 4시의 기온은 ㉮ 22 ℃, ㉯ 34 ℃, ㉰ 30 ℃, ㉱ 24 ℃ 입니다. 따라서 ㉠ 도시와 ㉢ 도시의 기온을 나타내는 그래프는 ㉯와 ㉱ 중의 하나입니다.

137

생각을 키워요
🔖 문세 해설 　⚙ 성보 처리

문제 이해하기

≫ **구하려고 하는 것**
㉠, ㉡, ㉢, ㉣ 도시의 기온을 나타내는 그래프

≫ **알고 있는 것**
· 오전 10시에 ㉠ 도시와 ㉡ 도시의 기온은 20 ℃보다 낮습니다.
· 오후 4시에 ㉠ 도시와 ㉢ 도시의 기온 차이는 10 ℃입니다.

계획 세우기
표를 만들어서 주어진 조건에 해당하는 그래프가 아닌 것에는 ×표 하면 좋겠습니다.

계획대로 풀기

이름 ＼ 그래프	㉮	㉯	㉰	㉱
새롬	×	×	×	○
지혜	○	×	×	
슬기	×	○	×	
진주			○	

표로부터 ㉡ 도시의 그래프는 ㉮, ㉢ 도시의 그래프는 ㉯, ㉣ 도시의 그래프는 ㉰입니다.

되돌아보기
자신이 해결한 과정과 결과를 친구들에게 설명합니다.

문제 해결력 문제
정답 및 풀이 225쪽

1 어느 회사의 월별 가방 판매량을 나타낸 꺾은선그래프입니다. 5월부터 9월까지 판매량이 모두 430개일 때 그래프를 완성해 보세요.

월별 가방 판매량

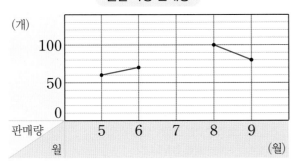

2 수진이네 학교의 연도별 입학생 수를 나타낸 꺾은선그래프입니다. 5년 동안 입학생 수의 합이 716명일 때 그래프를 완성해 보세요.

수진이네 학교의 연도별 입학생 수

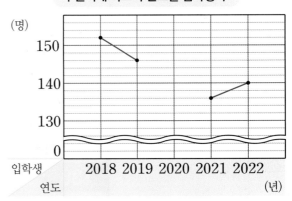

학부모 코칭 **Tip**

세로 눈금의 9초와 10초 사이가 몇 칸으로 나누어져 있는지 세어 보고 세로 눈금 한 칸의 크기가 0.1초라는 것을 이해하도록 합니다.

추론 정보 처리

꺾은선그래프의 기본 요소 이해하기

▶자습서 140쪽~141쪽

추론 정보 처리

꺾은선그래프를 보고 여러 가지 통계적 사실 알아보기

▶자습서 140쪽~141쪽

세로 눈금 읽을 때 주의할 점
세로 눈금 한 칸의 크기를 1초라고 생각하지 않습니다.
㉠ 4월에 잰 50 m 기록: 12초(×)

추론 의사소통 정보 처리

실생활 자료를 나타낸 꺾은선그래프를 보고 의사 결정하기

▶자습서 144쪽~145쪽

추론 창의·융합 정보 처리

꺾은선그래프를 보고 여러 가지 통계적 사실 알아보기

▶자습서 144쪽~145쪽

답을 쓸 때 주의할 점
월별 기록을 2개 쓴 경우, 한 가지 답으로 처리합니다.

[❶~❹] 정현이는 매월 50 m 달리기 기록을 재어 꺾은선그래프로 나타내었습니다. 물음에 답해 보세요.

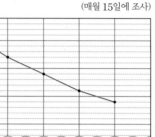

50 m 달리기 기록

(매월 15일에 조사)

(초)

10.5
10
9.5
9

달리기 기록

월   3   4   5   6   7   (월)

❶ 세로 눈금 한 칸은 몇 초를 나타내나요? 0.1초

122~123쪽

풀이 세로 눈금 5칸이 0.5초를 나타내므로 세로 눈금 한 칸은 0.1초를 나타냅니다.

❷ 4월에 잰 50 m 달리기 기록은 몇 초인가요? 10.2초

123쪽

풀이 세로 눈금 한 칸이 0.1초를 나타내므로 10.2초입니다.

❸ 8월에 50 m 달리기 기록을 잰다면 몇 초가 될까요? 그렇게 생각한 이유는 무엇인가요?

126~127쪽

㉠ 8월의 50 m 달리기 기록은 약 9.3초가 될 것 같습니다.
그 이유는 0.4초, 0.3초, 0.2초씩 기록이 좋아지고 있기 때문입니다.

다른 답 8월의 50 m 달리기 기록은 약 9.4초 정도가 될 것 같습니다.
그 이유는 달리기 기록이 매달 단축되고 있으나 계속 단축이 안 될 수도 있기 때문입니다.

❹ 그래프를 보고 알 수 있는 내용을 2가지 써 보세요.

127쪽

• ㉠ 5월의 50 m 달리기 기록은 9.9초입니다.

• ㉠ 매달 기록이 점점 빨라지고 있습니다.

풀이 ·3월의 50 m 달리기 기록은 10.6초입니다.
·4월의 50 m 달리기 기록은 5월보다 0.3초 느립니다.
·50 m 달리기 기록이 가장 많이 빨라진 것은 3월과 4월 사이입니다.
·3월부터 7월까지 50 m 달리기 기록은 점점 빨라집니다.

138

5 우리나라는 멸종 위기 야생 동물 1급인 반달가슴곰을 보호하고 지역 사회에서 함께 살아
갈 수 있도록 노력하고 있습니다. 새롬이는 이러한 노력을 친구들에게 알리기 위해 반달
가슴곰 수를 조사하여 표로 나타내었습니다. 표를 보고 꺾은선그래프로 나타내어 보세요.

124~125쪽

반달가슴곰 수

연도(년)	2015	2016	2017	2018	2019
마리 수(마리)	39	45	48	56	69

[출처] 국립공원공단, 2020.

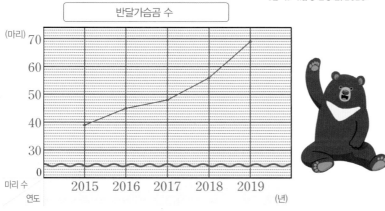

풀이 눈금 한 칸의 크기를 1마리로 하고, 0마리와 30마리 사이에 물결선을 넣은 꺾은선그래프로
나타냅니다.

생각을 넓혀요 의사소통 태도 및 실천

6 은정이는 기상청 누리집에서 2019년 우리나라의 주요 도시 강수량을 조사하여 표로
나타내었습니다. 이 표를 막대그래프, 꺾은선그래프 중 어느 그래프로 나타내는 것이
편리할지 생각해 보고, 그 이유를 써 보세요.

134~135쪽

2019년 우리나라의 주요 도시 강수량

도시	강릉	광주	대전	부산	서울	제주
강수량(mm)	1671	1086	984	1623	892	1980

[출처] 기상청 기상자료개방포털, 2020.

이유 **예** 막대그래프입니다. 그 이유는 항목의 수량 크기를 비교하기 편리하기 때문입니다.

꺾은선그래프 그리기
▶자습서 148쪽~151쪽
실생활 자료를 수집하여 나타낸
표를 보고 꺾은선그래프를 그릴
수 있는지 확인합니다.

학부모 코칭 Tip

물결선을 사용하지 않은 경우,
물결선을 사용할 필요성과 방법
을 설명할 수 있으면 정답으로
인정합니다. 물결선의 필요성이
나 사용 방법을 모르는 경우 물
결선을 사용한 경우와 사용하
지 않는 경우의 차이점을 알게
합니다.

**자료의 특성에 알맞은 그래프 선
택하기**
▶자습서 152~153쪽
그래프를 알맞게 선택하고, 그 이
유를 바르게 설명한 경우만 정답
으로 인정합니다.

학부모 코칭 Tip

물결선을 사용하기 위해 꺾은선
그래프를 선택한 경우 물결선을
사용하는 이유와 꺾은선그래프
뿐만 아니라 막대그래프에서도
물결선을 사용할 수 있다는 것
을 알게 합니다.

139

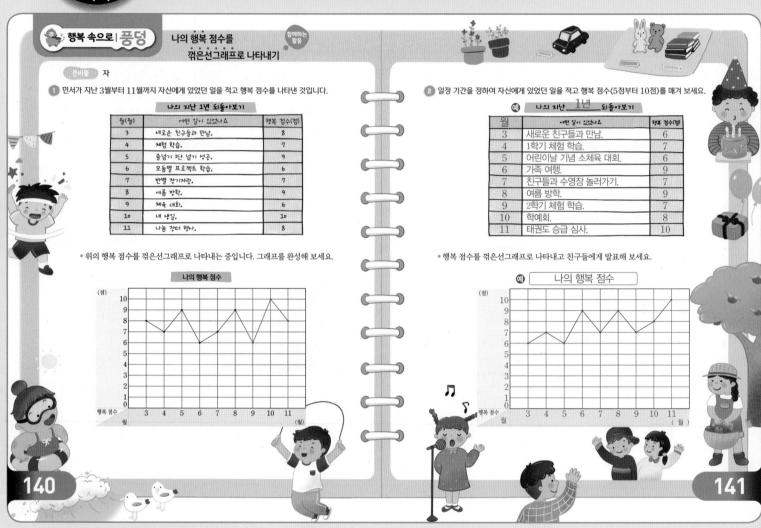

12차시

● 행복 속으로 | 풍덩 ● 이야기로 키우는 | 생각

교과서 개념 완성

행복 속으로 | 풍덩 의사소통 정보 처리 태도 및 실천

1 민서의 행복 점수 표를 꺾은선그래프로 나타내기

- 행복 점수를 꺾은선그래프로 나타내고 해석하는 과정에서 자료를 정리하고 해석하는 통계적 문제 해결 과정, 수학의 가치와 유용성을 경험합니다.
- 행복 점수 표를 살펴보고 꺾은선그래프로 나타내기
  – 민서의 행복 점수를 살펴보며 1년 동안 있었던 일을 어떻게 점수로 나타내었는지 생각해 봅니다.
  – 점수를 꺾은선그래프로 나타내고 민서의 1년 동안 행복 점수가 어떻게 변화했는지 생각해 봅니다.

2 자신의 행복 점수를 기록하고 꺾은선그래프로 나타내기

- 기간을 정하여 자신의 행복 점수를 기록하기
- 자신의 행복 점수를 꺾은선그래프로 나타내기
- 자신의 행복 점수 변화를 해석하고 발표하기

> **참고**
> - 일이 일어난 순서에 따라 매년, 매월, 매일과 같이 일정한 간격에 따라 적습니다.
> - 많이 행복했던 일일수록 높은 점수를 매기고, 행복 점수는 5점에서 10점 사이에서 정합니다.
> - 눈금 한 칸의 크기는 가장 낮은 점수와 가장 높은 점수가 나타나도록 정해야 합니다. 물결선을 이용할 수도 있습니다.

이야기로 키우는 생각

미래의 우리나라 인구는 늘어날까? 줄어들까? 창의력 키우기

우리나라의 인구 변화

우리나라의 정부 기관 중 '통계청'에서는 전국의 출생자 수와 사망자 수를 파악하여 매년 인구를 조사합니다. 이 조사 결과로 아주 중요한 사실을 발견하게 된다고 합니다. 무엇일지 함께 알아보겠습니다.

연도별 전국 출생자 수와 사망자 수의 변화

	출생자 수(명)	사망자 수(명)
2012년	484600	267200
2013년	436500	266300
2014년	435400	267700
2015년	438400	275900
2016년	406200	280800
2017년	357800	285500
2018년	326800	298800
2019년	303100	295100

[출처] 국가통계포털, 2020.

위 표의 내용을 꺾은선그래프로 그려 볼까요?

먼저 표의 가로에는 연도를, 세로에는 인구수를 각각 적습니다. 그리고 매해의 출생자 수와 사망자 수를 점으로 표시하고, 그 점들을 선분으로 이어줍니다.

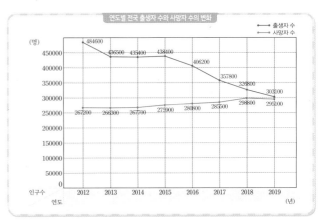

연도별 전국 출생자 수와 사망자 수의 변화

이렇게 꺾은선그래프가 완성되었습니다. 이 그래프를 보면 출생자 수와 사망자 수가 변화하는 모습을 한눈에 쉽게 파악할 수 있습니다. 사망자 수는 조금씩 늘고 있고, 출생자 수는 점점 줄어 들고 있음을 알 수 있습니다.

이처럼 꺾은선그래프의 변화를 자세히 관찰하면 미래의 인구수를 예측할 수 있다고 합니다.

우리나라의 미래 인구수를 알아볼 수 있는 꺾은선그래프!
여러분의 미래가 궁금한가요?
지난 시간 동안의 자료를 살펴보며 여러분의 미래도 한번 예측해 보세요.

[출처] EBS Math, 2020.

142   **143**

학부모 코칭 Tip

자신의 행복 점수를 꺾은선그래프로 표현해 봄으로써 학습 동기와 수학의 유용성을 느끼도록 합니다.
학생이 자신의 성장 과정을 제대로 드러낼 수 있도록 시간 여유를 충분히 줍니다.

정보 처리 자신의 행복 점수를 꺾은선그래프로 나타내고 점수의 변화를 살펴보는 과정에서 정보 처리 능력을 기를 수 있습니다.

의사소통 **태도 및 실천** 자신의 행복 점수를 꺾은선그래프로 나타내고 발표하는 과정에서 의사소통 능력과 태도 및 실천 능력을 기를 수 있습니다.

이야기로 키우는 생각

우리나라의 인구 정책

· 1960년대: 출산 붐(baby boom)과 의학 기술의 보급으로 인한 사망률 감소로 인구가 급격히 증가하고 있었고, 1965년부터 본격적으로 출산 억제 정책이 시작되었습니다.

· 1970~1980년대: 출산 억제 정책이 계속되었습니다.

· 1990년대: 가구당 출산율이 낮아졌으나 남녀 성 비율 차이에서 또 다른 인구 문제가 발생하였습니다.

· 2000년대: 심각한 저출산 문제를 경험하게 됩니다.

[출처] 에듀넷·티클리어. 2020.

개념 ✛ 확인

교과서 개념과 확인 문제를 풀면서 단원을 마무리해 보아요.

개념

➡ 꺾은선그래프 알아보기

다음 그래프와 같이 연속적으로 변화하는 양을 점
(·)으로 표시하고, 그 점들을 선분으로 이어 그린
그래프를 꺾은선그래프라고 합니다.

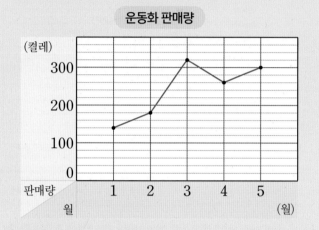

➡ 꺾은선그래프 그리기

눈금 정하기	→	눈금의 크기 정하기
가로와 세로에 무엇을 나타낼지 정합니다.		가장 큰 값을 나타낼 수 있도록 세로 눈금 한 칸의 크기를 정합니다.

선 잇기	→	제목 쓰기
가로 눈금과 세로 눈금이 만나는 곳에 점을 찍고 이 점들을 선분으로 이어 줍니다.		조사한 내용에 알맞은 제목을 씁니다.

➡ 꺾은선그래프 해석하기

· 점의 위치에 맞게 눈금을 읽어 수량을 확인할 수 있습니다.
· 자료의 변화 정도와 앞으로 변화될 모습을 예상할 수 있습니다.

확인 문제

[1~4] 선우네 학교의 요일별 도서 대출 현황을 조사하여 나타낸 꺾은선그래프입니다. 물음에 답해 보세요.

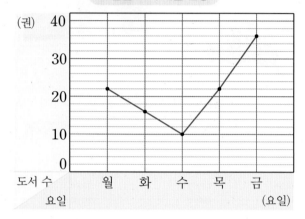

1 가로 눈금과 세로 눈금은 각각 무엇을 나타내나요?

가로 (   )

세로 (   )

2 화요일의 대출 도서는 몇 권인가요?

(   )

3 대출 도서가 가장 적은 요일은 언제인가요?

(   )

4 대출 도서 수가 전날에 비해 많아지기 시작한 때는 언제인가요?

(   )

➜ 정답 및 풀이 225쪽

개념

물결선이 있는 꺾은선그래프로 나타내기

물결선(≈)을 사용하여 필요 없는 부분을 생략하면 수량의 변화하는 모습을 뚜렷하게 나타낼 수 있습니다.

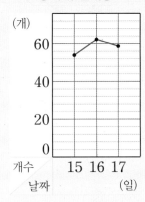

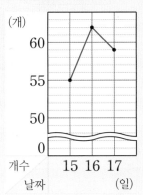

자료를 조사하여 꺾은선그래프로 나타내기

주제 정하기	자료 수집하기
조사할 필요가 있는 주제를 정합니다.	• 어떤 대상을 어떤 방법으로 언제 조사할지 계획을 세웁니다. • 선택한 조사 방법으로 자료를 수집합니다.

자료 정리하기	결과 해석하기
조사한 자료를 표와 꺾은선그래프로 나타냅니다.	꺾은선그래프를 보고 알 수 있는 내용을 이야기해 봅니다.

자료의 특성에 맞는 그래프로 나타내기

• 항목별 수량을 비교하는 자료는 그림그래프나 막대그래프로 나타내는 것이 편리합니다.

• 시간에 따른 변화가 드러나는 자료는 꺾은선그래프로 나타내는 것이 편리합니다.

확인 문제

[5~8] 수민이는 5일 동안 하루 중 최고 기온을 조사하여 표로 내었습니다. 표를 보고 꺾은선그래프로 나타내려고 합니다. 물음에 답해 보세요.

하루 중 최고 기온

일(일)	5	6	7	8	9
기온(℃)	26	23	28	29	22

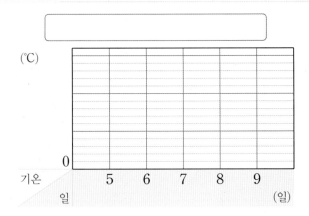

5 물결선으로 생략하여 나타내려고 합니다. 물결선을 몇 ℃와 몇 ℃ 사이에 넣으면 좋을까요?

(   )

6 꺾은선그래프를 완성해 보세요.

7 기온의 변화가 가장 큰 때는 며칠과 며칠 사이인가요?

(   )

8 그래프를 보고 알 수 있는 내용을 2가지 써 보세요.

....

....

1-1 꺾은선그래프에서 기온의 변화가 가장 큰 때는 몇 시와 몇 시 사이인지 풀이 과정을 쓰고, 답을 구해 보세요. [8점]

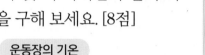
운동장의 기온

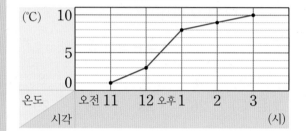

풀이

❶ 그래프가 가장 많이 기울어진 때는

　낮 [　] 시와 오후 [　] 시 사이입니다.

❷ 기온의 변화가 가장 큰 때는

　낮 [　] 시와 오후 [　] 시 사이입니다.

답 ....

1-2 쌍둥이 꺾은선그래프에서 강낭콩의 키의 변화가 가장 큰 때는 몇 주와 몇 주 사이인지 풀이 과정을 쓰고, 답을 구해 보세요. [12점]

강낭콩의 키

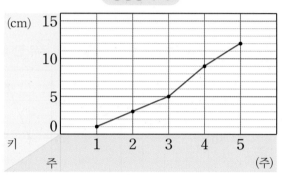

풀이

답 ....

1-3 유사 꺾은선그래프에서 텔레비전 판매량의 변화가 가장 적은 때는 몇 월과 몇 월 사이인지 풀이 과정을 쓰고, 답을 구해 보세요. [15점]

텔레비전 판매량

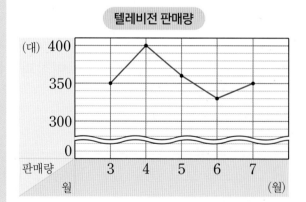

풀이

답 ....

1-4 실전 꺾은선그래프에서 적설량의 변화가 가장 적은 때에 몇 mm 변했는지 풀이 과정을 쓰고, 답을 구해 보세요. [15점]

적설량

풀이

답 ....

→ 정답 및 풀이 225~226쪽

2-1 지윤이와 세진이의 멀리뛰기 기록의 차가 가장 큰 때는 몇 회인지 풀이 과정을 쓰고, 답을 구해 보세요. [8점]

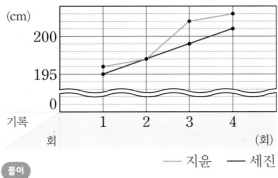

멀리뛰기 기록

풀이

❶ 두 그래프가 가장 많이 벌어진 때는 ☐ 회 때입니다.

❷ 기록의 차가 가장 큰 때는 ☐ 회입니다.

답 ....

2-2 쌍둥이 사과와 배의 생산량의 차가 가장 큰 때는 몇 월인지 풀이 과정을 쓰고, 답을 구해 보세요. [12점]

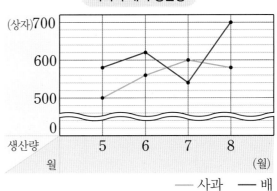

사과와 배의 생산량

풀이

답 ....

2-3 유사 민우와 선호의 100 m 달리기 기록의 차가 가장 작은 때는 몇 회인지 풀이 과정을 쓰고, 답을 구해 보세요. [15점]

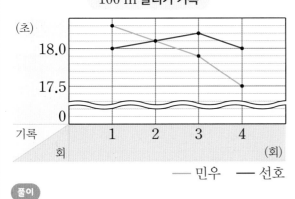

100 m 달리기 기록

풀이

답 ....

2-4 실전 민서의 키가 지수의 키보다 더 커지는 때는 몇 학년 이후인지 풀이 과정을 쓰고, 답을 구해 보세요. [15점]

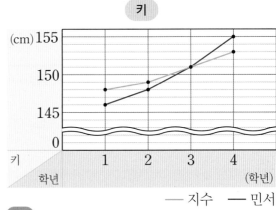

키

풀이

답 ....

[01~04] 어느 양계장의 달걀 생산량을 조사하여 나타낸 꺾은선그래프입니다. 물음에 답해 보세요.

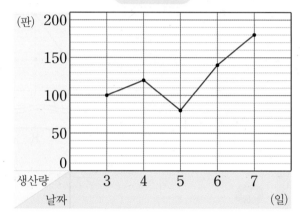

달걀 생산량

| 꺾은선그래프 알아보기 |

01 꺾은선그래프의 가로와 세로는 각각 무엇을 나타내나요?

가로 ( )

세로 ( )

| 꺾은선그래프 알아보기 |

02 세로 눈금 한 칸은 몇 판을 나타내나요?

( )

| 꺾은선그래프 알아보기 |

03 6일의 달걀 생산량은 몇 판인가요?

( )

| 꺾은선그래프 알아보기 |

04 달걀 생산량이 줄어든 때는 며칠과 며칠 사이인가요?

( )일과 ( )일 사이

[05~08] 은수는 5주 동안 식물의 키를 조사하여 표로 나타내었습니다. 위의 표를 꺾은선그래프로 나타내려고 합니다. 물음에 답해 보세요.

식물의 키

주(주)	1	2	3	4	5
키(cm)	8	12	18	26	30

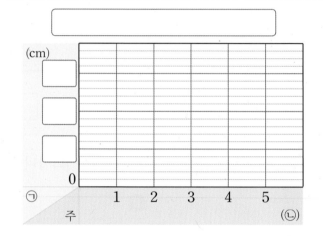

| 꺾은선그래프 그리기 |

05 그래프의 ㉠과 ㉡에는 각각 무엇을 써야 할까요?

㉠ ( ), ㉡ ( )

| 꺾은선그래프 그리기 |

06 세로 눈금 한 칸은 몇 명으로 나타내면 좋을까요?

( )

| 꺾은선그래프 그리기 |

07 꺾은선그래프를 완성해 보세요.

| 꺾은선그래프 그리기 |

08 식물의 키는 어떻게 변하고 있나요?

( )

[09~11] 비가 온 어느 날 강우량을 재어 꺾은선 그래프로 나타내었습니다. 물음에 답해 보세요.

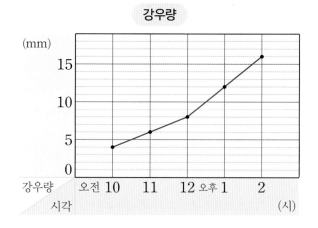

| 꺾은선그래프 해석하기 |

09 오후 2시의 강우량은 몇 mm인가요?
중
( )

| 꺾은선그래프 해석하기 |

10 오후 1시에 잰 강우량은 오전 11시에 잰 강
중 우량보다 몇 mm 더 많은가요?
( )

| 꺾은선그래프 해석하기 | **서술형**

11 오후 2시 이후에도 비가 계속 온다면 오후 3
중 시에 잰 강우량은 몇 mm일지 예상하여 쓰고, 그렇게 생각한 이유를 써 보세요.

이유

답

[12~14] 어느 농장에서 오이 판매량을 조사하여 나타낸 것입니다. 물음에 답해 보세요.

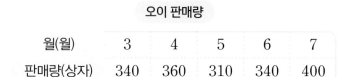

오이 판매량

월(월)	3	4	5	6	7
판매량(상자)	340	360	310	340	400

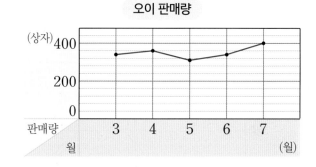

| 물결선이 있는 꺾은선그래프로 나타내기 |

12 오이 판매량은 몇 상자부터 몇 상자까지 변
중 했나요?
( )부터 ( )까지

| 물결선이 있는 꺾은선그래프로 나타내기 |

13 판매량이 변화를 잘 나타내려면 세로 눈금
중 한 칸의 크기를 몇 상자로 정해야 할까요?
( )

| 물결선이 있는 꺾은선그래프로 나타내기 |

14 물결선을 사용한 꺾은선그래프로 나타내어
중 보세요.

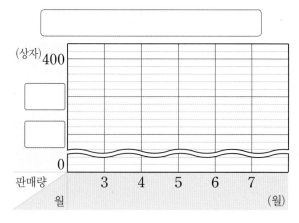

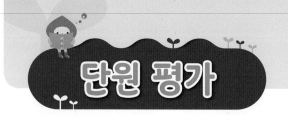

[15~17] 승민이는 어느 날 낮의 기온을 조사하여 표로 나타내었습니다. 표를 보고 꺾은선그래프로 나타내려고 합니다. 물음에 답해 보세요.

낮의 기온

시각(시)	오전 11	낮 12	오후 1	2	3
기온(℃)	17	20	23		25

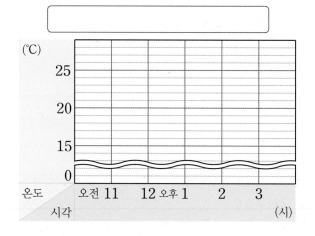

| 자료를 조사하여 꺾은선그래프로 나타내기 |

15 오후 2시의 기온은 오후 1시보다 3 ℃ 높습니다. 표를 완성해 보세요. (중)

| 자료를 조사하여 꺾은선그래프로 나타내기 |

16 표를 보고 꺾은선그래프로 나타내어 보세요. (중)

| 자료를 조사하여 꺾은선그래프로 나타내기 | **서술형**

17 그래프를 보고 알 수 있는 내용을 2가지 써 보세요. (상)

내용

....

....

[18~20] 지역별 인구수를 조사하여 나타낸 표입니다. 물음에 답해 보세요.

지역별 인구수

지역	가	나	다	라	마
인구(천 명)	3	5	9	4	6

| 자료의 특성에 맞는 그래프로 나타내기 |

18 위의 표를 막대그래프와 꺾은선그래프 중 어떤 그래프로 나타내는 것인 편리한가요? (중)

(   )

| 자료의 특성에 맞는 그래프로 나타내기 |

19 표를 18에서 선택한 그래프로 나타내어 보세요. (상)

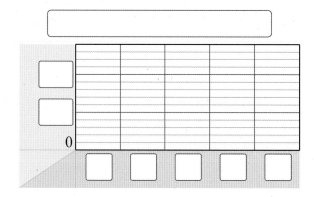

| 자료의 특성에 맞는 그래프로 나타내기 | **서술형**

20 인구가 가장 많은 지역의 인구는 가장 적은 지역의 인구의 몇 배인지 풀이 과정을 쓰고, 답을 구해 보세요. (상)

풀이

....

꺾은선그래프를 **언제** 사용할까요?

6

다각형

- 온실과 공룡관, 곤충관의 체험 학습을 배경으로 삼각형, 오각형, 육각형 모양을 찾고 있습니다.
- 육각형보다 변이 더 많은 도형들을 찾고, 변의 수가 다른 도형의 이름을 무엇으로 해야 하는지 궁금해하고 있습니다.

그림 속 상황

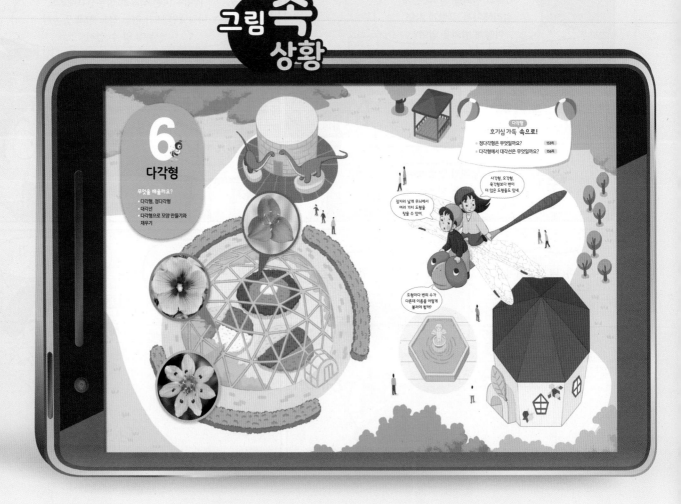

자/기/주/도/학/습

준비 팡팡

'무엇을 알고 있나요'와 '함께 생각해 볼까요'를 통하여 단원을 준비할 수 있습니다.

◈ 여러 가지 도형 알아보기

삼각형, 사각형, 오각형, 육각형의 곧은 선을 변이라 하고, 두 곧은 선이 만나는 점을 꼭짓점이라고 합니다.

모양	변의 수(개)	꼭짓점의 수(개)	도형의 이름
□	4	4	사각형
⬠	5	5	오각형
⬡	6	6	육각형

도형에서 꼭짓점, 변 등의 의미를 알고, 도형의 이름을 알아봅니다.

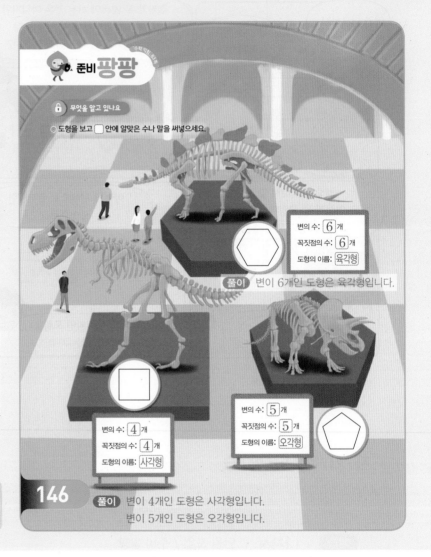

준비 팡팡

무엇을 알고 있나요

● 도형을 보고 □ 안에 알맞은 수나 말을 써넣으세요.

변의 수: 6 개
꼭짓점의 수: 6 개
도형의 이름: 육각형

풀이 변이 6개인 도형은 육각형입니다.

변의 수: 4 개
꼭짓점의 수: 4 개
도형의 이름: 사각형

변의 수: 5 개
꼭짓점의 수: 5 개
도형의 이름: 오각형

146

풀이 변이 4개인 도형은 사각형입니다.
변이 5개인 도형은 오각형입니다.

교과서 개념 완성 | 배운 것을 다시 생각하기

➡ 여러 가지 도형 알아보기

그림과 같은 모양의 도형을 삼각형, 사각형, 오각형, 육각형이라고 합니다.

삼각형　　사각형　　오각형　　육각형

➡ 평면도형 알아보기

- 선분: 두 점을 곧게 이은 선

　직선: 선분을 양쪽으로 끝없이 늘인 곧은 선

　반직선: 한 점에서 시작하여 한쪽으로 끝없이 늘인 곧은 선

- 각: 한 점에서 그은 두 반직선으로 이루어진 도형
- 직사각형: 네 각이 모두 직각인 사각형
- 정사각형: 네 각이 모두 직각이고 네 변의 길이가 모두 같은 사각형

➡ 삼각형 알아보기

- 이등변삼각형: 두 변의 길이가 같은 삼각형
- 정삼각형: 세 변의 길이가 모두 같은 삼각형

➡ 사각형 알아보기

- 사다리꼴: 평행한 변이 한 쌍이라도 있는 사각형
- 평행사변형: 두 쌍의 마주 보는 변이 서로 평행한 사각형
- 마름모: 네 변의 길이가 모두 같은 사각형

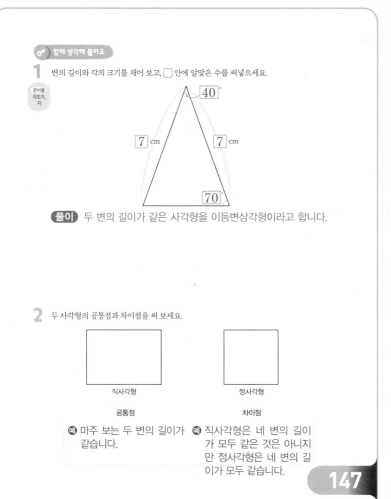

🔧 함께 생각해 볼까요

1 변의 길이와 각의 크기를 재어 보고, ☐ 안에 알맞은 수를 써넣으세요.

준비물
각도기,
자

풀이 두 변의 길이가 같은 사각형을 이등변삼각형이라고 합니다.

2 두 사각형의 공통점과 차이점을 써 보세요.

직사각형　　　정사각형

공통점　　　차이점

예 마주 보는 두 변의 길이가 같습니다.　예 직사각형은 네 변의 길이가 모두 같은 것은 아니지만 정사각형은 네 변의 길이가 모두 같습니다.

147

🔷 **삼각형에서 변의 길이와 각이 크기 재어 보기**
- 자를 이용하여 두 변의 길이를 재어 보고, 각도기를 이용하여 각의 크기를 각각 재어 봅니다.
- 두 변의 길이가 같은 삼각형을 이등변삼각형이라고 합니다.

학부모 코칭 **Tip**

변의 길이와 각도 재기는 앞으로 배우게 될 다각형의 분류에 사용되는 개념이므로 잘 이해하고 있는지 확인하도록 합니다.

🔷 **직사각형, 정사각형의 공통점과 차이점 찾기**
- 직사각형: 네 각이 모두 직각인 사각형
- 정사각형: 네 각이 모두 직각이고 네 변의 길이가 모두 같은 사각형
- 직사각형과 정사각형의 공통점
  - 마주 보는 두 변의 길이가 같습니다.
  - 네 각이 모두 직각입니다.
- 직사각형과 정사각형의 차이점
  직사각형은 네 변의 길이가 모두 같은 것은 아니지만 정사각형은 네 변의 길이가 모두 같습니다.

 개념 확인 문제　　정답 및 풀이 228쪽 ◖

| 2-1 2. 여러 가지 도형 |

1 ☐ 안에 알맞은 말을 써넣으세요.

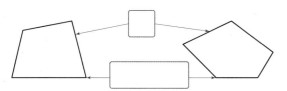

| 3-1 2. 평면도형 |

2 다음 도형을 읽어 보세요.

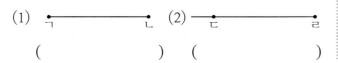

(1) ㄱ　　　ㄴ　(2) ㄷ　　　　ㄹ

(　　　　) (　　　　)

| 4-2 2. 삼각형 |

3 정삼각형입니다. ☐ 안에 알맞은 수를 써넣으세요.

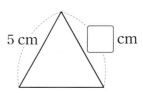

5 cm　　　☐ cm

| 4-2 4. 사각형 |

4 한 변의 길이가 6 cm인 마름모의 네 변의 길이의 합은 몇 cm인가요?

(　　　　　　　　　　)

1 | 다각형

다각형의 의미를 알고, 이름을 말할 수 있습니다.

그림으로 개념 잡기

내가 다각형이 되려면 여기가 곧게 펴져야 해!

내가 다각형이 되려면 이 두 선을 이어 붙여야 해.

참고 선분: 두 점을 곧게 이은 선

다각형	
어휘	polygon 多 (많을 다) 角 (뿔 각) 形 (모양 형)	3개 이상의 선분으로 둘러싸인 평면 도형을 말합니다.

---

1 다각형

| 다각형의 의미를 알고, 이름을 말할 수 있습니다.

생각 열기 서준이와 슬기는 잠자리 날개의 무늬에서 두 도형을 찾았습니다.

이 도형에는 굽은 선이 있어.

이 도형에는 선분만 있어.

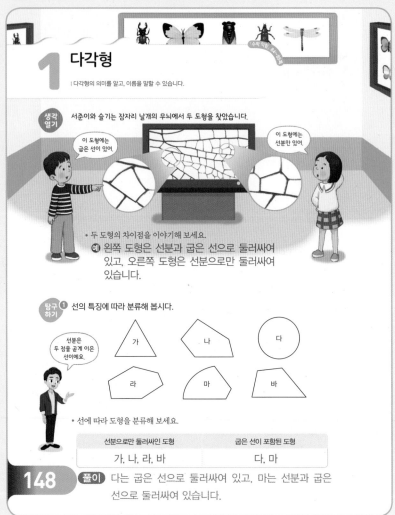

• 두 도형의 차이점을 이야기해 보세요.
  예 왼쪽 도형은 선분과 굽은 선으로 둘러싸여 있고, 오른쪽 도형은 선분으로만 둘러싸여 있습니다.

탐구하기 ① 선의 특징에 따라 분류해 봅시다.

선분은 두 점을 곧게 이은 선이에요.

가 나 다
라 마 바

• 선에 따라 도형을 분류해 보세요.

선분으로만 둘러싸인 도형	굽은 선이 포함된 도형
가, 나, 라, 바	다, 마

148

풀이 다는 굽은 선으로 둘러싸여 있고, 마는 선분과 굽은 선으로 둘러싸여 있습니다.

 교과서 개념 완성

탐구하기 1 선의 특징에 따라 분류하기

• 선분으로만 둘러싸인 도형과 굽은 선이 포함된 도형으로 분류해 봅니다.

• 선분으로만 이루어져 있으나 둘러싸여 있지 않은 도형을 알아봅니다.

정리하기 다각형 알아보기

선분으로만 둘러싸인 도형을 다각형이라고 합니다.

다각형(○)

다각형(×)

확인하기 다각형 찾아보기

• 선분으로만 둘러싸인 도형은 나, 라, 마입니다.

• 가는 굽은 선으로만 이루어진 도형이므로 다각형이 아닙니다.

• 다는 선분으로만 이루어져 있지만 둘러싸여 있지 않으므로 다각형이 아닙니다.

• 바는 선분으로만 둘러싸인 도형이 아니라 굽은 선이 포함된 도형이므로 다각형이 아닙니다.

학부모 코칭 Tip

다각형 찾는 것을 어려워해요.
굽은 선이 있거나 선분이 둘러싸여 있지 않고 떨어져 있으면 다각형이 아님을 알게 합니다.

• 앞에서 분류한 선분으로만 둘러싸인 도형과 아래 도형의 차이점은 무엇인가요?

이 도형들도 선분으로만 이루어졌는데······

📝 선분으로만 이루어져 있으나 둘러싸여 있지 않습니다.

• 선분으로만 둘러싸인 도형의 이름을 지어 보세요.
📝 다각형

• 왜 그렇게 지었는지 이야기해 보세요.
📝 각이 많은 도형이기 때문입니다.

정리하기 ▣다각형을 알아봅시다.
선분으로만 둘러싸인 도형을 다각형이라고 합니다.

확인하기 🧩추론 도형을 보고 물음에 답해 보세요.

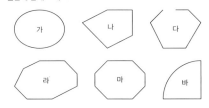

• 다각형을 모두 찾아보세요. 나, 라, 마

• 다각형이 아닌 도형을 찾고, 그 이유를 이야기해 보세요.
📝 가는 굽은 선으로만 이루어진 도형이기 때문입니다. 다는 선분으로만 이루어져 있으나 한 부분이 서로 맞닿아 있지 않기 때문입니다. 바는 선분으로만 둘러싸인 도형이 아니라 굽은 선이 포함된 도형이기 때문입니다.

149

이런 문제가 서술형으로 나와요

다음 도형은 다각형인지 아닌지 쓰고, 그 이유를 써 보세요.

| 풀이 과정 |

❶ 다각형인지 아닌지 쓰기
다각형이 아닙니다.

❷ 이유 써 보기
선분으로만 이루어져 있지만 둘러싸여 있지 않기 때문입니다.

수학 교과 역량 🧩추론

다각형 찾기, 다각형이 아닌 이유 이야기하기
주어진 도형에서 다각형을 찾고, 다각형이 아닌 도형은 그 이유를 이야기해 보는 과정에서 추론 능력을 기를 수 있습니다.

개념 확인 문제   정답 및 풀이 228쪽

[1~2] 도형을 보고 물음에 답해 보세요.

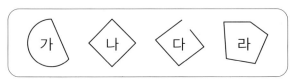

1 선분으로만 둘러싸인 도형을 모두 찾아 기호를 써 보세요.

(   )

2 위 **1**에서 찾은 것과 같은 도형을 무엇이라고 하나요?

(   )

3 다각형을 모두 찾아 기호를 써 보세요.

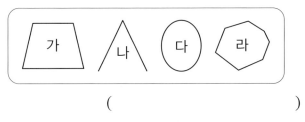

(   )

4 점 종이에 다각형을 그려 보세요.

나는 변이 6개이니까 육각형!

난 변이 7개! 칠각형!

그럼 난?

참고 변이 ★개인 다각형은 ★각형입니다.

어휘

팔각형

octagon

八 (여덟 팔) 角 (뿔 각) 形 (모양 형)

여덟 개의 선분으로 둘러싸인 평면도형을 말합니다.

탐구하기 ② 다각형의 변의 수를 세어 봅시다.

변은 도형의 가장자리에 있는 선분이에요.

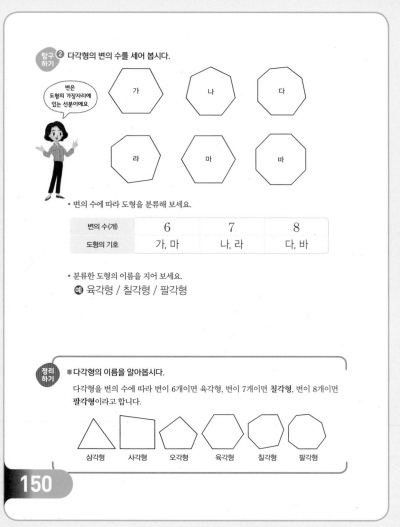

가 나 다

라 마 바

• 변의 수에 따라 도형을 분류해 보세요.

변의 수(개)	6	7	8
도형의 기호	가, 마	나, 라	다, 바

• 분류한 도형의 이름을 지어 보세요.
예 육각형 / 칠각형 / 팔각형

정리하기 ▷다각형의 이름을 알아봅시다.

다각형을 변의 수에 따라 변이 6개이면 육각형, 변이 7개이면 **칠각형**, 변이 8개이면 **팔각형**이라고 합니다.

삼각형 사각형 오각형 육각형 칠각형 팔각형

150

 교과서 개념 완성

탐구하기 2 정리하기 **다각형의 이름 알아보기**

다각형을 변의 수에 따라 변이 6개이면 육각형, 변이 7개이면 칠각형, 변이 8개이면 팔각형이라고 합니다.

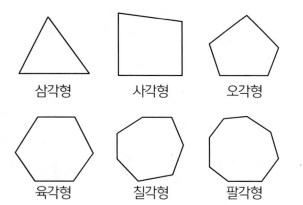

삼각형 사각형 오각형

육각형 칠각형 팔각형

확인하기 **다각형의 이름과 변의 수**

• 변의 수에 따라 다각형의 이름이 정해집니다.
→ 변 6개 → 육각형

• 다각형 그리기
오각형: 선분 5개로 둘러싸인 도형
변이 7개인 도형: 칠각형

생각 솔솔 **가려진 다각형 모양 추측하기**

다각형은 선분으로만 둘러싸인 도형입니다.

예

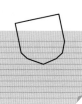

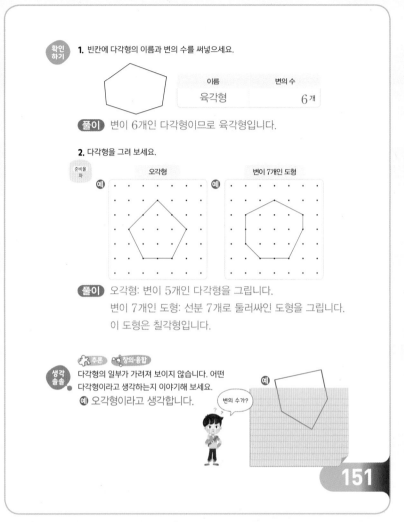

확인하기

1. 빈칸에 다각형의 이름과 변의 수를 써넣으세요.

이름	변의 수
육각형	6개

풀이 변이 6개인 다각형이므로 육각형입니다.

2. 다각형을 그려 보세요.

준비물 자

오각형

변이 7개인 도형

풀이 오각형: 변이 5개인 다각형을 그립니다.
변이 7개인 도형: 선분 7개로 둘러싸인 도형을 그립니다.
이 도형은 칠각형입니다.

생각쏠쏠 추론 창의·융합
다각형의 일부가 가려져 보이지 않습니다. 어떤 다각형이라고 생각하는지 이야기해 보세요.
예 오각형이라고 생각합니다.

변의 수가?

151

이런 문제가 서술형으로 나와요

육각형과 구각형의 변의 개수의 차는 몇 개인지 풀이 과정을 쓰고, 답을 구해 보세요.

| 풀이 과정 |

❶ 육각형과 구각형의 변의 개수 구하기

육각형은 변이 6개, 구각형은 변이 9개입니다.

❷ 변의 개수의 차 구하기

6 < 9이므로 변의 개수의 차는 9−6＝3(개)입니다.

답 3개

학부모 코칭 Tip

변이 가려져 보이지 않으므로 여러 가지 다각형으로 말할 수 있음을 알게 합니다.

· 수학 교과 역량 추론 창의·융합

가려진 다각형 모양 추측하기

종이에 가려진 다각형의 모양을 그린 후 그린 다각형을 설명하는 과정에서 추론 능력과 창의·융합 능력을 기를 수 있습니다.

개념 확인 문제 　　정답 및 풀이 228쪽

1 다각형의 이름을 찾아 선으로 이어 보세요.

· 　· 십각형

· 　· 구각형

· 　· 칠각형

2 점 종이에 팔각형을 그려 보세요.

팔각형

3 표를 완성해 보세요.

다각형	육각형	십각형
변의 수(개)		
꼭짓점의 수(개)		

4차시

2 | 정다각형

학습 목표

정다각형의 의미를 알고, 이름을 말할 수 있습니다.

그림으로 개념 잡기

난 정육각형! 변의 길이가 모두 같아!

넌 각의 크기가 모두 같은 건 아니잖아. 정육각형이 아니야!

어휘	정다각형	변의 길이와 각의 크기가 모두 같은 다각형을 말합니다.
	regular polygon	
	正 (바를 정) 多 (많을 다) 角 (뿔 각) 形 (모양 형)	

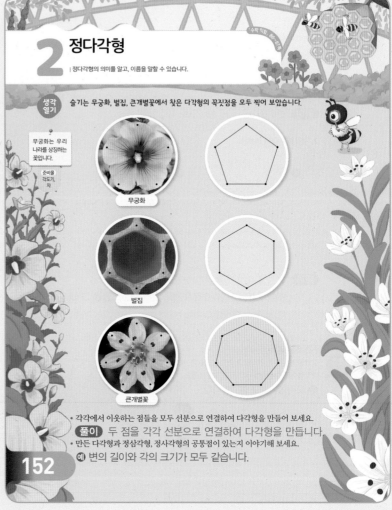

2 정다각형

| 정다각형의 의미를 알고, 이름을 말할 수 있습니다.

생각열기 슬기는 무궁화, 벌집, 큰개별꽃에서 찾은 다각형의 꼭짓점을 모두 찍어 보았습니다.

무궁화는 우리나라를 상징하는 꽃입니다.

준비물 각도기, 자

무궁화

벌집

큰개별꽃

• 각각에서 이웃하는 점들을 모두 선분으로 연결하여 다각형을 만들어 보세요.

풀이 두 점을 각각 선분으로 연결하여 다각형을 만듭니다

• 만든 다각형과 정삼각형, 정사각형의 공통점이 있는지 이야기해 보세요.

예 변의 길이와 각의 크기가 모두 같습니다.

152

 교과서 개념 완성

생각열기 여러 모양에서 찾은 다각형의 공통점

• 무궁화의 꽃에서 오각형이 만들어졌습니다.
• 벌집에서 육각형이 만들어졌습니다.
• 큰개별꽃의 꽃에서 칠각형이 만들어졌습니다.

탐구하기 **정리하기** 정다각형 알아보기

변의 길이가 모두 같고, 각의 크기가 모두 같은 다각형을 정다각형이라고 합니다.

 정삼각형   정사각형   정오각형   정육각형

확인하기 정다각형 찾기, 정다각형이 아닌 이유

• 변의 길이가 모두 같고, 각의 크기가 모두 같은 다각형을 찾으면 가, 라, 바입니다.
• 나는 변의 길이가 모두 같지 않고, 각의 크기가 모두 같지 않으므로 정다각형이 아닙니다.
• 다와 마는 변의 길이는 모두 같지만 각의 크기가 모두 같지 않으므로 정다각형이 아닙니다.

생각 솔솔 안전 표지판에서 찾은 정다각형

• 안전 표지판은 변의 길이가 모두 같고 각의 크기가 모두 같습니다.
• 변이 8개인 정다각형이므로 정팔각형입니다.

탐구하기 다각형을 분류해 봅시다.

준비물 각도기, 자

 가 나 다

 라 마 바

• 변의 길이와 각의 크기에 따라 분류해 보세요.

변의 길이가 모두 같은 다각형	각의 크기가 모두 같은 다각형
가, 나, 다, 마, 바	가, 나, 다, 라, 바

변의 길이가 모두 같고, 각의 크기가 모두 같은 다각형
가, 나, 다, 바

• 변의 길이가 모두 같고, 각의 크기가 모두 같은 다각형의 이름을 지어 보세요.
예 가: 정육각형, 나: 정오각형, 다: 정사각형, 바: 정칠각형

 정리하기 ❀ 정다각형을 알아봅시다.
변의 길이가 모두 같고, 각의 크기가 모두 같은 다각형을 정다각형이라고 합니다.

 정삼각형　정사각형　정오각형　정육각형

153

 확인하기 도형을 보고 물음에 답해 보세요.

 가 나 다

 라 마 바

• 정다각형을 모두 찾아보세요. 가, 라, 바
풀이 변의 길이가 모두 같고, 각의 크기가 모두 같은 다각형을 찾습니다.
• 정다각형이 아닌 도형을 찾고, 그 이유를 이야기해 보세요.
예 도형 나는 변의 길이가 모두 같지 않고, 각의 크기가 모두 같지 않기 때문입니다.

생각송송 안전 표지판에서 찾은 정다각형을 그린 것입니다. 이 정다각형의 이름과 알맞은 수를 □ 안에 써넣으세요.

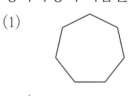

정다각형의 이름: 정팔각형

풀이 정다각형은 변의 길이가 모두 같으므로 5 cm이고, 각의 크기가 모두 같으므로 135°입니다. 변이 8개인 정다각형이므로 정팔각형입니다.

154

 개념 확인 문제 정답 및 풀이 228~229쪽

1 □ 안에 알맞은 말을 써넣으세요.

변의 길이가 모두 같고, 각의 크기가 모두 같은 다각형을 □(이)라고 합니다.

2 정다각형을 모두 찾아 ○표 하세요.

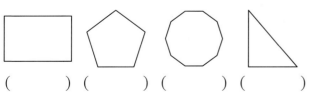
( ) ( ) ( ) ( )

3 정다각형의 이름을 써 보세요.
(1)　　　　　(2)

( )　( )

4 다음을 모두 만족하는 다각형의 이름을 써 보세요.

• 변은 9개이고 길이가 모두 같습니다.
• 각의 크기가 모두 같습니다.

( )

3 | 대각선

학습 목표

다각형에서 대각선을 알고 그을 수 있습니다.

그림으로 개념 잡기

대각선은 이웃하지 않는 점과 선분으로 이어.

우린 빨간 점과 이웃한 점이야.

학부모 코칭 Tip

이웃하지 않는 꼭짓점이 무엇인가요?

이웃하지 않는 꼭짓점은 하나의 변을 이루고 있는 두 꼭짓점이 아닌 꼭짓점입니다.

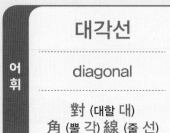

어휘	대각선	다각형에서 서로 이웃하지 않는 두 꼭짓점을 이은 선분을 말합니다.
	diagonal	
	對 (대할 대) 角 (뿔 각) 線 (줄 선)	

3 대각선

다각형에서 대각선을 알고 그을 수 있습니다.

생각 열기 서준이는 자주달개비꽃과 도라지꽃에서 찾은 다각형의 꼭짓점을 모두 찍어 보았습니다.

자주달개비꽃   도라지꽃

풀이
· 각각에서 두 점을 잇는 선분을 모두 그어 보세요.
· 꼭짓점을 모두 이어 봅니다.
· 선분을 그어 만든 두 도형의 차이점을 이야기해 보세요.
  예 자주달개비꽃에서는 삼각형, 도라지꽃에서는 오각형이 만들어집니다.

탐구하기① 오각형의 꼭짓점을 연결한 선분을 살펴봅시다.

· 꼭짓점 ㄱ과 이웃하지 않는 꼭짓점을 찾아 선분 ㄱㄷ과 같이 선분을 그어 보세요.

· 다른 꼭짓점에서도 이웃하지 않는 꼭짓점을 찾아 선분을 그어 보세요.

· 오각형의 변과 새로 그은 선분의 차이점을 이야기해 보세요.
  예 오각형의 변은 이웃한 꼭짓점끼리 연결되어 있고, 새로 그은 선분은 이웃하지 않는 꼭짓점끼리 연결되어 있습니다.

풀이 꼭짓점 ㄴ, ㄷ, ㄹ, ㅁ과 이웃하지 않는 꼭짓점을 찾아 모두 그어 봅니다.

꼭짓점 ㄱ과 이웃한 꼭짓점은 점 ㄴ과 점 ㅁ이에요.

155

교과서 개념 완성

탐구하기 1 오각형의 꼭짓점을 연결한 선분 살펴보기

· 점 ㄱ에서 대각선 긋기

· 점 ㄴ, 점 ㄷ, 점 ㄹ, 점 ㅁ 에서 대각선 긋기

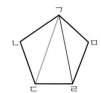   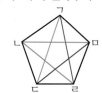

정리하기 대각선 알아보기

다각형에서 서로 이웃하지 않는 두 꼭짓점을 이은 선분을 대각선이라고 합니다.

탐구하기 2 마름모와 직사각형에서 대각선 살펴보기

· 마름모에서 두 대각선이 만나서 이루는 각도는 90° 입니다.

· 직사각형에서 두 대각선의 길이는 같습니다.

정리하기 사각형의 대각선에 관한 성질

· 마름모의 두 대각선은 서로 수직으로 만납니다.

· 직사각형의 두 대각선의 길이는 같습니다.

확인하기 대각선의 성질

· 마름모에서 두 대각선이 이루는 각도는 90°입니다. 따라서 □ 안에 알맞은 수는 90입니다.

· 직사각형에서 두 대각선의 길이는 8 cm로 같습니다. 따라서 □ 안에 알맞은 수는 8입니다.

정리하기 ✎ 대각선을 알아봅시다.

다각형에서 서로 이웃하지 않는 두 꼭짓점을 이은 선분을 대각선이라고 합니다.

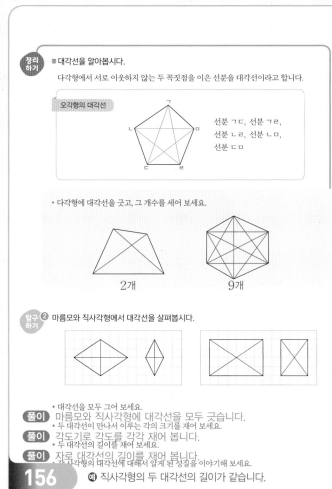

오각형의 대각선

선분 ㄱㄷ, 선분 ㄱㄹ, 선분 ㄴㄹ, 선분 ㄴㅁ, 선분 ㄷㅁ

• 다각형에 대각선을 긋고, 그 개수를 세어 보세요.

2개　　9개

탐구하기 ② 마름모와 직사각형에서 대각선을 살펴봅시다.

• 대각선을 모두 그어 보세요.
풀이 마름모와 직사각형에 대각선을 모두 긋습니다.
• 두 대각선이 만나서 이루는 각의 크기를 재어 보세요.
풀이 각도기로 각도를 각각 재어 봅니다.
• 두 대각선의 길이를 재어 보세요.
풀이 자로 대각선의 길이를 재어 봅니다.
• 각 사각형의 대각선에 대해서 알게 된 성질을 이야기해 보세요.

156　예 직사각형의 두 대각선의 길이가 같습니다.

정리하기 ✎ 사각형의 대각선에 관한 성질을 정리해 봅시다.

• 마름모의 두 대각선은 서로 수직으로 만납니다.
• 직사각형의 두 대각선의 길이는 같습니다.

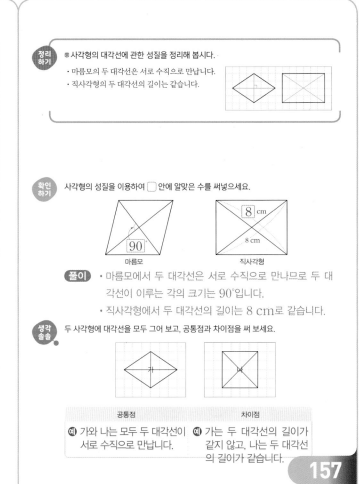

확인하기 사각형의 성질을 이용하여 ☐ 안에 알맞은 수를 써넣으세요.

90　마름모

8 cm　8 cm　직사각형

풀이 • 마름모에서 두 대각선은 서로 수직으로 만나므로 두 대각선이 이루는 각의 크기는 90°입니다.
• 직사각형에서 두 대각선의 길이는 8 cm로 같습니다.

생각솔솔 두 사각형에 대각선을 모두 그어 보고, 공통점과 차이점을 써 보세요.

공통점	차이점
예 가와 나는 모두 두 대각선이 서로 수직으로 만납니다.	예 가는 두 대각선의 길이가 같지 않고, 나는 두 대각선의 길이가 같습니다.

157

 개념 확인 문제　정답 및 풀이 229쪽

1 오른쪽 사각형 ㄱㄴㄷㄹ에서 대각선을 모두 찾아 써 보세요.

(　　　　)

2 다각형에 대각선을 긋고, 개수를 세어 보세요.

(1)

(　　) (　　)

[3~4] 사각형을 보고 물음에 답해 보세요.

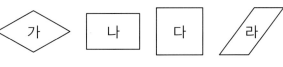

가　나　다　라

3 두 대각선이 서로 수직으로 만나는 사각형을 모두 찾아 기호를 써 보세요.

(　　　　)

4 두 대각선의 길이가 같은 사각형을 모두 찾아 기호를 써 보세요.

(　　　　)

학습 목표 다각형으로 이루어진 모양 조각으로 여러 가지 모양을 만들 수 있습니다.

4 다각형으로 모양 만들기

다각형으로 이루어진 모양 조각으로 여러 가지 모양을 만들 수 있습니다.

생각 열기 모양 조각으로 여러 가지 모양을 만들어 보세요.

준비물 준비물⑤ (모양 조각)

• 모양 조각으로 육각형을 만들어 보세요.

보기

• 보기 의 육각형을 이용하여 고양이 모양을 만들었습니다. 어떤 모양 조각을 사용하였는지 이야기해 보세요.

158

예 정삼각형 모양 조각 8개, 평행사변형 모양 조각 4개, 사다리꼴 모양 조각 4개, 마름모 모양 조각 2개, 정육각형 모양 조각 2개를 사용하였습니다.

활동 1 모양 조각으로 정삼각형을 만들고, 이를 이용하여 나무 모양을 만들어 봅시다.

• 모양 조각으로 정삼각형을 만들어 보세요.

보기

풀이 정삼각형 모양 조각 8개, 평행사변형 모양 조각 4개, 정육각형 모양 조각 1개, 사다리꼴 모양 조각 1개를 사용하였습니다.

• 보기 의 정삼각형을 이용하여 나무 모양을 만들었습니다. 어떤 모양 조각을 사용하였는지 이야기해 보세요.

예 정삼각형 모양 조각 9개, 평행사변형 모양 조각 4개, 정육각형 모양 조각 1개, 사다리꼴 모양 조각 3개, 정사각형 모양 조각 4개, 마름모 모양 조각 12개를 사용하였습니다.

159

교과서 개념 완성

생각열기 **모양 조각을 이용하여 육각형 만들기**

모양 조각으로 여러 가지 도형을 만듭니다.

예

학부모 코칭 Tip

모양 조각을 사용하여 정삼각형을 만들 수 있는 방법이 여러 가지임을 알게 하고, 모양 조각 중 몇 가지 종류의 모양 조각을 사용하였는지 확인하게 합니다.

활동 1 모양 조각을 사용하여 정삼각형 만들기

• 정삼각형, 사다리꼴, 평행사변형, 정육각형 모양 조각을 사용하여 정삼각형을 만들었습니다.

활동 2 모양 조각을 사용하여 여러 가지 모양 만들기

• 예 육각형 만들기

• 예 나비 만들기

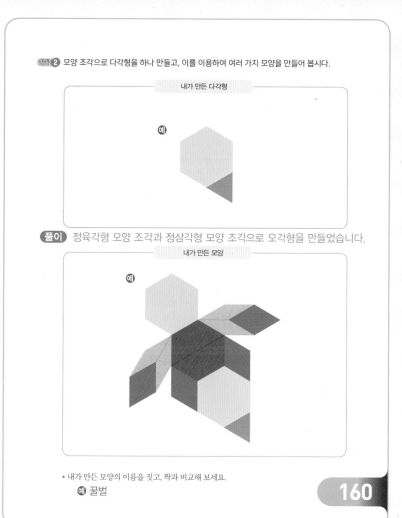

 모양 조각으로 다각형을 하나 만들고, 이를 이용하여 여러 가지 모양을 만들어 봅시다.

내가 만든 다각형

풀이 정육각형 모양 조각과 정삼각형 모양 조각으로 오각형을 만들었습니다.

내가 만든 모양

• 내가 만든 모양의 이름을 짓고, 짝과 비교해 보세요.
예 꿀벌

160

이런 문제가 서술형으로 나와요

오른쪽 모양을 만드는 데 사용한 사각형 모양 조각은 모두 몇 개인지 풀이 과정을 쓰고, 답을 구해 보세요.

| 풀이 과정 |

❶ 사각형 모양 조각 찾기

평행사변형 모양 조각 2개와 사다리꼴 모양 조각 1개가 있습니다.

❷ 사용한 사각형 모양 조각의 개수 구하기

사용한 사각형 모양 조각은 2+1=3(개)입니다.

 답 3개

◆ 수학 교과 역량 ◆ 📗문제 해결 ☀창의·융합 😊태도 및 실천

모양 조각을 사용하여 여러 가지 모양 만들기

모양 조각을 사용하여 자신이 생각하는 다각형을 하나 만들고 이 다각형이 들어간 여러 가지 모양을 만들어 보는 과정에서 문제 해결 능력, 창의·융합 능력, 태도 및 실천 능력을 기를 수 있습니다.

 개념 확인 문제 정답 및 풀이 229쪽

1 모양 조각으로 오른쪽 모양을 만들었습니다. 사용한 모양 조각은 각각 몇 개인가요?

 개   개   개

2 사용한 모양 조각은 모두 몇 개인가요?

( )

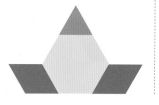

[3~4] 주어진 2가지 모양 조각을 모두 사용하여 도형을 만들어 보세요. (단, 모양 조각을 여러 번 사용할 수 있습니다.)

3 [오각형]

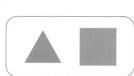

4 [정육각형]

학습 목표

다각형으로 이루어진 모양 조각으로 여러 가지 모양을 채울 수 있습니다.

그림으로 개념 잡기

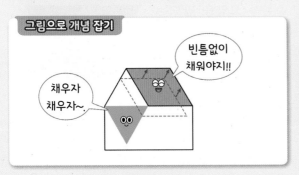

빈틈없이 채워야지!!

채우자 채우자~

어휘	모양	
	shape	겉으로 나타나는 생 김새나 모습을 말합니다.
	模 (본뜰 모) 樣 (모양 양)	

5 다각형으로 모양 채우기

다각형으로 이루어진 모양 조각으로 여러 가지 모양을 채울 수 있습니다.

생각열기 모양 조각 중 일부를 사용하여 정육각형을 채워 보세요.

준비물 준비물⑤ (모양 조각)

• 어떤 모양 조각으로 채울 수 있을지 그려 보세요.

풀이 사다리꼴 2개, 평행사변형 3개, 정삼각형 6개로 각각 채울 수 있습니다.

• 그린 모양이 맞는지 직접 모양 조각으로 채워 보세요.

모양 조각이 서로 겹치지 않고 빈틈이 생기지 않게 채워야 해요.

161

교과서 개념 완성

생각열기 모양 조각 중 일부를 사용하여 정육각형 채우기

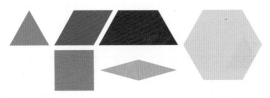

같은 모양 조각을 여러 번 사용하여 그린 모양이 맞는지 직접 모양 조각으로 채워 보기

활동 1 주어진 개수의 모양 조각으로 모양 채우기

모양 조각으로 어떻게 채워야 할지 그 모양을 그려 보고, 직접 모양 조각으로 채워 확인해 봅니다.

(예)

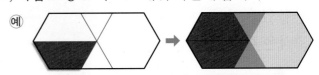

활동 2 모양 조각으로 그림 속에 주어진 모양 채우기

(예)

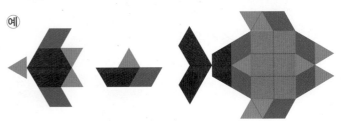

활동 ① 주어진 개수의 모양 조각으로 어떻게 채워야 할지 그 모양을 그려 보고, 직접 모양 조각으로 채워 확인해 봅시다.

5개의 모양 조각

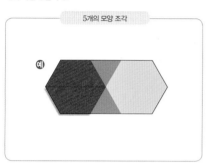
예

같은 모양 조각을 여러 번 사용할 수 있어요.

7개의 모양 조각

예

9개의 모양 조각

예

• 어떻게 모양을 채웠는지 친구들과 이야기해 보세요.
  예 • 5개의 모양 조각: 정삼각형 2개, 사다리꼴 2개, 정육각형 1개로 채웠습니다.
  • 7개의 모양 조각: 정삼각형 6개, 정육각형 1개로 채웠습니다.
  • 9개인 모양 조각: 정삼각형 1개, 평행사변형 4개, 사다리꼴 3개, 정육각형 1개로 채웠습니다.

162

활동 ② 모양 조각으로 어떻게 채워야 할지 그 모양을 그려 보고, 직접 모양 조각으로 채워 확인해 봅시다.

풀이 새, 배, 물고기 모양이 보입니다.
모양 조각으로 새, 배, 물고기 모양을 그려 보고, 직접 모양 조각으로 채워 봅니다.

163

개념 확인 문제   정답 및 풀이 229쪽

[1~2] 주어진 모양 조각을 사용하여 평행사변형을 채우려고 합니다. 물음에 답해 보세요.

1 평행사변형의 빈 곳을 채워 보세요.

2 정삼각형 모양 조각을 몇 개 사용할까요?
( )

3 2가지 모양 조각을 모두 사용하여 육각형을 채워 보고 모양 조각을 각각 몇 개 사용하였는지 써 보세요.

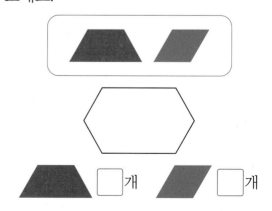

□개   □개

문제 해결력 | 쑥쑥 — 정다각형의 각의 크기 구하기

학습 목표

정다각형의 개념을 알고 식 세우기 전략을 이용하여 문제를 해결할 수 있게 합니다.

🖋 문제 해결 전략   식 세우기

수학 교과 역량 📘 문제 해결 🖥 정보 처리

➡ **정다각형의 각의 크기 구하기**

· 문제의 조건을 확인하고 문제 해결에 적절한 전략을 선택하는 과정에서 문제 해결 능력을 기를 수 있습니다.

· 문제 해결을 위한 조건을 확인하고 취사 선택하는 과정에서 정보 처리 능력을 기를 수 있습니다.

학부모 코칭 Tip

이등변삼각형과 정오각형의 뜻을 확인해 보고, 정오각형에서 모든 변의 길이가 같고 모든 각의 크기가 같다는 점을 이용하여 문제를 이해하도록 지도합니다.

🖋 문제 해결 Tip 이등변삼각형이고 삼각형의 세 각의 크기의 합을 이용하여 식을 세워 해결하도록 합니다.

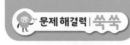

문제 해결력 쑥쑥   정다각형의 각의 크기 구하기

📘 문제 해결 🖥 정보 처리

● 가와 같은 이등변삼각형 모양의 색종이 5장을 다섯 꼭짓점이 한 점에 모이도록 이어 붙인 후 테두리를 따라 그렸더니 테두리 모양이 정오각형이었습니다. 이등변삼각형 가에서 세 각의 크기를 각각 구해 보세요.

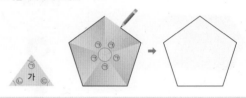

문제 이해하기 · 구하려고 하는 것은 무엇인가요? 이등변삼각형의 세 각의 크기를 구하려고 합니다.

· 알고 있는 것은 무엇인가요?
예 가의 이등변삼각형에서 각도가 ㉠인 각의 꼭짓점을 한 점에 모이도록 했습니다.

계획 세우기 · 어떤 방법으로 문제를 해결할 수 있을지 계획을 이야기해 보세요.

> 삼각형의 세 각의 크기의 합이 180°라는 것을 이용하면 될 것 같아요.

> 한 가운데 모인 각도 ㉠의 합이 360°라는 것을 이용하면 될 것 같아요.

> 어떤 방법이 있을까요?

164

예 이등변삼각형은 두 변의 길이가 같고 두 각의 크기가 같다는 성질을 이용할 것 같습니다.

교과서 개념 완성

문제 이해하기

》 구하려고 하는 것

이등변삼각형의 세 각의 크기를 구하려고 합니다.

》 알고 있는 것

· 가는 이등변삼각형이므로 두 각의 크기는 같습니다.

· 가의 이등변삼각형에서 각도가 ㉠인 각의 꼭짓점을 한 점에 모이도록 했습니다.

· 이등변삼각형 5개를 이어 붙여서 정오각형을 만들었습니다.

· 정오각형이므로 변의 길이와 각의 크기가 모두 같습니다.

계획 세우기

· 이등변삼각형은 두 변의 길이가 같고 두 각의 크기가 같다는 성질과 삼각형의 세 각의 크기의 합은 180°임을 이용하면 될 것 같습니다.

· 각도 ㉠ 5개가 모여 360°가 됨을 이용하면 될 것 같습니다.

계획대로 풀기

· 정오각형에서 ㉠$\times 5 = 360°$이므로 ㉠$= 72°$입니다.

· 이등변삼각형 가에서 $72° +$ ㉡ $+$ ㉢ $= 180°$이므로 ㉡ $+$ ㉢ $= 180° - 72° = 108°$입니다.

㉡ $=$ ㉢이므로 ㉡ $=$ ㉢ $= 108° \div 2 = 54°$입니다.

· 삼각형 세 각의 크기는 $72°, 54°, 54°$입니다.

계획대로 풀기 • 자신이 계획한 방법으로 문제를 해결해 보세요.

$$㉠=72°\quad ㉡=54°\quad ㉢=54°$$

예 $54°+54°+72°=180°$이고, $72°×5=360°$이므로 구한 답이 맞습니다.

되돌아보기 • 구한 답이 맞았는지 확인해 보세요.

• 문제를 해결한 방법을 친구들과 이야기해 보세요.

생각을 키워요

▣ 이등변삼각형 9개를 아홉 꼭짓점이 한 점에 모이도록 이어 정구각형을 만들었습니다. 물음에 답해 보세요.

• 이등변삼각형의 세 각의 크기를 각각 구해 보세요. $40°, 70°, 70°$

• 정구각형의 한 각의 크기를 구해 보세요. $140°$

165

생각을 키워요   문제 해결   정보 처리

문제 이해하기

≫ **구하려고 하는 것**

• 주어진 이등변삼각형의 세 각의 크기

• 정구각형의 한 각의 크기

≫ **알고 있는 것**

이등변삼각형 9개로 정구각형을 만들었습니다.

계획 세우기

• 이등변삼각형은 두 변의 길이와 두 각의 크기가 같고, 삼각형의 세 각의 크기의 합은 $180°$임을 이용합니다.

• 색칠한 부분의 각 9개가 모여 $360°$가 됩니다.

계획대로 풀기

• 색칠된 부분의 각 9개가 모여 $360°$가 되었으므로 색칠된 한 부분의 각도는 $360°÷9=40°$입니다.

• 이등변삼각형에서 나머지 두 각의 크기의 합은 $180°-40°=140°$입니다. 이 두 각의 크기는 같으므로 한 각의 크기는 $140°÷2=70°$입니다.

• 정구각형의 한 각의 크기는 $70°+70°=140°$입니다.

되돌아보기

$70°+70°+40°=180°,\ 40°×9=360°$

 문제 해결력 문제   정답 및 풀이 229~230쪽 ◗

1 오른쪽 오각형의 다섯 각의 크기의 합은 몇 도인지 구해 보세요.

오각형은 삼각형 ☐개로 나눌 수 있습니다.

삼각형의 세 각의 크기의 합은 ☐°입니다.

오각형의 다섯 각의 크기의 합은 삼각형 ☐개의 각의 크기의 합과 같으므로

☐°×☐=☐°입니다.

2 오른쪽 육각형의 여섯 각의 크기의 합은 몇 도인지 구해 보세요.

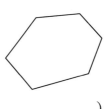

(   )

3 오른쪽 칠각형의 일곱 각의 크기의 합은 몇 도인지 구해 보세요.

(   )

단원 마무리 | 척척

6. 다각형

의사소통 · **태도 및 실천**

다각형 알아보기

▶자습서 172~175쪽

학부모 코칭 Tip

답안 외에도 칠각형과 팔각형을 올바르게 그리면 정답으로 인정하고, 점과 점을 바르게 이었는지, 자를 대고 선분으로 그었는지, 선분과 선분이 이어져 있는지 확인합니다.

① 151쪽 다각형을 그려 보세요.

칠각형
예
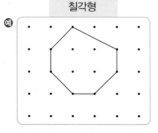

팔각형
예
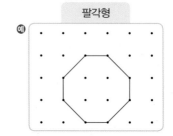

풀이 변이 7개인 다각형과 변이 8개인 다각형을 그립니다.

추론 · **의사소통**

정다각형의 의미 알아보기

▶자습서 176~177쪽

정다각형을 고를 때 주의할 점

변의 길이만 같거나 각의 크기만 같은 다각형을 찾지 않도록 합니다.

예 마 (×)

학부모 코칭 Tip

정다각형은 변의 길이가 모두 같고, 각의 크기가 모두 같은 도형임을 알도록 합니다.

② 153쪽 정다각형을 모두 찾아 기호를 써 보세요.

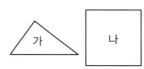 

(나, 다, 라)

풀이 변의 길이가 모두 같고, 각의 크기가 모두 같은 다각형을 찾으면 나, 다, 라입니다.

정보 처리

대각선 그어 보기

▶자습서 178~179쪽

학부모 코칭 Tip

한 꼭짓점에서 그을 수 있는 대각선을 모두 긋고 다음 꼭짓점에서 그을 수 있는 대각선을 모두 그어 나가는 방법으로 지도하여 빠지는 대각선이 없게 그리도록 합니다.

③ 156쪽 도형에 대각선을 모두 그어 보고, 대각선의 수를 세어 보세요.

(14)개

풀이 서로 이웃하지 않는 두 꼭짓점을 모두 선분으로 이은 후 그 수를 세어 보면 칠각형의 대각선은 14개입니다.

4 정오각형을 보고 □ 안에 알맞은 수를 써넣으세요.

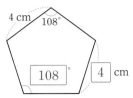

153쪽

풀이 주어진 정오각형은 5개의 변이 4 cm로 모두 같고, 5개의 각의 크기가 108°로 모두 같은 도형입니다.

5 다음 도형이 정다각형인지 생각해 보고, 그 이유를 써 보세요.

153쪽

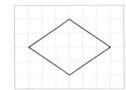

답 정다각형이 아닙니다.

이유 (예) 변의 길이는 모두 같지만 각의 크기가 모두 같지 않기 때문

입니다.

풀이 네 변의 길이와 네 각의 크기를 비교합니다.

생각을 넓혀요 🧩추론 💬의사소통 💡창의·융합

6 모양 조각으로 주어진 모양을 채우고, 어떻게 채웠는지 이야기해 보세요.

161쪽

준비물
준비물⑤
(모양 조각)

예 마름모 1개, 정사각형 1개, 정삼각형 1개, 정육각형 1개, 사다리꼴 1개, 평행사변형 1개를 사용하여 채웠습니다.

⚓정보 처리 📝문제 해결

정오각형의 변의 길이와 각의 크기 알아보기
▶자습서 176~177쪽

학부모 코칭 Tip
정다각형은 변의 길이가 모두 같고, 각의 크기가 모두 같은 도형임을 알고 각도와 변의 길이를 구하도록 합니다.

🧩추론 💬의사소통

정다각형의 의미 알아보기
▶자습서 176~177쪽

'변의 길이는 모두 같기 때문이다.'나 '각의 크기가 모두 같지 않기 때문이다.' 중에 1가지만 쓰지 않도록 합니다.

학부모 코칭 Tip
변의 길이와 각의 크기가 모두 같아야 함을 강조하며 정다각형의 뜻을 정확하게 알도록 지도합니다.

🧩추론 💬의사소통 💡창의·융합

모양 채우기
▶자습서 182~183쪽

· 모양 조각으로 어떻게 채워야 할지 그 모양을 그려 본 후 채웁니다.

· 모양 조각으로 주어진 모양을 똑같이 만들고 그것을 어떻게 채웠는지 설명합니다.

● 모양 속으로 | 풍덩   ● 이야기로 키우는 | 생각

교과서 개념 완성

모양 속으로 | 풍덩   창의·융합   태도 및 실천

1 온실과 곤충 체험관에서 본 것을 모양 조각으로 꾸미고 이야기 만들기

어떤 모양을 사용하였는지 알아봅니다.

- 정육각형, 정삼각형, 사다리꼴, 평행사변형, 마름모, 정사각형 모양으로 꽃을 만들었습니다.
- 정육각형, 마름모, 평행사변형, 정삼각형, 정사각형, 사다리꼴 모양으로 나비를 만들었습니다.
- 정육각형, 정삼각형, 마름모 모양으로 애벌레를 만들었습니다.

2 모양 조각으로 꾸미고 이야기하기

- 표현하고 싶은 모양이나 모양 조각으로 만들고 싶은 것을 떠올려 봅니다.
- 표현하고 싶은 모양을 생각하여 모양 조각을 놓습니다.
  예 해, 로켓, 별
  - 마름모, 사다리꼴 모양으로 해를 만들었습니다.
  - 정삼각형, 정사각형, 평행사변형, 마름모 모양으로 로켓을 만들었습니다.
  - 정육각형, 정삼각형 모양으로 해를 만들었습니다.

참고 스스로 만들고 싶은 모양을 떠올려 보고 생각해 보면서 모양을 만들도록 합니다.

이야기로 키우는 **생각**

정육각형 벌집의 비밀 창의력 키우기

벌은 건축 전문가

벌이 알을 낳고 먹이와 꿀을 저장하며 생활하는 벌집을 자세히 보면 정육각형을 연결해 놓은 모양으로 이루어져 있습니다. 꿀벌들은 왜 정육각형 모양으로 집을 짓는 것일까요? 그 이유는 정육각형 모양으로 집을 지었을 때 빈틈없이 공간을 넓게 사용할 수 있고, 꿀을 많이 보관할 수 있기 때문입니다.

같은 정육각형끼리 서로 이어 붙이면 그 사이에는 빈틈이 전혀 생기지 않습니다. 그래서 꿀을 보관할 때 다른 이물질이 끼지 않도록 빈틈없이 촘촘하게 집을 지을 수 있습니다. 서로 같은 도형들을 연결해 놓았을 때 빈틈이 생기지 않는 도형은 정삼각형과 정사각형도 있지만 더 넓은 공간에 더 많은 꿀을 모을 수 있도록 꿀벌들이 정육각형 모양으로 집을 짓습니다.

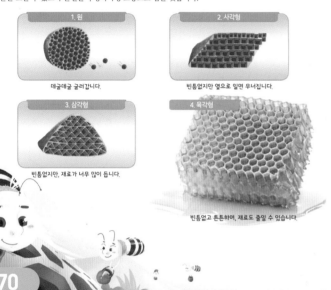

1. 원 — 데굴데굴 굴러갑니다.
2. 사각형 — 빈틈없지만 옆으로 밀면 무너집니다.
3. 삼각형 — 빈틈없지만, 재료가 너무 많이 듭니다.
4. 육각형 — 빈틈없고 튼튼하며, 재료도 줄일 수 있습니다.

벌집에서 힌트를 얻었어요!

꿀벌들이 열심히 만든 육각형의 벌집에는 벌집 무게의 무려 30배나 되는 양의 꿀을 담을 수 있다고 합니다. 그래서 많은 사람들은 튼튼하고 넓은 육각형의 벌집 구조를 응용해 사용하고 있습니다.

벌집 구조의 응용

우리나라의 대표적 벌집 구조물, '어반하이브'
'어반하이브'는 '도심 속 벌집'이라는 뜻입니다. 구멍이 뚫려 있는 건물로, 철근을 육각형으로 정밀하게 엮어서 건물의 뼈대를 만들었습니다.

제트기와 인공위성의 기체 구조
가볍고 튼튼하게 만들어야 안전하면서도 높이 날 수 있습니다.

벌집 구조의 장치, 허니콤
KTX 앞부분에는 충격을 흡수하는 장치가 있습니다. KTX가 달리다가 정면으로 충돌하면 벌집처럼 생긴 이 장치가 충격을 흡수해 준다고 합니다.

[출처] 동아사이언스, 2011.

• 어떤 이야기를 만들 수 있는지 알아보기

㉮ 별을 찾아 우주로 가는 이야기를 만들 수 있을 것 같습니다. 로켓을 타고 하늘을 날아올라 별을 관찰하러 가는 이야기를 만들 수 있을 것 같습니다.

학부모 코칭 Tip

학생들이 만든 이야기가 어설프거나 미흡한 점이 있더라도 인정해 주고 독려해 줍니다.

창의·융합 모양 조각으로 자신이 원하는 모양을 만들고 꾸미는 과정에서 창의·융합 능력을 기를 수 있습니다.

태도 및 실천 친구들과 협력하여 꾸미는 활동을 통하여 상대방과 나의 의견을 조율해 가는 과정에서 타인을 배려하고 존중하는 태도 및 실천 능력을 기를 수 있습니다.

 이야기로 키우는 **생각**

꿀벌의 사회

꿀벌은 여왕벌 1마리가 수만 마리의 일벌과 수벌을 거느리는 계급 사회를 이루며 집단생활을 합니다. 여왕벌과 수벌은 새끼를 치는 일을 하고, 일벌은 꿀을 모으는 벌, 여왕벌이 새끼를 낳을 수 있도록 돕는 벌, 새끼를 키우는 벌 등으로 나누어서 체계적으로 역할을 분담하며 살아갑니다. 벌들은 자신이 속해 있는 집과 여왕벌에 대한 충성심이 강합니다. 벌집에 새로운 여왕벌이 태어나면 기존의 여왕벌은 약 절반 정도의 벌들을 데리고 집을 떠납니다. 이때 모든 벌이 새로 이사 갈 집을 함께 검증한 뒤 만장일치로 한 곳을 결정합니다.

[출처] EBS지식채널 e

개념 ÷ 확인

교과서 개념과 확인 문제를 풀면서 단원을 마무리해 보아요.

개념

⬧ 다각형

선분으로만 둘러싸인 도형을 다각형이라고 합니다.

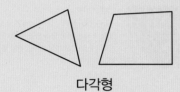

다각형

⬧ 다각형의 이름

다각형을 변의 수에 따라 변이 6개이면 육각형, 변이 7개이면 칠각형, 변이 8개이면 팔각형이라고 합니다.

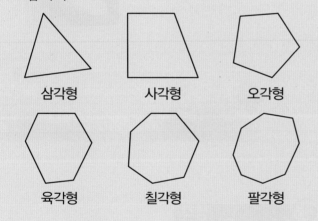

| 삼각형 | 사각형 | 오각형 |
| 육각형 | 칠각형 | 팔각형 |

⬧ 정다각형

• 변의 길이가 모두 같고, 각의 크기가 모두 같은 다각형을 정다각형이라고 합니다.

• 변의 수에 따라 정다각형의 이름이 정해집니다.

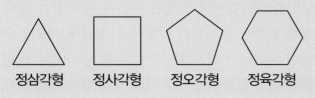

정삼각형 정사각형 정오각형 정육각형

확인 문제

1 다각형을 모두 찾아 기호를 써 보세요.

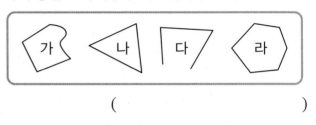

(   )

2 도형의 이름을 써 보세요.

(1)   (2)

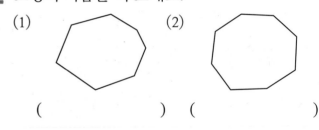

(   ) (   )

3 정다각형인 것에 ○표, 정다각형이 아닌 것에 ×표 하세요.

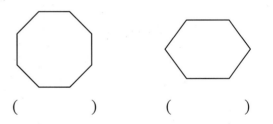

(   ) (   )

4 정다각형의 이름을 써 보세요.

(1)   (2)

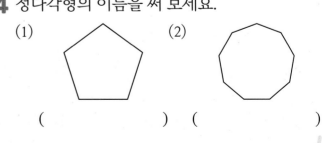

(   ) (   )

→ 정답 및 풀이 230쪽

공부한 날   월   일

개념

✤ 대각선

다각형에서 서로 이웃하지 않는 두 꼭짓점을 이은 선분을 대각선이라고 합니다.

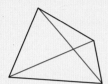

✤ 사각형의 대각선에 관한 성질

- 마름모의 두 대각선은 서로 수직으로 만납니다.
- 직사각형의 두 대각선의 길이는 같습니다.

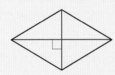

✤ 다각형으로 모양 만들기

모양 조각으로 여러 가지 도형을 만듭니다.

✤ 다각형으로 모양 채우기

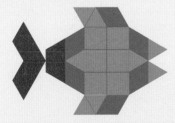

- 여러 가지 모양 조각으로 도형을 채울 때에는 모양 조각을 겹치지 않게 빈틈없이 놓아 채웁니다.
- 같은 모양 조각을 여러 번 사용할 수 있습니다.

확인 문제

5 도형에 대각선을 모두 그어 보세요.

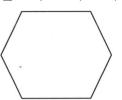

6 직사각형입니다. ☐ 안에 알맞은 수를 써넣으세요.

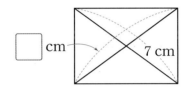

7 왼쪽 모양 조각으로 삼각형을 만들어 보세요.

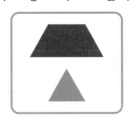 

8 주어진 모양 조각을 한 번씩 사용하여 사각형을 채워 보세요.

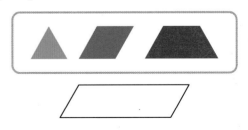

단계별로

서술형 문제 해결하기

과정 중심 평가 내용: 정다각형의 변의 성질을 이해하고 있는가?

1-1 한 변의 길이가 8 cm인 정오각형의 모든 변의 길이의 합은 몇 cm인지 풀이 과정을 쓰고, 답을 구해 보세요. [8점]

풀이

❶ 정오각형은 변이 □개이고 변의 길이가 모두 (같습니다, 다릅니다).

❷ 정오각형의 한 변의 길이가 □ cm이므로 모든 변의 길이의 합은

□+□+□+□+□

=□(cm)입니다.

답

1-2 쌍둥이

한 변의 길이가 9 cm인 정칠각형의 모든 변의 길이의 합은 몇 cm인지 풀이 과정을 쓰고, 답을 구해 보세요. [12점]

풀이

답

1-3 유사

길이가 50 cm인 철사로 한 변의 길이가 7 cm인 정육각형을 만들었습니다. 만들고 남은 철사의 길이는 몇 cm인지 풀이 과정을 쓰고, 답을 구해 보세요. [15점]

풀이

답

1-4 실전

모든 변의 길이의 합이 48 cm인 정팔각형이 있습니다. 이 정팔각형의 한 변의 길이는 몇 cm인지 풀이 과정을 쓰고, 답을 구해 보세요. [15점]

풀이

답

2-1

오른쪽 직사각형 ㄱㄴ ㄷㄹ에서 선분 ㄱㄷ의 길이가 9 cm일 때, 선분 ㄴㄹ의 길이는 몇 cm인지 풀이 과정을 쓰고, 답을 구해 보세요. [8점]

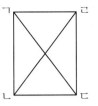

풀이

❶ 선분 ㄱㄷ과 선분 ㄴㄹ은 직사각형의

[   ]입니다.

직사각형의 두 대각선의 길이는

(같습니다, 다릅니다).

❷ 선분 ㄱㄷ의 길이가 9 cm이므로

(선분 ㄴㄹ)= [ ] cm입니다.

답

2-2 쌍둥이

오른쪽 직사각형 ㄱㄴㄷㄹ 에서 선분 ㄴㄹ의 길이가 15 cm일 때, 선분 ㄱㄷ의 길이는 몇 cm인지 풀이 과정을 쓰고, 답을 구해 보세요. [12점]

풀이

답

2-3 유사

사각형 ㄱㄴㄷㄹ은 정사각형입니다. 각 ㄴㅇㄷ의 크기는 몇 도인지 풀이 과정을 쓰고, 답을 구해 보세요. [15점]

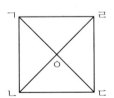

풀이

답

2-4 실전

사각형 ㄱㄴㄷㄹ은 마름모입니다. 각 ㄱㄹㅇ의 크기가 25°일 때 각 ㄹㄱㅇ의 크기는 몇 도인지 풀이 과정을 쓰고, 답을 구해 보세요. [15점]

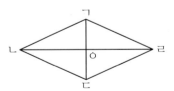

풀이

답

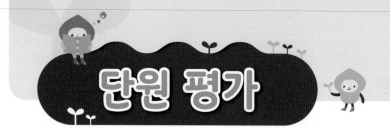
[01~02] 도형을 보고 물음에 답해 보세요.

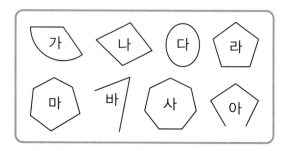

| 다각형 |

01 다각형이 아닌 것을 모두 찾아 기호를 써 보세요.

( )

| 정다각형 |

02 정다각형을 모두 찾아 기호를 써 보세요.

( )

| 다각형 |

03 다각형의 이름을 써 보세요.

( )

| 대각선 |

04 다각형의 대각선을 모두 찾아 기호를 써 보세요.

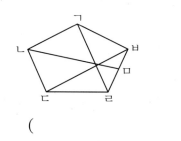

( )

| 다각형 |

05 변의 수가 가장 많은 도형을 찾아 기호를 써 보세요.

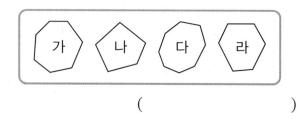

( )

| 다각형 |

06 점 종이에 주어진 선분을 한 변으로 하는 육각형과 칠각형을 각각 그려 보세요.

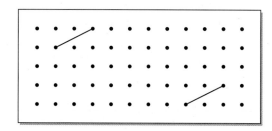

| 다각형 |

07 수민이는 선분 10개로 둘러싸인 도형을 그렸습니다. 수민이가 그린 도형의 이름을 써 보세요.

( )

| 정다각형 |

08 정다각형의 이름을 찾아 선으로 이어 보세요.

• 정육각형

• 정칠각형

• 정팔각형

| 정다각형 |

09 정육각형입니다. ☐ 안에 알맞은 수를 써넣으세요.
(중)

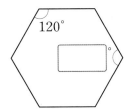

| 정다각형 | 서술형

10 다음은 어떤 도형에 대한 설명인지 풀이 과
(중) 정을 쓰고, 답을 구해 보세요.

> • 선분으로 둘러싸여 있습니다.
> • 각의 크기가 모두 같습니다.
> • 변은 9개이고 길이가 모두 같습니다.

(풀이)

(답)

| 대각선 |

11 도형에 대각선을 모두 그어 보고 몇 개인지
(중) 구해 보세요.

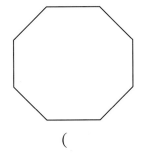

(   )

| 대각선 |

12 삼각형은 대각선이 몇 개인지 쓰고, 그 이유
(중) 를 써 보세요.

(답)

(이유)

| 대각선 |

13 마름모입니다. ☐ 안에 알맞은 수를 써넣으
(중) 세요.

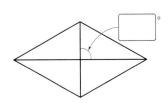

| 다각형으로 모양 만들기 |

14 왼쪽 모양 조각을 모두 사용하여 삼각형을
(중) 만들어 보세요.

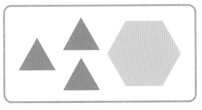

| 다각형으로 모양 만들기 |

15 정삼각형 모양 조각을 여러 개 사용하여 오른쪽 정육각형 모양 조각과 같은 모양을 만들려고 합니다. 정삼각형 모양 조각은 몇 개 필요한가요?

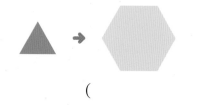

(   )

| 정다각형 |

16 한 변의 길이가 4 cm인 정오각형과 정사각형을 겹치지 않게 이어 붙여서 만든 도형입니다. 이 도형의 모든 변의 길이의 합은 몇 cm인지 구해 보세요.

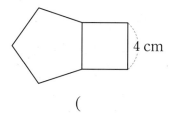

4 cm

(   )

| 대각선 | 서술형

17 조건 을 모두 만족하는 사각형은 무엇인지 풀이 과정을 쓰고, 답을 구해 보세요.

조건
• 평행사변형입니다.
• 두 대각선의 길이가 같습니다.
• 두 대각선이 수직으로 만납니다.

답

[18~19] 모양 조각을 보고 물음에 답해 보세요.

| 다각형으로 모양 만들기 |

18 모양 조각을 4개 사용하여 육각형을 만들어 보세요. (단, 같은 모양 조각을 여러 번 사용할 수 있습니다.)

| 다각형으로 모양 채우기 |

19 모양 조각을 사용하여 오른쪽 도형을 채워 보세요.

| 다각형으로 모양 채우기 | 서술형

20 왼쪽 모양 조각으로 오른쪽 도형을 채우려고 합니다. 모양 조각은 몇 개 필요한지 풀이 과정을 쓰고, 답을 구해 보세요.

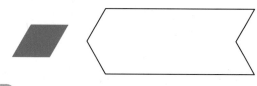

풀이

답

변의 길이가 모두 같으면 정다각형일까요?

Memo

수학 **4-2** 3~4학년군

수학 다잡기

정답 및 풀이

정답 및 풀이

1 분수의 덧셈과 뺄셈

9쪽

개념 확인 문제

1 $\frac{1}{5}$에 ○표 **2** $\frac{1}{9}$, $\frac{1}{7}$, $\frac{1}{4}$

3 (1) $5\frac{3}{5}$ (2) $6\frac{3}{6}$ **4** (1) $\frac{10}{4}$ (2) $\frac{24}{7}$

풀이

1 단위분수는 분모가 작을수록 더 큽니다.

2 4<7<9이므로 $\frac{1}{9}<\frac{1}{7}<\frac{1}{4}$입니다.

3 (1) $\frac{28}{5}$은 5와 $\frac{3}{5}$이므로 $5\frac{3}{5}$입니다.

  (2) $\frac{39}{6}$는 6과 $\frac{3}{6}$이므로 $6\frac{3}{6}$입니다.

4 (1) $2\frac{2}{4}$는 $\frac{1}{4}$이 10개인 수와 같으므로 $\frac{10}{4}$입니다.

  (2) $3\frac{3}{7}$은 $\frac{1}{7}$이 24개인 수와 같으므로 $\frac{24}{7}$입니다.

개념 확인 문제 11쪽

1 2, 4, 6 **2** (1) $\frac{7}{8}$ (2) $1\frac{4}{9}$

3 $\frac{5}{6}$ **4** $1\frac{2}{5}$ m

풀이

1 분모는 그대로 두고 분자끼리 더합니다.

$\frac{2}{7}+\frac{4}{7}=\frac{2+4}{7}=\frac{6}{7}$

2 (1) $\frac{3}{8}+\frac{4}{8}$는 $\frac{1}{8}$이 7개이므로 $\frac{3}{8}+\frac{4}{8}=\frac{7}{8}$입니다.

  (2) $\frac{5}{9}+\frac{8}{9}$은 $\frac{1}{9}$이 13개이므로 $\frac{5}{9}+\frac{8}{9}=\frac{13}{9}=1\frac{4}{9}$입니다.

3 $\frac{1}{6}+\frac{4}{6}=\frac{1+4}{6}=\frac{5}{6}$

4 (수민이와 혜원이가 사용한 색 테이프의 길이)

$=\frac{3}{5}+\frac{4}{5}=\frac{7}{5}=1\frac{2}{5}$ (m)

개념 확인 문제 13쪽

1 $\frac{\boxed{16}}{7}+\frac{\boxed{11}}{7}=\frac{\boxed{27}}{7}=\boxed{3}\frac{\boxed{6}}{7}$

2 (1) $6\frac{1}{8}$ (2) $7\frac{3}{6}$ **3** 7

4 37 kg

풀이

1 두 대분수를 가분수로 고쳐서 계산하는 방법입니다. 분수끼리의 합이 가분수이면 대분수로 바꿉니다.

참고 가분수를 대분수로 고치는 방법

$$\frac{\blacktriangle}{\blacksquare} \rightarrow \blacktriangle \div \blacksquare = \bullet \cdots \star \rightarrow \frac{\blacktriangle}{\blacksquare} = \bullet \frac{\star}{\blacksquare}$$

2 (1) $2\frac{3}{8}+3\frac{6}{8}=5\frac{9}{8}=5+1\frac{1}{8}=6\frac{1}{8}$

  (2) $3\frac{5}{6}+3\frac{4}{6}=6\frac{9}{6}=6+1\frac{3}{6}=7\frac{3}{6}$

3 $4\frac{5}{8}+2\frac{3}{8}=6+\frac{8}{8}=7$

4 (희경이의 몸무게)=(인혜의 몸무게)$+1\frac{2}{5}$

$=35\frac{3}{5}+1\frac{2}{5}$

$=36\frac{5}{5}=36+1=37$ (kg)

개념 확인 문제 15쪽

1 (1) $\frac{5}{8}$ (2) $\frac{2}{6}$ **2** $\frac{2}{11}$

3 ㉡ **4** $\frac{5}{8}$ L

풀이

1 (1) $\dfrac{7}{8}-\dfrac{2}{8}=\dfrac{7-2}{8}=\dfrac{5}{8}$

(2) $1-\dfrac{4}{6}=\dfrac{6}{6}-\dfrac{4}{6}=\dfrac{6-4}{6}=\dfrac{2}{6}$

2 $\dfrac{9}{11}-\dfrac{7}{11}=\dfrac{2}{11}$

3 ㉠ $1-\dfrac{4}{9}=\dfrac{5}{9}$　㉡ $\dfrac{8}{9}-\dfrac{2}{9}=\dfrac{6}{9}$

→ $\dfrac{5}{9}<\dfrac{6}{9}$

4 (소영이가 마시고 남은 우유의 양)

$=1-\dfrac{3}{8}=\dfrac{5}{8}$ (L)

 개념 확인 문제 　17쪽

1 $4\dfrac{7}{8}-2\dfrac{3}{8}=\dfrac{39}{8}-\dfrac{19}{8}=\dfrac{20}{8}=2\dfrac{4}{8}$

2 (1) $5\dfrac{4}{6}$ (2) $2\dfrac{3}{9}$ 　**3** $<$

4 $2\dfrac{2}{6}$ kg

풀이

1 두 대분수를 가분수로 고쳐서 계산합니다.

참고　대분수를 가분수로 고치는 방법

$4\dfrac{7}{8}=\dfrac{4\times 8+7}{8}=\dfrac{39}{8}$

$2\dfrac{3}{8}=\dfrac{2\times 8+3}{8}=\dfrac{19}{8}$

2 자연수 부분에서 자연수끼리, 분수 부분에서 분수끼리 뺍니다.

3 $8\dfrac{6}{7}-3\dfrac{2}{7}=5\dfrac{4}{7}$, $7\dfrac{5}{7}-1\dfrac{4}{7}=6\dfrac{1}{7}$

→ $5\dfrac{4}{7}<6\dfrac{1}{7}$

4 (남은 밀가루의 양)$=4\dfrac{4}{6}-2\dfrac{2}{6}=2\dfrac{2}{6}$ (kg)

 개념 확인 문제 　19쪽

1 $8-\dfrac{4}{9}=\dfrac{72}{9}-\dfrac{4}{9}=\dfrac{68}{9}=7\dfrac{5}{9}$

2 (1) $4\dfrac{2}{8}$ (2) $6\dfrac{2}{10}$ 　**3** $7\dfrac{1}{3}$

4 $2\dfrac{1}{7}$ kg

풀이

1 자연수를 가분수로 고쳐서 계산합니다.

2 (1) $5-\dfrac{6}{8}=4\dfrac{8}{8}-\dfrac{6}{8}=4\dfrac{2}{8}$

(2) $7-\dfrac{8}{10}=6\dfrac{10}{10}-\dfrac{8}{10}=6\dfrac{2}{10}$

참고　자연수에서 1만큼을 분수로 고쳐서 분수끼리 뺍니다.

3 $8-\dfrac{2}{3}=7\dfrac{3}{3}-\dfrac{2}{3}=7\dfrac{1}{3}$

4 (남은 찰흙의 양)$=3-\dfrac{6}{7}=2\dfrac{1}{7}$ (kg)

 개념 확인 문제 　21쪽

1 (1) $3\dfrac{4}{6}$ (2) $2\dfrac{2}{5}$ 　**2** $2\dfrac{8}{12}$

3 $2\dfrac{3}{7}$ 　**4** $1\dfrac{1}{2}$ L

풀이

1 (1) $6-2\dfrac{2}{6}=5\dfrac{6}{6}-2\dfrac{2}{6}=3\dfrac{4}{6}$

(2) $5-2\dfrac{3}{5}=4\dfrac{5}{5}-2\dfrac{3}{5}=2\dfrac{2}{5}$

참고　자연수에서 1만큼을 분수로 고친 후 자연수 부분에서 자연수끼리, 분수 부분에서 분수끼리 뺍니다.

2 $7 - 4\frac{4}{12} = 6\frac{12}{12} - 4\frac{4}{12} = 2\frac{8}{12}$

3 가장 큰 수: 4, 가장 작은 수: $1\frac{4}{7}$

→ $4 - 1\frac{4}{7} = 3\frac{7}{7} - 1\frac{4}{7} = 2\frac{3}{7}$

4 (더 부어야 하는 물의 양) $= 8 - 6\frac{1}{2}$

$= 7\frac{2}{2} - 6\frac{1}{2} = 1\frac{1}{2}$ (L)

 개념 확인 문제   23쪽 ●

1 $5\frac{2}{5} - 3\frac{4}{5} = \frac{27}{5} - \frac{19}{5} = \frac{8}{5} = 1\frac{3}{5}$

2 (1) $\frac{6}{7}$ (2) $1\frac{7}{9}$ **3** (   ) (○)

4 소금, $\frac{5}{6}$ kg

풀이

1 두 대분수를 가분수로 고쳐서 계산합니다.

2 (1) $2\frac{4}{7} - 1\frac{5}{7} = 1\frac{11}{7} - 1\frac{5}{7} = \frac{6}{7}$

(2) $5\frac{6}{9} - 3\frac{8}{9} = 4\frac{15}{9} - 3\frac{8}{9} = 1\frac{7}{9}$

> **주의** 대분수에서 1만큼을 분수로 고치면 남은 자연수는 1 작아져야 합니다.

3 $6\frac{2}{8} - 3\frac{7}{8} = 5\frac{10}{8} - 3\frac{7}{8} = 2\frac{3}{8}$,

$7\frac{3}{8} - 3\frac{6}{8} = 6\frac{11}{8} - 3\frac{6}{8} = 3\frac{5}{8}$

4 $3\frac{1}{6} > 2\frac{2}{6}$이므로 소금이 설탕보다

$3\frac{1}{6} - 2\frac{2}{6} = 2\frac{7}{6} - 2\frac{2}{6} = \frac{5}{6}$ (kg) 더 많습니다.

 문제 해결력 문제   25쪽 ●

1 $2\frac{2}{6}$ **2** $1\frac{1}{3}$

3 3   **4** 8

풀이

1 어떤 수를 □라고 하면 $□ + \frac{2}{6} = 3$에서

$□ = 3 - \frac{2}{6} = 2\frac{6}{6} - \frac{2}{6} = 2\frac{4}{6}$입니다.

바르게 계산하면 $2\frac{4}{6} - \frac{2}{6} = 2\frac{2}{6}$입니다.

2 어떤 수를 □라고 하면 $□ + 1\frac{1}{3} = 4$에서

$□ = 4 - 1\frac{1}{3} = 3\frac{3}{3} - 1\frac{1}{3} = 2\frac{2}{3}$입니다.

바르게 계산하면 $2\frac{2}{3} - 1\frac{1}{3} = 1\frac{1}{3}$입니다.

3 어떤 수를 □라고 하면 $□ - \frac{3}{7} = 2\frac{1}{7}$에서

$□ = 2\frac{1}{7} + \frac{3}{7} = 2\frac{4}{7}$입니다.

바르게 계산하면 $2\frac{4}{7} + \frac{3}{7} = 2\frac{7}{7} = 3$입니다.

4 어떤 수를 □라고 하면 $□ - 2\frac{3}{4} = 2\frac{2}{4}$에서

$□ = 2\frac{2}{4} + 2\frac{3}{4} = 4\frac{5}{4} = 4 + 1\frac{1}{4} = 5\frac{1}{4}$입니다.

바르게 계산하면 $5\frac{1}{4} + 2\frac{3}{4} = 7\frac{4}{4} = 8$입니다.

개념 ✛ 확인   30~31쪽

1 (1) $\frac{6}{7}$ (2) $1\frac{7}{10}$ **2** >

3 ╳   **4** $5\frac{1}{4}$ L

5 $1\frac{1}{10}$ cm

6 $5-1\dfrac{2}{4}=4\dfrac{4}{4}-1\dfrac{2}{4}=3\dfrac{2}{4}$

7 $4-2\dfrac{3}{5}=\dfrac{20}{5}-\dfrac{13}{5}=\dfrac{7}{5}=1\dfrac{2}{5}$

8 $5\dfrac{4}{6}$

풀이

1 (1) $\dfrac{4}{7}+\dfrac{2}{7}$ 는 $\dfrac{1}{7}$ 이 6개이므로 $\dfrac{4}{7}+\dfrac{2}{7}=\dfrac{6}{7}$ 입니다.

(2) $\dfrac{8}{10}+\dfrac{9}{10}$ 는 $\dfrac{1}{10}$ 이 17개이므로

$\dfrac{8}{10}+\dfrac{9}{10}=\dfrac{17}{10}=1\dfrac{7}{10}$ 입니다.

2 $4\dfrac{6}{7}+2\dfrac{5}{7}=6\dfrac{11}{7}=7\dfrac{4}{7}$

$\rightarrow 7\dfrac{4}{7}>7\dfrac{3}{7}$

3 • $\dfrac{8}{9}-\dfrac{6}{9}=\dfrac{8-6}{9}=\dfrac{2}{9}$

• $1-\dfrac{6}{9}=\dfrac{9}{9}-\dfrac{6}{9}=\dfrac{9-6}{9}=\dfrac{3}{9}$

4 주전자에 있던 물의 양을 □ L라고 하면

$5\dfrac{2}{4}+□=10\dfrac{3}{4}$ 입니다.

$□=10\dfrac{3}{4}-5\dfrac{2}{4}=5\dfrac{1}{4}$ 이므로 주전자에 있던 물은

$5\dfrac{1}{4}$ L입니다.

5 $2-\dfrac{9}{10}=1\dfrac{10}{10}-\dfrac{9}{10}=1\dfrac{1}{10}$

긴 변은 짧은 변보다 $1\dfrac{1}{10}$ cm 더 깁니다.

6 자연수에서 1만큼을 분수로 고쳐서 계산합니다.

주의 $1\dfrac{2}{4}$ 는 1보다 큰 수이므로 $5-1\dfrac{2}{4}$ 의 결과는 4보다 작아야 합니다.

7 다른 방법으로 자연수와 대분수를 가분수로 고쳐서 계산할 수 있습니다.

$4-2\dfrac{3}{5}=\dfrac{20}{5}-\dfrac{13}{5}=\dfrac{7}{5}=1\dfrac{2}{5}$

8 $□=8\dfrac{5}{6}-2\dfrac{7}{6}=7\dfrac{11}{6}-2\dfrac{7}{6}=5\dfrac{4}{6}$

서술형 문제 해결하기

32~33쪽

1-1 ❶ 7, 4, 7　❷ 7, 11 / $\dfrac{11}{12}$

1-2 예 ❶ $\dfrac{7}{8}>\dfrac{5}{8}>\dfrac{3}{8}$ 이므로 가장 큰 분수는

$\dfrac{7}{8}$, 가장 작은 분수는 $\dfrac{3}{8}$ 입니다.

❷ 두 분수의 합은 $\dfrac{7}{8}+\dfrac{3}{8}=\dfrac{10}{8}=1\dfrac{2}{8}$ 입니다.

/ $1\dfrac{2}{8}$

1-3 예 ❶ $3\dfrac{2}{6}>3\dfrac{1}{6}>2\dfrac{3}{6}$ 이므로 가장 큰 분수는 $3\dfrac{2}{6}$, 가장 작은 분수는 $2\dfrac{3}{6}$ 입니다.

❷ 두 분수의 합은 $3\dfrac{2}{6}+2\dfrac{3}{6}=5\dfrac{5}{6}$ 입니다.

/ $5\dfrac{5}{6}$

1-4 예 ❶ $7\dfrac{6}{7}>4\dfrac{5}{7}>3\dfrac{2}{7}$ 이므로 가장 큰 분수는

$7\dfrac{6}{7}$, 가장 작은 분수는 $3\dfrac{2}{7}$ 입니다.

❷ 두 분수의 합은 $7\dfrac{6}{7}+3\dfrac{2}{7}=10\dfrac{8}{7}$

$=10+1\dfrac{1}{7}=11\dfrac{1}{7}$ 입니다.

/ $11\dfrac{1}{7}$

2-1 ❶ <, 현이　❷ 현이, 1, 1

/ 현이, $1\dfrac{1}{6}$ m

2-2 예 ❶ 끈의 길이를 비교하면 $5\dfrac{5}{8}$ m $>4\dfrac{3}{8}$ m 이므로 민기의 끈이 더 깁니다.

❷ 가지고 있는 끈의 길이는 민기가

$5\dfrac{5}{8}-4\dfrac{3}{8}=1\dfrac{2}{8}$ (m) 더 깁니다.

/ 민기, $1\dfrac{2}{8}$ m

2-3 예 ❶ 리본의 길이를 비교하면

$4\dfrac{5}{7}$ m $<5\dfrac{2}{7}$ m이므로 수빈이의 리본이 더 깁니다.

❷ 가지고 있는 리본의 길이는 수빈이가

$5\frac{2}{7}-4\frac{5}{7}=4\frac{9}{7}-4\frac{5}{7}=\frac{4}{7}$ (m) 더

깁니다.

/ 수빈, $\frac{4}{7}$ m

2-4 예 ❶ 털실의 길이를 비교하면 $10\,m > 7\frac{5}{9}\,m$

이므로 재민이의 털실이 더 깁니다.

❷ 가지고 있는 털실의 길이는 재민이가

$10-7\frac{5}{9}=9\frac{9}{9}-7\frac{5}{9}=2\frac{4}{9}$ (m)

더 깁니다.

/ 재민, $2\frac{4}{9}$ m

풀이

| 1-1 | 채점기준 | ❶ 가장 큰 분수와 가장 작은 분수 찾기 | 4점 |
| | | ❷ 가장 큰 분수와 가장 작은 분수의 합 구하기 | 4점 |

| 1-2 | 채점기준 | ❶ 가장 큰 분수와 가장 작은 분수 찾기 | 6점 |
| | | ❷ 가장 큰 분수와 가장 작은 분수의 합 구하기 | 6점 |

| 1-3 | 채점기준 | ❶ 가장 큰 분수와 가장 작은 분수 찾기 | 8점 |
| | | ❷ 가장 큰 분수와 가장 작은 분수의 합 구하기 | 7점 |

| 1-4 | 채점기준 | ❶ 가장 큰 분수와 가장 작은 분수 찾기 | 8점 |
| | | ❷ 가장 큰 분수와 가장 작은 분수의 합 구하기 | 7점 |

| 2-1 | 채점기준 | ❶ 더 긴 끈을 가지고 있는 사람 구하기 | 4점 |
| | | ❷ 더 긴 끈을 누가 몇 m 더 가지고 있는지 구하기 | 4점 |

| 2-2 | 채점기준 | ❶ 더 긴 끈을 가지고 있는 사람 구하기 | 6점 |
| | | ❷ 더 긴 끈을 누가 몇 m 더 가지고 있는지 구하기 | 6점 |

| 2-3 | 채점기준 | ❶ 더 긴 리본을 가지고 있는 사람 구하기 | 8점 |
| | | ❷ 더 긴 리본을 누가 몇 m 더 가지고 있는지 구하기 | 7점 |

| 2-4 | 채점기준 | ❶ 더 긴 털실을 가지고 있는 사람 구하기 | 8점 |
| | | ❷ 더 긴 털실을 누가 몇 m 더 가지고 있는지 구하기 | 7점 |

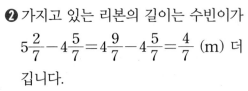 단원 평가

34~36쪽

01 9, $1\boxed{\frac{2}{7}}$

02 8, 3, 8, 3, 5

03 (1) $3\boxed{\frac{10}{12}}$ (2) 19, 27, 46, $3\boxed{\frac{10}{12}}$

04 $1\frac{3}{9}$ **05** <

06 (1) [도형] (2) $1\frac{1}{5}$

07 $\frac{3}{12}$ **08** $6\frac{1}{4}$

09 ( ) (○)

10 $2\frac{5}{9}$ **11** $2\frac{1}{4}$

12 [선 잇기]   **13** $1\frac{3}{4}$

14 예 ❶ (어제 마시고 남은 주스의 양)

$=1-\frac{3}{7}=\frac{7}{7}-\frac{3}{7}=\frac{4}{7}$ (L)

❷ (오늘 마시고 남은 주스의 양)

$=\frac{4}{7}-\frac{2}{7}=\frac{2}{7}$ (L)

/ $\frac{2}{7}$ L

15 $13\frac{9}{20}$ **16** $1\frac{8}{10}$

17 예 ❶ 가장 큰 대분수는 $8\frac{5}{6}$이고 가장 작은 대

분수는 $1\frac{2}{6}$입니다.

❷ ❶에서 만든 두 수의 차는

$8\frac{5}{6}-1\frac{2}{6}=7\frac{3}{6}$입니다.

/ $7\frac{3}{6}$

18 ㉠, ㉣, ㉢, ㉡   **19** $3\frac{1}{10}$ cm

20 예 ❶ 과자 1판을 만들면 초콜릿 $2-\dfrac{2}{3}=1\dfrac{1}{3}$ (kg)이 남고, 과자 1판을 더 만들면 초콜 릿 $1\dfrac{1}{3}-\dfrac{2}{3}=\dfrac{2}{3}$ (kg)이 남으며 과자 1 판을 더 만들면 초콜릿 $\dfrac{2}{3}-\dfrac{2}{3}=0$ (kg) 이 남습니다.

❷ 만들 수 있는 과자는 모두 3판입니다.

/ 3판

풀이

01 $\dfrac{6}{7}+\dfrac{3}{7}=\dfrac{9}{7}=1\dfrac{2}{7}$

02 자연수 1을 분모와 분자가 같은 분수로 나타냅니다.

03 (1) 자연수 부분에서 자연수끼리, 분수 부분에서 분 수끼리 더하는 방법입니다.

(2) 두 대분수를 가분수로 고쳐서 계산하는 방법입 니다.

04 $\dfrac{5}{9}+\dfrac{7}{9}=\dfrac{12}{9}=1\dfrac{3}{9}$

05 $\dfrac{5}{6}+\dfrac{2}{6}=\dfrac{7}{6}=1\dfrac{1}{6}$ → $1\dfrac{1}{6}<1\dfrac{2}{6}$

06 $3\dfrac{3}{5}$에서 $2\dfrac{2}{5}$만큼 지우면 $1\dfrac{1}{5}$이 남으므로

$3\dfrac{3}{5}-2\dfrac{2}{5}=1\dfrac{1}{5}$입니다.

07 ㉠ $\dfrac{1}{12}$이 9개인 수: $\dfrac{9}{12}$

㉠과 ㉡의 차: $1-\dfrac{9}{12}=\dfrac{12}{12}-\dfrac{9}{12}=\dfrac{3}{12}$

08 $3\dfrac{3}{4}+2\dfrac{2}{4}=5\dfrac{5}{4}=6\dfrac{1}{4}$

09 $2\dfrac{3}{9}+3\dfrac{7}{9}=5\dfrac{10}{9}=6\dfrac{1}{9}$

$4\dfrac{8}{9}+1\dfrac{4}{9}=5\dfrac{12}{9}=6\dfrac{3}{9}$

→ $6\dfrac{1}{9}<6\dfrac{3}{9}$

10 $\square=5\dfrac{7}{9}-3\dfrac{2}{9}=2\dfrac{5}{9}$

11 4에서 $1\dfrac{3}{4}$만큼 되돌아가면 $2\dfrac{1}{4}$입니다.

12 $3-1\dfrac{3}{4}=2\dfrac{4}{4}-1\dfrac{3}{4}=1\dfrac{1}{4}$,

$5-3\dfrac{2}{4}=4\dfrac{4}{4}-3\dfrac{2}{4}=1\dfrac{2}{4}$

13 $3\dfrac{1}{4}$에서 $1\dfrac{2}{4}$만큼 되돌아가면 $1\dfrac{3}{4}$입니다.

14

채점 기준		점
❶ 어제 마시고 남은 주스의 양 구하기		3점
❷ 오늘 마시고 남은 주스의 양 구하기		2점

15 하루는 24시간이므로 이날의 밤의 길이는

$24-10\dfrac{11}{20}=23\dfrac{20}{20}-10\dfrac{11}{20}=13\dfrac{9}{20}$입니다.

16 $\square=7\dfrac{7}{10}-5\dfrac{9}{10}=6\dfrac{17}{10}-5\dfrac{9}{10}=1\dfrac{8}{10}$

17

채점 기준		점
❶ 가장 큰 대분수와 가장 작은 대분수 구하기		3점
❷ 가장 큰 대분수와 가장 작은 대분수의 차 구하기		2점

18 ㉠ $4\dfrac{3}{5}-1\dfrac{4}{5}=2\dfrac{4}{5}$

㉡ $4\dfrac{4}{5}-2\dfrac{3}{5}=2\dfrac{1}{5}$

㉢ $6\dfrac{1}{5}-3\dfrac{4}{5}=2\dfrac{2}{5}$

㉣ $7\dfrac{1}{5}-4\dfrac{3}{5}=2\dfrac{3}{5}$

→ 계산 결과가 큰 순서대로 기호를 써 보면 ㉠, ㉣, ㉢, ㉡입니다.

19 테이프 2장의 길이의 합: $2+2=4$ (cm)

겹쳐진 부분의 길이: $\dfrac{9}{10}$ cm

→ $4-\dfrac{9}{10}=3\dfrac{10}{10}-\dfrac{9}{10}=3\dfrac{1}{10}$ (cm)

20

채점 기준		점
❶ 과자를 1판, 2판, ... 만들었을 때 남는 초콜릿 양 구하기		3점
❷ 만들 수 있는 과자는 모두 몇 판인지 구하기		2점

② 삼각형

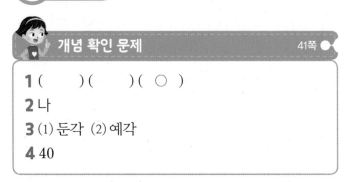

개념 확인 문제   41쪽

1 (   ) (   ) (◯)
2 나
3 (1) 둔각 (2) 예각
4 40

풀이

1 삼각자의 직각 부분을 대었을 때 꼭 맞게 겹쳐지는 각을 찾습니다.

2 한 각이 직각인 삼각형을 찾으면 나입니다.

3 예각: 각도가 $0°$보다 크고 직각보다 작은 각
둔각: 각도가 직각보다 크고 $180°$보다 작은 각

4 $70° + 70° + □° = 180°$
   → $□° = 180° - 70° - 70° = 40°$

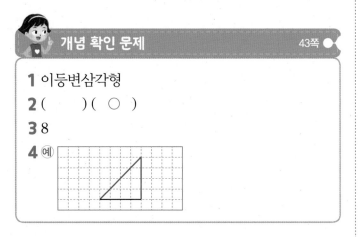

개념 확인 문제   43쪽

1 이등변삼각형
2 (   ) (◯)
3 8
4 예

풀이

1 두 변의 길이가 같은 삼각형을 이등변삼각형이라고 합니다.

2 두 변의 길이가 같은 삼각형을 찾습니다.

3 이등변삼각형은 두 변의 길이가 같습니다.

4 주어진 변과 길이가 같은 변을 더 그려 삼각형을 그리거나 길이가 같은 두 변을 더 그려 삼각형을 그립니다.

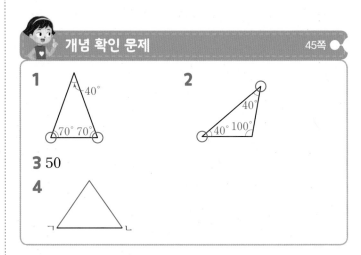

개념 확인 문제   45쪽

1
2
3 50
4

풀이

1 각도기를 사용하여 각의 크기를 재어 보면 $40°$, $70°$, $70°$입니다.

2 각도기를 사용하여 각의 크기를 재어 보면 $40°$, $40°$, $100°$입니다.

3 이등변삼각형은 두 각의 크기가 같습니다.

4 주어진 선분의 양 끝에 크기가 각각 $55°$인 각을 그린 다음 두 각의 변이 만나는 점을 찾아 선분의 양 끝점과 이어 삼각형을 완성합니다.

> **참고** 한 변에 크기가 같은 두 각을 그려 이등변삼각형 만들기

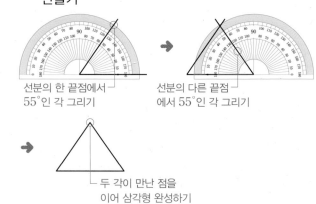

선분의 한 끝점에서   선분의 다른 끝점
$55°$인 각 그리기   에서 $55°$인 각 그리기

→

두 각이 만난 점을
이어 삼각형 완성하기

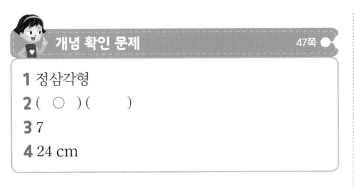

개념 확인 문제 47쪽

1 정삼각형
2 (○) ( )
3 7
4 24 cm

풀이

1 세 변의 길이가 모두 같은 삼각형을 정삼각형이라고 합니다.

2 세 변의 길이가 모두 같은 삼각형을 찾습니다.

3 세 변의 길이가 모두 같으므로 나머지 한 변의 길이도 7 cm입니다.

4 정삼각형은 세 변의 길이가 모두 같으므로 세 변의 길이의 합은 $8+8+8=24$ (cm)입니다.

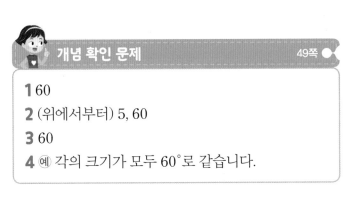

개념 확인 문제 49쪽

1 60
2 (위에서부터) 5, 60
3 60
4 예 각의 크기가 모두 60°로 같습니다.

풀이

1 정삼각형은 세 각의 크기가 60°로 모두 같습니다.
　참고 삼각형의 세 각의 크기의 합은 180°이고, 정삼각형은 세 각의 크기가 같으므로 한 각의 크기는 $180°÷3=60°$입니다.

2 정삼각형은 세 변의 길이가 모두 같고 세 각의 크기도 60°로 모두 같습니다.

3 세 변의 길이가 모두 같으므로 정삼각형입니다. 정삼각형은 세 각의 크기가 60°로 모두 같습니다.

4 정삼각형은 모든 각의 크기가 60°입니다.

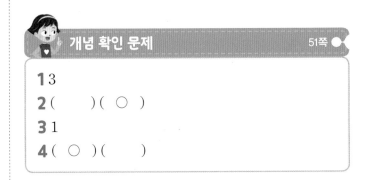

개념 확인 문제 51쪽

1 3
2 ( ) (○)
3 1
4 (○) ( )

풀이

1 세 각이 모두 예각인 삼각형을 예각삼각형이라고 합니다.

2 세 각이 모두 예각인 삼각형을 찾습니다.

3 한 각이 둔각인 삼각형을 둔각삼각형이라고 합니다.
　참고 • 예각삼각형은 예각이 3개입니다.
　　　 • 직각삼각형은 직각이 1개, 예각이 2개입니다.
　　　 • 둔각삼각형은 둔각이 1개, 예각이 2개입니다.

4 한 각이 둔각인 삼각형을 찾습니다.

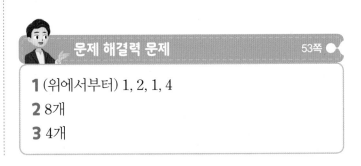

문제 해결력 문제 53쪽

1 (위에서부터) 1, 2, 1, 4
2 8개
3 4개

풀이

1

1개짜리: ② → 1개,

2개짜리: ①②, ②③ → 2개,

3개짜리: ①②③ → 1개

→ 1＋2＋1＝4(개)

> **참고** **크고 작은 예각삼각형 찾기**
> 작은 삼각형 1개짜리, 2개짜리, 3개짜리로 나누어
> 찾은 후 모두 더합니다.

2

1개짜리: ② → 1개,

2개짜리: ①②, ②③, ②⑤ → 3개,

3개짜리: ①②③ → 1개,

4개짜리: ①②④⑤, ②③⑤⑥ → 2개,

6개짜리: ①②③④⑤⑥ → 1개

→ 1＋3＋1＋2＋1＝8(개)

3

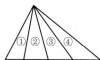

1개짜리: ①, ③, ④ → 3개,

2개짜리: ③④ → 1개

→ 3＋1＝4(개)

개념 확인

58~59쪽

1 가, 다, 라　　　　**2** 다, 라

3 55, 55　　　　　**4** 39 cm

5 ㉢　　　　　　　**6** 예각삼각형

7 예

풀이

1 두 변의 길이가 같은 삼각형을 찾습니다.

> **주의** 세 변의 길이가 같은 정삼각형은 두 변의 길이가 같
> 으므로 이등변삼각형이라고 할 수 있습니다.

2 세 변의 길이가 모두 같은 삼각형을 찾습니다.

3 $180° － 70° ＝ 110°$ → $110° ÷ 2 ＝ 55°$

> **참고** 이등변삼각형은 길이가 같은 두 변과 함께 하는 두
> 각의 크기가 같습니다.

4 정삼각형은 세 변의 길이가 모두 같은 삼각형이므로
$13 ＋ 13 ＋ 13 ＝ 13 × 3 ＝ 39$ (cm)입니다.

5 정삼각형은 세 변의 길이가 모두 같고, 세 각의 크기
가 모두 같습니다.
정삼각형의 세 각의 크기의 합은 $180°$이고 세 각의
크기가 같으므로 한 각의 크기는 $180° ÷ 3 ＝ 60°$입
니다.

→ 잘못 설명한 것은 ㉢입니다.

6 (나머지 한 각의 크기)＝$180° － 60° － 70° ＝ 50°$
세 각이 모두 예각이므로 예각삼각형입니다.

7 한 각이 둔각이고 나머지 두 각은 예각이 되도록 그
립니다.

서술형 문제 해결하기

60~61쪽

1-1 ❶ 65

❷ 예각에 ○표, 예각삼각형

/ 예각삼각형

1-2 예 ❶ 나머지 한 각의 크기는
$180° － 70° － 50° ＝ 60°$입니다.

❷ 세 각이 모두 예각이므로 예각삼각형
입니다.

/ 예각삼각형

1-3 예 ❶ 나머지 한 각의 크기는
$180° － 40° － 30° ＝ 110°$입니다.

❷ 한 각이 둔각이므로 둔각삼각형입니다.

/ 둔각삼각형

1-4 예 ❶ 나머지 한 각의 크기는
$180° - 30° - 50° = 100°$입니다.
❷ 한 각이 둔각이므로 둔각삼각형입니다.
/ 둔각삼각형

2-1 ❶ 70, 70
❷ 70, 70, 40
/ 40°

2-2 예 ❶ (각 ㄱㄷㄴ) $= 180° - 125° = 55°$
(각 ㄱㄴㄷ) = (각 ㄱㄷㄴ) $= 55°$
❷ (각 ㄴㄱㄷ) $= 180° - 55° - 55° = 70°$
/ 70°

2-3 예 ❶ (각 ㄱㄴㄷ) $= 180° - 130° = 50°$
(각 ㄱㄷㄴ) = (각 ㄱㄴㄷ) $= 50°$
❷ (각 ㄴㄱㄷ) $= 180° - 50° - 50° = 80°$
/ 80°

2-4 예 ❶ (각 ㄱㄴㄷ) + (각 ㄱㄷㄴ)
$= 180° - 50° = 130°$,
(각 ㄱㄴㄷ) = (각 ㄱㄷㄴ)이므로
(각 ㄱㄷㄴ) $= 130° ÷ 2 = 65°$입니다.
❷ ㉠ $= 180° - 65° = 115°$
/ 115°

풀이

1-1
채점 기준		
❶ 나머지 한 각의 크기 구하기	4점
❷ 삼각형의 이름 구하기	4점

1-2
채점 기준		
❶ 나머지 한 각의 크기 구하기	6점
❷ 삼각형의 이름 구하기	6점

1-3
채점 기준		
❶ 나머지 한 각의 크기 구하기	8점
❷ 삼각형의 이름 구하기	7점

1-4
채점 기준		
❶ 나머지 한 각의 크기 구하기	8점
❷ 삼각형의 이름 구하기	7점

2-1
채점 기준		
❶ 각 ㄱㄷㄴ과 각 ㄱㄴㄷ의 크기 구하기	4점
❷ 각 ㄴㄱㄷ의 크기 구하기	4점

2-2
채점 기준		
❶ 각 ㄱㄷㄴ과 각 ㄱㄴㄷ의 크기 구하기	6점
❷ 각 ㄴㄱㄷ의 크기 구하기	6점

2-3
채점 기준		
❶ 각 ㄱㄴㄷ과 각 ㄱㄷㄴ의 크기 구하기	8점
❷ 각 ㄴㄱㄷ의 크기 구하기	7점

2-4
채점 기준		
❶ 각 ㄱㄴㄷ의 크기 구하기	8점
❷ ㉠의 각도 구하기	7점

단원 평가
62~64쪽

01 가, 나, 다　　**02** 나
03 7　　**04** 9, 9
05 30　　**06** 4
07 이등변삼각형
08 8　　**09** 33 cm
10 45 cm　　**11** 26 cm
12 이등변삼각형, 예각삼각형
13 ㉡, ㉢
14 예 ❶ 이등변삼각형은 두 변의 길이가 같으므로 변 ㄱㄷ의 길이는 9 cm입니다.
❷ 변 ㄴㄷ의 길이는 $24 - 9 - 9 = 6$ (cm)입니다.
/ 6 cm

15
ㄱ
ㄴ

16 6개
17 예 ❶ 삼각형의 세 각의 크기의 합은 180°이므로 90°인 각을 제외한 나머지 두 각의 크기의 합은 $180° - 90° = 90°$입니다.
따라서 한 각의 크기가 90°인 삼각형은 둔각이 없기 때문에 둔각삼각형이 아닙니다.

18 13 cm　　**19** 13 cm
20 예 ❶ (변 ㄱㄴ) = 13 cm, (변 ㄴㄷ) = 12 cm,
(변 ㄷㄹ) = (변 ㄴㄹ) = 13 cm,
(변 ㄹㄱ) = (변 ㄴㄱ) = 13 cm입니다.
❷ 사각형 ㄱㄴㄷㄹ의 네 변의 길이의 합은 $13 + 12 + 13 + 13 = 51$ (cm)입니다.
/ 51 cm

풀이

01 두 변의 길이가 같은 삼각형을 찾습니다.

02 세 변의 길이가 모두 같은 삼각형을 찾습니다.

> **주의** 정삼각형은 이등변삼각형이라고 할 수 있지만 이등변삼각형은 정삼각형이라고 할 수 없습니다.

03 이등변삼각형은 두 변의 길이가 같은 삼각형이므로 □=7입니다.

04 정삼각형은 세 변의 길이가 모두 같은 삼각형이므로 □=9입니다.

05 이등변삼각형이므로 두 각의 크기가 같습니다.

06 나머지 한 각의 크기가 $180°-60°-60°=60°$이므로 세 각의 크기가 모두 같은 정삼각형입니다.
정삼각형은 세 변의 길이가 모두 같은 삼각형이므로 □=4입니다.

07 두 변의 길이가 6 cm로 같으므로 이등변삼각형입니다.

08 길이가 같은 두 변에 있는 두 각의 크기가 같으므로 이등변삼각형입니다.
→ □=8입니다.

09 정삼각형은 세 변의 길이가 모두 같으므로
세 변의 길이의 합은
$11+11+11=11×3=33$ (cm) 입니다.

10 나머지 한 각의 크기가 $180°-60°-60°=60°$이므로 정삼각형입니다.
→ (세 변의 길이의 합)$=15+15+15$
$=15×3=45$ (cm)

11 이등변삼각형은 두 변의 길이가 같습니다.
→ (세 변의 길이의 합)$=10+8+8=26$ (cm)

12 (나머지 한 각의 크기)$=180°-50°-80°=50°$
삼각형의 세 각의 크기가 50°, 80°, 50°입니다.
크기가 같은 두 각이 있으므로 이등변삼각형이고 세 각이 모두 예각이므로 예각삼각형입니다.

13 ·삼각형 ㄱㄴㄷ은 두 변의 길이가 6 cm로 같으므로 이등변삼각형입니다.
·(각 ㄱㄷㄴ의 크기)$=180°-140°=40°$
·이등변삼각형이므로 각 ㄱㄴㄷ의 크기도 40°입니다.
(나머지 한 각의 크기)$=180°-40°-40°=100°$이므로 삼각형 ㄱㄴㄷ은 한 각이 둔각인 둔각삼각형입니다.

14

채점기준		
❶ 변 ㄱㄷ의 길이를 구하기		2점
❷ 변 ㄴㄷ의 길이를 구하기		3점

15 주어진 선분의 양 끝에 크기가 각각 40°인 각을 그린 다음 두 각의 변이 만나는 점을 찾아 선분의 양 끝점과 이어 삼각형을 완성합니다.

16

원 위의 연속된 세 점을 이었을 때 둔각삼각형이 됩니다. 원 위의 세 점을 이었을 때 만들어지는 둔각삼각형은 모두 6개입니다.

17

채점기준		
❶ 둔각이 아닌 이유 쓰기		2점

18 삼각형 ㄴㄷㄹ은 이등변삼각형이고, 세 변의 길이의 합이 38 cm입니다. 길이가 같은 두 변의 길이의 합이 $38-12=26$ (cm)이므로 변 ㄴㄹ의 길이는 $26÷2=13$ (cm)입니다.

19 삼각형 ㄱㄴㄹ이 정삼각형이고, 변 ㄴㄹ의 길이가 13 cm이므로 변 ㄴㄱ의 길이도 13 cm입니다.

20

채점기준		
❶ 사각형 ㄱㄴㄷㄹ의 네 변의 길이를 각각 구하기		2점
❷ 사각형 ㄱㄴㄷㄹ의 네 변의 길이의 합은 몇 cm 인지 구하기		3점

③ 소수의 덧셈과 뺄셈

개념 확인 문제 　69쪽

1 (1) > (2) <　　**2** (1) 0.8 (2) $\dfrac{6}{10}$

3 $\dfrac{4}{10}$, 0.4　　**4** ㉠

풀이

1 (1) $6>4 \rightarrow \dfrac{6}{7}>\dfrac{4}{7}$

(2) 단위분수는 분모가 작을수록 더 큽니다.

$8>7 \rightarrow \dfrac{1}{8}<\dfrac{1}{7}$

2 $\dfrac{\blacksquare}{10}=0.\blacksquare$

3 전체를 똑같이 10으로 나눈 것 중의 4만큼 색칠하였으므로 분수로 나타내면 $\dfrac{4}{10}$이고, $\dfrac{4}{10}$를 소수로 나타내면 0.4입니다.

4 $\underset{3>2}{3.7>2.9}$

개념 확인 문제 　71쪽

1 (1) $\dfrac{7}{100}$, 0.07 (2) $\dfrac{23}{100}$, 0.23

2 (1) 영 점 영구 (2) 영 점 육사

3 (1) 0.03 (2) 0.47

풀이

1 (1) 전체 100칸 중 7칸에 색칠되어 있으므로 분수로 $\dfrac{7}{100}$이고, 소수로 0.07입니다.

(2) 전체 100칸 중 23칸에 색칠되어 있으므로 분수로 $\dfrac{23}{100}$이고, 소수로 0.23입니다.

2 소수점 아래부터는 숫자만 차례로 읽습니다.

3 읽은 숫자를 차례로 수로 바꾸어 씁니다.

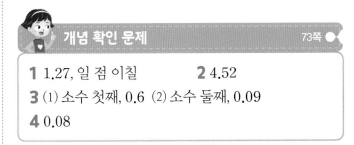

개념 확인 문제 　73쪽

1 1.27, 일 점 이칠　　**2** 4.52

3 (1) 소수 첫째, 0.6 (2) 소수 둘째, 0.09

4 0.08

풀이

1 $\dfrac{27}{100}=0.27$이므로 $1\dfrac{27}{100}=1.27$입니다. 1.27은 일 점 이칠이라고 읽습니다.

2 1이 4개이면 4, 0.1이 5개이면 0.5, 0.01이 2개이면 0.02이므로 4.52입니다.

4 8은 소수 둘째 자리 숫자이므로 0.08을 나타냅니다.

개념 확인 문제 　75쪽

1 0.406

2 (1) 영 점 영칠사 (2) 영 점 삼일구

3 0.145　　**4**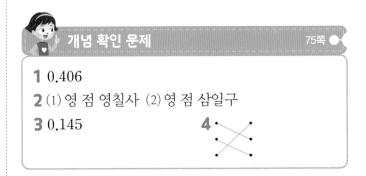

풀이

2 소수를 읽을 때 소수점 오른쪽에 있는 숫자 0도 빠뜨리지 않고 반드시 영이라고 읽어야 합니다.

3 $\dfrac{1}{1000}=0.001$이므로 0.001이 145개인 수는 0.145입니다.

4 · 0.581 → 영 점 오팔일

· $\dfrac{508}{1000}=0.508$ → 영 점 오영팔

· 0.001이 51개인 수는 0.051 → 영 점 영오일

개념 확인 문제 77쪽

1 2, 1, 5, 7   **2** 7.483

3 13.745   **4** (1) 0.09 (2) 0.009

풀이

1 $2.157 = 2 + 0.1 + 0.05 + 0.007$

3 1이 13개이면 13, 0.1이 7개이면 0.7, 0.01이 4개이면 0.04, 0.001이 5개이면 0.005이므로 13.745입니다.

4 (1) 3.29<u>4</u> → 소수 둘째 자리 숫자이므로 0.09입니다.
(2) 7.16<u>9</u> → 소수 셋째 자리 숫자이므로 0.009입니다.

개념 확인 문제 79쪽

1 (1)

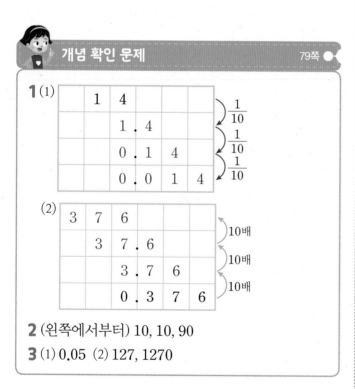

2 (왼쪽에서부터) 10, 10, 90

3 (1) 0.05 (2) 127, 1270

풀이

1 (1) $\frac{1}{10}$씩 하면 수가 점점 작아집니다.
(2) 10배씩 하면 수가 점점 커집니다.

2 0.09의 10배는 0.9, 0.9의 100배는 90, 0.9의 $\frac{1}{10}$배는 0.09입니다.

3 (1) 수의 $\frac{1}{10}$, $\frac{1}{100}$을 하면 소수점을 기준으로 수가 오른쪽으로 한 자리, 두 자리씩 이동합니다.
(2) 수를 10배, 100배 하면 소수점을 기준으로 수가 왼쪽으로 한 자리, 두 자리씩 이동합니다.

개념 확인 문제 81쪽

1 (1) < (2) <   **2** 4.9~~00~~, 0.76~~0~~

3 (1) < (2) >

풀이

1 (1) 색칠된 부분이 더 넓은 0.56이 0.53보다 더 큽니다.
(2) 수직선에서 오른쪽에 있는 수가 더 큽니다.

2 소수점의 오른쪽 끝자리 숫자 0은 생략하여 나타낼 수 있습니다.
→ $4.900 = 4.9$, $0.760 = 0.76$

3 (1) $\underset{3<5}{3.95 < 5.17}$ (2) $\underset{9>8}{9.361 > 8.46}$

개념 확인 문제 83쪽

1 0.7   **2** (1) 3.2 (2) 8.1

3 9.3   **4** 1.5 L

풀이

1 0.3에서 0.4만큼 오른쪽으로 더 가면 0.7이 됩니다.
→ $0.3 + 0.4 = 0.7$

2 (1)
$$\begin{array}{r} \overset{1}{}2.5 \\ + 0.7 \\ \hline 3.2 \end{array}$$
(2)
$$\begin{array}{r} \overset{1}{}6.3 \\ + 1.8 \\ \hline 8.1 \end{array}$$

3
$$\begin{array}{r} \overset{1}{}7.4 \\ + 1.9 \\ \hline 9.3 \end{array}$$

4 (딸기 우유의 양) $= 0.3 + 1.2 = 1.5$ (L)

개념 확인 문제 85쪽

1 0.5, 0.2 **2** (1) 3.3 (2) 2.7
3 2.6 **4** 0.9 L

풀이

1 0.7에서 왼쪽으로 5칸만큼 이동하면 0.2가 됩니다.
→ $0.7-0.5=0.2$

2 (1)
$$\begin{array}{r} 3.9 \\ -\ 0.6 \\ \hline 3.3 \end{array}$$
(2)
$$\begin{array}{r} \overset{4\ \ 10}{\cancel{5}.1} \\ -\ 2.4 \\ \hline 2.7 \end{array}$$

3
$$\begin{array}{r} \overset{3\ \ 10}{\cancel{4}.2} \\ -\ 1.6 \\ \hline 2.6 \end{array}$$

4 (남은 물의 양)
= (물병에 들어 있던 물의 양) − (마신 물의 양)
= $1.5-0.6=0.9$ (L)

 개념 확인 문제 87쪽

1 0.29, 0.84 **2** (1) 0.58 (2) 2.45
3 ✕ **4** 9.24 km

풀이

1 작은 눈금 한 칸의 크기가 0.01이므로 모눈 29칸은 0.29, 모눈 84칸은 0.84입니다.
→ $0.55+0.29=0.84$

3 $2.35+0.17=2.52$, $1.44+1.58=3.02$

4 $5.16+4.08=9.24$ (km)

 개념 확인 문제 89쪽

1 (1) 3.56 (2) 1.91 **2** 3.74
3 11.43 **4** 2.88 kg

풀이

2 $5.34-1.6=3.74$

3 $15.2-3.77=11.43$

4 $3.45-0.57=2.88$ (kg)

 문제 해결력 문제 91쪽

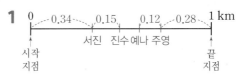

2 0.49 km **3** 0.6 km

풀이

1 조건에 따라 네 사람이 굴린 공의 위치를 그림으로 나타내어 봅니다.

2 $0.34+0.15=0.49$ (km)

3 $1-0.28-0.12=0.6$ (km)

개념÷확인 96~97쪽

1 (1) 0.87 (2) $2\frac{156}{1000}$ **2** 0.003
3 8, 3, 0.001 **4** (1) 0.7 (2) 125
5 (1) < (2) > **6** (1) 3.25 (2) 0.82
7 1.499 L **8** 2.87 m

풀이

2 3은 소수 셋째 자리 숫자이므로 0.003을 나타냅니다.

3 $7.834=7+0.8+0.03+0.004$

4 (1) $7 \xrightarrow{\frac{1}{10}} 0.7$ (2) $12.5 \xrightarrow{10배} 125$

5 (1) $\underset{4<7}{4.965 < 7.52}$ (2) $\underset{2>0}{2.082 > 2.080}$

6 (1)
$$\begin{array}{r} \overset{1}{0}.0\ 8 \\ +\ 3.1\ 7 \\ \hline 3.2\ 5 \end{array}$$
(2)
$$\begin{array}{r} \overset{1\ \ 10}{\cancel{2}.6\ 2} \\ -\ 1.8 \\ \hline 0.8\ 2 \end{array}$$

정답 및 풀이

7 1000 mL=0.001 L이므로 659 mL=0.659 L입니다. 지후와 서진이가 마신 물은 모두 0.84+0.659=1.499 (L)입니다.

8 (사용한 색 테이프의 길이)=5.17−2.3=2.87 (m)

서술형 문제 해결하기   98~99쪽

1-1 ❶ 70, 0.07   ❷ ㉡
/ ㉡

1-2 예 ❶ 각각의 수를 구하면
㉠ 24의 $\frac{1}{100}$은 0.24이고,
㉡ 0.024의 100배는 2.4입니다.
❷ 2.4와 같은 수는 ㉡입니다. / ㉡

1-3 예 ❶ 3.87은 387에서 소수점을 기준으로 수가 왼쪽으로 두 자리 이동하였으므로 $\frac{1}{100}$인 수입니다. → ㉠=100
3.87은 0.387에서 소수점을 기준으로 수가 오른쪽으로 두 자리 이동하였으므로 10배 한 수입니다. → ㉡=10
❷ ㉠과 ㉡의 합은 100+10=110입니다.
/ 110

1-4 예 ❶ 어떤 수의 100배를 한 수가 7.5이므로 어떤 수는 7.5의 $\frac{1}{100}$을 한 수이므로 0.075입니다.
❷ 어떤 수의 10배를 한 수는 0.075의 10배인 0.75입니다. / 0.75

2-1 ❶ 4.32, 2.34   ❷ 4.32, 2.34, 6.66
/ 6.66

2-2 예 ❶ 만들 수 있는 가장 큰 소수 두 자리 수는 7.51이고, 가장 작은 소수 두 자리 수는 1.57입니다.
❷ ❶에서 만든 두 수의 차는 7.51−1.57=5.94입니다. / 5.94

2-3 예 ❶ 만들 수 있는 가장 큰 소수 두 자리 수는 9.42이고, 두 번째로 큰 소수 두 자리 수는 9.24입니다.

❷ ❶에서 만든 두 수의 합은 9.42+9.24=18.66입니다. / 18.66

2-4 예 ❶ 일의 자리에 4보다 작은 숫자가 놓이도록 소수 두 자리 수를 만들면 1.36, 1.63, 3.16, 3.61입니다.
❷ ❶에서 만든 수 중에서 가장 큰 수는 3.61이고, 가장 작은 수는 1.36이므로 두 수의 차는 3.61−1.36=2.25입니다.
/ 2.25

풀이

1-1	채점 기준	❶ 각각의 수 구하기	4점
		❷ 0.07과 같은 수 구하기	4점
1-2	채점 기준	❶ 각각의 수 구하기	6점
		❷ 2.4와 같은 수 구하기	6점
1-3	채점 기준	❶ ㉠과 ㉡의 값 각각 구하기	8점
		❷ ㉠과 ㉡의 합 구하기	7점
1-4	채점 기준	❶ 어떤 수 구하기	8점
		❷ 어떤 수의 10배를 한 수 구하기	7점
2-1	채점 기준	❶ 만들 수 있는 가장 큰 소수 두 자리 수와 가장 작은 소수 두 자리 수 구하기	4점
		❷ ❶에서 만든 두 수의 합 구하기	4점
2-2	채점 기준	❶ 만들 수 있는 가장 큰 소수 두 자리 수와 가장 작은 소수 두 자리 수 구하기	6점
		❷ ❶에서 만든 두 수의 차 구하기	6점
2-3	채점 기준	❶ 만들 수 있는 가장 큰 소수 두 자리 수와 두 번째로 큰 소수 두 자리 수 구하기	8점
		❷ ❶에서 만든 두 수의 합 구하기	7점
2-4	채점 기준	❶ 4보다 작은 소수 두 자리 수 구하기	8점
		❷ ❶에서 만든 수 중 가장 큰 수와 가장 작은 수의 차 구하기	7점

단원 평가   100~102쪽

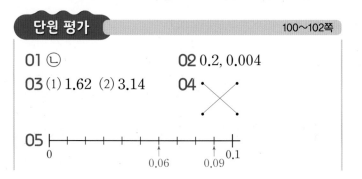

01 ㉡   **02** 0.2, 0.004
03 (1) 1.62 (2) 3.14   **04**
05

06 2.89

07 ㉡

08 7.145

09 0.005, 10

10 (1) 100 (2) 10

11 (1) > (2) <

12 ㉢, ㉠, ㉡

13 2.657

14 예 ❶ 1000 m＝0.001 km이므로
250 m＝0.25 km입니다.
❷ 정원이네 집에서 학교를 지나 도서관까
지의 거리는 0.73＋0.25＝0.98 (km)입
니다. / 0.98 km

15 2.19

16 2.17

17 예 ❶ 1000 mL＝0.001 L이므로
2110 mL＝2.11 L입니다.
❷ 진우가 마신 우유의 양은
2.6－2.11＝0.49 (L)입니다. / 0.49 L

18 1000배

19 122.21

20 예 ❶ 어떤 수를 □라고 하면 □－4.27＝5.9,
□＝5.9＋4.27, □＝10.17입니다.
❷ 바르게 계산하면 10.17＋4.27＝14.44
입니다. / 14.44

풀이

01 소수점 아래부터는 숫자만 차례로 읽습니다.
㉡ 6.05 → 육 점 영오

02 6.274＝6＋0.2＋0.07＋0.004

03 (2)
$$\begin{array}{r} {\scriptstyle 1} \\ 2.2\,4 \\ +\ 0.9 \\ \hline 3.1\,4 \end{array}$$

04
$$\begin{array}{r} {\scriptstyle 2\ 10} \\ \cancel{3}.6 \\ -\ 1.7 \\ \hline 1.9 \end{array}, \quad \begin{array}{r} {\scriptstyle 4\ 10} \\ \cancel{5}.1\,6 \\ -\ 3.4 \\ \hline 1.7\,6 \end{array}$$

05 0.1을 똑같이 10칸으로 나누었으므로 작은 눈금
한 칸의 크기는 0.01입니다. → 0.06은 0에서 오른
쪽으로 6칸만큼 이동한 곳에, 0.09는 0에서 오른쪽
으로 9칸만큼 이동한 곳에 나타냅니다.

06 1이 2개이면 2, 0.1이 7개이면 0.7, $\frac{1}{100}$이 19개이
면 0.19이므로 2.89입니다.

07 ㉠ $\frac{237}{1000}$＝0.23<u>7</u>
㉡ 0.001이 463개인 수 → 0.463

08 5.1<u>6</u> → 일의 자리: 5,
3.0<u>5</u>9 → 소수 둘째 자리: 0.05,
7.14<u>5</u> → 소수 셋째 자리: 0.005
→ 5가 나타내는 수가 가장 작은 수는 0.005를 나
타내는 7.145입니다.

09 0.05의 $\frac{1}{10}$은 0.005입니다.
0.5는 0.05를 10배 한 수입니다.

10 (1) 379의 $\frac{1}{100}$인 수 → 3.79
(2) 0.379를 10배 한 수 → 3.79

11 (1) 2.<u>6</u>9 > 2.<u>0</u>83   (2) 4.1<u>5</u> < 4.<u>6</u>05
　　　　6>0　　　　　　　　　　1<6

12 1.58 > 1.236 > 0.729

13 □ 안에 들어갈 수 있는 수는 2.656보다 커야 하므
로 가장 작은 소수 세 자리 수는 2.657입니다.

14

채점 기준	❶ 학교에서 도서관까지의 거리를 km 단위로 나타 내기	2점
	❷ 정원이네 집에서 학교를 지나 도서관까지의 거리 구하기	3점

15 ㉠ 0.1이 25개인 수는 2.5, ㉡ $\frac{1}{100}$(＝0.01)이 31
개인 수는 0.31 → 2.5－0.31＝2.19

16 0.365를 10배 한 수는 3.65입니다.
→ 3.65－1.48＝2.17

17

채점 기준	❶ 남은 우유의 양을 L 단위로 나타내기	2점
	❷ 진우가 마신 우유의 양 구하기	3점

18 ㉠은 일의 자리 숫자이므로 7을 나타내고, ㉡은 소
수 셋째 자리 숫자이므로 0.007을 나타냅니다.
→ 7은 0.007을 1000배 한 수입니다.

19 만들 수 있는 가장 큰 소수 두 자리 수는 96.52이
고, 가장 작은 소수 두 자리 수는 25.69입니다.
→ 96.52＋25.69＝122.21

20

채점 기준	❶ 어떤 수 구하기	3점
	❷ 바르게 계산한 값 구하기	2점

④ 사각형

개념 확인 문제 107쪽 ●

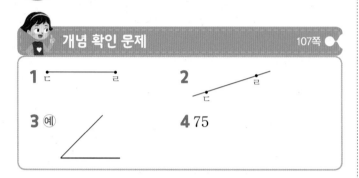

1 ㄷ ─── ㄹ

2 ㄷ ╱ ㄹ

3 (예)

4 75

풀이

1 점 ㄷ과 점 ㄹ을 곧게 잇습니다.

2 점 ㄷ과 점 ㄹ을 지나도록 긋습니다.

3 0°보다 크고 직각보다 작은 각을 그립니다.

4 사각형의 네 각의 크기의 합은 360°이므로
□°=360°−105°−60°−120°=75°입니다.

개념 확인 문제 109쪽 ●

1 다   **2** 가

3 (예)

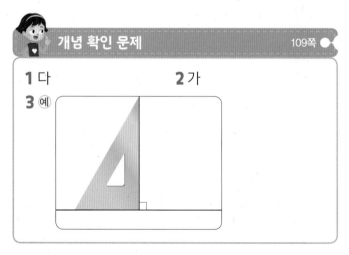

풀이

1 직선 가와 만나서 이루는 각이 직각인 직선은 직선 다입니다.

2 직선 다와 직선 가는 서로 수직으로 만납니다.

3 삼각자의 직각 부분을 이용하여 주어진 직선에 대한 수선을 긋습니다.
　참고 한 직선에 대한 수선을 셀 수 없이 많이 그을 수 있습니다.

개념 확인 문제 111쪽 ●

1 나   **2** 마

3 (예)

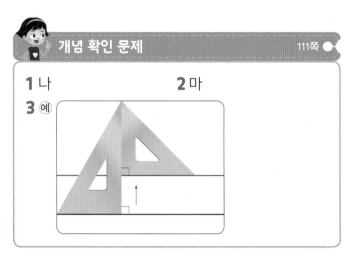

풀이

1 직선 가와 직선 나는 아무리 늘여도 서로 만나지 않으므로 서로 평행합니다.

2 직선 라와 직선 마는 아무리 늘여도 서로 만나지 않으므로 서로 평행합니다.

3 주어진 직선과 평행한 직선은 셀 수 없이 많이 그을 수 있습니다.
　참고 **주어진 직선과 평행한 직선 긋기**
　① 삼각자 2개를 놓은 후 한 삼각자를 고정시킵니다.
　② 다른 삼각자를 움직여 평행선을 긋습니다.

개념 확인 문제 113쪽 ●

1 ㄹ   **2** 6 cm

3 변 ㄱㄴ   **4** 2 cm

풀이

1 평행선 사이의 수선의 길이를 찾습니다.

2 직선 가와 직선 나 사이의 수선의 길이는 6 cm입니다.

3 변 ㄱㄹ과 변 ㄴㄷ이 서로 평행하므로 평행선 사이의 수선의 길이인 변 ㄱㄴ이 평행선 사이의 거리입니다.

4 평행선의 한 직선에서 다른 직선에 수선을 긋고 그 수선의 길이를 잽니다.

개념 확인 문제   115쪽

1 한에 ○표

2 변 ㄱㄹ과 변 ㄴㄷ

3 예
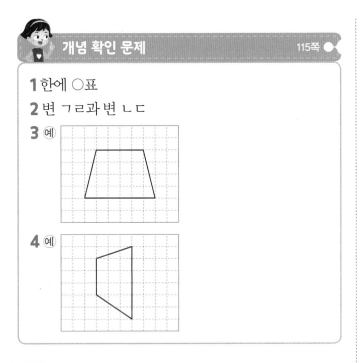

4 예

풀이

1 사다리꼴은 평행한 변이 한 쌍이라도 있는 사각형입니다.

2 한 변에 수직인 두 변을 찾습니다.

3~4 주어진 선분을 사용하여 평행한 변이 한 쌍이라도 있는 사각형을 그립니다.

> **주의** 평행한 변이 한 쌍만 있는 사각형만 사다리꼴이 아니라 평행한 변이 두 쌍 있어도 사다리꼴입니다.

개념 확인 문제   117쪽

1 2쌍

2 (   ) (○) (   )

3 24 cm

4 예

풀이

1 평행사변형에서 서로 평행한 변은 2쌍입니다.

2 두 쌍의 마주 보는 변이 서로 평행한 사각형을 평행사변형이라고 합니다.

3 평행사변형은 마주 보는 두 변의 길이가 같습니다.
(네 변의 길이의 합)＝5＋7＋5＋7＝24 (cm)

4 두 쌍의 마주 보는 변이 평행하도록 꼭짓점을 한 개만 옮깁니다.

개념 확인 문제   119쪽

1 (1) 같습니다에 ○표
(2) 같습니다에 ○표
(3) 같습니다에 ○표
(4) 수직에 ○표, 둘로에 ○표

2 (   ) (   ) (○)

3 (위에서부터) 90, 3

풀이

1 마름모의 정의와 성질을 알아봅니다.
(1) 마름모는 네 변의 길이가 모두 같습니다.
(2) 마름모는 마주 보는 두 변의 길이가 같습니다.
(3) 마름모는 마주 보는 두 각의 크기가 같습니다.
(4) 마름모에서 마주 보는 꼭짓점끼리 이은 두 선분은 서로 수직이고, 서로를 똑같이 둘로 나눕니다.

2 네 변의 길이가 모두 같은 사각형을 찾습니다.

3 마름모에서 마주 보는 꼭짓점끼리 이은 두 선분은 서로 수직이고, 서로를 똑같이 둘로 나눕니다.

정답 및 풀이

개념 확인 문제 | 121쪽

1 (1) 직각에 ○표   (2) 같습니다에 ○표
   (3) 같습니다에 ○표   (4) 같습니다에 ○표

2 (1) 직각에 ○표   (2) 같습니다에 ○표
   (3) 같습니다에 ○표   (4) 같습니다에 ○표
   (5) 수직으로 만납니다에 ○표

풀이

1 직사각형의 정의와 성질을 알아봅니다.
   (1) 네 각이 모두 직각입니다.
   (2) 두 쌍의 마주 보는 변은 서로 평행하고 길이가 같습니다.
   (3) 마주 보는 두 각의 크기가 같습니다.
   (4) 마주 보는 꼭짓점끼리 이은 두 선분의 길이는 같습니다.

2 정사각형의 정의와 성질을 알아봅니다.
   (1) 네 각이 모두 직각입니다.
   (2) 네 변의 길이가 모두 같습니다.
   (3) 두 쌍의 마주 보는 변은 서로 평행하고 길이가 같습니다.
   (4) 마주 보는 두 각의 크기는 같습니다.
   (5) 마주 보는 꼭짓점끼리 이은 두 선분은 수직으로 만납니다.

문제 해결력 문제 | 123쪽

1 직사각형

2 정사각형

풀이

1 ・4개의 선분으로 둘러싸인 도형은 사각형입니다.
   ・마주 보는 두 변의 길이가 같은 사각형은 평행사변형, 마름모, 직사각형, 정사각형입니다.

・그중에서 네 각의 크기가 모두 같지만 네 변의 길이가 같지 않은 사각형은 직사각형입니다.

2 ・두 쌍의 마주 보는 변이 서로 평행한 사각형은 평행사변형, 마름모, 직사각형, 정사각형입니다.
   ・그중에서 네 각이 모두 직각인 사각형은 직사각형, 정사각형입니다.
   ・그중에서 네 변의 길이가 모두 같은 사각형은 정사각형입니다.

개념➕확인 | 128~129쪽

1 나, 라   **2** 직선 나

3 5 cm   **4** 4개

5 (위에서부터) 70, 110

6 2개

7 (위에서부터) 12, 24

8 (위에서부터) 90, 9, 90

풀이

1 두 변이 만나서 이루는 각이 직각인 부분이 있는 도형은 나, 라입니다.

2 직선 가와 서로 만나지 않는 직선을 찾습니다.

3 평행선의 한 직선에서 다른 직선에 수선을 긋고 그 수선의 길이를 잽니다.

4 평행한 변이 한 쌍이라도 있는 사각형을 찾습니다.

5 평행사변형은 마주 보는 두 각의 크기가 같습니다.

6 마름모는 가, 마로 2개입니다.
   참고 네 변의 길이가 모두 같은 사각형을 마름모라고 합니다.

7 직사각형은 마주 보는 두 변의 길이가 같습니다.

8 정사각형은 네 변의 길이가 모두 같고 네 각이 모두 직각입니다.

1-1 ❶ ㄱㄴ, ㄹㄷ ❷ 12 / 12 cm

1-2 예 ❶ 평행한 두 변은 변 ㄱㄹ과 변 ㄴㄷ입니다.

❷ 평행선 사이의 거리는 변 ㄱㄴ의 길이와 같으므로 4 cm입니다.

/ 4 cm

1-3 예 ❶ 평행한 두 변은 변 ㄱㄹ과 변 ㄴㄷ이므로 평행선 사이의 거리는 변 ㄱㄴ의 길이입니다.

❷ (각 ㄴㄱㄷ)=180°−90°−45°=45°이므로 삼각형 ㄱㄴㄷ은 이등변삼각형입니다. 따라서 평행선 사이의 거리는 (변 ㄱㄴ)=(변 ㄴㄷ)=12 cm입니다.

/ 12 cm

1-4 예 ❶ 평행선 사이의 거리는 변 ㅂㅁ의 길이와 변 ㄹㄷ의 길이의 합과 같습니다.

❷ 평행선 사이의 거리는 (변 ㅂㅁ)+(변 ㄹㄷ)=3+6=9 (cm)입니다.

/ 9 cm

2-1 ❶ 둘로에 ○표 ❷ 10, 2, 20 / 20 cm

2-2 예 ❶ 마름모에서 마주 보는 꼭짓점끼리 이은 두 선분은 서로를 똑같이 둘로 나눕니다.

❷ (선분 ㄱㄷ)=(선분 ㄱㅁ)×2 =7×2=14 (cm)

/ 14 cm

2-3 예 ❶ 마름모에서 마주 보는 꼭짓점끼리 이은 두 선분은 서로를 똑같이 둘로 나눕니다.

❷ (선분 ㄴㄹ)=(선분 ㄴㅁ)×2 =14×2=28 (cm)

/ 28 cm

2-4 예 ❶ 마름모에서 마주 보는 꼭짓점끼리 이은 두 선분은 서로를 똑같이 둘로 나눕니다.

❷ (선분 ㄱㄷ)=18×2=36 (cm)이므로 선분 ㄱㄷ과 선분 ㄴㄹ의 길이의 자는 36−24=12 (cm)입니다.

/ 12 cm

풀이

1-1	채점기준	❶ 평행선 찾기	4점
		❷ 평행선 사이의 거리 구하기	4점
1-2	채점기준	❶ 평행선 찾기	6점
		❷ 평행선 사이의 거리 구하기	6점
1-3	채점기준	❶ 변 ㄱㄴ의 길이가 평행선 사이의 거리임을 알기	7점
		❷ 평행선 사이의 거리 구하기	8점
1-4	채점기준	❶ 변 ㅂㅁ의 길이와 변 ㄹㄷ의 길이의 합이 평행선 사이의 거리임을 알기	7점
		❷ 평행선 사이의 거리 구하기	8점
2-1	채점기준	❶ 마름모의 성질 알기	4점
		❷ 선분 ㄴㄹ의 길이 구하기	4점
2-2	채점기준	❶ 마름모의 성질 알기	6점
		❷ 선분 ㄱㄷ의 길이 구하기	6점
2-3	채점기준	❶ 마름모의 성질 알기	7점
		❷ 선분 ㄴㄹ의 길이 구하기	8점
2-4	채점기준	❶ 마름모의 성질 알기	7점
		❷ 선분 ㄱㄷ과 선분 ㄴㄹ의 길이의 차 구하기	8점

단원 평가 132~134쪽

01 수선　02 ㉣
03 마름모　04 (왼쪽에서부터) 90, 8
05 가, 라, 마, 바　06 사다리꼴
07 3개　08 2개
09 직선 마
10 예

11 ⓐ
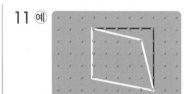

12 ⓐ
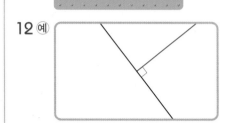

13 4 cm

14 ❶ 마름모입니다.

　❷ ⓐ 도형의 네 변의 길이가 모두 같기 때문에 마름모라고 할 수 있습니다.

15 54 cm　　　　　16 110°

17 ⓐ ❶ 평행사변형은 이웃한 두 각의 크기의 합이 180°입니다.

　❷ 80°＋㉠＝180°, ㉠＝100°입니다.

　/ 100°

18 ⓐ 사다리꼴, 평행사변형, 마름모, 직사각형, 정사각형에 ○표

19 변 ㄱㅂ, 변 ㅁㄹ

20 ⓐ ❶ 직사각형 가의 네 변의 길이의 합은 9＋7＋9＋7＝32 (cm)입니다.

　❷ 정사각형 나의 네 변의 길이의 합이 32 cm 이므로 한 변의 길이는 32÷4＝8 (cm)입니다.

　/ 8 cm

풀이

01 두 직선이 서로 수직일 때 한 직선을 다른 직선에 대한 수선이라고 합니다.

02 평행선 사이의 수선의 길이를 찾습니다.

03 네 변의 길이가 모두 같은 사각형을 마름모라고 합니다.

04 정사각형은 네 변의 길이가 모두 같고 네 각이 모두 직각입니다.

05 평행한 변이 한 쌍이라도 있는 사각형을 찾으면 가, 라, 마, 바입니다.

06 평행한 변이 한 쌍이라도 있는 사각형을 사다리꼴이라고 합니다.

07 평행사변형은 다, 라, 마로 3개입니다.

08 직선 가와 만나서 이루는 각이 직각인 직선은 직선 나, 직선 마이므로 모두 2개입니다.

09 직선 나와 직선 마는 직선 가에 대한 수선이므로 직선 나와 직선 마는 서로 평행합니다.

10 주어진 직선과 평행한 직선을 그어 봅니다.

11 평행한 변이 한 쌍이라도 있는 사각형이 되도록 한 꼭짓점을 옮깁니다.

12 삼각자의 직각 부분을 이용하여 주어진 직선에 대한 수선을 긋습니다.

13 평행선 사이의 수선의 길이는 4 cm입니다.

14

채점 기준	❶ 도형이 마름모인지 아닌지 쓰기	2점
	❷ 그 이유를 쓰기	3점

15 평행사변형은 마주 보는 두 변의 길이가 같습니다.

(네 변의 길이의 합)＝12＋15＋12＋15＝54 (cm)

16 마름모는 이웃한 두 각의 크기의 합이 180°입니다.

70°＋㉠＝180°, ㉠＝110°입니다.

17

채점 기준	❶ 평행사변형의 성질 알기	2점
	❷ ㉠은 몇 도인지 구하기	3점

18 네 변의 길이가 모두 같고 네 각이 모두 직각이므로 정사각형입니다. 정사각형은 사다리꼴, 평행사변형, 마름모, 직사각형입니다.

19 서로 만나지 않는 두 직선은 평행하다고 합니다. 변 ㄴㄷ과 평행한 변은 변 ㄱㅂ, 변 ㅁㄹ입니다.

20

채점 기준	❶ 직사각형 가의 네 변의 길이의 합을 구하기	2점
	❷ 정사각형 나의 한 변의 길이를 구하기	3점

⑤ 꺾은선그래프

개념 확인 문제 139쪽

1 계절, 학생 수 **2** 1명
3 6명 **4** 봄

풀이

1 가로에는 계절, 세로에는 학생 수를 나타내었습니다.

2 세로 눈금 5칸이 5명을 나타내므로 세로 눈금 한 칸은 1명을 나타냅니다.

3 가을은 세로 눈금 6칸이므로 가을에 태어난 학생은 6명입니다.

4 막대가 가장 긴 계절은 봄입니다. 따라서 가장 많은 학생들이 태어난 계절은 봄입니다.

> **참고** 학생 수를 막대의 길이로 나타낸 것이므로 막대가 길수록 학생 수가 많습니다.

개념 확인 문제 141쪽

1 시각, 온도 **2** 1 ℃
3 9 ℃ **4** 오후 1시

풀이

1 가로에는 시각, 세로에는 교실의 온도를 나타내었습니다.

2 세로 눈금 5칸이 5 ℃를 나타내므로 세로 눈금 한 칸은 1 ℃를 나타냅니다.

3 오전 11시에는 9칸이므로 9 ℃입니다.

4 오후 1시 이후로 꺾은선이 내려갔습니다.

> **참고** 그래프가 오른쪽 위로 올라가면 온도가 높아진 것이고, 그래프가 오른쪽 아래로 내려가면 온도가 낮아진 것입니다.

개념 확인 문제 143쪽

1 월 **2** 예 1 kg

3

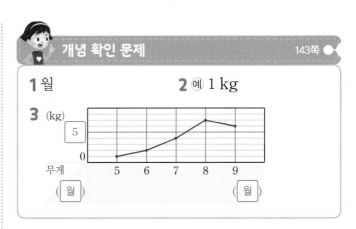

풀이

1 세로에 무게를 나타내면 가로에는 월을 나타내야 합니다.

2 강아지의 무게 중 가장 큰 값은 7 kg이고 세로 눈금은 9칸까지 있으므로 한 칸의 크기를 1 kg로 하는 것이 좋습니다.

3 세로 눈금을 쓰고, 가로에 '월'을 쓴 다음 월별 무게를 그래프로 나타냅니다.

개념 확인 문제 145쪽

1 18 ℃ **2** 6 ℃
3 목요일 **4** 목요일

풀이

1 세로 눈금 한 칸은 2 ℃를 나타내므로 수요일의 최고 기온은 18 ℃입니다.

2 월요일은 14 ℃, 화요일은 20 ℃이므로 화요일의 최고 기온은 월요일보다 20−14＝6 (℃) 더 높습니다.

3 그래프가 가장 높은 때는 목요일입니다.
따라서 최고 기온이 가장 높은 때는 목요일입니다.

4 전날에 비해 꺾은선이 가장 많이 기울어진 때는 목요일입니다.
따라서 전날에 비해 기온의 변화가 가장 큰 요일은 목요일입니다.

 개념 확인 문제 147쪽

1 1000원

2 40000원, 51000원

3 ⑩ 0원, 40000원

풀이

1 세로 눈금 5칸은 5000원을 나타내므로 세로 눈금 한 칸은 1000원을 나타냅니다.

2 배 한 상자의 가장 낮은 가격은 40000원, 가장 높은 가격은 51000원입니다.

3 필요 없는 부분을 물결선으로 나타내었습니다.

　참고 0원부터 40000원 아래까지는 해당하는 값이 없으므로 물결선으로 생략한 것입니다.

개념 확인 문제 151쪽

1 ⑩

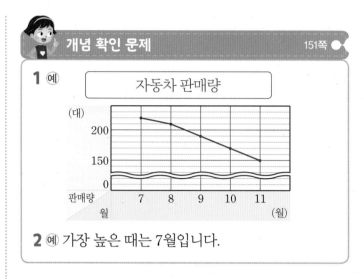

자동차 판매량

2 ⑩ 가장 높은 때는 7월입니다.

풀이

1 각 월별 자동차 판매량을 나타내고 제목을 씁니다.

2 그래프를 보고 자동차 판매량을 알 수 있는 내용을 써 봅니다.

　다른 답 ⑩ 자동차 판매량이 12월에는 11월보다 줄어들 것입니다.

개념 확인 문제 149쪽

1 ⑩ 하늘이네 지역의 연도별 적설량

2

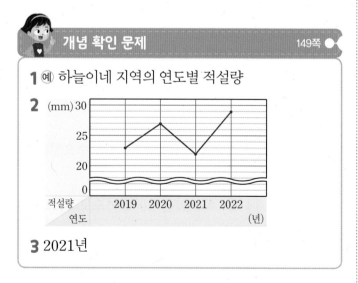

3 2021년

풀이

1 표의 제목을 보면 쉽게 알 수 있습니다.

2 각 연도별 적설량을 나타내어 봅니다.

3 전년도에 비해 아래쪽으로 내려간 때는 2021년입니다.

개념 확인 문제 153쪽

1 ⑩ 막대그래프

2

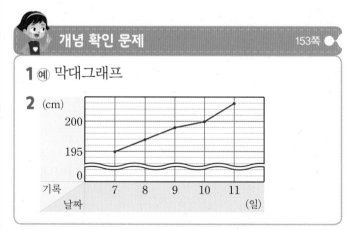

풀이

1 학생별 횟수는 막대그래프가 알맞습니다.

2 기록의 변화를 나타내기에 꺾은선그래프가 알맞습니다.

　주의 물결선을 사용할 때는 그래프가 물결선 아래로 내려가서 끊어지는 경우가 없도록 해야 합니다.

7 8일과 9일 사이

8 예 6일과 9일의 기온은 전날에 비해 낮아졌습니다.

예 기온이 가장 높은 날은 8일입니다.

풀이

1 가로에는 요일을, 세로에는 요일별 대출 도서 수를 나타내었습니다.

2 세로 눈금 한 칸은 2권을 나타내므로 화요일의 대출 도서는 16권입니다.

3 그래프가 가장 낮은 때는 수요일입니다.

4 그래프가 내려가다가 목요일부터 올라갑니다.

5 최저 기온이 22 ℃이므로 물결선을 0 ℃와 20 ℃ 사이에 넣어 필요 없는 부분을 생략할 수 있습니다.

6 기온에 맞게 그래프를 나타내고, 제목을 씁니다.

7 그래프가 가장 많이 기울어진 때를 찾으면 8일과 9일 사이입니다.

8 그래프를 보고 여러 가지 사실을 알아봅니다.

문제 해결력 문제   155쪽

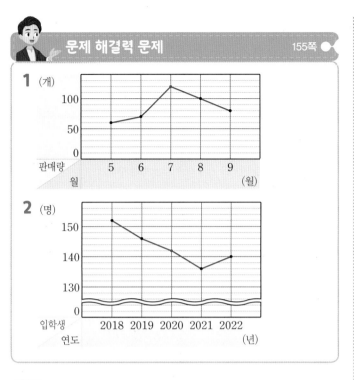

1 (개)

2 (명)

풀이

1 5개월 동안의 판매량의 합이 430개이므로 7월의 판매량은 430개에서 5, 6, 8, 9월의 판매량의 합을 뺍니다.

(5월, 6월, 8월, 9월 판매량의 합)

＝60＋70＋100＋80＝310(개)

(7월의 판매량)＝430－310＝120(개)

2 (2018년, 2019년, 2021년, 2022년의 입학생 수의 합)

＝152＋146＋136＋140＝574(명)

(2020년의 입학생 수)＝716－574＝142(명)

개념 확인   160～161쪽

1 요일, 도서 수   **2** 16권

3 수요일   **4** 목요일

5 예 0 ℃와 20 ℃ 사이

6 예

하루 중 최고 기온

(℃)

서술형 문제 해결하기   162～163쪽

1-1 ❶ 12, 1

❷ 12, 1

/ 낮 12시와 오후 1시 사이

1-2 예 ❶ 그래프가 가장 많이 기울어진 때는 3주와 4주 사이입니다.

❷ 강낭콩의 키의 변화가 가장 큰 때는 3주와 4주 사이입니다.

/ 3주와 4주 사이

1-3 예 ❶ 그래프가 가장 적게 기울어진 때는 6월과 7월 사이입니다.

❷ 판매량의 변화가 가장 적은 때는 6월과 7월 사이입니다.

/ 6월과 7월 사이

1-4 예 ❶ 적설량의 변화가 가장 적은 때는 오후 1시와 오후 2시 사이입니다.

❷ 오후 1시와 오후 2시 사이는 세로 눈금 2칸 차이이므로 적설량의 차는 2 mm 입니다.

/ 2 mm

2-1 ❶ 3

❷ 3

/ 3회

2-2 예 ❶ 두 그래프가 가장 많이 벌어진 때는 8월입니다.

❷ 생산량의 차가 가장 큰 때는 8월입니다.

/ 8월

2-3 예 ❶ 두 그래프가 가장 적게 벌어진 때는 두 그래프가 만나는 2회 때입니다.

❷ 기록의 차가 가장 작은 때는 2회입니다.

/ 2회

2-4 예 ❶ 지수와 민서의 키가 같아지는 때는 3학년입니다.

❷ 3학년 이후로 민서의 키가 커집니다.

/ 3학년 이후

풀이

1-1

채점 기준		
❶ 그래프가 가장 많이 기울어진 때 찾기		4점
❷ 기온의 변화가 가장 클 때 구하기		4점

1-2

채점 기준		
❶ 그래프가 가장 많이 기울어진 때 찾기		6점
❷ 키의 변화가 가장 클 때 구하기		6점

1-3

채점 기준		
❶ 그래프가 가장 적게 기울어진 때 구하기		8점
❷ 판매량의 변화가 가장 적을 때 구하기		7점

1-4

채점 기준		
❶ 적설량의 변화가 가장 적을 때 구하기		8점
❷ 적설량의 차 구하기		7점

2-1

채점 기준		
❶ 두 그래프가 가장 많이 벌어진 때 구하기		4점
❷ 기록의 차가 가장 클 때 구하기		4점

2-2

채점 기준		
❶ 두 그래프가 가장 많이 벌어진 때 구하기		6점
❷ 생산량의 차가 가장 클 때 구하기		6점

2-3

채점 기준		
❶ 두 그래프가 가장 적게 벌어진 때 구하기		8점
❷ 기록의 차가 가장 적을 때 구하기		7점

2-4

채점 기준		
❶ 두 사람의 키가 같아지는 때 구하기		8점
❷ 민서의 키가 더 커지는 학년 구하기		7점

단원 평가

164~166쪽

01 날짜, 생산량　　**02** 10판

03 140판　　**04** 4, 5

05 키, 주　　**06** 예 2 cm

07 예

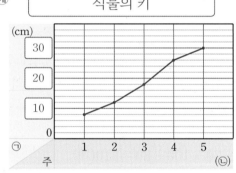

식물의 키

08 예 점점 커지고 있습니다.

09 16 mm　　**10** 6 mm

11 예 ❶ 오후 3시에 잰 강우량은 약 20 mm입니다.

❷ 낮 12시부터 강우량이 4 mm씩 늘어나고 있으므로 오후 3시에는 오후 2시의 강우량보다 4 mm 더 늘어난 20 mm로 예상할 수 있습니다.

/ 예 20 mm

12 310상자, 400상자　　**13** 예 10상자

14 예

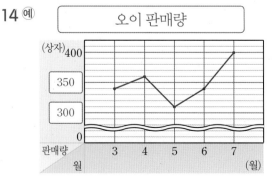

오이 판매량

15 26

16 예

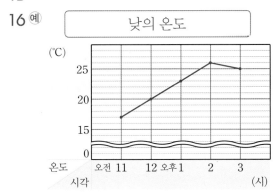

낮의 온도

(℃)

25

20

15

온도 0

시각 오전 11 12 오후 1 2 3 (시)

17 예 ❶ 기온이 가장 높은 때는 오후 2시입니다.

❷ 기온이 떨어지기 시작한 때는 오후 2시입니다.

18 막대그래프

19 예

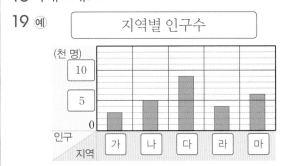

지역별 인구수

(천 명)

10

5

인구 0

지역 가 나 다 라 마

20 예 ❶ 인구가 가장 많은 지역은 다 지역으로 9000명이고, 가장 적은 지역은 가 지역으로 3000명입니다.

❷ 9000÷3000=3이므로 다 지역의 인구는 가 지역의 인구의 3배입니다.

/ 3배

풀이

01 가로는 날짜를, 세로는 날짜별 달걀 생산량을 나타냅니다.

02 세로 눈금 5칸이 50판을 나타내므로 세로 눈금 한 칸은 10판을 나타냅니다.

03 세로 눈금이 14칸이므로 140판입니다.

04 그래프가 아래로 내려간 때를 찾으면 4일과 5일 사이입니다.

05 가로 눈금의 단위는 주이고, 세로 눈금은 키를 나타냅니다.

06 식물의 키를 30 cm까지 나타내어야 하고, 세로 눈금은 19칸까지 있으므로 세로 눈금 한 칸의 크기를 2 cm로 나타내는 것이 좋습니다.

07 식물의 키에 맞게 점을 찍고, 선으로 연결합니다.

08 식물은 점점 자라고 있습니다.

09 세로 눈금 한 칸은 1 mm를 나타냅니다.
오후 2시에는 세로 눈금 16칸이므로 강우량은 16 mm입니다.

10 세로 눈금 한 칸은 1 mm를 나타냅니다.
오후 1시에는 오전 11시보다 세로 눈금이 6칸 더 높으므로 강우량은 6 mm 더 많습니다.

11

채점 기준		
❶ 오후 3시의 강우량 예상하기		2점
❷ 이유 설명하기		3점

12 가장 적은 판매량은 310상자, 가장 많은 판매량은 400상자입니다.

13 세로 눈금 한 칸의 크기를 작게 해야 합니다.

14 필요 없는 부분을 물결선으로 나타냅니다.

15 (오후 2시의 기온)=23+3=26 (℃)

16 기온에 맞게 그래프를 나타내고 제목을 씁니다.

17

채점 기준		
❶ 알 수 있는 내용 한 가지 쓰기		3점
❷ 알 수 있는 내용 다른 한 가지 쓰기		2점

18 지역별 인구를 비교하기 좋은 것은 막대그래프입니다.

19 세로 눈금 한 칸은 1000명을 나타냅니다.

20

채점 기준		
❶ 인구가 가장 많은 지역과 가장 적은 지역의 인구 수 구하기		3점
❷ 몇 배인지 구하기		2점

6 다각형

개념 확인 문제 171쪽

1 변, 꼭짓점
2 (1) 선분 ㄱㄴ 또는 선분 ㄴㄱ (2) 반직선 ㄹㄷ
3 5 **4** 24 cm

풀이

1 사각형, 오각형에서 곧은 선을 변이라 하고, 두 곧은 선이 만나는 점을 꼭짓점이라고 합니다.

2 (1) 두 점 ㄱ, ㄴ을 곧게 이은 선이므로 선분 ㄱㄴ 또는 선분 ㄴㄱ이라고 합니다.
(2) 점 ㄹ에서 시작하여 점 ㄷ을 지나 끝없이 늘인 곧은 선이므로 반직선 ㄹㄷ이라고 합니다.

3 정삼각형은 세 변의 길이가 모두 같습니다.

4 (마름모의 네 변의 길이의 합)
=6+6+6+6=24 (cm)

개념 확인 문제 173쪽

1 나, 라 **2** 다각형
3 가, 라
4 예

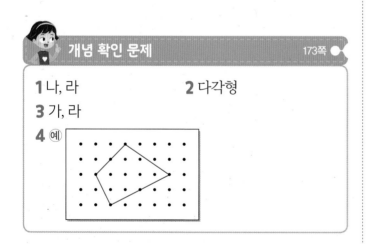

풀이

1 가 도형은 굽은 선이 포함되어 있고, 다 도형은 선분이 둘러싸여 있지 않습니다.

2 선분으로만 둘러싸인 도형을 다각형이라고 합니다.

3 선분으로만 둘러싸인 도형을 찾으면 가, 라입니다.

4 선분으로만 둘러싸인 도형을 그립니다.

개념 확인 문제 175쪽

1
2 예

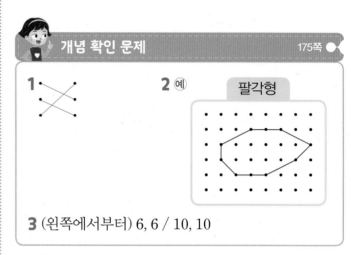

팔각형

3 (왼쪽에서부터) 6, 6 / 10, 10

풀이

1 ・첫 번째 도형: 변 9개 → 구각형
・두 번째 도형: 변 7개 → 칠각형
・세 번째 도형: 변 10개 → 십각형

2 변 8개로 둘러싸인 도형을 그립니다.

3 다각형의 변의 수와 꼭짓점의 수는 같습니다.

다각형	육각형	십각형
변의 수(개)	6	10
꼭짓점의 수(개)	6	10

개념 확인 문제 177쪽

1 정다각형
2 ( ) (○) (○) ( )
3 (1) 정칠각형 (2) 정팔각형
4 정구각형

풀이

1 정다각형에 대한 설명입니다.

2 변의 길이가 모두 같고, 각의 크기가 모두 같은 다각형을 찾습니다.

3 (1) 변이 7개이므로 정칠각형입니다.
　　(2) 변이 8개이므로 정팔각형입니다.

4 변의 길이가 모두 같고, 각의 크기가 모두 같은 다각형이므로 정다각형입니다.

개념 확인 문제　179쪽

1 선분 ㄱㄷ, 선분 ㄴㄹ

2 (1) 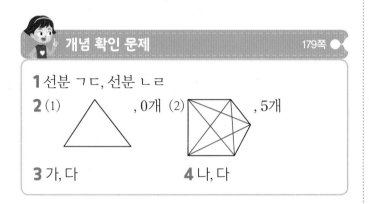 , 0개　(2) , 5개

3 가, 다

4 나, 다

풀이

1 사각형 ㄱㄴㄷㄹ의 꼭짓점 중 서로 이웃하지 않은 두 점을 이은 선분을 찾으면 선분 ㄱㄷ, 선분 ㄴㄹ입니다.

2 (1) 삼각형은 세 점이 모두 이웃하고 있으므로 대각선을 그을 수 없습니다.

3 마름모의 두 대각선은 서로 수직으로 만납니다.

4 직사각형의 두 대각선의 길이는 같습니다.

개념 확인 문제　181쪽

1 1, 2, 3

2 1개

3 예

4 예

풀이

1 정삼각형 모양 조각 1개, 평행사변형 모양 조각 2개, 정사각형 모양 조각 3개로 만들었습니다.

---

2 사용한 육각형 모양 조각은 1개입니다.

3 여러 가지 방법으로 만들 수 있습니다.

4 여러 가지 방법으로 만들 수 있습니다.

개념 확인 문제　183쪽

1

2 6개

3 예 , 예 2, 2

풀이

1 빈틈없이 채워 봅니다.

2 정삼각형 모양 조각을 6개 사용하여 채울 수 있습니다.

3 다른 방법으로 채울 수 있습니다.

　다른 답 예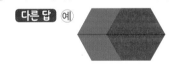

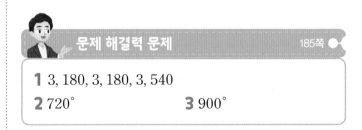

문제 해결력 문제　185쪽

1 3, 180, 3, 180, 3, 540

2 720°

3 900°

풀이

1
오각형은 삼각형 3 개로 나눌 수 있습니다.

삼각형의 세 각의 크기의 합은 180 °입니다.

오각형의 다섯 각의 크기의 합은 삼각형 3 개의 각의 크기의 합과 같으므로

180 °× 3 = 540 °입니다.

오각형의 다섯 각의 크기의 합은 삼각형 3개의 세 각의 크기의 합과 같습니다.

2 육각형은 사각형 2개로 나눌 수 있습니다.
사각형의 네 각의 크기의 합은 360°입니다.
육각형의 여섯 각의 크기의 합은 사각형 2개의 각의 크기의 합과 같으므로 360°×2=720°입니다.
다른 풀이 육각형은 삼각형 4개로 나눌 수 있습니다.
삼각형의 세 각의 크기의 합은 180°입니다.
육각형의 여섯 각의 크기의 합은 삼각형 4개의 각의 크기의 합과 같으므로 180°×4=720°입니다.

3 칠각형은 삼각형 5개로 나눌 수 있습니다.
삼각형의 세 각의 크기의 합은 180°입니다.
칠각형의 일곱 각의 크기의 합은 삼각형 5개의 각의 크기의 합과 같으므로 180°×5=900°입니다.

개념 ✚ 확인
190~191쪽

1 나, 라
2 (1) 칠각형 (2) 팔각형
3 (○) (×)
4 (1) 정오각형 (2) 정구각형
5
6 7
7 예
8 예

풀이

1 선분으로 둘러싸인 도형을 찾으면 나, 라입니다.

2 (1) 변이 7개이므로 칠각형입니다.
변이 8개이므로 팔각형입니다.

3 ·왼쪽 도형: 변의 길이가 모두 같고 각의 크기가 모두 같으므로 정다각형입니다.
·오른쪽 도형: 변의 길이는 모두 같지만 각의 크기가 다르므로 정다각형이 아닙니다.

4 (1) 변이 5개인 정다각형이므로 정오각형입니다.
(2) 변이 9개인 정다각형이므로 정구각형입니다.

5 한 꼭짓점에서 그을 수 있는 대각선을 모두 긋고, 다른 꼭짓점에서 또 긋는 방법으로 빠트리지 않고 그어 봅니다.
참고 한 꼭짓점에서 그을 수 있는 대각선은 3개입니다.

6 직사각형의 두 대각선의 길이는 같습니다.

7 모양 조각을 겹치지 않게 붙여서 삼각형을 만듭니다.

8 도형을 채울 때에는 모양 조각을 서로 겹치지 않게 빈틈없이 놓아야 합니다.

서술형 문제 해결하기
192~193쪽

1-1 ❶ 5, 같습니다에 ○표
❷ 8 / 8, 8, 8, 8, 8, 40 / 40 cm

1-2 예 ❶ 정칠각형은 변이 7개이고 변의 길이가 모두 같습니다.
❷ 정칠각형의 한 변의 길이가 9 cm이므로 모든 변의 길이의 합은
9+9+9+9+9+9+9=63 (cm)입니다. / 63 cm

1-3 예 ❶ 정육각형은 변이 6개이고 변의 길이가 모두 같습니다. 정육각형의 한 변의 길이가 7 cm이므로 모든 변의 길이의 합은 7+7+7+7+7+7=42 (cm)입니다.
사용한 철사의 길이는 42 cm입니다.
❷ 남은 철사의 길이는 50−42=8 (cm)입니다. / 8 cm

1-4 예 ❶ 정팔각형은 변이 8개이고 변의 길이가 모두 같습니다.

❷ 정팔각형의 한 변의 길이를 □ cm라
고 하면

□+□+□+□+□+□+□+□
=48

□×8=48이고 6×8=48이므로
□=6입니다.

따라서 정팔각형의 한 변의 길이는
6 cm입니다.

/ 6 cm

2-1 ❶ 대각선, 같습니다에 ○표

❷ 9 / 9 cm

2-2 예 ❶ 선분 ㄱㄷ과 선분 ㄴㄹ은 직사각형의
대각선입니다. 직사각형의 두 대각선
의 길이는 같습니다.

❷ 선분 ㄴㄹ의 길이가 15 cm이므로
(선분 ㄱㄷ)=15 cm입니다.

/ 15 cm

2-3 예 ❶ 정사각형도 마름모이고, 마름모의 두
대각선이 이루는 각은 직각입니다.
따라서 정사각형의 두 대각선이 이루
는 각은 직각입니다.

❷ 정사각형에서 (각 ㄴㅇㄷ)=90°입니다.

/ 90°

2-4 예 ❶ 마름모에서 두 대각선이 이루는 각은
직각이므로 (각 ㄱㅇㄹ)=90°입니다.

❷ 삼각형 ㄱㅇㄹ에서 삼각형의 세 각의
크기의 합은 180°이고 각 ㄱㄹㅇ의 크
기는 25°이므로
(각 ㄹㄱㅇ)=180°-90°-25°=65°
입니다. / 65°

풀이

1-1	채점 기준	❶ 정오각형의 변의 개수와 변의 길이의 성질 알기	4점
		❷ 정오각형의 변의 길이의 합 구하기	4점
1-2	채점 기준	❶ 정칠각형의 변의 개수와 변의 길이의 성질 알기	6점
		❷ 정칠각형의 변의 길이의 합 구하기	6점
1-3	채점 기준	❶ 사용한 철사의 길이 구하기	8점
		❷ 남은 철사의 길이 구하기	7점

1-4	채점 기준	❶ 정팔각형의 변의 개수와 변의 길이의 성질 알기	7점
		❷ 정팔각형의 한 변의 길이 구하기	8점
2-1	채점 기준	❶ 직사각형의 대각선의 성질 알아보기	4점
		❷ 선분 ㄴㄹ의 길이 구하기	4점
2-2	채점 기준	❶ 직사각형의 대각선의 성질 알아보기	6점
		❷ 선분 ㄱㄷ의 길이 구하기	6점
2-3	채점 기준	❶ 정사각형의 대각선의 성질 알기	8점
		❷ 각 ㄴㅇㄷ의 크기 구하기	7점
2-4	채점 기준	❶ 각 ㄱㅇㄹ의 크기 구하기	7점
		❷ 각 ㄹㄱㅇ의 크기 구하기	8점

단원 평가

194~196쪽

01 가, 다, 바, 아   02 라, 사

03 구각형   04 선분 ㄱㄹ, 선분 ㄷㅂ

05 다

06 예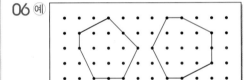

07 십각형   08

09 120

10 예 ❶ 선분으로 둘러싸여 있는 도형은 다각형
입니다.
다각형 중에서 변의 길이와 각의 크기가
모두 같으므로 정다각형입니다.

❷ 변이 9개인 정다각형은 정구각형입니다.

/ 정구각형

11 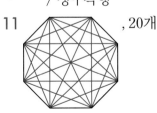 , 20개

12 답 0개

이유 예 삼각형의 꼭짓점은 모두 서로 이웃하고
있기 때문입니다.

13 90

14

15 6개   16 28 cm

17 예 ❶ 평행사변형이고 두 대각선의 길이가 같
     은 사각형은 직사각형입니다.
     평행사변형이고 두 대각선이 수직으로
     만나는 사각형은 마름모입니다.
   ❷ 직사각형이면서 마름모인 사각형은 정사
     각형입니다. / 정사각형

18 예      19 예

20 예 ❶ 모양 조각으로 도형을 채울 때에는 서로
     겹치지 않고 빈틈없이 채웁니다.
     도형을 채워 보면 다음과 같습니다.

   ❷ 필요한 모양 조각은 8개입니다.
     / 8개

풀이

01 선분으로만 둘러싸인 도형이 아닌 것을 찾으면
   가, 다, 바, 아입니다.

02 변의 길이가 모두 같고, 각의 크기가 모두 같은 도
   형을 찾으면 라, 사입니다.

03 선분 9개로 둘러싸인 도형이므로 구각형입니다.

04 이웃하지 않은 꼭짓점을 이은 선분을 찾으면 선분
   ㄱㄹ, 선분 ㄷㅂ입니다.

05 변의 개수를 세어 보면 가 7개, 나 5개, 다 8개, 라 6개
   이므로 다가 가장 많습니다.

06 육각형: 변이 6개인 도형을 그립니다.
   칠각형: 변이 7개인 도형을 그립니다

07 선분으로 둘러싸인 도형은 다각형입니다.
   다각형의 변이 10개이므로 십각형입니다.

08 ・변이 8개인 정다각형이므로 정팔각형입니다.
   ・변이 7개인 정다각형이므로 정칠각형입니다.

09 정육각형의 모든 각의 크기가 같습니다.

10

채점 기준	❶ 정다각형임을 알기	3점
	❷ 어떤 도형인지 구하기	2점

11 팔각형의 대각선을 중복되거나 빠트리지 않게 모
   두 그어 봅니다.

12 삼각형을 그려 보고 대각선을 그을 수 없는 이유를
   써 봅니다.

13 마름모에서 두 대각선이 만나는 이루는 각은 직각
   입니다.

14 정육각형 모양 조각을 먼저 놓고 삼각형 모양이 되
   도록 정삼각형 모양 조각을 놓습니다.

15 정육각형 모양 조각 위에 그려 보면
   6개로 만들 수 있습니다.

16 만든 도형은 길이가 4 cm인 변 7개로 이루어져 있
   으므로 모든 변의 길이의 합은
   4+4+4+4+4+4+4
   =4×7=28 (cm)입니다.

17

채점 기준	❶ 조건을 만족하는 사각형 찾기	3점
	❷ 어떤 사각형인지 구하기	2점

18 여러 가지 방법으로 만들 수 있습니다.

19 모양 조각을 겹치지 않게 빈틈없이 채웁니다.

20

채점 기준	❶ 도형 채우기	3점
	❷ 필요한 모양 조각 수 구하기	2점

학교 시험
완벽 대비!

4-2

평가 문제
다잡기

금성출판사

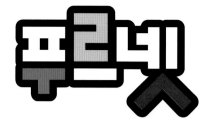
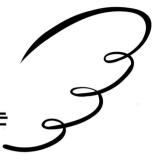

학교 성적에 날개를 달아 주는
완전 학습 프로그램

푸르넷 본교재
교과 내용을 철저히 분석하여 핵심 내용을 체계적으로 학습할 수 있는, 학교 내신 대비에 최적화된 교재

푸르넷 공부방 맞춤형 지도
'두 번째 담임 선생님'으로 불리는 풍부한 경험과 노하우를 갖춘 선생님의 전문적인 지도. 개별 밀착 지도로 체계적인 맞춤 지도가 가능!

푸르넷 아이스쿨
동영상 강의와 다양한 멀티미디어 학습 자료, 문제 은행을 지원하는 학습 평가 인증 시스템

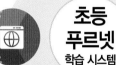

초등 푸르넷 학습 시스템

온라인 보충 학습 콘텐츠
과목별 멀티미디어, 독서·논술, 영어 문법 및 내신 대비 등 다양한 보충 학습 자료로 학습과 재미를 동시에!

푸르넷 주간학습
본교재와 함께하는 주간별 자기 주도 학습. 온라인 강의와 수학 수준별 문제 제공!

우리학교 시험대비
기출문제를 분석하여 출제율 높은 문제로 엄선하여 구성한 학교 시험 대비 교재

전 과목 학습지 초등 푸르넷

본교재
개념 – 유형 – 서술형 – 단원 마무리까지 체계적인 학습
• 1~6학년 국어, 수학, 사회, 과학(월 1권)

주간 평가 교재
주간별 실력 점검으로 만점 대비
• 1~6학년 국어, 수학, 사회, 과학(월 1권)

보충 학습 교재
과목별 배경지식과 사고력 향상
• 1~6학년 푸르넷 프렌즈(월 1권)

온라인 강의
쉽고 재밌는 동영상 강의와 멀티미디어 학습
• 푸르넷 아이스쿨, 영어 보충 학습실

부록
• 1~6학년 우리학교 시험대비(학기별 1권)
• 3~6학년 사회·과학 알짜 핵심 노트(학기별 1권)

초등 수학
자습서 & 평가문제집

4-2

평가문제
다잡기

금성출판사

초등 수학
자습서 & 평가문제집

4-2

평가문제
다잡기

금성출판사

[교과서 핵심 개념], [쪽지시험], [단원 평가], [서술형 평가]로 자신의 실력을 점검하고 다양해지는 학교 시험에 대비할 수 있습니다.

1 교과서 핵심 개념

교과서에 나온 핵심 개념을 모아서 정리했습니다.

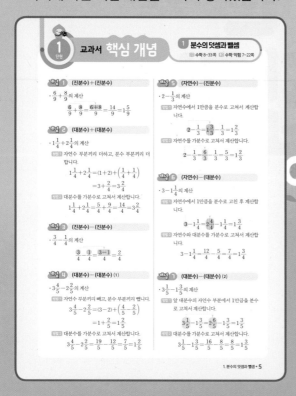

2 쪽지시험

한 회에 10문제씩 총 4회로 구성되어 있습니다.

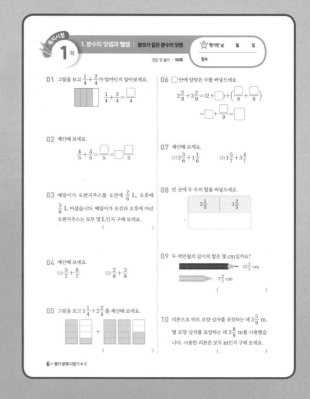

3 단원 평가 [기본] [실력]

난이도별로 [기본] 단원 평가, [실력] 단원 평가 2회가 제공됩니다.

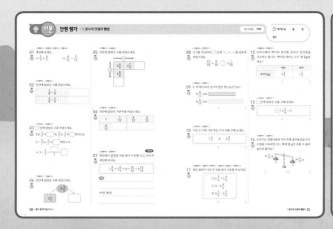
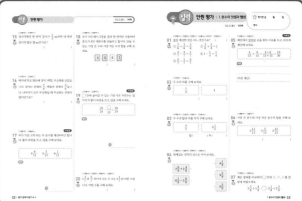

4 서술형 평가 [연습] [실전]

난이도별로 [연습] 서술형 평가, [실전] 서술형 평가 2회가 제공됩니다.

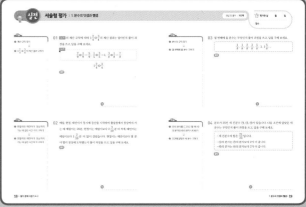

5 정답 및 풀이

자세한 풀이와 [참고], [주의], [다른 풀이] 등을 실어 학습 가이드로 활용할 수 있습니다.

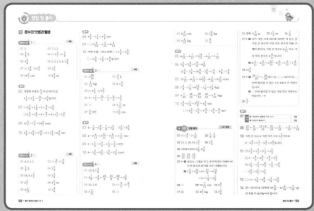

차례

개념 1 (진분수)＋(진분수)

· $\dfrac{6}{9}+\dfrac{8}{9}$의 계산

$$\dfrac{6}{9}+\dfrac{8}{9}=\dfrac{6+8}{9}=\dfrac{14}{9}=1\dfrac{5}{9}$$

개념 2 (대분수)＋(대분수)

· $1\dfrac{1}{4}+2\dfrac{1}{4}$의 계산

방법 1 자연수 부분끼리 더하고, 분수 부분끼리 더합니다.

$$1\dfrac{1}{4}+2\dfrac{1}{4}=(1+2)+\left(\dfrac{1}{4}+\dfrac{1}{4}\right)$$
$$=3+\dfrac{2}{4}=3\dfrac{2}{4}$$

방법 2 대분수를 가분수로 고쳐서 계산합니다.

$$1\dfrac{1}{4}+2\dfrac{1}{4}=\dfrac{5}{4}+\dfrac{9}{4}=\dfrac{14}{4}=3\dfrac{2}{4}$$

개념 3 (진분수)－(진분수)

· $\dfrac{3}{4}-\dfrac{1}{4}$의 계산

$$\dfrac{3}{4}-\dfrac{1}{4}=\dfrac{3-1}{4}=\dfrac{2}{4}$$

개념 4 (대분수)－(대분수) (1)

· $3\dfrac{4}{5}-2\dfrac{2}{5}$의 계산

방법 1 자연수 부분끼리 빼고, 분수 부분끼리 뺍니다.

$$3\dfrac{4}{5}-2\dfrac{2}{5}=(3-2)+\left(\dfrac{4}{5}-\dfrac{2}{5}\right)$$
$$=1+\dfrac{2}{5}=1\dfrac{2}{5}$$

방법 2 대분수를 가분수로 고쳐서 계산합니다.

$$3\dfrac{4}{5}-2\dfrac{2}{5}=\dfrac{19}{5}-\dfrac{12}{5}=\dfrac{7}{5}=1\dfrac{2}{5}$$

개념 5 (자연수)－(진분수)

· $2-\dfrac{1}{3}$의 계산

방법 1 자연수에서 1만큼을 분수로 고쳐서 계산합니다.

$$2-\dfrac{1}{3}=1\dfrac{3}{3}-\dfrac{1}{3}=1\dfrac{2}{3}$$

방법 2 자연수를 가분수로 고쳐서 계산합니다.

$$2-\dfrac{1}{3}=\dfrac{6}{3}-\dfrac{1}{3}=\dfrac{5}{3}=1\dfrac{2}{3}$$

개념 6 (자연수)－(대분수)

· $3-1\dfrac{1}{4}$의 계산

방법 1 자연수에서 1만큼을 분수로 고친 후 계산합니다.

$$3-1\dfrac{1}{4}=2\dfrac{4}{4}-1\dfrac{1}{4}=1\dfrac{3}{4}$$

방법 2 자연수와 대분수를 가분수로 고쳐서 계산합니다.

$$3-1\dfrac{1}{4}=\dfrac{12}{4}-\dfrac{5}{4}=\dfrac{7}{4}=1\dfrac{3}{4}$$

개념 7 (대분수)－(대분수) (2)

· $3\dfrac{1}{5}-1\dfrac{3}{5}$의 계산

방법 1 앞 대분수의 자연수 부분에서 1만큼을 분수로 고쳐서 계산합니다.

$$3\dfrac{1}{5}-1\dfrac{3}{5}=2\dfrac{6}{5}-1\dfrac{3}{5}=1\dfrac{3}{5}$$

방법 2 대분수를 가분수로 고쳐서 계산합니다.

$$3\dfrac{1}{5}-1\dfrac{3}{5}=\dfrac{16}{5}-\dfrac{8}{5}=\dfrac{8}{5}=1\dfrac{3}{5}$$

01 그림을 보고 $\dfrac{1}{4}+\dfrac{2}{4}$가 얼마인지 알아보세요.

$$\dfrac{1}{4}+\dfrac{2}{4}=\dfrac{\square}{4}$$

02 계산해 보세요.

$$\dfrac{4}{5}+\dfrac{3}{5}=\dfrac{\square}{5}=\square\dfrac{\square}{5}$$

03 예림이가 오렌지주스를 오전에 $\dfrac{2}{6}$ L, 오후에 $\dfrac{3}{6}$ L 마셨습니다. 예림이가 오전과 오후에 마신 오렌지주스는 모두 몇 L인지 구해 보세요.

(   )

04 계산해 보세요.

(1) $\dfrac{5}{7}+\dfrac{6}{7}$ (2) $\dfrac{2}{8}+\dfrac{3}{8}$

05 그림을 보고 $1\dfrac{1}{4}+2\dfrac{2}{4}$를 계산해 보세요.

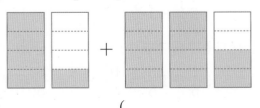

(   )

06 □ 안에 알맞은 수를 써넣으세요.

$$2\dfrac{2}{9}+3\dfrac{2}{9}=(2+\square)+\left(\dfrac{\square}{9}+\dfrac{\square}{9}\right)$$
$$=\square+\dfrac{\square}{9}=\square$$

07 계산해 보세요.

(1) $2\dfrac{3}{6}+1\dfrac{1}{6}$ (2) $1\dfrac{5}{7}+3\dfrac{4}{7}$

08 빈 곳에 두 수의 합을 써넣으세요.

$2\dfrac{1}{5}$	$1\dfrac{2}{5}$

09 두 색연필의 길이의 합은 몇 cm일까요?

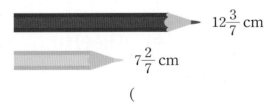

$12\dfrac{3}{7}$ cm

$7\dfrac{2}{7}$ cm

(   )

10 리본으로 하트 모양 상자를 포장하는 데 $3\dfrac{5}{9}$ m, 별 모양 상자를 포장하는 데 $2\dfrac{8}{9}$ m를 사용했습니다. 사용한 리본은 모두 몇 m인지 구해 보세요.

(   )

01 □ 안에 알맞은 수를 써넣으세요.

$\dfrac{4}{8}$는 $\dfrac{1}{8}$이 □개, $\dfrac{3}{8}$은 $\dfrac{1}{8}$이 □개이므로

$\dfrac{4}{8}-\dfrac{3}{8}$은 $\dfrac{1}{8}$이 □개입니다.

⇨ $\dfrac{4}{8}-\dfrac{3}{8}=\dfrac{\Box}{8}$

02 계산해 보세요.

(1) $\dfrac{6}{7}-\dfrac{2}{7}$　　　　(2) $\dfrac{5}{6}-\dfrac{3}{6}$

03 우유 $\dfrac{4}{5}$ L 중에서 어제는 $\dfrac{2}{5}$ L, 오늘은 $\dfrac{1}{5}$ L 마셨습니다. 남은 우유는 몇 L인가요?

（　　　　　　　）

04 그림을 보고 $3\dfrac{3}{4}-1\dfrac{1}{4}$이 얼마인지 알아보세요.

　$3\dfrac{3}{4}-1\dfrac{1}{4}=$□

05 □ 안에 알맞은 수를 써넣으세요.

$3\dfrac{4}{7}-2\dfrac{2}{7}=\dfrac{25}{7}-\dfrac{\Box}{7}=\dfrac{\Box}{7}=$□

06 빈 곳에 두 수의 차를 써넣으세요.

$1\dfrac{1}{8}$	$4\dfrac{3}{8}$

07 다음을 구해 보세요.

$4\dfrac{5}{7}$보다 $2\dfrac{2}{7}$ 작은 수

（　　　　　　　）

08 그림과 같은 모양의 화단이 있습니다. 화단의 가로는 세로보다 몇 m 더 길까요?

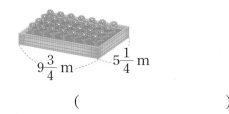

$9\dfrac{3}{4}$ m　　$5\dfrac{1}{4}$ m

（　　　　　　　）

09 □ 안에 알맞은 수를 써넣으세요.

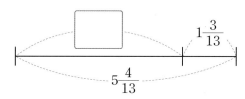

10 어떤 수보다 $1\dfrac{1}{6}$ 큰 수는 $2\dfrac{5}{6}$일 때, 어떤 수는 얼마인가요?

（　　　　　　　）

01 빈칸에 알맞은 수를 써넣으세요.

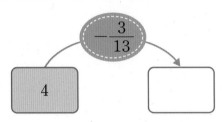

02 식용유 1 L 중에서 $\dfrac{2}{5}$ L를 요리에 사용하였습니다. 남은 식용유는 몇 L일까요?

(   )

03 찰흙이 1 kg, 지점토가 $\dfrac{7}{12}$ kg 있습니다. 찰흙은 지점토보다 몇 kg 더 많을까요?

(   )

04 ☐ 안에 알맞은 수를 써넣으세요.

$$4 - 2\dfrac{1}{6} = 3\dfrac{\boxed{}}{6} - 2\dfrac{1}{6} = \boxed{}\dfrac{\boxed{}}{\boxed{}}$$

05 계산해 보세요.

(1) $3 - \dfrac{4}{5}$ (2) $4 - 1\dfrac{5}{7}$

06 보기 와 같이 계산해 보세요.

보기

$$3 - 1\dfrac{1}{6} = \dfrac{18}{6} - \dfrac{7}{6} = \dfrac{11}{6} = 1\dfrac{5}{6}$$

$3 - 1\dfrac{2}{5}$

07 크기를 비교하여 ◯ 안에 >, =, <를 알맞게 써넣으세요.

$$6 - \dfrac{7}{9} \ \bigcirc \ 4\dfrac{8}{9}$$

08 상민이는 길이가 4 m인 철사 중에서 $2\dfrac{4}{11}$ m를 잘라서 꽃을 만들었습니다. 남은 철사는 몇 m인지 구해 보세요.

(   )

09 민채는 줄넘기를 $1\dfrac{1}{4}$시간 동안 했습니다. 줄넘기를 2시간 동안 하려면 몇 시간 더 해야 하는지 구해 보세요.

(   )

10 가로가 세로보다 $3\dfrac{3}{5}$ cm 더 긴 직사각형이 있습니다. 가로가 6 cm일 때 세로는 몇 cm인지 구해 보세요.

(   )

01 ⬜안에 알맞은 수를 써넣으세요.

$$2\frac{1}{6}-\frac{4}{6}=\frac{\boxed{}}{6}-\frac{4}{6}=\frac{\boxed{}}{6}=\boxed{}$$

02 가분수로 고쳐서 계산해 보세요.

$$4\frac{7}{9}-1\frac{4}{9}$$

03 ⬜안에 알맞은 수를 써넣으세요.

$$3\frac{5}{8}-1\frac{7}{8}=2\frac{\boxed{}}{8}-1\frac{7}{8}=\boxed{}\frac{\boxed{}}{8}$$

04 계산해 보세요.

(1) $3\frac{2}{5}-2\frac{4}{5}$ (2) $1\frac{5}{7}-\frac{6}{7}$

05 ⬜안에 알맞은 수를 써넣으세요.

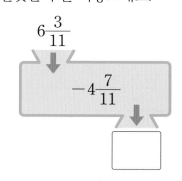

06 계산 결과를 비교하여 ◯ 안에 >, =, <를 알맞게 써넣으세요.

$$5\frac{5}{6}+2\frac{4}{6} \quad\bigcirc\quad 11\frac{3}{6}-3\frac{5}{6}$$

07 길이가 $6\frac{5}{11}$ cm인 용수철 저울에 추를 매단 후의 길이를 재어 보니 $15\frac{2}{11}$ cm였습니다. 추를 매달았을 때 길이는 매달기 전보다 몇 cm 더 늘어났을까요?

(　　　　　　　　)

08 황토 $7\frac{4}{8}$ kg 중에서 벽돌을 만들고 $1\frac{7}{8}$ kg 남았습니다. 벽돌을 만드는 데 사용한 황토는 몇 kg인지 구해 보세요.

(　　　　　　　　)

09 상자에 책을 넣고 잰 무게가 $4\frac{7}{13}$ kg입니다. 상자의 무게가 $\frac{16}{13}$ kg일 때 책의 무게를 구해 보세요.

(　　　　　　　　)

10 ㉠에서 ㉡까지의 거리는 $3\frac{5}{8}$ m입니다. ⬜안에 알맞은 수를 써넣으세요.

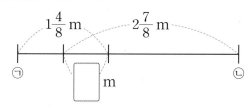

| (진분수)＋(진분수), (진분수)－(진분수) |

01 계산해 보세요.

 (1) $\dfrac{5}{7}+\dfrac{6}{7}$　　　　(2) $\dfrac{8}{11}-\dfrac{3}{11}$

| (진분수)－(진분수) |

02 빈칸에 알맞은 수를 써넣으세요.

$\dfrac{3}{9}-\dfrac{2}{9}$	
$\dfrac{4}{9}-\dfrac{2}{9}$	

| (자연수)－(진분수) |

03 ☐ 안에 알맞은 수를 써넣으세요.

3은 $\dfrac{1}{7}$이 ☐개, $\dfrac{5}{7}$는 $\dfrac{1}{7}$이 ☐개이므로

$3-\dfrac{5}{7}$는 $\dfrac{1}{7}$이 ☐개입니다.

➡ $3-\dfrac{5}{7}=\dfrac{\boxed{}}{7}=\boxed{}$

| (대분수)＋(진분수) |

04 빈칸에 알맞은 수를 써넣으세요.

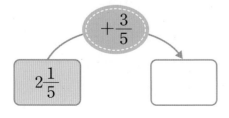

| (대분수)＋(대분수) |

05 빈칸에 알맞은 수를 써넣으세요.

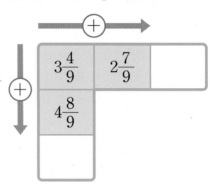

| (진분수)＋(진분수) |

06 빈칸에 알맞은 가분수를 써넣으세요.

＋	$\dfrac{7}{11}$	$\dfrac{8}{11}$	$\dfrac{9}{11}$
$\dfrac{6}{11}$			

| (대분수)＋(대분수) |　　　　　　　　**서술형**

07 계산에서 잘못된 곳을 찾아 이유를 쓰고, 바르게 계산해 보세요.

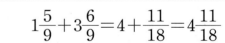

$$1\dfrac{5}{9}+3\dfrac{6}{9}=4+\dfrac{11}{18}=4\dfrac{11}{18}$$

_____

_____

(바른 계산)

_____

평가한 날   월   일

점수

| (진분수)+(진분수) |

08 크기를 비교하여 ◯ 안에 >, =, <를 알맞게 써넣으세요.

$$\frac{13}{19}+\frac{8}{19} \bigcirc 1\frac{1}{19}$$

| (대분수)+(대분수) |

09 두 색 테이프의 길이의 합은 몇 cm인가요?

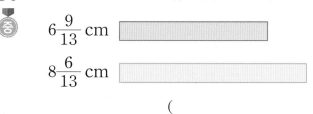

$6\frac{9}{13}$ cm

$8\frac{6}{13}$ cm

(   )

| (자연수)−(대분수) |

10 가장 큰 수와 가장 작은 수의 차를 구해 보세요.

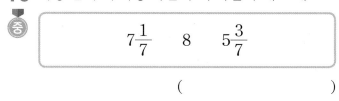

$$7\frac{1}{7} \qquad 8 \qquad 5\frac{3}{7}$$

(   )

| (대분수)+(대분수), (자연수)−(대분수), (대분수)−(대분수) |

11 계산 결과가 가장 큰 것을 찾아 기호를 써 보세요.

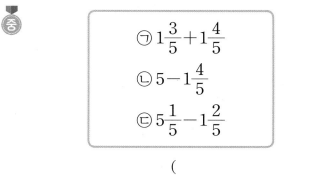

㉠ $1\frac{3}{5}+1\frac{4}{5}$

㉡ $5-1\frac{4}{5}$

㉢ $5\frac{1}{5}-1\frac{2}{5}$

(   )

| (대분수)+(대분수) |

12 어머니께서 백미와 현미를 섞어서 잡곡밥을 지으려고 합니다. 백미와 현미는 모두 몇 kg일까요?

	백미	현미
무게 (kg)	$2\frac{4}{7}$	$1\frac{5}{7}$

(   )

| (자연수)−(대분수) |

13 ☐ 안에 알맞은 수를 구해 보세요.

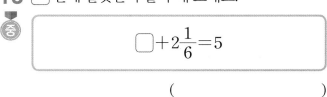

$$\square+2\frac{1}{6}=5$$

(   )

| (대분수)−(대분수) |

14 보민이는 양팔저울에 각각 추를 올려놓았습니다. 수평을 이루려면 어느 쪽에 몇 g의 추를 더 올려 놓아야 할까요?

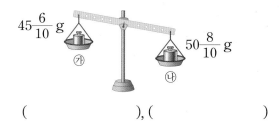

$45\frac{6}{10}$ g ㉮ $50\frac{8}{10}$ g ㉯

(   ), (   )

| (진분수)＋(진분수) |

15 정사각형의 한 변의 길이가 $\frac{1}{3}$ m라면 네 변의 길이의 합은 몇 m인가요?

중

(   )

| (자연수)－(진분수) |

16 예지네 학교 화단에 장미, 백합, 무궁화를 심었습니다. 장미는 전체의 $\frac{2}{6}$, 백합은 전체의 $\frac{3}{6}$입니다. 나머지가 모두 무궁화일 때 무궁화는 전체의 얼마인가요?

중

(   )

| (대분수)－(대분수) | 서술형

17 차가 가장 크게 되는 두 분수를 계산하려고 합니다. 풀이 과정을 쓰고, 답을 구해 보세요.

중

$$4\frac{8}{11} \qquad 5\frac{2}{11} \qquad 6\frac{1}{11}$$

풀이

답

| (대분수)＋(대분수) |

18 숫자 카드에서 2장을 골라 한 번씩만 사용하여 분모가 8인 대분수를 만들려고 합니다. 만들 수 있는 가장 큰 수와 가장 작은 수의 합을 구해 보세요.

상

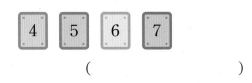

4   5   6   7

(   )

| (진분수)－(진분수) | 서술형

19 ☐ 안에 들어갈 수 있는 가장 작은 자연수는 얼마인지 풀이 과정을 쓰고, 답을 구해 보세요.

상

$$\frac{18}{19} - \frac{\boxed{}}{19} < \frac{10}{19}$$

풀이

답

| (대분수)＋(진분수), (대분수)－(진분수) |

20 $1\frac{3}{7}$과 $\frac{5}{7}$ 차이가 나는 두 수는 $2\frac{1}{7}$과 어떤 수입니다. 어떤 수를 구해 보세요.

상

(   )

| (진분수)＋(진분수), (진분수)－(진분수), (자연수)－(진분수) |

01 잘못 계산한 것은 어느 것인가요?   (   )

① $\frac{2}{6}+\frac{3}{6}=\frac{5}{6}$ ② $\frac{3}{8}+\frac{5}{8}=1$

③ $\frac{4}{7}-\frac{3}{7}=\frac{1}{7}$ ④ $1-\frac{1}{4}=\frac{1}{4}$

⑤ $\frac{5}{7}-\frac{1}{7}=\frac{4}{7}$

| (자연수)－(진분수) |

02 두 수의 차를 구해 보세요.

$\frac{1}{4}$		4

(   )

| (대분수)＋(진분수), (대분수)－(진분수) |

03 두 수의 합과 차를 각각 구해 보세요.

$\frac{4}{5}$		$5\frac{1}{5}$

합 (   ), 차 (   )

| (대분수)＋(대분수), (대분수)－(대분수) |

04 관계있는 것끼리 선으로 이어 보세요.

$2\frac{6}{9}+1\frac{4}{9}$ ·

$6\frac{1}{9}-1\frac{8}{9}$ ·

· $4\frac{1}{9}$

· $4\frac{2}{9}$

· $4\frac{3}{9}$

| (진분수)＋(진분수) | 서술형

05 계산에서 잘못된 곳을 찾아 이유를 쓰고, 바르게 계산해 보세요.

$$\frac{4}{15}+\frac{6}{15}=\frac{4+6}{15+15}=\frac{10}{30}$$

이유

....

....

(바른 계산)

| (대분수)＋(대분수) |

06 가장 큰 분수와 가장 작은 분수의 합을 구해 보세요.

$$2\frac{11}{13}\qquad 3\frac{2}{13}\qquad 2\frac{12}{13}$$

(   )

| (대분수)＋(대분수) |

07 계산 결과를 비교하여 ◯ 안에 ＞, ＝, ＜를 알맞게 써넣으세요.

$$3\frac{3}{8}+1\frac{4}{8}\ \bigcirc\ 2\frac{1}{8}+2\frac{3}{8}$$

| (대분수)＋(대분수) |

08 수조에 차가운 물이 $30\frac{4}{6}$ L 있습니다. 뜨거운 물을 $10\frac{5}{6}$ L 더 부었다면 수조에 담긴 물은 모두 몇 L인가요?

(   )

| (대분수)＋(대분수), (대분수)－(대분수) |

09 계산 결과가 큰 것부터 차례대로 기호를 써 보세요.

> ㉠ $1\frac{2}{7}+1\frac{3}{7}$ ㉡ $2\frac{1}{7}+1\frac{3}{7}$
>
> ㉢ $4\frac{4}{7}-2\frac{1}{7}$ ㉣ $5\frac{1}{7}-1\frac{2}{7}$

(   )

| (대분수)－(대분수) |

10 할머니께서 딸기 $2\frac{1}{5}$ kg를 사 오셨습니다. 잼을 만드는 데 $1\frac{2}{5}$ kg를 사용하였다면 남은 딸기는 몇 kg인지 구해 보세요.

(   )

| (대분수)－(가분수) |

11 ☐ 안에 알맞은 수를 써넣으세요.

$$2\frac{2}{8}-\frac{11}{8}=\boxed{}\frac{\boxed{}}{8}-\frac{18}{8}$$

| (자연수)－(대분수) |

12 재영이는 맨발 걷기 운동을 오늘 2시간 동안 했습니다. 오전에 $1\frac{1}{3}$시간 동안 했다면 오후에 맨발 걷기 운동을 몇 시간 동안 했나요?

(   )

| (자연수)－(대분수) |

13 어떤 수보다 $1\frac{7}{11}$ 큰 수는 4입니다. 어떤 수는 얼마인가요?

(   )

| (대분수)＋(대분수) | 서술형

14 다음 중에서 3과 4 사이에 있는 분수들의 합은 얼마인지 풀이 과정을 쓰고, 답을 구해 보세요.

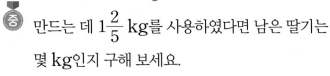

> $\frac{17}{6}$ $3\frac{4}{6}$ $5\frac{1}{6}$ $\frac{23}{6}$

풀이

답 _____

| (대분수)＋(대분수), (대분수)－(대분수) |

15 ㉮에서 ㉯까지의 거리는 $3\frac{5}{7}$ km입니다. ☐ 안에 알맞은 수를 써넣으세요.

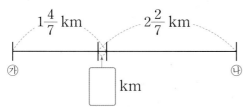

| (진분수)＋(진분수) |

18 다음 덧셈의 계산 결과는 진분수입니다. ☐ 안에 들어갈 수 있는 수를 모두 더하면 얼마인가요?

$$\frac{3}{8}+\frac{\square}{8}$$

( )

| (진분수)－(진분수) |

19 어떤 수에서 $\frac{5}{13}$ 를 빼야 할 것을 잘못하여 더했더니 $\frac{11}{13}$ 이 되었습니다. 바르게 계산하면 얼마일까요?

( )

| (진분수)－(진분수) |

16 수 카드 중에서 1장을 골라 분모가 8인 진분수를 만들었습니다. 만들 수 있는 진분수 중에서 가장 큰 수와 가장 작은 수의 차를 구해 보세요.

( )

| (대분수)＋(대분수), (대분수)－(대분수) | **서술형**

20 4장의 수 카드 중에서 2장을 골라 계산한 결과가 2에 가장 가까운 덧셈식과 뺄셈식을 만들려고 합니다. 풀이 과정을 쓰고, 답을 구해 보세요.

$$1 \qquad 1\frac{2}{7} \qquad 2\frac{3}{7} \qquad 3\frac{3}{7}$$

풀이

| (대분수)－(대분수) |

17 ☐ 안에 들어갈 수 있는 자연수를 모두 구해 보세요.

$$\frac{5}{9}<2\frac{2}{9}-1\frac{\square}{9}<\frac{8}{9}$$

( )

답 덧셈식: , 뺄셈식:

Tip

❶ $\dfrac{4}{7}+\dfrac{\square}{7}$의 범위 구하기

❷ □ 안에 들어갈 수 있는 수 모두 구하기

01 1부터 8까지의 자연수 중에서 □ 안에 들어갈 수 있는 수를 모두 구하려고 합니다. 풀이 과정을 쓰고, 답을 구해 보세요.

$$\frac{6}{7}<\frac{4}{7}+\frac{\square}{7}<1\frac{5}{7}$$

풀이

답 _____

Tip

❶ 사용한 물의 양 구하기

❷ 물통에 들어 있었던 물의 양 구하기

02 물통에 물이 가득 들어 있었습니다. 그중 $3\dfrac{2}{9}$ L를 화단에 물을 주는 데 사용하였고, $5\dfrac{5}{9}$ L를 청소하는 데 사용하였더니 물이 12 L 남았습니다. 물통에 들어 있었던 물은 몇 L인지 풀이 과정을 쓰고, 답을 구해 보세요.

풀이

답 _____

정답 및 풀이 | **101쪽**

Tip

❶ 묶기 전의 두 노끈의 길이의 합 구하기

⌄

❷ 묶기 전 길이와 묶은 후 길이의 차 구하기

03 $2\frac{4}{5}$ m와 $1\frac{2}{5}$ m의 두 노끈을 한 번 묶은 후, 노끈의 길이를 재었더니 $3\frac{4}{5}$ m였습니다. 두 노끈을 묶은 후의 길이는 묶기 전의 길이의 합보다 몇 m 더 줄었는지 풀이 과정을 쓰고, 답을 구해 보세요.

풀이

답

Tip

❶ 학교에서 병원까지의 거리 구하기

⌄

❷ 학교에서 집까지의 거리와 학교에서 병원까지의 거리의 차 구하기

04 그림을 보고 집에서 병원까지의 거리는 몇 km인지 풀이 과정을 쓰고, 답을 구해 보세요.

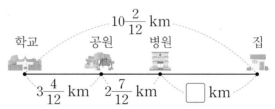

$10\frac{2}{12}$ km

학교   공원   병원   집

$3\frac{4}{12}$ km $2\frac{7}{12}$ km   ☐ km

풀이

답

● 계산 규칙 찾기

⌄

❷ $1\frac{2}{4}$◎$\frac{3}{4}$의 계산 결과 구하기

01 보기 의 계산 규칙에 따라 $1\frac{2}{4}$◎$\frac{3}{4}$의 계산 결과는 얼마인지 풀이 과정을 쓰고, 답을 구해 보세요.

보기
$$\frac{2}{9}◎\frac{1}{9}=\frac{5}{9}, \ \frac{1}{5}◎\frac{3}{5}=1, \ \frac{3}{8}◎\frac{1}{8}=\frac{7}{8}$$

$$1\frac{2}{4}◎\frac{3}{4}$$

풀이

답

Tip

● 현철이와 태민이가 정상까지 가는 데 걸린 시간 각각 구하기

⌄

❷ 현철이와 태민이가 정상까지 가는 데 걸린 시간의 차 구하기

02 예림, 현철, 태민이가 동시에 등산을 시작하여 출발점에서 정상까지 가는 데 예림이는 20분, 현철이는 예림이보다 $2\frac{3}{10}$분 더 적게, 태민이는 예림이보다 $1\frac{2}{10}$분 더 많이 걸렸습니다. 현철이는 태민이보다 몇 분 더 빨리 정상에 도착했는지 풀이 과정을 쓰고, 답을 구해 보세요.

풀이

답

정답 및 풀이 | **102**쪽

 평가한 날   월   일

점수

❶ 분수의 규칙 찾기

⌄⌄

❷ 열 번째에 올 분수 구하기

03 열 번째에 올 분수는 무엇인지 풀이 과정을 쓰고, 답을 구해 보세요.

$$\frac{1}{8},\ \frac{1}{8},\ \frac{2}{8},\ \frac{3}{8},\ \frac{5}{8},\ 1,\ 1\frac{5}{8},\ \cdots$$

풀이

답

Tip

❶ ㉮의 분자를 ☐라고 할 때 ㉯의 분자와 ㉰의 분자 나타내기

⌄⌄

❷ 조건에 알맞은 세 분수 구하기

04 분모가 25인 세 진분수 ㉮, ㉯, ㉰가 있습니다. 다음 조건에 알맞은 세 분수는 무엇인지 풀이 과정을 쓰고, 답을 구해 보세요.

• 세 진분수의 합은 $\frac{21}{25}$입니다.

• ㉯의 분자는 ㉮의 분자보다 2가 더 큽니다.

• ㉰의 분자는 ㉯의 분자보다 2가 더 큽니다.

풀이

답

개념 1 **이등변삼각형**

• 이등변삼각형: 두 변의 길이가 같은 삼각형

개념 2 **이등변삼각형의 성질**

• 이등변삼각형의 두 각의 크기는 같습니다.

 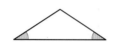

• 이등변삼각형은 길이가 같은 두 변과 함께 하는 두 각의 크기가 같습니다.

참고 두 각의 크기가 30°인 이등변삼각형 그리기

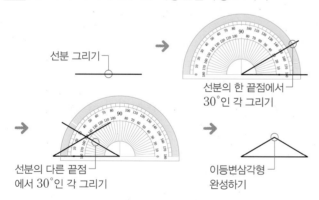

선분 그리기

선분의 한 끝점에서 30°인 각 그리기

선분의 다른 끝점에서 30°인 각 그리기

이등변삼각형 완성하기

개념 3 **정삼각형**

• 정삼각형: 세 변의 길이가 모두 같은 삼각형

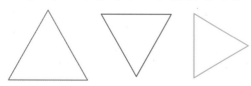

• 정삼각형은 이등변삼각형이라고 할 수 있지만 이등변삼각형은 정삼각형이라고 할 수 없습니다.

개념 4 **정삼각형의 성질**

• 정삼각형의 세 각의 크기는 같습니다.

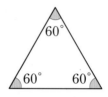

• 정삼각형은 세 각의 크기가 같으므로 한 각의 크기는 $180° \div 3 = 60°$입니다.

참고 한 변의 길이가 3 cm인 정삼각형 그리기

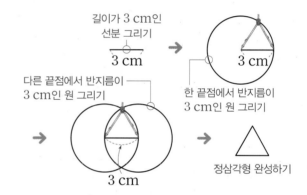

길이가 3 cm인 선분 그리기

3 cm

다른 끝점에서 반지름이 3 cm인 원 그리기

3 cm

한 끝점에서 반지름이 3 cm인 원 그리기

3 cm

정삼각형 완성하기

개념 5 **예각삼각형, 둔각삼각형**

• 예각삼각형: 세 각이 모두 예각인 삼각형
• 둔각삼각형: 한 각이 둔각인 삼각형

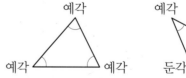 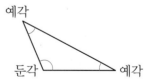

예각

예각   예각

예각

둔각   예각

• 예각삼각형은 예각이 3개입니다.
• 직각삼각형은 직각이 1개, 예각이 2개입니다.
• 둔각삼각형은 둔각이 1개, 예각이 2개입니다.

참고 • 직각: 종이를 반듯하게 두 번 접었을 때 생기는 각 (90°)
• 예각: 각도가 0°보다 크고 직각보다 작은 각
• 둔각: 각도가 직각보다 크고 180°보다 작은 각

01 이등변삼각형에 ○표 하세요.

(   )   (   )

02 이등변삼각형을 모두 찾아 기호를 써 보세요.

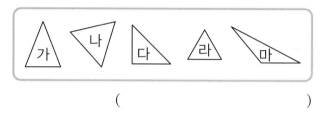

(   )

03 다음과 같이 색종이를 오려서 삼각형을 만들었습니다. ☐ 안에 알맞은 말을 써넣으세요.

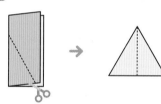

위와 같이 두 변의 길이가 같은 삼각형을 ☐이라고 합니다.

04 이등변삼각형을 그려 보세요.

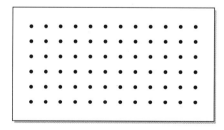

05 이등변삼각형입니다. ☐ 안에 알맞은 수를 써넣으세요.

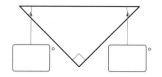

06 다음 도형은 이등변삼각형입니다. ㉠과 ㉡의 각도를 구해 보세요.

㉠ (   )

㉡ (   )

07~08 다음 도형은 이등변삼각형입니다. 물음에 답해 보세요.

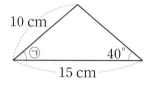

07 ㉠의 각도를 구해 보세요.

(   )

08 세 변의 길이의 합은 몇 cm인지 구해 보세요.

(   )

09 ☐ 안에 알맞은 수를 써넣으세요.

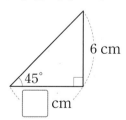

10 이등변삼각형을 그림과 같이 완전히 겹쳐지도록 접었습니다. ㉠은 몇 도인가요?

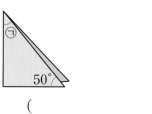

(   )

01 정삼각형을 모두 찾아 기호를 써 보세요.

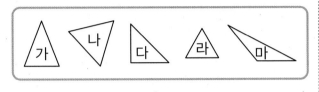

(   )

02 ☐ 안에 알맞은 수를 써넣으세요.

정삼각형은 세 각의 크기가 모두 ☐° 입니다.

03 ☐ 안에 알맞은 수를 써넣으세요.

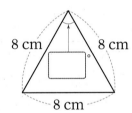

04 정삼각형 모양의 안전 도로 표지판입니다. ☐ 안에 알맞은 수를 써넣으세요.

05 다음 도형은 정삼각형입니다. ☐ 안에 알맞은 수를 써넣으세요.

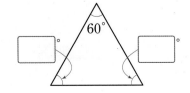

06 한 변의 길이가 7 cm인 정삼각형의 세 변의 길이의 합은 몇 cm일까요?

(   )

07 양쪽 면의 모양이 정삼각형인 필통이 있습니다. ㉠과 ㉡의 각도의 합은 얼마인지 구해 보세요.

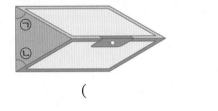

(   )

08 도형은 정삼각형입니다. 세 변의 길이의 합의 42 cm일 때 ☐ 안에 알맞은 수를 써넣으세요.

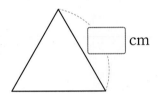

09 삼각형 ㄱㄴㄷ이 정삼각형일 때 ☐ 안에 알맞은 수를 써넣으세요.

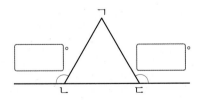

10 두 개의 정삼각형으로 이루어진 다음 도형에서 각 ㄴㄱㄹ의 크기는 몇 도인지 구해 보세요.

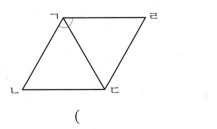

(   )

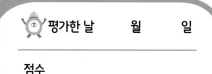
01 예각삼각형을 찾아 ○표 하세요.

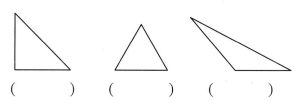

(   )   (   )   (   )

02 예각삼각형이면서 이등변삼각형인 것을 찾아 기호를 써 보세요.

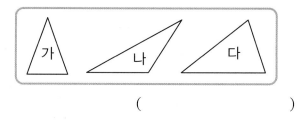

(   )

03 주어진 선분을 한 변으로 하는 예각삼각형을 완성해 보세요.

04 주어진 삼각형의 이름을 써 보세요.

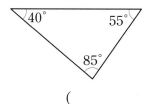

(   )

05 삼각형의 세 각의 크기가 다음과 같을 때 예각삼각형은 어느 것인가요? (   )

① 15°, 45°, 120°   ② 30°, 60°, 90°
③ 48°, 65°, 67°   ④ 43°, 40°, 97°
⑤ 50°, 30°, 100°

06 두 변의 길이가 같고 세 각이 모두 예각인 삼각형을 그려 보세요.

07 삼각형의 세 각 중에서 두 각의 크기를 나타낸 것입니다. 예각삼각형을 모두 찾아 기호를 써 보세요.

㉠ 55°, 40°   ㉡ 15°, 50°
㉢ 60°, 35°   ㉣ 35°, 50°

(   )

08 삼각형의 두 각의 크기를 재어 보았더니 각각 55°, 70°였습니다. 이 삼각형의 이름이 될 수 있는 것을 모두 써 보세요.

(   )

09~10 직사각형 모양의 종이를 점선을 따라 자르려고 합니다. 물음에 답해 보세요.

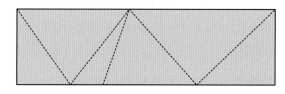

09 자른 삼각형 중 예각삼각형은 모두 몇 개인가요?

(   )

10 자른 삼각형 중 직각삼각형은 몇 개인가요?

(   )

01 예각삼각형은 '예', 둔각삼각형은 '둔', 직각삼각형은 '직'을 써 보세요.

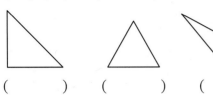

(   )   (   )   (   )

02 둔각삼각형을 찾아 색칠해 보세요.

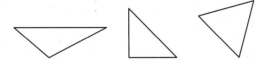

03 둔각삼각형에는 둔각이 몇 개 있나요?

(   )

04 둔각삼각형을 1개 그려 보세요.

05 주어진 선분의 양 끝점과 한 점을 이어서 둔각삼각형을 그리려고 합니다. 둔각삼각형을 그릴 수 있는 점을 찾아 써 보세요.

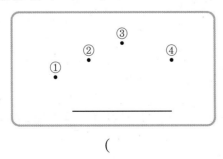

(   )

06 삼각형의 이름을 써 보세요.

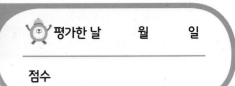

(   )

07 다음 사각형에 선분을 1개 그어 예각삼각형 1개와 둔각삼각형 1개를 만들어 보세요.

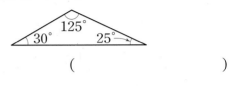

08 둔각삼각형의 세 각의 크기를 나타낸 것은 어느 것인가요?　　　(   )

① 40°, 60°, 80°　　　② 30°, 100°, 50°
③ 90°, 45°, 45°　　　④ 80°, 70°, 30°
⑤ 55°, 75°, 50°

09 한 각의 크기가 30°인 둔각삼각형을 그릴 때 삼각형의 다른 한 각의 크기로 알맞은 것을 찾아 기호를 써 보세요.

ㄱ 40°　　ㄴ 60°　　ㄷ 80°

(   )

10 그림에서 찾을 수 있는 크고 작은 둔각삼각형은 모두 몇 개인가요?

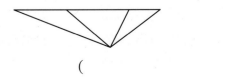

(   )

| 정삼각형 |

01 정삼각형을 찾아 ○표 하세요.

  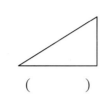

(   )   (   )   (   )

| 정삼각형의 성질 |

02 다음 도형은 정삼각형입니다. □ 안에 알맞은 수를 써넣으세요.

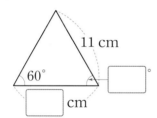

11 cm
60°
□°
□ cm

03~04 이등변삼각형을 보고 물음에 답해 보세요.

12 cm 90°
ㄴ   ㄷ

| 이등변삼각형 |

03 변 ㄱㄷ은 몇 cm인지 구해 보세요.

(   )

| 이등변삼각형의 성질 |

04 각 ㄱㄴㄷ은 몇 도인지 구해 보세요.

(   )

| 둔각삼각형 |

05 세 각의 크기가 다음과 같을 때 둔각삼각형은 어느 것인가요?   (   )

① 60°, 30°, 90°   ② 50°, 80°, 50°

③ 55°, 45°, 80°   ④ 65°, 70°, 45°

⑤ 120°, 40°, 20°

| 직각삼각형 |

06 직각삼각형을 모두 찾아 기호를 써 보세요.

 가  나 다   라

(   )

07~08 직사각형 모양의 종이를 점선을 따라 모두 잘랐을 때 만들어지는 삼각형을 보고 물음에 답해 보세요.

나 바
가 다 라 마 사 아

| 예각삼각형, 둔각삼각형 |

07 예각삼각형을 모두 찾아 기호를 써 보세요.

(   )

| 예각삼각형, 둔각삼각형 |

08 둔각삼각형을 모두 찾아 기호를 써 보세요.

(   )

| 정삼각형 |

09 다음과 같이 한 변의 길이가 12 cm인 정삼각형의 세 변의 길이의 합은 몇 cm일까요?

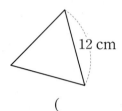

( )

| 이등변삼각형 |

10 이등변삼각형 ㄱㄴㄷ의 세 변의 길이의 합은 몇 cm인지 구해 보세요.

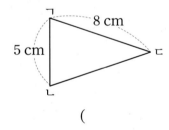

( )

| 이등변삼각형의 성질 |

11 삼각형 모양의 옷걸이가 있습니다. ㉠과 ㉡의 각도를 구해 보세요.

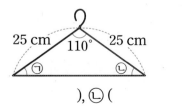

㉠ ( ), ㉡ ( )

| 정삼각형의 성질 | 서술형

12 다음 삼각형의 세 변의 길이의 합은 몇 cm인지 풀이 과정을 쓰고, 답을 구해 보세요.

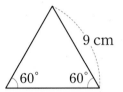

풀이

답 _____

13~14 삼각형의 세 각 중에서 두 각을 나타낸 것입니다. 물음에 답해 보세요.

| ㉠ 90°, 40° | ㉡ 40°, 65° |
| ㉢ 60°, 50° | ㉣ 120°, 20° |

| 삼각형의 세 각의 크기의 합 |

13 삼각형의 세 각 중 나머지 한 각의 크기를 각각 구해 보세요.

㉠	㉡	㉢	㉣

| 예각삼각형 |

14 예각삼각형을 모두 찾아 기호를 써 보세요.

( )

| 예각삼각형, 둔각삼각형 |

15 예각의 수가 다른 하나를 찾아 기호를 써 보세요.

> ㉠ 직각삼각형 ㉡ 예각삼각형 ㉢ 둔각삼각형

(   )

| 예각삼각형, 둔각삼각형 | 서술형

16 정삼각형은 예각삼각형이라고 할 수 있는지 없는지 쓰고, 그 이유를 써 보세요.

답

_____

이유

_____

_____

| 예각삼각형, 둔각삼각형 |

17 삼각형의 일부가 지워졌습니다. 이 삼각형의 이름이 될 수 있는 것에 모두 ○표 하세요.

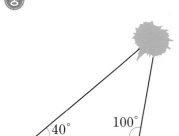

> 이등변삼각형
> 정삼각형
> 예각삼각형
> 직각삼각형
> 둔각삼각형

| 이등변삼각형, 정삼각형 | 서술형

18 다음 이등변삼각형과 세 변의 길이의 합이 같은 정삼각형이 있습니다. 정삼각형의 한 변의 길이는 몇 cm인지 풀이 과정을 쓰고, 답을 구해 보세요.

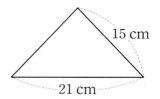

풀이

답 _____

| 이등변삼각형의 성질 |

19 직사각형 ㄱㄴㄷㄹ 안에 이등변삼각형 ㄱㄴㅁ을 그렸습니다. 각 ㄱㅁㄴ의 크기를 구해 보세요.

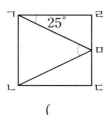

(   )

| 둔각삼각형 |

20 도형에서 찾을 수 있는 크고 작은 둔각삼각형은 모두 몇 개인가요?

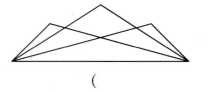

(   )

| 예각삼각형, 둔각삼각형 |

01 ☐안에 알맞은 말을 써넣으세요.

세 각이 모두 예각인 삼각형을 ☐ 삼각형 이라고 하고, 한 각이 둔각인 삼각형을 ☐ 삼각형이라고 합니다.

| 이등변삼각형 |

02 이등변삼각형입니다. ㉠의 길이를 구해 보세요.

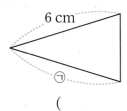

( )

| 이등변삼각형의 성질 |

03 다음 삼각형에서 ㉠의 각도를 구해 보세요.

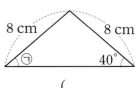

( )

| 이등변삼각형 |

04 이등변삼각형을 모두 고르세요. ( )

05~06 삼각형을 보고 물음에 답해 보세요.

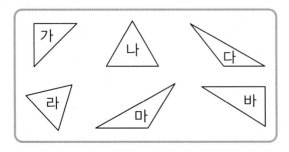

| 예각삼각형, 둔각삼각형 |

05 예각삼각형을 모두 찾아 기호를 써 보세요.

( )

| 예각삼각형, 둔각삼각형 |

06 둔각삼각형을 모두 찾아 기호를 써 보세요.

( )

| 정삼각형의 성질 |

07 정삼각형에 대한 설명으로 잘못된 것을 찾아 기호를 써 보세요.

㉠ 세 변의 길이가 모두 같습니다.
㉡ 한 각이 둔각입니다.
㉢ 세 각의 크기의 합은 180°입니다.

( )

| 예각삼각형, 둔각삼각형 |

08 삼각형의 세 각의 크기를 나타낸 것입니다. 둔각 삼각형을 찾아 기호를 써 보세요.

㉠ 20°, 110°, 50°   ㉡ 70°, 80°, 30°
㉢ 55°, 70°, 55°   ㉣ 60°, 40°, 80°

( )

| 이등변삼각형, 예각삼각형, 둔각삼각형 |

09 관계있는 것끼리 선으로 이어 보세요.

이등변삼각형 ·
정삼각형 ·
· 예각삼각형
· 직각삼각형
· 둔각삼각형

| 이등변삼각형의 성질 |

10 삼각형 ㄱㄴㄷ은 이등변삼각형입니다. 각 ㄱㄷㄴ의 크기는 몇 도일까요?

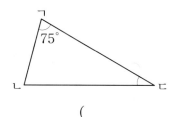

(   )

| 이등변삼각형 |

11 삼각형 ㄱㄴㄷ은 이등변삼각형입니다. 삼각형 ㄱㄴㄷ의 세 변의 길이의 합은 몇 cm인지 구해 보세요.

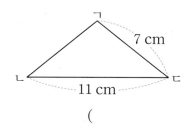

7 cm
11 cm

(   )

| 정삼각형 |

12 정삼각형의 세 변의 길이의 합은 24 cm입니다. ☐ 안에 알맞은 수를 써넣으세요.

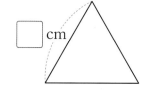

☐ cm

| 이등변삼각형, 정삼각형, 예각삼각형, 둔각삼각형 |

13 오른쪽 삼각형의 이름으로 알맞은 것을 모두 찾아 기호를 써 보세요.

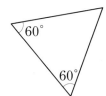

60°
60°

ㄱ 정삼각형   ㄴ 예각삼각형
ㄷ 직각삼각형   ㄹ 둔각삼각형
ㅁ 이등변삼각형

(   )

| 정삼각형의 성질 |

14 삼각형 ㄱㄴㄷ은 정삼각형입니다. ☐ 안에 알맞은 수를 써넣으세요.

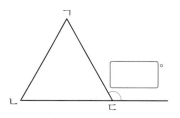

| 예각삼각형 |

15 삼각형의 세 각 중에서 두 각의 크기를 나타낸 것입니다. 예각삼각형을 모두 고르세요. (   )
① 45°, 45°   ② 60°, 60°
③ 30°, 90°   ④ 55°, 80°
⑤ 15°, 70°

| 이등변삼각형, 예각삼각형, 둔각삼각형 | 〔서술형〕

16 두 각의 크기가 각각 45°인 이등변삼각형은 예
각삼각형, 직각삼각형, 둔각삼각형 중 어느 것인
지 풀이 과정을 쓰고, 답을 구해 보세요.

〔풀이〕

〔답〕

| 이등변삼각형 |

17 그림과 같이 직사각형 모양의 색종이를 반으로
접고 선을 그은 다음 선을 따라 잘랐습니다. 자른
삼각형의 세 변의 길이의 합은 몇 cm일까요?

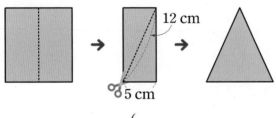

(   )

| 정삼각형 | 〔서술형〕

18 다음 도형에서 찾을 수 있는 크고 작은 정삼각형
은 모두 몇 개인지 풀이 과정을 쓰고, 답을 구해
보세요.

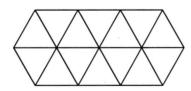

〔풀이〕

〔답〕

| 정삼각형의 성질 | 〔서술형〕

19 삼각형 ㄱㄴㄷ은 정삼각형입니다. ㉠+㉡+㉢
은 몇 도인지 풀이 과정을 쓰고, 답을 구해 보세요.

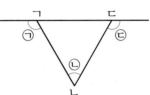

〔풀이〕

〔답〕

| 이등변삼각형의 성질 |

20 크기가 같은 이등변삼각형 ㄱㄷㄹ과 ㅁㄴㄷ을
겹쳐 놓은 것입니다. 각 ㄴㅂㄹ의 크기를 구해
보세요.

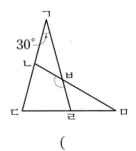

(   )

연습 **서술형 평가** | 2. 삼각형

평가한 날　　월　　일

점수

정답 및 풀이 | **106쪽**

Tip

❶ 삼각형의 이름 찾기

⌄⌄

❷ □ 안에 알맞은 수 구하기

01 다음 삼각형에서 □ 안에 알맞은 수는 얼마인지 풀이 과정을 쓰고, 답을 구해 보세요.

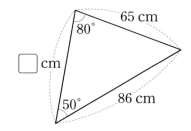

풀이

답 _____

Tip

❶ 각 ㅁㄷㄹ의 크기 구하기

⌄⌄

❷ 각 ㄱㄷㅁ의 크기 구하기

02 삼각형 ㄱㄴㄷ은 정삼각형이고, 삼각형 ㄷㄹㅁ은 이등변삼각형입니다. 각 ㄱㄷㅁ의 크기는 몇 도인지 풀이 과정을 쓰고, 답을 구해 보세요.

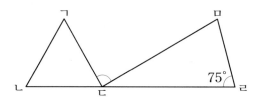

풀이

답 _____

Tip

❶ 정삼각형의 한 변의 길이 구하기

❷ 정삼각형 한 개의 세 변의 길이의 합 구하기

03 크기가 같은 정삼각형 5개를 붙여서 다음과 같은 도형을 만들었습니다. 굵은 선의 길이가 56 cm일 때 정삼각형 한 개의 세 변의 길이의 합은 몇 cm인지 풀이 과정을 쓰고, 답을 구해 보세요.

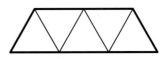

풀이

답 ....

Tip

❶ 작은 삼각형 1개로 이루어진 둔각삼각형 찾기

❷ 작은 삼각형 2개로 이루어진 둔각삼각형 찾기

❸ 작은 삼각형 3개로 이루어진 둔각삼각형 찾기

❹ 크고 작은 둔각삼각형의 개수 구하기

04 다음에서 찾을 수 있는 크고 작은 둔각삼각형은 모두 몇 개인지 풀이 과정을 쓰고, 답을 구해 보세요.

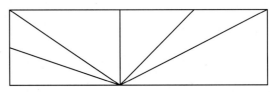

풀이

답 ....

01 1 cm짜리 수수깡을 실로 꿰어서 이등변삼각형 모양을 만들려고 합니다. 1 cm짜리 수수깡 18개를 모두 사용하여 만들 수 있는 이등변삼각형은 모두 몇 가지인지 풀이 과정을 쓰고, 답을 구해 보세요.

풀이

답

02 운동장에 오른쪽과 같이 원을 그렸습니다. 원의 중심에는 선생님이 섰고, 원의 둘레에는 10명의 학생들이 일정한 간격으로 섰습니다. 선생님이 현주, 은석이와 이루는 각이 70°입니다. ☐ 안에 알맞은 각도는 몇 도인지 풀이 과정을 쓰고, 답을 구해 보세요.

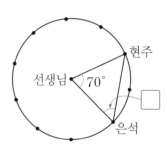

풀이

답

Tip

❶ 각 ㄴㄱㄷ의 크기 구하기

❷ 각 ㄱㄷㄴ의 크기 구하기

❸ 각 ㄱㄴㄷ의 크기 구하기

03 정삼각형 모양의 색종이를 다음 그림처럼 접어서 삼각형 ㄱㄴㄷ을 만들었습니다. 각 ㄱㄴㄷ은 몇 도인지 풀이 과정을 쓰고, 답을 구해 보세요.

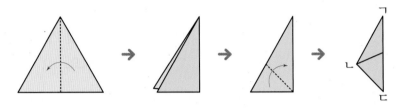

풀이

답

Tip

❶ 단계가 높아질수록 크고 작은 정삼각형이 몇 개씩 늘어나는지 규칙 찾기

❷ 5단계에서 찾을 수 있는 크고 작은 정삼각형의 개수 구하기

04 다음 그림과 같이 정삼각형의 각 변의 한가운데에 점을 찍어 선분으로 연결하였습니다. 이와 같은 방법으로 모양을 그린다면, 5단계에서 찾을 수 있는 크고 작은 정삼각형은 모두 몇 개인지 풀이 과정을 쓰고, 답을 구해 보세요.

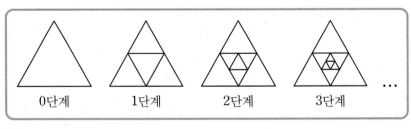

| 0단계 | 1단계 | 2단계 | 3단계 | ... |

풀이

답

개념 1 소수 두 자리 수

$$\frac{1}{100}=0.01$$

✏️ 쓰기 0.01
🔊 읽기 영 점 영일

· 1.25(일 점 이오) 알아보기
  1.25는 0.01이 125개인 수

개념 2 소수 세 자리 수

$$\frac{1}{1000}=0.001$$

✏️ 쓰기 0.001
🔊 읽기 영 점 영영일

· 1.245(일 점 이사오) 알아보기
  1.245는 0.001이 1245개인 수

개념 3 소수 사이의 관계 알아보기

· 1, 0.1, 0.01, 0.001 사이의 관계 알아보기

개념 4 소수의 크기 비교

소수점의 자리를 맞추고, 높은 자리부터 같은 자리 수끼리 차례로 비교합니다.

예 2.685와 2.68의 크기 비교하기

2	.	6	8	5
2	.	6	8	0

⇨ 2.685＞2.68

개념 5 소수 한 자리 수의 덧셈

예 0.9＋0.3의 계산

```
  0.9         0.9          1
+ 0.3   ⇨   + 0.3   ⇨    0.9
            ─────       + 0.3
               2        ─────
                          1.2
```

개념 6 소수 한 자리 수의 뺄셈

예 1.3－0.4의 계산

```
  1.3         1.3          0  10
- 0.4   ⇨   - 0.4   ⇨     1.3
            ─────       - 0.4
               9        ─────
                          0.9
```

개념 7 소수 두 자리 수의 덧셈

예 1.78＋0.14의 계산

```
    1           1             1
  1.7 8       1.7 8         1.7 8
+ 0.1 4   ⇨ + 0.1 4   ⇨   + 0.1 4
─────       ─────         ─────
      2         9 2         1.9 2
```

개념 8 소수 두 자리 수의 뺄셈

예 3.76－1.49의 계산

```
    6  10        6  10         6  10
  3.7 6        3.7 6         3.7 6
- 1.4 9   ⇨  - 1.4 9   ⇨   - 1.4 9
─────        ─────         ─────
      7          2 7         2.2 7
```

소수점의 자리를 맞추어 쓰고 자연수의 덧셈, 뺄셈과 같은 방법으로 계산한 후 소수점을 그대로 내려 찍습니다.

평가한 날   월   일

점수

01 ☐ 안에 알맞은 수를 써넣으세요.

> 0.06은 0.01이 ☐ 개인 수입니다.

02 모눈종이의 전체 크기를 1이라고 할 때 색칠한 부분을 분수와 소수로 나타내어 보세요.

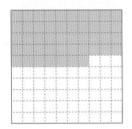

분수	소수

03 ☐ 안에 알맞은 수를 써넣으세요.

> 4.23에서 ☐ 은/는 소수 둘째 자리 숫자이고 0.03을 나타냅니다.

04 ☐ 안에 알맞은 수를 써넣으세요.

> 0.001이 358개인 수는 ☐ 입니다.

05 크기를 비교하여 ◯ 안에 >, =, <를 알맞게 써넣으세요.

> 5.4 ◯ 5.40

06 빈 곳에 알맞게 써넣으세요.

소수	
쓰기	읽기
0.084	
	일 점 오영구

07 ☐ 안에 알맞은 수를 써넣으세요.

> 3.225는 3보다 ☐ 더 큰 수입니다.

08 6.345를 보고 ☐ 안에 알맞게 써넣으세요.

> 5는 ☐ 자리 숫자이고 ☐ 를 나타냅니다.

09 수직선에 0.257을 나타내어 보세요.

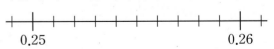

0.25   0.26

10 1.3과 1.35 사이에 있는 소수 두 자리 수를 모두 써 보세요.

(   )

01~02 빈칸에 알맞은 수를 써넣으세요.

01

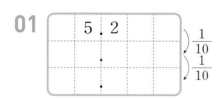

02

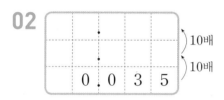

03 ☐ 안에 알맞은 수를 써넣으세요.

(1) 10.25의 10배는 ☐ 입니다.

(2) 25.4의 $\frac{1}{10}$ 은 ☐ 입니다.

04 ☐ 안에 알맞은 수를 써넣으세요.

(1) 1은 0.01의 ☐ 배입니다.

(2) 0.001은 0.1의 $\frac{1}{☐}$ 입니다.

05 ☐ 안에 알맞은 수를 써넣으세요.

(1) 4 cm = ☐ m

(2) 2.107 kg = ☐ g

06 모눈종이의 전체 크기를 1이라고 할 때 0.32와 0.29를 각각 색칠하고 크기를 비교해 보세요.

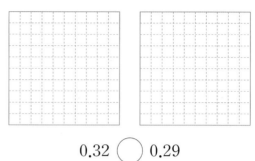

0.32 ◯ 0.29

07 ◯ 안에 >, =, <를 알맞게 써넣으세요.

(1) 4.842 ◯ 4.78

(2) 1.035 ◯ 1.119

08 크기가 작은 수부터 차례대로 써 보세요.

0.41, 0.34, 0.24, 0.37

(   )

09 수직선 위에 다음 수를 나타내고 가장 큰 수를 써 보세요.

1.231 1.247 1.215

(   )

10 0부터 9까지의 수 중에서 ☐ 안에 들어갈 수 있는 수를 모두 써 보세요.

3.743 < 3.7☐1

(   )

01 0.5+0.3을 수 막대를 이용하여 계산하려고 합니다. ☐ 안에 알맞은 수를 써넣으세요.

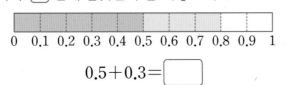

0   0.1   0.2   0.3   0.4   0.5   0.6   0.7   0.8   0.9   1

$$0.5+0.3=\boxed{}$$

02 ☐ 안에 알맞은 수를 써넣으세요.

$$0.6+0.8=\boxed{}$$

03 ☐ 안에 알맞은 수를 써넣으세요.

$$
\begin{array}{r}
0\ .\ 8 \quad \leftarrow 0.1이 \boxed{}개\\
-\ 0\ .\ 2 \quad \leftarrow 0.1이 \boxed{}개\\
\hline
\boxed{}\ .\ \boxed{} \quad \leftarrow 0.1이\ 8-2=\boxed{}(개)
\end{array}
$$

04 계산해 보세요.

(1)
$$
\begin{array}{r}
0\ .\ 5\\
+\ 0\ .\ 9\\
\hline
\boxed{}
\end{array}
$$

(2)
$$
\begin{array}{r}
1\ .\ 4\\
-\ 0\ .\ 6\\
\hline
\boxed{}
\end{array}
$$

05 계산 결과가 같은 것끼리 선으로 이어 보세요.

0.2+0.5 ·	· 1.2+0.2
0.3+0.6 ·	· 0.8-0.1
0.8+0.6 ·	· 1.2-0.3

06 수직선을 보고 ☐ 안에 알맞은 수를 써넣으세요.

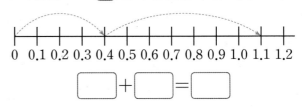

0   0.1   0.2   0.3   0.4   0.5   0.6   0.7   0.8   0.9   1.0   1.1   1.2

$$\boxed{}+\boxed{}=\boxed{}$$

07 수직선을 보고 ☐ 안에 알맞은 수를 써넣으세요.

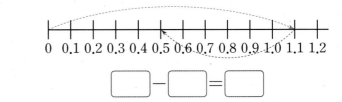

0   0.1   0.2   0.3   0.4   0.5   0.6   0.7   0.8   0.9   1.0   1.1   1.2

$$\boxed{}-\boxed{}=\boxed{}$$

08 무게가 0.2 kg인 택배 상자에 무게가 3.5 kg인 물건을 넣었습니다. 물건이 담긴 택배 상자의 무게는 몇 kg인지 구해 보세요.

(   )

09 ☐ 안에 알맞은 수를 써넣으세요.

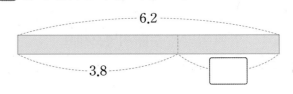

6.2

3.8   ☐

10 예림이와 태민이 중에서 누가 몇 kg 더 무거운가요?

예림   내 몸무게는 25.2 kg야.

내 몸무게는 24.9 kg야.   태민

(   ), (   )

01 모눈종이 전체의 크기를 1이라고 할 때 그림을 보고 $0.7 - 0.22$를 계산해 보세요.

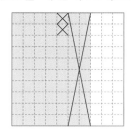

$$0.7 - 0.22 = \boxed{}$$

02 계산해 보세요.

(1) $\begin{array}{r} 0.61 \\ + 0.28 \\ \hline \boxed{} \end{array}$

(2) $\begin{array}{r} 0.52 \\ - 0.37 \\ \hline \boxed{} \end{array}$

03 계산해 보세요.

(1) $0.15 + 0.53$

(2) $0.24 + 0.46$

04 빈칸에 알맞은 수를 써넣으세요.

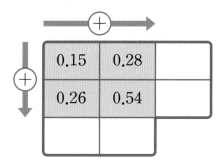

$+$		
0.15	0.28	
0.26	0.54	

05 다음이 나타내는 소수를 구해 보세요.

0.46보다 0.19 작은 수

(   )

06 가장 큰 수와 가장 작은 수의 합을 구해 보세요.

0.64	0.25	0.39	0.15

(   )

07 지연이는 주말 농장에서 오이를 오전에는 0.48 kg 땄고, 오후에는 1.14 kg 땄습니다. 지연이가 딴 오이는 모두 몇 kg인지 구해 보세요.

(   )

08 정민이는 우유 0.95 L와 주스 0.58 L를 마셨습니다. 정민이는 어느 것을 몇 L 더 마셨나요?

(   ), (   )

09~10 현수는 달리기 연습을 했습니다. 어제는 1.7 km, 오늘은 1.87 km 뛰었을 때, 물음에 답해 보세요.

09 어제와 오늘 뛴 거리는 모두 몇 km인가요?

(   )

10 오늘은 어제보다 몇 km 더 많이 뛰었나요?

(   )

| 소수 두 자리 수 |

01 ☐안에 알맞은 수를 써넣으세요.

> 0.01이 178개인 수는 ☐ 입니다.

| 소수 한 자리 수의 덧셈 |

02 ☐안에 알맞은 수를 써넣으세요.

$$
\begin{array}{cccc}
0.4 & \rightarrow & 0.1이 & 4개 & 0.4 \\
+0.8 & \rightarrow & +0.1이 & 8개 & \rightarrow & +0.8 \\
\hline
& & 0.1이 \boxed{}개 & & \boxed{}
\end{array}
$$

| 소수 두 자리 수의 덧셈 |

03 계산해 보세요.

(1) 0.54 + 1.15

(2)
$$
\begin{array}{r}
1.78 \\
+0.34 \\
\hline
\end{array}
$$

| 소수 한 자리 수의 덧셈과 뺄셈 |

04 빈칸에 알맞은 수를 써넣으세요.

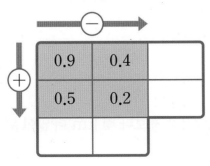

| 소수 두 자리 수 |

05 다음에서 4가 나타내는 수를 구해 보세요.

일의 자리		소수 첫째 자리	소수 둘째 자리
2	.	4	7

( )

| 소수 사이의 관계 |

06 ☐안에 알맞은 수를 써넣으세요.

> 0.485를 100배 한 수는 ☐ 입니다.

| 소수의 크기 비교 |

07 수의 크기를 비교하여 큰 수부터 차례대로 써 보세요.

> 0.585   0.543   0.9   0.78

( )

| 소수 한 자리 수의 덧셈 |

08 계산 결과가 같은 것을 모두 찾아 기호를 써 보세요.

> ㉠ 0.7 + 0.8   ㉡ 0.4 + 0.7
> ㉢ 0.6 + 0.9   ㉣ 0.9 + 0.1

( )

| 소수 두 자리 수의 덧셈 |　　　　　　　**서술형**

09 계산이 잘못된 곳을 찾아 바르게 계산하고 이유
를 써 보세요.

⇨

이유

_____

_____

_____

| 소수 한 자리 수의 덧셈 |

10 삼각형의 세 변의 길이의 합을 구해 보세요.

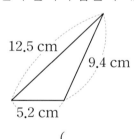

12.5 cm

9.4 cm

5.2 cm

(　　　　　　　　)

| 소수 사이의 관계 |

11 0.39와 같은 수를 모두 찾아 기호를 써 보세요.

| ㉠ 3.9의 $\frac{1}{100}$ | ㉡ 0.039의 10배 |
| ㉢ 39의 $\frac{1}{100}$ | ㉣ 0.39의 100배 |

(　　　　　　　　)

| 소수 두 자리 수의 덧셈과 뺄셈 |

12 두 소수의 합을 ㉠, 차를 ㉡이라고 할 때 ㉠ - ㉡
은 얼마인가요?

| 4.78　　　2.47 |

(　　　　　　　　)

| 소수 두 자리 수의 뺄셈 |　　　　　　　**서술형**

13 카레라이스를 만드는 데 필요한 재료들입니다.
가장 많이 필요한 재료와 가장 적게 필요한 재료
의 무게의 차는 몇 kg인지 풀이 과정을 쓰고, 답
을 구해 보세요.

재료	무게	재료	무게
감자	0.54 kg	소고기	0.47 kg
당근	0.48 kg	양파	0.25 kg
카레 가루	0.22 kg	밥	0.44 kg

풀이

답

_____

| 소수 두 자리 수의 뺄셈 |

14 현아는 980 mL의 우유 중 250 mL를 마셨습
니다. 남은 우유는 몇 L인가요?

(　　　　　　　　)

| 소수 사이의 관계 |

15 ㉠이 나타내는 수는 ㉡이 나타내는 수의 몇 배인
지 구해 보세요.

중

$$52.\underline{5}2\underline{2}$$
↑ ↑
㉠ ㉡

(   )

| 소수 두 자리 수의 뺄셈 |

16 ☐안에 알맞은 수를 써넣으세요.

중

$$\begin{array}{r} 8\,.\,3\,\square \\ -\ 2\,.\,\square\,4 \\ \hline \square\,.\,7\ 8 \end{array}$$

| 소수 한 자리 수의 덧셈과 뺄셈 |

17 직사각형 모양의 화단이 있습니다. 이 화단의 가
로가 세로보다 4.8 m 더 길고 가로가 11.9 m
일 때 화단의 네 변의 길이의 합은 몇 m인가요?

중

(   )

| 소수 두 자리 수의 뺄셈 |

18 다음 뺄셈식에서 ㉠+㉡-㉢의 값을 구해 보
세요.

상

$$\begin{array}{r} 4\,.\,㉠\,6 \\ -\ 0\,.\,8\,㉡ \\ \hline ㉢\,.\,5\ 3 \end{array}$$

(   )

| 소수 두 자리 수의 뺄셈 |

19 0에서 9까지의 수 중에서 ☐ 안에 들어갈 수 있
는 가장 큰 자연수를 구해 보세요.

상

$$4.88-3.\square7>1.19$$

(   )

| 소수 두 자리 수의 덧셈과 뺄셈 | 서술형

20 연석이는 마트에서 사 온 세제들을 용기에 담고
있습니다. 0.05 kg의 빈 용기에 주방세제를 담
고 무게를 재었더니 0.84 kg이었고, 0.03 kg
의 빈 용기에 세탁세제를 담고 무게를 재었더니
0.57 kg이었습니다. 용기에 담은 주방세제와
세탁세제의 무게의 합은 몇 kg인지 풀이 과정을
쓰고, 답을 구해 보세요.

상

풀이

답

정답 및 풀이 | 110쪽

평가한 날 월 일

점수

| 소수 한 자리 수의 뺄셈 |

01 ☐ 안에 알맞은 수를 써넣으세요.

$$0.7 - 0.5 = \boxed{}$$

| 소수 두 자리 수의 뺄셈 |

02 ☐ 안에 알맞은 수를 써넣으세요.

$$
\begin{array}{r}
0.79 \\
-\ 0.35 \\
\hline
\end{array}
\rightarrow
\begin{array}{l}
0.01이\ \ 79개 \\
-0.01이\ \boxed{}개 \\
\hline
0.01이\ \boxed{}개
\end{array}
$$

$$
\rightarrow
\begin{array}{r}
0.79 \\
-\ 0.35 \\
\hline
\boxed{}
\end{array}
$$

| 소수 두 자리 수의 뺄셈 |

03 계산해 보세요.

(1) $13.27 - 5.04$

(2) $8.27 - 5.17$

| 소수의 크기 비교 |

04 크기를 비교하여 ◯ 안에 >, <를 알맞게 써넣으세요.

$$1.427 \ \bigcirc \ 1.43$$

| 소수 사이의 관계 |

05 ☐ 안에 알맞은 수를 써넣으세요.

3의 $\dfrac{1}{100}$ 은 $\boxed{}$ 이고,

10배는 $\boxed{}$ 입니다.

| 소수 두 자리 수의 덧셈과 뺄셈 |

06 빈칸에 알맞은 수를 써넣으세요.

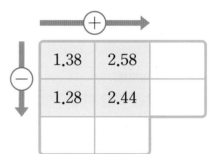

| 소수의 크기 비교 |

07 가장 큰 소수에 ◯표 하세요.

3.197	3.254	3.249

| 소수 두 자리 수의 뺄셈 |

08 빈칸에 알맞은 수를 써넣으세요.

−	0.87	0.76
0.25		

| 소수 두 자리 수의 덧셈과 뺄셈, 소수의 크기 비교 |

09 계산 결과를 비교하여 ◯ 안에 >, <를 알맞게 써넣으세요.

(1) $0.87 - 0.54$ ◯ 0.43

(2) $1.57 + 0.24$ ◯ 1.8

| 소수 두 자리 수의 덧셈 |

10 빈 곳에 알맞은 수를 써넣으세요.

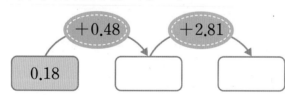

| 소수 두 자리 수의 덧셈 |

11 합이 가장 큰 덧셈식을 찾아 기호를 써 보세요.

ㄱ $4.88 + 0.9$　　ㄴ $5.58 + 0.84$

ㄷ $1.78 + 3.52$　　ㄹ $2.78 + 2.15$

(　　　　　　)

| 소수 사이의 관계 |

12 ☐ 안에 알맞은 수를 써넣으세요.

0.48의 10배는 ☐ 이고, ☐ 배는 48 입니다.

| 소수 사이의 관계, 소수 두 자리 수의 덧셈 |

13 ㉠과 ㉡의 합을 구해 보세요.

㉠ 0.1이 3개, 0.01이 7개인 수
㉡ 0.029의 10배인 수

(　　　　　　)

| 소수 한 자리 수의 덧셈 |

14 동혁이는 집에서 시청까지 갔습니다. 2.8 km는 걸어서 갔고, 3.9 km는 지하철을 탔습니다. 동혁이네 집에서 시청까지의 거리는 몇 km인가요?

(　　　　　　)

| 소수 두 자리 수 |

15 규칙에 따라 수를 놓은 것입니다. ㉠과 ㉡에 알맞은 수의 합을 구해 보세요.

0.25　0.26　㉠　0.28　㉡　0.3

(　　　　　　)

| 소수 두 자리 수의 덧셈 |　　　　　　　　　　　**서술형**

16 지원이와 아버지는 농장에서 귤을 땄습니다.
(중) 지원이는 2.59 kg 땄고, 아버지는 지원이보다 3.19 kg 더 많이 땄습니다. 지원이와 아버지가 딴 귤은 모두 몇 kg인지 풀이 과정을 쓰고, 답을 구해 보세요.

풀이

답

| 소수 두 자리 수의 덧셈과 뺄셈 |

17 ㉠, ㉡, ㉢에 들어갈 소수가 큰 것부터 차례대로
(상) 기호를 써 보세요.

$$0.88+0.28=㉠$$
$$2.54-㉡=1.26$$
$$㉢-0.27=1.15$$

(　　　　　　　　　　　)

| 소수 두 자리 수의 덧셈 |

18 ☐ 안에 알맞은 수를 써넣으세요.
(상)

$$\begin{array}{r} 4\,.\,\boxed{}\,3 \\ +\ 4\,.\,6\,\boxed{} \\ \hline \boxed{}\,.\,2\ 1 \end{array}$$

| 소수 두 자리 수의 덧셈 |　　　　　　　　　　　**서술형**

19 3장의 숫자 키드를 모두 사용하여 소수 두 자리
(상) 수를 만들려고 합니다. 만들 수 있는 가장 큰 수와 가장 작은 수의 합은 얼마인지 풀이 과정을 쓰고, 답을 구해 보세요.

[2]　[8]　[6]

풀이

답

| 소수 두 자리 수의 뺄셈 |　　　　　　　　　　　**서술형**

20 ☐ 안에 들어갈 수 있는 한 자리 자연수를 모두
(상) 더하면 얼마인지 풀이 과정을 쓰고, 답을 구해 보세요.

$$0.\boxed{}-0.19>0.57$$

풀이

답

Tip

❶ 물통 나에 넣은 물의 양 구하기

❷ 물통 나에 처음 있었던 물의 양 구하기

01 3 L 들이 물통 가와 나가 있습니다. 물이 가득 찬 물통 가에서 물의 $\frac{1}{10}$만큼을 퍼서 물통 나에 넣었더니 나 물통의 물의 양이 0.7 L가 되었습니다. 처음에 물통 나에 들어 있던 물의 양은 몇 L인지 풀이 과정을 쓰고, 답을 구해 보세요.

 풀이

답

Tip

❶ 잘못 말한 사람 찾기

❷ 바르게 고쳐 쓰기

02 친구들이 소수에 대하여 말하였습니다. 잘못 말한 사람은 누구인지 찾고, 바르게 고쳐 쓰려고 합니다. 풀이 과정을 쓰고, 답을 구해 보세요.

> · 상훈: 0.023의 10배는 0.23입니다.
>
> · 미정: 13.58의 $\frac{1}{10}$배는 1.358입니다.
>
> · 유겸: 6.251의 100배는 625.1입니다.
>
> · 지원: 0.048의 1000배는 4.8입니다.

잘못 말한 사람

바르게 고쳐 쓰기

Tip

❶ 0.004 m를 cm 단위로 나타 내기

≫

❷ 소율이의 키 구하기

03 동건이의 키는 132.6 cm이고, 소율이의 키는 동건이보다 0.004 m 더 큽니다. 소율이의 키는 몇 cm인지 풀이 과정을 쓰고, 답을 구해 보세요.

풀이

답 _____

 Tip

❶ 3.496과 3.500 사이의 소수 세 자리 수 구하기

≫

❷ ☐ 안에 들어갈 수 있는 수 모 두 구하기

04 1부터 9까지의 수 중에서 ☐ 안에 들어갈 수 있는 수를 모두 구하려고 합니다. 풀이 과정을 쓰고, 답을 구해 보세요.

$$3.496 < 3.49\square < 3.5$$

풀이

답 _____

Tip

❶ 민아가 가지고 있는 소수 구하기

❷ 규진이가 가지고 있는 소수 구하기

❸ 주이가 가지고 있는 소수 구하기

01 세 명의 아이들이 각자 소수 카드를 들고 다음과 같이 말하고 있습니다. 각 학생들이 가지고 있는 소수는 무엇인지 풀이 과정을 쓰고, 답을 구해 보세요.

> 1.51보다 0.03 더 큰 수입니다.

> 민아의 수의 10배인 수입니다.

> 규진이의 수의 $\frac{1}{100}$인 수입니다.

 민아

 규진

주이

풀이

답 민아: , 규진: , 주이:

Tip

❶ 코끼리가 마신 물의 양 구하기

❷ 하마가 마신 물의 양 구하기

❸ 하마가 마신 물의 양은 코끼리가 마신 물의 양의 몇 배인지 구하기

02 코끼리와 하마가 물을 마셨습니다. 코끼리는 160 L의 $\frac{1}{100}$만큼, 하마는 0.016 L의 1000배만큼 물을 마셨습니다. 하마는 코끼리가 마신 물의 양의 몇 배만큼 물을 마셨는지 풀이 과정을 쓰고, 답을 구해 보세요.

풀이

답

평가한 날 　월　　　일

점수

Tip

❶ 직각삼각형 1개의 크기 구하기

❷ 색칠한 부분을 분수와 소수로
나타내기

03 정사각형의 전체 크기가 1이라고 할 때 색칠한 부분을 분수와 소수로 나타내려고 합니다. 풀이 과정을 쓰고, 답을 구해 보세요.

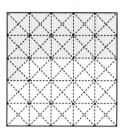

풀이

답 분수: 　　　　　 , 소수:

Tip

❶ 8.6◻◻을 만들고 ◻ 안에 들
어갈 숫자 카드 찾기

❷ 8.648에 가장 가까운 소수 세
자리 수 구하기

04 6장의 숫자 카드 중에서 5장을 사용하여 8.648에 가장 가까운 소수 세 자리 수를 만들려고 합니다. 풀이 과정을 쓰고, 답을 구해 보세요.

풀이

답

교과서 핵심 개념

개념 1   수직, 수선

• 수직: 두 직선이 만나서 이루는 각이 직각일 때, 두 직선은 서로 수직이라고 합니다.

• 수선: 두 직선이 서로 수직일 때, 한 직선을 다른 직선에 대한 수선이라고 합니다.

개념 2   평행, 평행선

• 평행: 서로 만나지 않는 두 직선은 평행하다고 합니다.

• 평행선: 평행한 두 직선

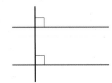 한 직선에 수직으로 그은 두 직선은 서로 평행합니다.

개념 3   평행선 사이의 거리

• 평행선 사이의 거리: 평행선의 한 직선에서 다른 직선에 수직인 선분을 그을 때, 이 수직인 선분의 길이

 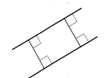

개념 4   사다리꼴

• 사다리꼴: 평행한 변이 한 쌍이라도 있는 사각형

개념 5   평행사변형

• 평행사변형: 두 쌍의 마주 보는 변이 서로 평행한 사각형

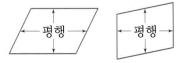

• 마주 보는 두 변의 길이는 같습니다.
• 마주 보는 두 각의 크기는 같습니다.
• 이웃한 두 각의 크기의 합은 180°입니다.

개념 6   마름모

• 마름모: 네 변의 길이가 모두 같은 사각형
• 마주 보는 두 각의 크기는 같습니다.

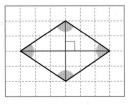

• 마주 보는 꼭짓점끼리 이은 두 선분은 서로 수직이고 서로를 똑같이 둘로 나눕니다.

개념 7   직사각형의 성질

• 두 쌍의 마주 보는 변은 서로 평행합니다.
• 마주 보는 두 변의 길이는 같습니다.
• 마주 보는 두 각의 크기는 같습니다.
• 마주 보는 꼭짓점끼리 이은 두 선분의 길이는 같습니다.

개념 8   정사각형의 성질

• 두 쌍의 마주 보는 변은 서로 평행합니다.
• 마주 보는 두 변의 길이는 같습니다.
• 마주 보는 두 각의 크기는 같습니다.
• 마주 보는 꼭짓점끼리 이은 두 선분은 수직으로 만납니다.

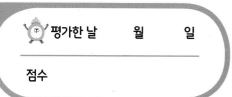
01 삼각자를 사용하여 주어진 직선에 내한 수선을 그어 보세요.

02 각도기를 사용하여 점 ㄱ을 지나고 직선 가에 수직인 직선을 그어 보세요.

ㄱ•

가 ─────────

03 두 직선이 서로 수직인 것을 찾아 기호를 써 보세요.

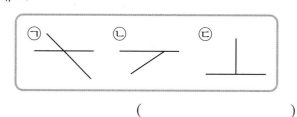

(   )

04 ◻안에 알맞은 말을 써넣으세요.

두 직선이 서로 수직일 때, 한 직선을 다른 직선에 대한 ◻(이)라고 합니다.

05 수직인 두 변을 찾아 써 보세요.

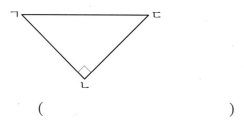

(   )

06 ◻안에 알맞은 말을 써넣으세요.

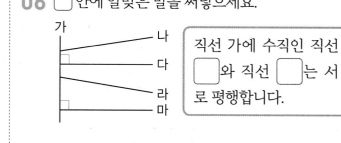

직선 가에 수직인 직선 ◻와 직선 ◻는 서로 평행합니다.

07 삼각자를 사용하여 주어진 직선과 평행한 직선을 그어 보세요.

08 삼각자를 사용하여 점 ㄱ을 지나고 직선 가에 평행한 직선을 그어 보세요.

ㄱ•

───────── 가

09 도형에서 평행선 사이의 거리는 몇 cm인가요?

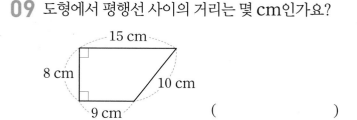

(   )

10 평행선 사이의 거리에 대해 잘못 말한 사람은 누구인가요?

예지: 평행선 사이에 그을 수 있는 선분 중에서 가장 짧은 것을 말하는 거야.

재영: 평행선 사이의 거리는 항상 다르므로 가장 짧은 거리를 재야 해.

(   )

01 ☐ 안에 알맞은 말을 써넣으세요.

> 평행한 변이 한 쌍이라도 있는 사각형을
> ☐ 이라고 합니다.

02 평행한 변이 한 쌍이라도 있는 사각형을 모두 찾아 기호를 써 보세요.

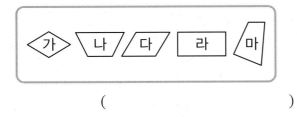

(   )

03 사다리꼴을 모두 찾아 기호를 써 보세요.

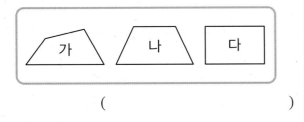

(   )

04 주어진 선분을 사용하여 사다리꼴을 그려 보세요.

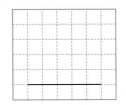

05 사각형 ㄱㄴㄷㄹ은 사다리꼴이고 변 ㄱㄴ과 선분 ㄹㅁ은 서로 평행합니다. 선분 ㅁㄷ의 길이는 몇 cm인가요?

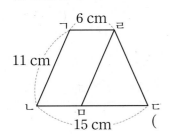

(   )

06 ☐ 안에 알맞은 말을 써넣으세요.

> 두 쌍의 마주 보는 변이 서로 평행한 사각형
> 을 ☐ 이라고 합니다.

07 평행사변형을 모두 찾아 기호를 써 보세요.

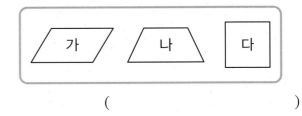

(   )

08 서로 다른 평행사변형 두 개를 그려 보세요.

09~10 평행사변형입니다. ☐ 안에 알맞은 수를 써넣으세요.

09

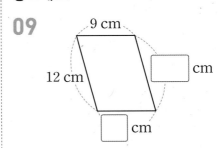

10

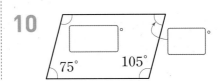

01 마름모를 모두 찾아 기호를 써 보세요.

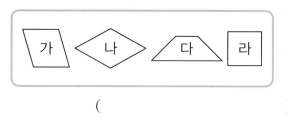

(   )

02 주어진 선분을 사용하여 마름모를 완성해 보세요.

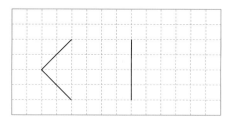

03 마름모에 대한 설명입니다. 바르게 설명한 것은 ○표, 잘못 설명한 것은 ×표 하세요.

(1) 마름모는 네 변의 길이가 모두 같습니다.

(   )

(2) 마름모는 네 각의 크기가 모두 같습니다.

(   )

04 점 종이에 서로 다른 마름모를 2개 그려 보세요.

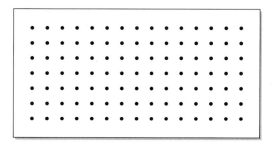

05 마름모의 네 변의 길이의 합은 몇 cm인가요?

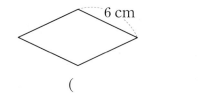

6 cm

(   )

06 점판의 도형을 꼭짓점 한 개만 옮겨서 마름모로 만들어 보세요.

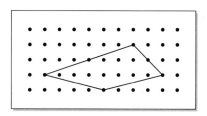

07~08 마름모입니다. ☐ 안에 알맞은 수를 써넣으세요.

07

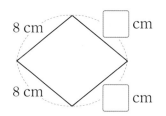

8 cm   ☐ cm

8 cm   ☐ cm

08

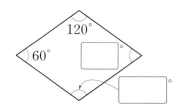

120°

60°

☐°

☐°

09 마름모입니다. ㉠은 몇 도인가요?

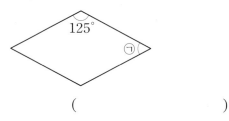

125°   ㉠

(   )

10 네 변의 길이의 합이 48 cm인 마름모의 한 변의 길이는 몇 cm인가요?

(   )

평가한 날　　　월　　　일

정답 및 풀이 | 114쪽

점수

01~02 도형을 보고 물음에 답해 보세요.

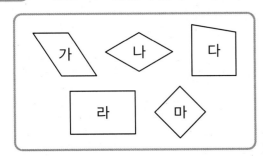

01 네 각의 크기가 모두 같은 사각형을 모두 찾아 기호를 써 보세요.

（　　　　　　　）

02 네 변의 길이가 모두 같고, 네 각의 크기가 모두 같은 사각형을 찾아 기호를 써 보세요.

（　　　　　　　）

03 점 종이에 서로 다른 모양의 직사각형을 2개 그려 보세요.

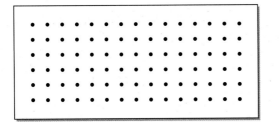

04 주어진 선분을 사용하여 정사각형을 완성해 보세요.

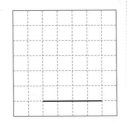

05 한 변의 길이가 7 cm인 정사각형의 네 변의 길이의 합은 몇 cm인가요?

（　　　　　　　）

06 정사각형을 모두 찾아 기호를 써 보세요.

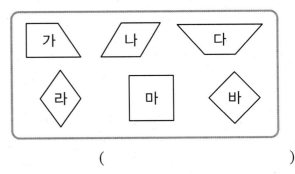

（　　　　　　　）

07 직사각형의 네 변의 길이의 합은 몇 cm인가요?

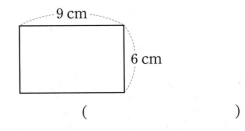

（　　　　　　　）

08 바르게 설명한 것에 ○표, 틀리게 설명한 것에 ×표 하세요.

・직사각형은 마주 보는 두 쌍의 변이 서로 평행합니다.　　　　　（　　　）

・직사각형은 정사각형입니다.　（　　　）

09 네 변의 길이가 64 cm인 정사각형의 한 변의 길이는 몇 cm인가요?

（　　　　　　　）

10 두 쌍의 마주 보는 변이 서로 평행한 사각형에 모두 ○표 하세요.

사다리꼴	평행사변형	마름모
직사각형	정사각형	

| 수직 |

01 ◯안에 알맞은 말을 써넣으세요.

두 직선이 서로 수직일 때 한 직선을 다른 직선에 대한 ◯이라고 합니다.

| 평행선 |

02 ◯안에 알맞은 말을 써넣으세요.

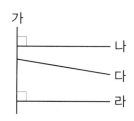

직선 나, 직선 라와 같이 만나지 않는 평행한 두 직선을 ◯이라고 합니다.

| 사다리꼴 |

03 사다리꼴 ㄱㄴㄷㄹ에서 변 ㄱㄹ과 평행한 변은 어느 것인가요?

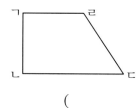

(   )

| 사다리꼴 |

04 평행한 변이 한 쌍만 있는 도형은 어느 것인가요?

(   )

  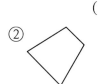

| 평행선 사이의 거리 |

05 직선 가와 직선 나는 서로 평행합니다. 길이가 5 cm인 선분을 모두 찾아 기호를 써 보세요.

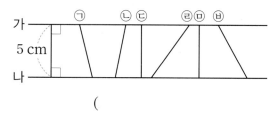

(   )

06~07 도형을 보고 물음에 답해 보세요.

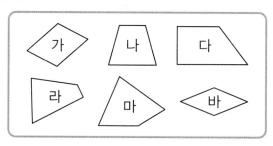

| 사다리꼴 |

06 사다리꼴을 모두 찾아 기호를 써 보세요.

(   )

| 평행사변형 |

07 평행사변형을 모두 찾아 기호를 써 보세요.

(   )

| 평행선 |

08 점 ㄱ을 지나고 주어진 직선과 평행한 직선을 그어 보세요.

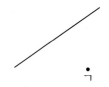

| 마름모 |

09 마름모입니다. ☐ 안에 알맞은 수를 써넣으세요.

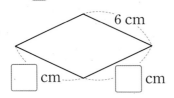

| 수직 |

10 서로 수직인 두 변이 있는 도형을 모두 찾아 기호를 써 보세요.

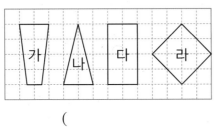

( )

| 평행사변형 |

11 평행사변형입니다. 각 ㄱㄴㄷ의 크기는 몇 도인가요?

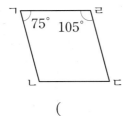

( )

| 사각형의 분류 |

12 다음 사각형의 이름이 될 수 있는 것을 모두 찾아 ○표 하세요.

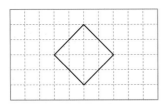

사다리꼴   평행사변형   마름모
직사각형   정사각형

| 수직, 평행 |

13 수직인 선분도 있고 평행인 선분도 있는 자음자를 모두 찾아 써 보세요.

( )

| 수직, 평행 | 서술형

14 수직과 평행에 대해 잘못 설명한 것을 찾아 기호를 쓰고, 잘못된 이유를 써 보세요.

> ㉠ 한 직선에 수직인 직선은 셀 수 없이 많이 그릴 수 있습니다.
> ㉡ 평행한 두 직선은 한 점에서 만납니다.
> ㉢ 한 직선에 수직인 두 직선은 평행선입니다.

답

이유

| 사각형의 분류 |

15 바르게 말한 사람의 이름을 써 보세요.

> 미소: 직사각형은 정사각형이야.
> 윤아: 마름모는 사다리꼴이야.
> 지한: 평행사변형은 마름모야.

( )

| 마름모 |

16 네 변의 길이의 합이 72 cm인 마름모의 한 변의 길이는 몇 cm인가요?

_중

(   )

| 평행선 사이의 거리 | **서술형**

17 직선 가와 직선 나는 서로 평행합니다. 평행선 사이의 거리를 나타내는 선분은 어느 것인지 풀이 과정을 쓰고, 답을 구해 보세요.

_중

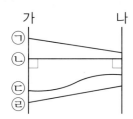

풀이

답

| 평행사변형 |

18 평행사변형 ㄱㄴㄷㄹ의 네 변의 길이의 합은 42 cm입니다. 변 ㄱㄹ의 길이는 몇 cm인가요?

_상

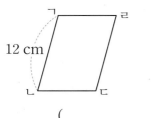

(   )

| 마름모, 정사각형의 성질 |

19 정사각형 2개와 마름모 1개의 한 변을 맞닿게 그린 도형입니다. ☐ 안에 알맞은 수를 써넣으세요.

_상

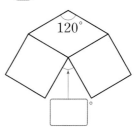

| 평행선 사이의 거리 | **서술형**

20 도형에서 변 ㄷㄹ과 변 ㅇㅅ은 서로 평행합니다. 변 ㄹㅁ의 길이는 몇 cm인지 풀이 과정을 쓰고, 답을 구해 보세요.

_상

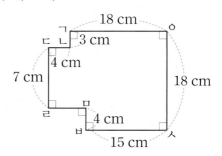

풀이

답

| 수직 |

01 서로 수직인 변이 있는 도형에 ○표 하세요.

(   )   (   )   (   )

| 평행선 사이의 거리 |

02 평행선 가와 나 사이의 거리는 몇 cm인가요?

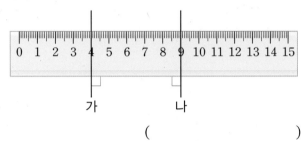

(   )

| 평행선 사이의 거리 |

03 도형에서 평행한 두 변 사이의 거리는 몇 cm인 가요?

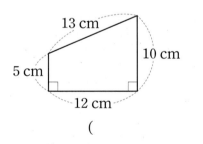

13 cm
10 cm
5 cm
12 cm

(   )

| 평행사변형 |

04 평행사변형입니다. □ 안에 알맞은 수를 써넣으세요.

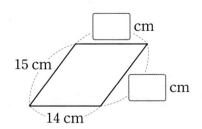

cm
15 cm
cm
14 cm

05~06 그림을 보고 물음에 답해 보세요.

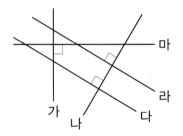

마
라
가   나   다

| 수직 |

05 직선 나에 수직인 직선을 모두 찾아 써 보세요.

(   )

| 평행 |

06 평행한 두 직선을 찾아 써 보세요.

(   )

| 수직 |

07 꼭짓점 ㄱ을 지나고 변 ㄴㄷ에 대한 수선을 그어 보세요.
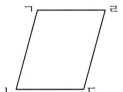

ㄱ   ㄹ
ㄴ   ㄷ

| 평행 |

08 도형에서 평행한 변은 모두 몇 쌍인지 구해 보세요.

(   )

09~10 도형에서 ☐ 안에 알맞은 수를 써넣으세요.

| 마름모 |

09 마름모

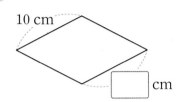

10 cm

☐ cm

| 평행사변형 |

10 평행사변형

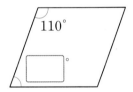

110°

☐°

| 정사각형의 성질 | 서술형

11 주어진 단어들을 한 번씩 사용하여 정사각형의 성질을 2가지로 설명해 보세요.

직각   마주   보는   각의   크기

성질1

성질2

| 마름모, 정사각형의 성질 |

12 정사각형과 마름모를 겹치지 않게 붙여 놓은 것입니다. 굵은 선의 길이는 몇 cm인가요?

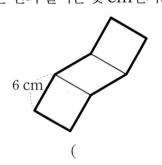

6 cm

(   )

13~14 그림을 부고 물음에 답해 보세요.

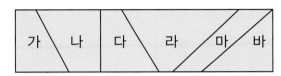

가 나 다 라 마 바

| 사다리꼴 |

13 직사각형 모양의 종이띠를 선을 따라 자르면 사다리꼴은 모두 몇 개 만들어지나요?

(   )

| 평행사변형 |

14 선을 따라 잘랐을 때 잘라 낸 도형이 평행사변형인 것을 찾아 기호를 써 보세요.

(   )

| 정사각형의 성질 | 서술형

15 정사각형은 사다리꼴인지 아닌지 쓰고, 그 이유를 써 보세요.

답

이유

| 사각형의 분류 |

16 주어진 선분으로 만들 수 <u>없는</u> 사각형을 찾아 써 (중) 보세요.

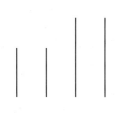

평행사변형
마름모
직사각형

(   )

| 평행사변형 |

17 도형에서 찾을 수 있는 크고 작은 평행사변형은 (상) 모두 몇 개인가요?

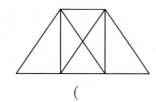

(   )

| 직사각형, 평행사변형 |

18 직사각형 ㄱㄴㄷㄹ에서 변 ㄴㅁ과 변 ㅂㄹ은 서로 (상) 평행합니다. 각 ㄹㅂㄷ은 몇 도인지 구해 보세요.

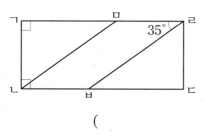

(   )

| 마름모, 정사각형의 성질 |

19 마름모와 크기가 같은 정삼각형 4개를 겹치지 (상) 않게 이어 붙인 것입니다. 마름모 ㄱㄴㄷㄹ의 네 변의 길이의 합이 28 cm일 때 굵은 선의 길이 는 몇 cm일까요?

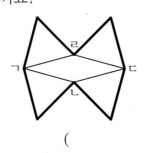

(   )

| 마름모 | 서술형

20 마름모에서 각 ㄷㄱㄹ의 크기는 몇 도인지 풀이 (상) 과정을 쓰고, 답을 구해 보세요.

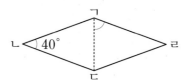

풀이

답 ‥‥‥‥‥‥‥‥‥‥‥‥‥‥‥‥‥‥‥

평가한 날   월   일

정답 및 풀이 | **116쪽**

점수

❶ 평행사변형인지 아닌지 쓰기

❷ 평행사변형인 이유 쓰기

01 다와 라와 같이 네 각의 크기가 같은 사각형은 평행사변형인지 아닌지 쓰고, 그 이유를 써 보세요.

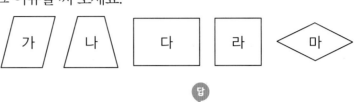

답
....

이유
....
....

Tip

❶ 가, 나, 다, 라의 공통된 성질 찾기

❷ 가, 나, 다, 라의 공통된 이름 쓰기

02 직사각형 모양의 종이를 선을 따라 잘랐을 때 생기는 도형의 공통된 이름은 무엇인지 풀이 과정을 쓰고, 답을 구해 보세요.

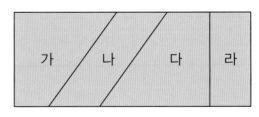

풀이

답
....

Tip

❶ 변 ㄱㄹ과 변 ㄱㄴ의 길이의 합 구하기

❷ 변 ㄱㄴ의 길이 구하기

03 다음 직사각형의 네 변의 길이의 합은 40 cm입니다. 변 ㄱㄴ의 길이는 몇 cm인지 풀이 과정을 쓰고, 답을 구해 보세요.

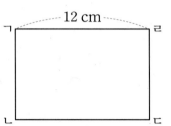

풀이

답

Tip

❶ 각 ㄱㄹㄷ의 크기 구하기

❷ 각 ㅁㄷㄹ의 크기 구하기

04 사각형 ㄱㄴㄷㄹ은 평행사변형이고, 삼각형 ㅁㄷㄹ은 이등변삼각형입니다. 각 ㅁㄷㄹ은 몇 도인지 풀이 과정을 쓰고, 답을 구해 보세요.

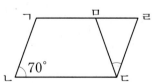

풀이

답

Tip

❶ 평행에 대한 성질 쓰기

    ⌄

❷ 네 변의 길이에 대한 성질 쓰기

    ⌄

❸ 마주 보는 꼭짓점끼리 이은 두
  선분에 대한 성질 쓰기

01 다음 단어들을 사용하여 정사각형의 성질을 3가지 써 보세요.

> · 평행   · 네 변의 길이
> · 마주 보는 꼭짓점끼리 이은 두 선분

 성질1
....

 성질2
....

성질3
....

Tip

❶ 네 변의 길이와 네 각의 크기 비
  교하기

    ⌄

❷ 도형의 이름 쓰기

02 정사각형의 색종이를 사용하여 다음과 같은 순서로 접어서 도형을 만
들었습니다. 만들어진 도형의 이름은 무엇인지 풀이 과정을 쓰고, 답을
구해 보세요.

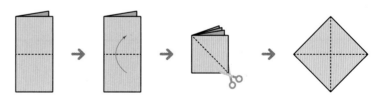

 풀이

답 ....

정답 및 풀이 | **117쪽**

Tip

❶ 작은 삼각형 2개로 이루어진 사다리꼴 찾기

⌄

❷ 작은 삼각형 3개로 이루어진 사다리꼴 찾기

⌄

❸ 작은 삼각형 4개로 이루어진 사다리꼴 찾기

⌄

❹ 작은 삼각형 5개로 이루어진 사다리꼴 찾기

⌄

❺ 크고 작은 사다리꼴이 모두 몇 개인지 구하기

03 성냥개비를 사용해서 다음과 같은 모양을 만들었습니다. 모양에서 찾을 수 있는 크고 작은 사다리꼴은 모두 몇 개인지 풀이 과정을 쓰고, 답을 구해 보세요.

풀이

답

Tip

❶ 두 사람이 그린 도형의 이름을 모두 찾기

⌄

❷ 그린 도형의 이름이 될 수 있는 가짓수가 더 많은 사람 찾기

04 한결이와 민재가 그린 도형입니다. 그린 도형의 이름이 될 수 있는 가짓수가 더 많은 사람은 누구인지 풀이 과정을 쓰고, 답을 구해 보세요.

한결

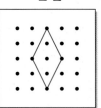

민재

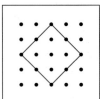

풀이

답

개념 1 꺾은선그래프 알아보기

· 꺾은선그래프: 연속적으로 변화하는 양을 점(·)으로 표시하고, 그 점들을 선분으로 이어 그린 그래프

· 꺾은선그래프를 이용하면 시간에 따른 자료의 변화를 한눈에 알아보기 쉽습니다.

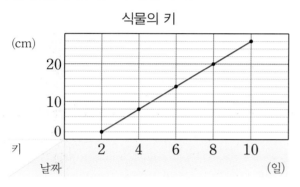

개념 2 꺾은선그래프 그리기

① 가로와 세로에 무엇을 나타낼지 정하기

② 가장 큰 값을 나타낼 수 있도록 세로 눈금 한 칸의 크기를 정하기

③ 가로 눈금과 세로 눈금이 만나는 곳에 점을 찍고 이 점들을 선분으로 잇기

④ 조사한 내용에 알맞은 제목을 쓰기

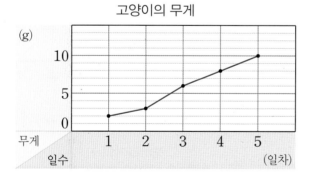

개념 3 꺾은선그래프 해석하기

· 점의 위치에 맞게 눈금을 읽어 수량을 확인하기

· 자료의 변화 정도와 앞으로 변화될 모습을 예상하기

개념 4 물결선이 있는 꺾은선그래프로 나타내기

물결선(≈)을 사용하여 필요 없는 부분을 생략하면 수량의 변화하는 모습을 뚜렷하게 나타낼 수 있습니다.

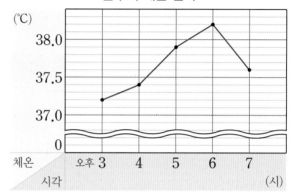

개념 5 자료를 조사하여 꺾은선그래프로 나타내기

주제 정하기

조사할 주제를 정하기

자료 수집하기

어떤 대상을 어떤 방법으로 언제 조사할지 계획을 세우기, 선택한 조사 방법으로 자료를 수집하기

자료 정리하기

조사한 자료를 표와 꺾은선그래프로 나타내기

결과 해석하기

꺾은선그래프를 보고 알 수 있는 내용을 이야기하기

개념 6 자료의 특성에 맞는 그래프로 나타내기

· 항목별 수량을 비교하는 자료: 그림그래프, 막대그래프

· 시간에 따른 변화가 드러나는 자료: 꺾은선그래프

01 ☐ 안에 알맞은 말을 써넣으세요.

> 연속적으로 변화하는 양을 점(·)으로 표시하고, 그 점들을 선분으로 이어 그린 그래프를 ☐☐☐☐☐☐ 라고 합니다.

02~08 어느 지역의 강수량의 변화를 조사하여 나타낸 그래프입니다. 물음에 답해 보세요.

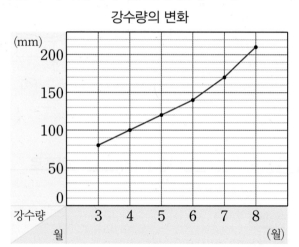

강수량의 변화

02 무엇을 조사한 것인가요?

( )

03 가로와 세로는 각각 무엇을 나타내나요?

가로 ( )

세로 ( )

04 위와 같은 그래프를 무엇이라고 하나요?

( )

05 세로 눈금 한 칸은 몇 mm를 나타내나요?

( )

06 5월의 강수량은 몇 mm인가요?

( )

07 강수량이 가장 많이 늘어난 때는 몇 월과 몇 월 사이인가요?

( )

08 강수량이 가장 많은 때는 몇 월인가요?

( )

09~10 수빈이네 반에서 기르고 있는 해바라기의 키를 매월 10일에 재었습니다. 물음에 답해 보세요.

해바라기의 키

월(월)	3	4	5	6	7
키(cm)	3	8	10	12	15

09 위의 표를 꺾은선그래프로 나타내려고 합니다. 가로와 세로에 무엇을 나타내면 좋을지 써 보세요.

가로 ( )

세로 ( )

10 꺾은선그래프로 나타내어 보세요.

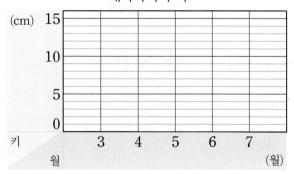

해바라기의 키

01~05 어느 도시의 인구수를 조사하여 나타낸 꺾은선그래프입니다. 물음에 답해 보세요.

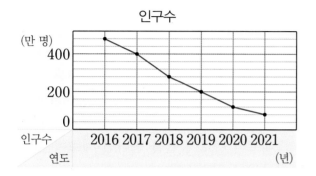

01 인구수가 점점 어떻게 되고 있나요?
(   )

02 2018년에 인구는 몇 명인가요?
(   )

03 인구수 변화의 폭이 가장 작을 때는 몇 년과 몇 년 사이인가요?
(   )

04 인구수가 가장 많이 줄어든 때는 몇 년과 몇 년 사이인가요?
(   )

05 2021년 이후 인구수는 어떻게 될 것이라고 예상하나요?
(   )

06~10 운동장의 기온을 조사아여 나타낸 꺾은선그래프입니다. 물음에 답해 보세요.

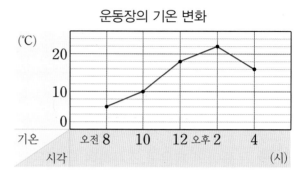

06 기온이 어떻게 변하고 있나요?
(   )

07 오전 10시의 기온은 몇 ℃인가요?
(   )

08 기온의 변화가 가장 클 때는 몇 시와 몇 시 사이인가요?
(   )

09 기온이 가장 높은 때는 몇 ℃인가요?
(   )

10 오후 6시의 기온은 어떻게 될까요?
(   )

01 □안에 알맞은 말을 써넣으세요.

> 꺾은선그래프를 그릴 때 필요 없는 부분은
> ≈( )으로 생략할 수 있습니다.

02~04 은휼이의 체온을 조사하여 두 꺾은선그래프로 나타냈습니다. 물음에 답해 보세요.

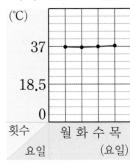

(가) 은휼이의 체온

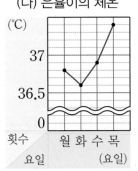

(나) 은휼이의 체온

02 (가) 그래프와 (나) 그래프의 세로 눈금 한 칸의 크기는 얼마인가요?

(가) 그래프 ( )

(나) 그래프 ( )

03 (가)와 (나) 그래프 중 체온 변화를 뚜렷하게 알 수 있는 것은 어느 것인가요?

( )

04 체온이 가장 높은 때는 무슨 요일인가요?

( )

05~10 연석이의 몸무게를 월별로 조사하여 나타낸 표를 보고 꺾은선그래프로 나타내려고 합니다. 물음에 답해 보세요.

연석이의 월별 몸무게

월	5월	6월	7월	8월	9월
몸무게(kg)	32.5	32.9	33.1	33.2	33.5

05 그래프의 가로에 월을 쓴다면 세로에는 무엇을 나타내어야 할까요?

( )

06 그래프의 세로 눈금 한 칸의 크기는 몇 kg으로 하는 것이 좋은가요?

( )

07 꺾은선그래프를 그리는 데 필요한 부분은 몇 kg부터 몇 kg까지인가요?

( )부터 ( )까지

08 조사 기간 동안 연석이의 몸무게는 몇 kg이 늘었나요?

( )

09 위 표를 보고 꺾은선그래프로 나타내어 보세요.

연석이의 월별 몸무게

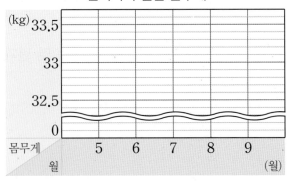

10 전달에 비해 몸무게가 가장 많이 늘어난 때는 몇 월인가요?

( )

01~04 지원이가 봉선화를 키우면서 매일 오후 3시에 키를 조사하여 나타낸 표입니다. 물음에 답해 보세요.

봉선화의 키

요일(요일)	월	화	수	목	금	토
키(cm)	16.7	16.9	17.0	17.3	17.4	17.5

01 봉선화의 키는 몇 cm부터 몇 cm까지 변했나요?

(   )

02 표를 보고 물결선을 사용한 꺾은선그래프로 나타내어 보세요.

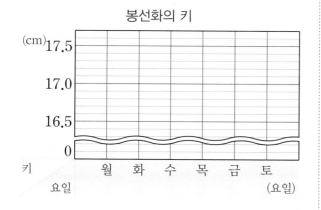

03 꺾은선그래프에서 선의 기울기는 무엇을 나타내나요?

(   )

04 하루 동안 봉선화의 키의 변화가 가장 큰 때는 몇 cm가 자랐나요?

(   )

05~07 막대그래프와 꺾은선그래프 중에서 어느 그래프로 나타내면 더 좋은지 써 보세요.

05

연도별 한국의 강수량의 변화

(   )

06

전국의 각 도시별 강수량

(   )

07

올해 어느 가게의 월별 손님 수

(   )

08~10 한결이의 키를 월별로 재어 나타낸 표입니다. 표를 보고 물음에 답해 보세요.

한결이의 키

월(월)	3	4	5	6	7
키(cm)	129.5	129.8	130.2	130.6	131.2

08 월별 한결이의 키 변화를 나타내려면 막대그래프와 꺾은선그래프 중 어느 그래프로 나타내는 것이 더 좋을까요?

(   )

09 표를 그래프로 나타낼 때 가로 눈금에는 무엇을 나타내면 좋을까요?

(   )

10 표를 그래프로 나타낼 때 세로 눈금에는 무엇을 나타내면 좋을까요?

(   )

01~04 지현이가 받은 월별 붙임딱지 수를 조사하여 나타낸 꺾은선그래프입니다. 물음에 답해 보세요.

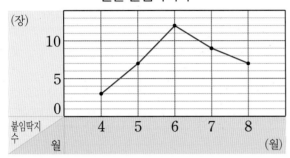

월별 붙임딱지 수

| 꺾은선그래프 알아보기 |

01 가로 눈금과 세로 눈금은 각각 무엇을 나타내나요?

가로 (   )

세로 (   )

| 꺾은선그래프 해석하기 |

02 책을 가장 많이 읽은 달은 몇 월인가요?

(   )

| 꺾은선그래프 해석하기 |

03 책을 가장 적게 읽은 달은 몇 월인가요?

(   )

| 꺾은선그래프 해석하기 | **서술형**

04 지현이가 받은 붙임딱지가 가장 많이 줄어든 때는 몇 월과 몇 월 사이인지 풀이 과정을 쓰고, 답을 구해 보세요.

 풀이

답

05~08 연도별 어느 지역에 발생한 지진의 발생 횟수를 조사한 표입니다. 물음에 답해 보세요.

연도별 지진 발생 횟수

연도(년)	2016	2017	2018	2019	2020
횟수(회)	250	220	230	210	220

| 물결선이 있는 꺾은선그래프로 나타내기 |

05 위의 표를 보고 꺾은선그래프로 나타내어 보세요.

연도별 지진 발생 횟수

| 꺾은선그래프 해석하기 |

06 세로 눈금 한 칸은 얼마를 나타내나요?

(   )

| 꺾은선그래프 해석하기 |

07 지진 발생 횟수에 대해 잘못 말한 사람은 누구인가요?

> 지호: 지진이 가장 적게 발생한 해는 2019년이야.
>
> 은아: 지진 발생 횟수는 계속 줄어들고 있어.

(   )

| 꺾은선그래프 해석하기 |

08 지진이 가장 많이 발생한 해와 가장 적게 발생한 해의 지진 발생 횟수의 차는 얼마일까요?

(   )

평가한 날   월   일

점수

09~12 정섭이의 월별 윗몸일으키기 횟수를 조사하여 나타낸 표입니다. 물음에 답해 보세요.

월별 정섭이의 윗몸일으키기 횟수

월(월)	7	8	10	11	12
횟수(회)	6	10	12	20	26

| 꺾은선그래프 그리기 |

09 표를 보고 꺾은선그래프로 나타내어 보세요.
중

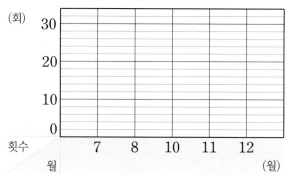

| 꺾은선그래프 해석하기 |

10 7월에 정섭이의 윗몸일으키기 횟수는 몇 회인
하 가요?

(   )

| 꺾은선그래프 해석하기 |

11 9월에 정섭이의 윗몸일으키기 횟수는 약 몇 회
중 인가요?

약 (   )

| 꺾은선그래프 해석하기 |

12 7월에서 12월 사이에 정섭이의 윗몸일으키기
중 횟수는 어떻게 변화하고 있나요?

(   )

13~15 어느 지역의 바다 쓰레기 양을 5년마다 조사하여 나타낸 표입니다. 물음에 답해 보세요.

연도별 바다 쓰레기 양

연도(년)	2005	2010	2015	2020
바다 쓰레기 양(t)	153	157	161	167

| 물결선이 있는 꺾은선그래프로 나타내기 |

13 연도별 바다 쓰레기 양의 변화를 뚜렷하게 알 수
중 있으려면 몇 t까지 물결선으로 나타내는 것이 좋을까요?

(   )

| 물결선이 있는 꺾은선그래프로 나타내기 |

14 위의 표를 보고 물결선을 사용한 꺾은선그래프
중 로 나타내어 보세요.

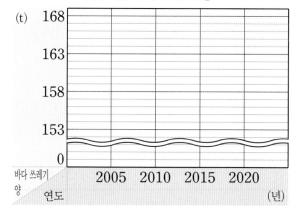

| 꺾은선그래프 해석하기 | 서술형

15 위의 그래프를 보고 2025년 바다 쓰레기 양은
중 어떻게 될지 예상하고 왜 그렇게 생각하는지 설명해 보세요.

예상

이유

정답 및 풀이 | 120쪽

| 자료의 특성에 맞는 그래프로 나타내기 |

16 막대그래프로 나타내면 좋은 경우는 □표, 꺾은
선그래프로 나타내면 좋은 경우는 △표 하세요.

· 도시별 초등학교 수 ( )
· 어느 도시의 월별 강수량의 변화 ( )

17~18 어느 선수의 스피드 스케이팅 대회별 최고
기록을 나타낸 표입니다. 물음에 답해 보세요.

대회별 최고 기록

대회	1차	2차	3차	4차	5차
기록(초)	51.6	48.5	50.8	52.1	47.2

| 물결선이 있는 꺾은선그래프로 나타내기 |

17 스피드 스케이팅 대회별 최고 기록을 어림하여
일의 자리까지 나타내어 보세요.

대회별 최고 기록

대회	1차	2차	3차	4차	5차
기록(초)					

| 물결선이 있는 꺾은선그래프로 나타내기 |

18 위 17의 표를 보고 물결선을 사용한 꺾은선그래
프로 나타내어 보세요.

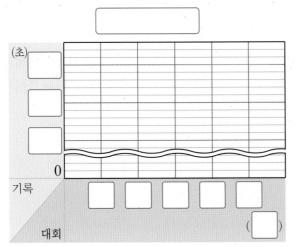

19~20 연도별 발생한 황사 횟수를 조사하여 나타
낸 표와 꺾은선그래프입니다. 물음에 답해 보세요.

연도별 황사 발생 횟수

연도(년)	2015	2016	2017	2018	2019	2020
발생 횟수(회)			29	37	41	47

연도별 황사 발생 횟수

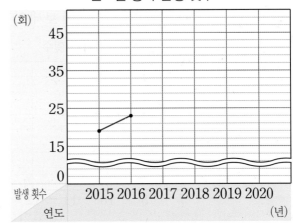

| 물결선이 있는 꺾은선그래프로 나타내기 |

19 표와 꺾은선그래프를 완성해 보세요.

| 꺾은선그래프 해석하기 | 서술형

20 2015년부터 2020년까지 이 지역의 황사 발생
횟수는 모두 몇 회인지 풀이 과정을 쓰고, 답을
구해 보세요.

풀이

답 ....

01~03 어느 두 시의 연도별 인구의 변화를 나타낸 꺾은선그래프입니다. 물음에 답해 보세요.

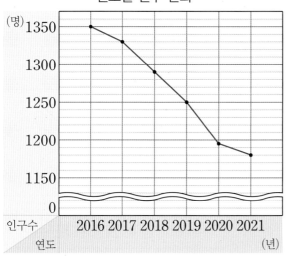

연도별 인구 변화

| 꺾은선그래프 해석하기 |

01 인구가 가장 많은 해는 언제인가요?

(　　　　　　　　　)

| 꺾은선그래프 해석하기 |

02 인구가 가장 적은 해는 언제인가요?

(　　　　　　　　　)

| 꺾은선그래프 해석하기 |　　　　　　　　 **서술형**

03 2022년에 이 도시의 인구수는 어떻게 될지 예상

 하고 왜 그렇게 생각하는지 설명해 보세요.

예상

이유

04~07 어느 지역의 하루 중 기온 변화를 조사한 표입니다. 물음에 답해 보세요.

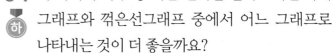

기온 변화

시각(시)	9	11	1	3	5
기온(℃)	16	18	24	22	20

| 자료의 특성에 맞는 그래프로 나타내기 |

04 이 지역의 하루 중 기온 변화를 알아보려면 막대

 그래프와 꺾은선그래프 중에서 어느 그래프로 나타내는 것이 더 좋을까요?

(　　　　　　　　　)

| 물결선이 있는 꺾은선그래프로 나타내기 |

05 표를 보고 꺾은선그래프로 나타내어 보세요.

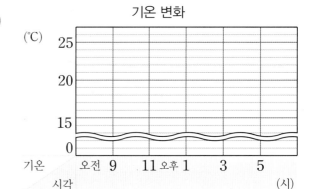

기온 변화

| 꺾은선그래프 해석하기 |

06 두 번째로 기온이 높은 때는 몇 ℃인가요?

(　　　　　　　　　)

| 꺾은선그래프 해석하기 |

07 오후 2시에 기온은 약 몇 ℃인가요?

약 (　　　　　　　　　)

08~11 영호의 철봉 오래매달리기 기록을 매주 조사하여 나타낸 표입니다. 물음에 답해 보세요.

영호의 철봉 오래매달리기 기록

주	1주	2주	3주	4주	5주
기록(초)	15.2	15.6	15.2	14.7	14.9

| 물결선이 있는 꺾은선그래프로 나타내기 |

08 꺾은선그래프를 그리는 데 꼭 필요한 부분은 몇 초부터 몇 초까지인가요?

(   )

| 물결선이 있는 꺾은선그래프로 나타내기 |

09 표를 보고 물결선을 사용한 꺾은선그래프로 나타내어 보세요.

영호의 철봉 오래매달리기 기록

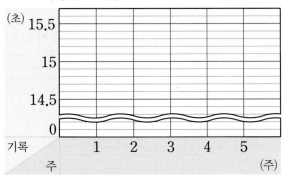

| 꺾은선그래프 해석하기 |

10 기록이 가장 낮은 때는 언제인가요?

(   )

| 꺾은선그래프 해석하기 | 서술형

11 오래매달리기 기록의 변화가 지난주보다 가장 큰 때는 언제이고 몇 초가 차이 나는지 풀이 과정을 쓰고, 답을 구해 보세요.

풀이

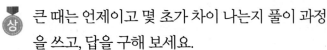

답

12~14 혜린이네 동네에 눈이 온 날수를 조사하여 나타낸 표와 그래프입니다. 물음에 답해 보세요.

연도별 눈이 온 날수

연도(년)	2016	2017	2018	2019	2020
날수(일)					

연도별 눈이 온 날수

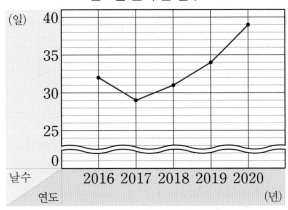

| 꺾은선그래프 해석하기 |

12 표를 완성해 보세요.

| 꺾은선그래프 해석하기 |

13 2020년에 눈이 온 날은 2019년보다 며칠 더 많나요?

(   )

| 꺾은선그래프 해석하기 |

14 연도별 눈이 온 날수가 가장 많이 증가한 해는 몇 년도와 몇 년도 사이인지 써 보세요.

(   )

15~17 어느 지역을 방문한 관광객 수를 조사한 그래프입니다. 물음에 답해 보세요.

관광객 수

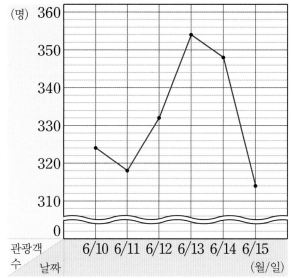

| 꺾은선그래프 해석하기 |

15 6월 11일의 방문자 수는 몇 명인가요?

(   )

| 꺾은선그래프 해석하기 |

16 방문자 수가 많은 날짜부터 차례대로 써 보세요.

(   )

| 꺾은선그래프 해석하기 |

17 방문자 수가 가장 많을 때와 가장 적을 때의 차를 구해 보세요.

(   )

18~20 승윤이가 토마토 모종을 키우면서 매일 모종의 키를 재어 나타낸 표와 꺾은선그래프입니다. 물음에 답해 보세요.

토마토 모종의 키

일	1일	2일	3일	4일	5일	6일
키(cm)	15.2	15.5	15.7	15.9	16	16.3

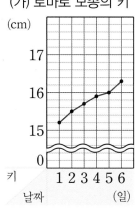
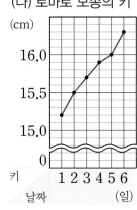

| 꺾은선그래프 해석하기 |

18 토마토 모종을 심은 지 3일째 되는 날 키는 몇 cm인가요?

(   )

| 꺾은선그래프 해석하기 |

19 토마토 모종의 키는 어떻게 변화하고 있나요?

(   )

| 꺾은선그래프 해석하기 | 서술형

20 그래프 (가)와 (나) 중에서 토마토 모종의 키의 변화를 더 잘 알 수 있는 것은 어느 것인지 쓰고, 그 이유를 설명해 보세요.

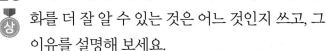

이유

❶ 꺾은선그래프를 보고 알 수 있는 사실을 한 가지 쓰기

⌄

❷ 꺾은선그래프를 보고 알 수 있는 다른 사실을 한 가지 더 쓰기

01 어느 가게의 일회용 비닐 사용량을 조사하여 나타낸 꺾은선그래프입니다. 꺾은선그래프를 보고 알 수 있는 사실을 2가지 써 보세요.

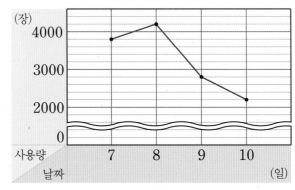

일회용 비닐 사용량

사실 1 ....

사실 2 ....

Tip

❶ 조사한 꽃의 수가 가장 많은 경우 알아보기

⌄

❷ 세로 눈금이 적어도 몇 칸 있어야 하는지 알아보기

02 표를 보고 꺾은선그래프를 그리려고 합니다. 세로 눈금 한 칸이 꽃 1송이를 나타낸다면 세로 눈금은 적어도 몇 칸 있어야 하는지 풀이 과정을 쓰고, 답을 구해 보세요.

반별 심은 꽃 수

반	1반	2반	3반	4반
꽃 수(송이)	8	3	5	7

풀이

답 ....

정답 및 풀이 | **122쪽**

Tip

❶ 기록이 전년도에 비해서 가장 좋아진 때 구하기

❷ 기록이 전년도에 비해서 가장 좋아진 때는 몇 초가 좋아진 것 인지 구하기

03 은지의 50 m 달리기 기록을 조사하여 나타낸 꺾은선그래프입니다. 기록이 전년도에 비해서 가장 좋아진 때는 몇 초가 좋아진 것인지 풀이 과정을 쓰고, 답을 구해 보세요.

50 m 달리기 기록

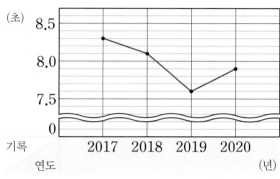

풀이

답

Tip

❶ 세로 눈금 한 칸의 크기 구하기

❷ 5월의 장난감 판매량 구하기

04 어느 가게의 장난감 판매량을 조사하여 나타낸 꺾은선그래프입니다. 5월의 장난감 판매량은 약 몇 개인지 풀이 과정을 쓰고, 답을 구해 보세요.

장난감 판매량

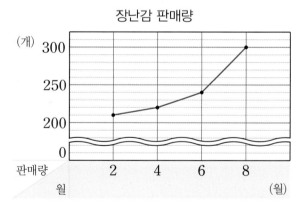

풀이

답

Tip

❶ 제목 확인하기

❷ 점과 점 사이에 연결된 선 확인
   하기

❸ 가로 눈금 확인하기

❹ 세로 눈금 확인하기

01 세연이의 월별 독서량을 조사하여 나타낸 꺾은선그래프입니다. 다음
꺾은선그래프의 <u>잘못된 점 4가지</u>를 찾아 설명해 보세요.

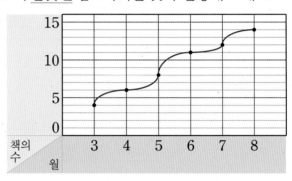

설명

Tip

❶ 제품 판매량이 전달에 비해 가장
   많이 증가했을 때와 가장 적게
   증가했을 때의 증가량 구하기

❷ ❶에서 구한 증가량의 차 구하기

02 어느 회사에서 매월 1일에 조사한 제품 판매량을 나타낸 꺾은선그래프
입니다. 제품 판매량이 전달에 비해 가장 많이 증가한 달과 가장 적게 증
가한 달의 증가량의 차는 얼마인지 풀이 과정을 쓰고, 답을 구해 보세요.

제품 판매량

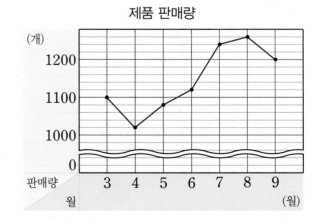

풀이

답

Tip

❶ 월요일부터 금요일까지 늘어난 줄넘기 횟수 각각 구하기

⌄

❷ 누구의 줄넘기 기록이 더 많이 늘어났는지 구하기

03 혜수와 예린이가 5일 동안 줄넘기 연습을 한 결과를 나타낸 꺾은선그 래프입니다. 누구의 줄넘기 기록이 5일 동안 더 많이 늘어났는지 풀이 과정을 쓰고, 답을 구해 보세요.

혜수의 줄넘기 횟수

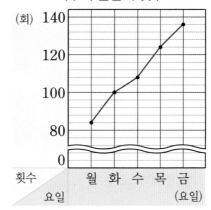

예린이의 줄넘기 횟수

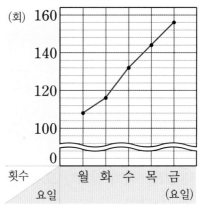

풀이

답

Tip

❶ 변화가 가장 큰 때의 학생 수의 차 구하기

⌄

❷ 세로 눈금 한 칸의 크기 구하기

04 동혁이네 학교 4학년 학생 수 를 연도별로 조사하여 나타낸 꺾은선그래프입니다. 이 그래 프의 세로 눈금 한 칸의 크기를 다르게 하여 다시 그렸더니 변 화가 가장 큰 때의 칸 수의 차 가 10칸이었습니다. 다시 그린

동혁이네 학교 4학년 학생 수

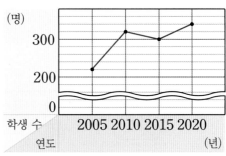

그래프의 세로 눈금 한 칸의 크기는 몇 명인지 풀이 과정을 쓰고, 답을 구해 보세요.

풀이

답

교과서 핵심 개념

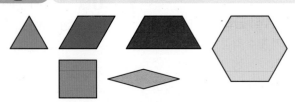

6 다각형

📖 **수학** 144~171쪽 　📖 **수학 익힘** 83~94쪽

개념 1 다각형

- 다각형: 선분으로만 둘러싸인 도형
- 다각형을 변의 수에 따라 변이 6개이면 육각형, 변이 7개이면 칠각형, 변이 8개이면 팔각형이라고 합니다.

삼각형 사각형 오각형　육각형　칠각형　팔각형

개념 2 정다각형

정다각형: 변의 길이가 모두 같고, 각의 크기가 모두 같은 다각형

정삼각형　　정사각형　　정오각형　　정육각형

개념 3 대각선

- 대각선: 다각형에서 서로 이웃하지 않는 두 꼭짓점을 이은 선분
  ㉠ 오각형의 대각선

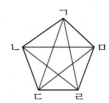

선분 ㄱㄷ, 선분 ㄱㄹ,
선분 ㄴㄹ, 선분 ㄴㅁ,
선분 ㄷㅁ

- 사각형의 대각선에 관한 성질
  - 마름모의 두 대각선은 서로 수직으로 만납니다.
  - 직사각형의 두 대각선의 길이는 같습니다.

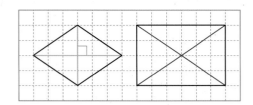

개념 4 다각형으로 모양 만들기

- 모양 조각으로 육각형 만들기

  ㉠
  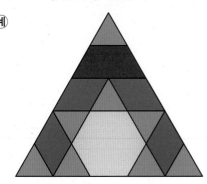

- 모양 조각으로 정삼각형 만들기

  ㉠

개념 5 다각형으로 모양 채우기

- 모양 조각으로 육각형 채우기

- 모양 조각으로 모양 채우기

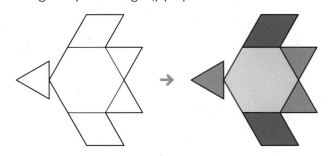

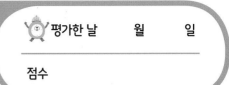

정답 및 풀이 | **123**쪽

평가한 날   월   일

점수

01 선분으로만 둘러싸인 도형을 모두 찾아 기호를 써 보세요.

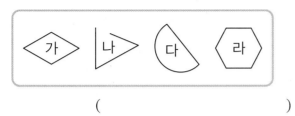

(   )

02 다각형을 모두 찾아 기호를 써 보세요.

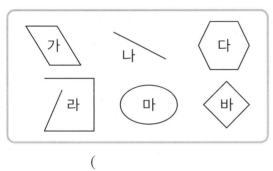

(   )

03~05 다각형을 보고 물음에 답해 보세요.

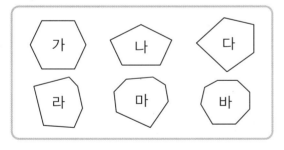

03 변이 5개인 다각형을 모두 찾아 기호를 쓰고, 그 다각형의 이름을 써 보세요.

기호 (   )

이름 (   )

04 변이 7개인 다각형을 찾아 기호를 쓰고, 그 다각형의 이름을 써 보세요.

기호 (   )

이름 (   )

05 변이 8개인 다각형을 찾아 기호를 쓰고, 그 다각형의 이름을 써 보세요.

기호 (   )

이름 (   )

06 도형이 다각형이 <u>아닌</u> 이유를 써 보세요.

(   )

07~08 관계있는 것끼리 선으로 이어 보세요.

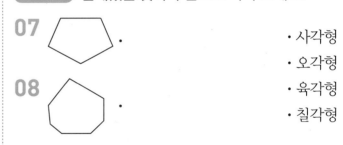

07   · 사각형

         · 오각형

08   · 육각형

         · 칠각형

09 점 종이에 오각형을 완성해 보세요.

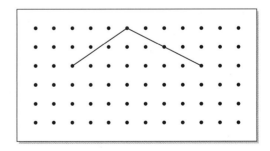

10 육각형을 모두 찾아 ○표 하세요.

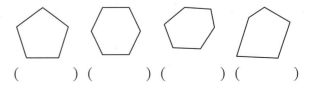

(   ) (   ) (   ) (   )

01~02 다각형을 보고 물음에 답해 보세요.

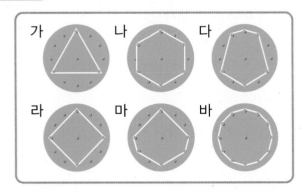

01 변의 길이와 각의 크기가 모두 같은 다각형을 모두 찾아 기호를 써 보세요.

(   )

02 위 **01**에서 찾은 다각형을 무엇이라고 하는지 이름을 써 보세요.

(   )

03 ⬜ 안에 알맞은 말을 써넣으세요.

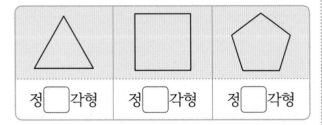

정⬜각형   정⬜각형   정⬜각형

04 정다각형의 이름을 써 보세요.

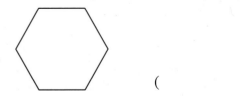

(   )

05 다음 도형은 정다각형입니다. 이 도형의 둘레의 길이를 구해 보세요.

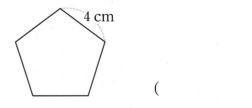

4 cm

(   )

06 세 사람이 설명하는 도형의 이름을 써 보세요.

- 동혁: 마주 보는 두 변이 서로 평행해.
- 현아: 8개의 각의 크기가 모두 같네.
- 세연: 8개의 변의 길이도 모두 같아.

(   )

07 점판에 정육각형을 그려 보세요.

08 오각형과 정오각형의 같은 점을 모두 찾아 기호를 써 보세요.

ㄱ 변의 수   ㄴ 변의 길이

ㄷ 각의 수   ㄹ 각의 크기

(   )

09 축구공에서 찾을 수 있는 정다각형의 이름을 모두 써 보세요.

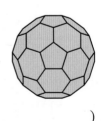

(   )

10 다음 도형은 정육각형입니다. 모든 각의 크기의 합은 몇 도인지 구해 보세요.

120°

(   )

01 ☐ 안에 알맞은 말을 써넣으세요.

> 다각형에서 서로 이웃하지 않는 두 꼭짓점을
> 이은 선분을 [   ] 이라고 합니다.

02 오각형의 꼭짓점 ㄱ에서 그을 수 있는 대각선은 모두 몇 개인가요?

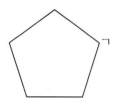

(   )

03~06 다각형을 보고 물음에 답해 보세요.

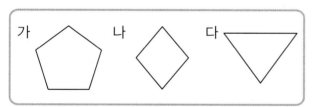

03 가, 나, 다에 대각선을 모두 그어 보세요.

04 대각선을 그을 수 <u>없는</u> 다각형을 찾아 기호를 써 보세요.

(   )

05 가장 많은 수의 대각선을 그을 수 있는 다각형을 찾아 기호를 써 보세요.

(   )

06 대각선이 서로 수직으로 만나는 다각형을 찾아 기호를 써 보세요.

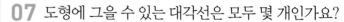

(   )

07 도형에 그을 수 있는 대각선은 모두 몇 개인가요?

(   )

08 정사각형에 대각선을 그은 것입니다. ☐ 안에 알맞은 수를 써넣으세요.

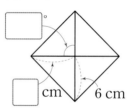

09 설명하는 도형의 이름을 써 보세요.

> • 두 대각선의 길이가 서로 다를 수도 있습니다.
> • 두 대각선이 서로 수직으로 만납니다.
> • 한 대각선이 다른 대각선을 똑같이 둘로 나눕니다.

(   )

10 다음은 직사각형입니다. 선분 ㄴㅁ의 길이가 4 cm일 때, 선분 ㄱㄷ의 길이는 몇 cm인가요?

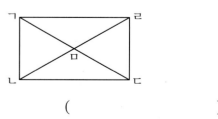

(   )

01~10 다각형을 보고 물음에 답해 보세요.

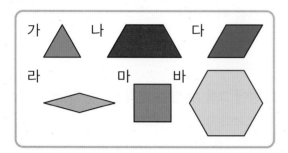

01 모양 조각 가만 사용하여 다를 어떻게 만들 수 있는지 그려 보세요.

02 모양 조각 가만 사용하여 나를 어떻게 만들 수 있는지 그려 보세요.

03 모양 조각 가만 사용하여 바를 어떻게 만들 수 있는지 그려 보세요.

04 서로 다른 모양 조각 2개를 사용하여 다음 모양을 어떻게 채워야 할지 선을 그어 나타내어 보세요.

05 2가지 모양 조각을 사용하여 다음 모양을 어떻게 채워야 하는지 선을 그어 나타내어 보세요. (단, 같은 조각을 여러 번 사용해도 됩니다.)

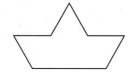

06 모양 조각을 사용하여 다음 모양을 어떻게 채워야 하는지 선을 그어 나타내어 보세요. (단, 같은 조각을 여러 번 사용해도 됩니다.)

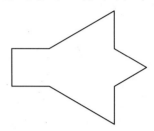

07 모양 조각 가를 여러 개 사용하여 만들 수 <u>없는</u> 도형을 모두 고르세요. (   )
① 마름모   ② 평행사변형
③ 정사각형   ④ 정오각형
⑤ 정육각형

08 모양 조각 중 정다각형은 모두 몇 개인가요?
(   )

09 모양 조각 가 4개를 이용하여 정삼각형을 만들어 보세요.

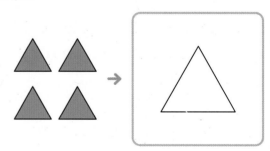

10 모양 조각 가 3개와 모양 조각 바 1개를 이용하여 정삼각형을 만들어 보세요.

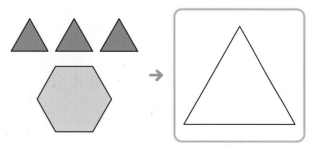

01~02 관계있는 것끼리 선으로 이어 보세요.

| 다각형 |

01
하

02
하

· 사각형
· 오각형
· 육각형
· 칠각형
· 팔각형

03~05 도형을 보고 물음에 답해 보세요.

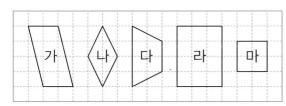

| 정다각형 |

03 정다각형을 찾아 기호를 써 보세요.
하
(   )

| 대각선 |

04 두 대각선의 길이가 같은 사각형을 모두 찾아 기호를 써 보세요.
중
(   )

| 대각선 |

05 두 대각선이 서로 수직으로 만나는 사각형을 모두 찾아 기호를 써 보세요.
중
(   )

| 다각형 |

06 점 종이에 육각형과 칠각형을 각각 그려 보세요.
하

| 대각선 |

07 오각형에서 대각선이 <u>아닌</u> 것을 찾아 기호를 쓰세요.
중

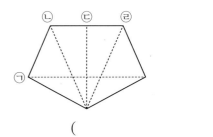

(   )

| 대각선 |

08 꼭짓점 ㄱ에서 그을 수 있는 대각선은 모두 몇 개인가요?
중

(   )

09~11 모양 조각을 보고 물음에 답해 보세요.

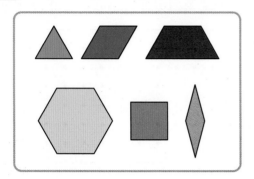

| 다각형으로 모양 만들기 |

09 주어진 모양으로 정육각형을 만들 수 <u>없는</u> 것을 찾아 ○표 하세요.

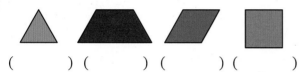

( ) ( ) ( ) ( )

| 다각형으로 모양 채우기 |

10 정삼각형 모양 조각만 사용하여 다음 모양을 채워 보세요.

| 다각형으로 모양 만들기 |

11 모양 조각을 이용하여 육각형을 두 가지 방법으로 만들어 보세요.

방법 1

방법 2

| 대각선 |

12 다음 도형은 마름모입니다. ☐ 안에 알맞은 수를 써넣으세요.

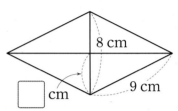

| 정다각형 | 서술형

13 도형이 정다각형이 <u>아닌</u> 이유를 쓰고, 변이 4개인 정다각형을 그려 보세요.

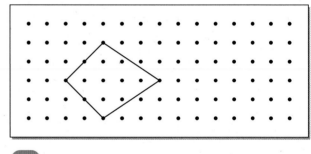

이유

| 정다각형 |

14 다음과 같은 도형들을 무엇이라고 하는지 이름을 쓰고, 공통점을 써 보세요.

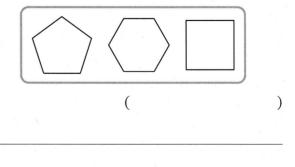

( )

_____

_____

| 정다각형 |

15 오른쪽 도형은 정오각형입니다. 모든 각의 크기의 합을 구해 보세요.

(중)

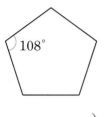

(   )

| 대각선 | **서술형**

16 한 변의 길이가 7 cm이고 모든 변의 길이의 합이 35 cm인 정다각형이 있습니다. 이 정다각형의 대각선은 모두 몇 개인지 풀이 과정을 쓰고, 답을 구해 보세요.

(중)

 답

| 대각선 |

17 정사각형 모양의 칠교판입니다. 칠교판의 모든 조각 중 가장 짧은 변의 길이가 4 cm일 때 칠교판의 대각선의 길이는 몇 cm인가요?

(중)

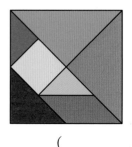

(   )

| 대각선 |

18 대각선 수가 14개인 다각형의 이름을 써 보세요.

(상)

(   )

| 정다각형 |

19 다음 도형은 정육각형입니다. ☐ 안에 알맞은 수를 써넣으세요.

(상)

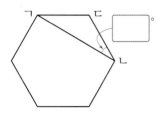

| 정다각형 | **서술형**

20 마름모의 모든 변의 길이의 합과 정육각형의 모든 변의 길이의 합은 같습니다. 정육각형의 한 변의 길이는 몇 cm인지 풀이 과정을 쓰고, 답을 구해 보세요.

(상)

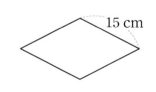

 풀이

 답

| 정다각형 |

01 정육각형을 찾아 ○표 하세요.

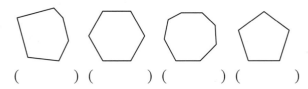

(   ) (   ) (   ) (   )

| 대각선 |

02 대각선의 수가 더 많은 것의 기호를 써 보세요.

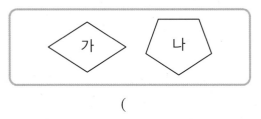

(   )

| 정다각형 |

03 대각선이 서로 수직으로 만나는 사각형을 모두 찾아 ○표 하세요.

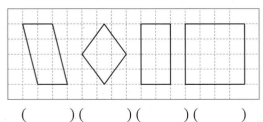

(   ) (   ) (   ) (   )

| 정다각형 |

04 설명하는 도형의 이름을 써 보세요.

> • 다각형입니다.
> • 변이 8개 있습니다.
> • 변의 길이가 모두 같습니다.
> • 각의 크기가 모두 같습니다.

(   )

| 정다각형 |

05 정오각형의 한 변의 길이는 9 cm입니다. 모든 변의 길이의 합은 몇 cm인가요?

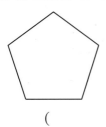

(   )

| 대각선 |

06 다음 도형은 마름모입니다. ☐ 안에 알맞은 수를 써넣으세요.

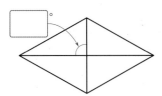

| 다각형 |

07 도형에서 찾을 수 있는 정다각형의 이름을 모두 써 보세요.

(   )

| 다각형으로 모양 채우기 |

08 한 변의 길이가 3 cm인 정삼각형으로 다음 정삼각형을 덮으려면 몇 개의 정삼각형이 필요한 가요?

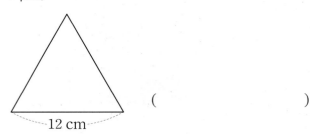

(   )

정답 및 풀이 | 126쪽

09~15 모양 조각을 보고 물음에 답해 보세요.

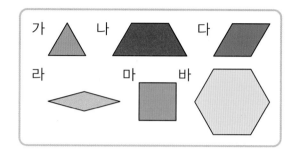

가 나 다
라 마 바

| 다각형으로 모양 만들기 |

09 모양 조각 중 대각선을 그을 수 <u>없는</u> 것을 찾아
하 기호를 써 보세요.

(   )

| 정다각형 |

10 모양 조각 중 정다각형을 모두 찾아 기호를 써 보
중 세요.

(   )

| 다각형으로 모양 만들기 |

11 모양 조각 다를 사용하여 바를 만들려면 모양 조
중 각 다는 몇 개 필요한가요?

(   )

| 다각형으로 모양 만들기 |

12 서로 다른 모양 조각 3개를 한 번씩만 사용하여
중 모양 조각 바를 만들어 보세요.

| 다각형으로 모양 채우기 |

13 모양 조각 다와 라를 사용하여 다음 모양을 채워
중 보세요.

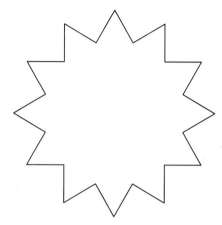

| 다각형으로 모양 채우기 |

14 모양 조각 바의 크기를 1이라고 할 때, 다음의 모
중 양 조각의 크기를 분수로 나타내어 보세요.

모양 조각 가	모양 조각 나	모양 조각 다

| 다각형으로 모양 만들기 |

15 주어진 모양 조각으로 모양 조각 바를 만들 수 <u>없</u>
중 <u>는</u> 것을 모두 찾아 기호를 써 보세요.

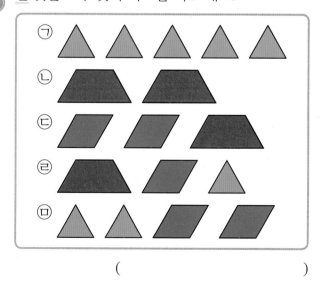

㉠
㉡
㉢
㉣
㉤

(   )

| 대각선 | 서술형

16 육각형에 그을 수 있는 대각선의 수는 오각형에 그을 수 있는 대각선의 수보다 몇 개 더 많은지 풀이 과정을 쓰고, 답을 구해 보세요.

풀이

답 ....

| 정다각형 |

17 정팔각형입니다. ☐ 안에 알맞은 수를 써넣으세요.

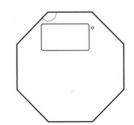

| 다각형으로 모양 만들기 |

18 정사각형과 정오각형을 겹치지 않게 이어 붙여 다음과 같은 도형을 만들었습니다. ☐ 안에 알맞은 수를 써넣으세요.

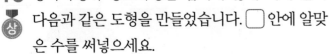
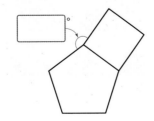

| 정다각형 | 서술형

19 한 각의 크기는 156°이고 모든 각의 크기의 합이 2340°인 정다각형이 있습니다. 정다각형의 이름은 무엇인지 풀이 과정을 쓰고, 답을 구해 보세요.

풀이

답 ....

| 정다각형 | 서술형

20 정십이각형의 한 각의 크기는 몇 도인지 풀이 과정을 쓰고, 답을 구해 보세요.

풀이

답 ....

Tip

❶ 각 도형의 대각선의 개수 구하기

❷ 대각선의 개수가 가장 많은 도형 찾기

01 주어진 도형에서 대각선의 개수가 가장 많은 도형의 이름이 무엇인지 풀이 과정을 쓰고, 답을 구해 보세요.

풀이

답 ....

Tip

❶ 다각형 구분하기

❷ 다각형이 아닌 이유 쓰기

02 다음 도형은 다각형인지 아닌지 쓰고, 이유를 써 보세요.

답 ....

이유 ....

....

Tip

❶ 필요한 모양 조각 가와 나의 개수 각각 구하기

❷ 필요한 모양 조각의 개수의 차 구하기

03 다음 모양 조각 중 한 가지 모양 조각으로 오른쪽 모양을 각각 채우려고 합니다. 필요한 모양 조각 가와 모양 조각 나의 개수의 차는 몇 개인지 풀이 과정을 쓰고, 답을 구해 보세요.

가   나

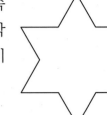

풀이

답

Tip

❶ 정십이각형의 둘레 구하기

❷ 울타리를 2개 만들고 남은 철근의 길이 구하기

04 300 m 길이의 철근을 사용하여 한 변이 12 m인 정십이각형 모양의 울타리를 만들었습니다. 울타리를 2개 만들고 남은 철근은 몇 m인지 풀이 과정을 쓰고, 답을 구해 보세요.

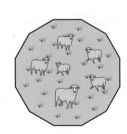

풀이

답

Tip

❶ 직각삼각형 모양 조각 2개를 이어 붙여 만든 작은 직사각형 조각의 크기 구하기

⌄

❷ 작은 직각삼각형 조각으로 큰 직사각형 모양을 채울 때 필요한 개수 구하기

01 가로가 32 cm, 세로가 24 cm인 직사각형이 있습니다. 이 직사각형을 밑변의 길이가 4 cm, 높이가 3 cm인 직각삼각형 모양 조각으로 겹치지 않게 빈틈없이 덮으려면 직각삼각형 모양 조각은 모두 몇 개가 필요한지 풀이 과정을 쓰고, 답을 구해 보세요.

풀이

답

Tip

❶ 오각형의 한 꼭짓점에서 그을 수 있는 대각선의 개수 구하기

⌄

❷ 오각형의 대각선을 구하는 방법을 식으로 나타낸 이유 찾기

02 다음은 연정이와 성호가 오각형의 대각선의 개수를 구하는 과정입니다. 성호의 (   ) 안에 어떤 말을 넣으면 될지 풀이 과정을 쓰고, 답을 구해 보세요.

> 연정: 오각형의 대각선의 개수를 그리지 않고 구할 수는 없을까?
>
> 성호: 음~ 한 꼭짓점에서 그릴 수 있는 대각선의 개수는 모두 같아.
>
> 연정: 아! 오각형의 한 꼭짓점에서는 대각선을 2개 그릴 수 있구나! 그렇다면 그 개수에다가 5를 곱하면 되겠어.
>
> 성호: 아냐! (   )
>
> 연정: 그러면 오각형의 대각선의 개수를 구하는 식은 $2 \times 5 \div 2$가 되겠구나.

풀이

답

❶ 색종이를 접었다 편 선분이 대각선임을 확인하기

❷ 팔각형의 대각선의 개수 구하기

03 성은이는 팔각형 모양의 색종이로 종이접기를 하고 있습니다. 도형의 각 꼭짓점끼리 만나게 모두 접었다 폈습니다. 접힌 선은 몇 개인지 풀이 과정을 쓰고, 답을 구해 보세요.

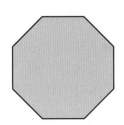

풀이

답

❶ 정삼각형의 한 각의 크기 구하기

❷ 정삼각형이 몇 개가 모였을 때 360°가 되는지 설명하기

04 두 사람의 대화를 읽고, 정삼각형으로 바닥을 빈틈없이 덮을 수 있는 이유를 써 보세요.

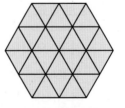 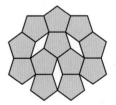

> 연수: 정삼각형으로 바닥을 덮으니까 빈틈이나 포개짐 없이 덮을 수 있었어.
>
> 지혜: 그렇구나, 그런데 정오각형으로는 덮을 수가 없었어. 한 점에 정오각형을 3개 모으니까 빈틈이 생겼어.

이유

3~4학년군

수학 4-2

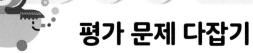

평가 문제 다잡기

정답 및 풀이

1 분수의 덧셈과 뺄셈

6쪽

쪽지시험 1회

01 3

02 7, 1, 2

03 $\frac{5}{6}$ L

04 (1) $1\frac{4}{7}$ (2) $\frac{5}{8}$

05 $3\frac{3}{4}$

06 3, 2, 2, 5, 4, $5\frac{4}{9}$

07 (1) $3\frac{4}{6}$ (2) $5\frac{2}{7}$

08 $3\frac{3}{5}$

09 $19\frac{5}{7}$ cm

10 $6\frac{4}{9}$ m

풀이

05 색칠한 부분은 $\frac{1}{4}$이 15개이므로

$1\frac{1}{4}+2\frac{2}{4}=\frac{15}{4}=3\frac{3}{4}$입니다.

07 (1) $2\frac{3}{6}+1\frac{1}{6}=3+\frac{4}{6}=3\frac{4}{6}$

(2) $1\frac{5}{7}+3\frac{4}{7}=4+\frac{9}{7}=4+1\frac{2}{7}=5\frac{2}{7}$

09 $12\frac{3}{7}+7\frac{2}{7}=19\frac{5}{7}$ (cm)

10 $3\frac{5}{9}+2\frac{8}{9}=5\frac{13}{9}=5+1\frac{4}{9}=6\frac{4}{9}$ (m)

7쪽

쪽지시험 2회

01 4, 3, 1, 1

02 (1) $\frac{4}{7}$ (2) $\frac{2}{6}$

03 $\frac{1}{5}$ L

04 $2\frac{2}{4}$

05 16, 9, $1\frac{2}{7}$

06 $3\frac{2}{8}$

07 $2\frac{3}{7}$

08 $4\frac{2}{4}$ m

09 $4\frac{1}{13}$

10 $1\frac{4}{6}$

풀이

08 $9\frac{3}{4}-5\frac{1}{4}=4\frac{2}{4}$ (m)

09 $\square=5\frac{4}{13}-1\frac{3}{13}=4\frac{1}{13}$

10 어떤 수를 $\square$라고 하면 $\square+1\frac{1}{6}=2\frac{5}{6}$,

$\square=2\frac{5}{6}-1\frac{1}{6}=1\frac{4}{6}$입니다.

8쪽

쪽지시험 3회

01 $3\frac{10}{13}$

02 $\frac{3}{5}$ L

03 $\frac{5}{12}$ kg

04 6, $1\frac{5}{6}$

05 (1) $2\frac{1}{5}$ (2) $2\frac{2}{7}$

06 $3-1\frac{2}{5}=\frac{15}{5}-\frac{7}{5}=\frac{8}{5}=1\frac{3}{5}$

07 >

08 $1\frac{7}{11}$ m

09 $\frac{3}{4}$ 시간

10 $2\frac{2}{5}$ cm

풀이

07 $6-\frac{7}{9}=5\frac{9}{9}-\frac{7}{9}=5\frac{2}{9}$ ⇨ $5\frac{2}{9}>4\frac{8}{9}$

08 $4-2\frac{4}{11}=3\frac{11}{11}-2\frac{4}{11}=1\frac{7}{11}$ (m)

09 $2-1\frac{1}{4}=1\frac{4}{4}-1\frac{1}{4}=\frac{3}{4}$ (시간)

10 $6-3\frac{3}{5}=5\frac{5}{5}-3\frac{3}{5}=2\frac{2}{5}$ (cm)

9쪽

쪽지시험 4회

01 13, 9, $1\frac{3}{6}$

02 $4\frac{7}{9}-1\frac{4}{9}=\frac{43}{9}-\frac{13}{9}=\frac{30}{9}=3\frac{3}{9}$

03 13, 1, 6

04 (1) $\frac{3}{5}$ (2) $\frac{6}{7}$

05 $1\frac{7}{11}$

06 >

07 $8\dfrac{8}{11}$ cm   **08** $5\dfrac{5}{8}$ kg

09 $3\dfrac{4}{13}$ kg   **10** $\dfrac{6}{8}$

풀이

05 $6\dfrac{3}{11}-4\dfrac{7}{11}=5\dfrac{14}{11}-4\dfrac{7}{11}=1\dfrac{7}{11}$

06 $5\dfrac{5}{6}+2\dfrac{4}{6}=7\dfrac{9}{6}=8\dfrac{3}{6}$,

$11\dfrac{3}{6}-3\dfrac{5}{6}=10\dfrac{9}{6}-3\dfrac{5}{6}=7\dfrac{4}{6}$ ⇨ $8\dfrac{3}{6}>7\dfrac{4}{6}$

07 $15\dfrac{2}{11}-6\dfrac{5}{11}=14\dfrac{13}{11}-6\dfrac{5}{11}=8\dfrac{8}{11}$ (cm)

08 $7\dfrac{4}{8}-1\dfrac{7}{8}=6\dfrac{12}{8}-1\dfrac{7}{8}=5\dfrac{5}{8}$ (kg)

09 $4\dfrac{7}{13}-\dfrac{16}{13}=3\dfrac{20}{13}-\dfrac{16}{13}=3\dfrac{4}{13}$ (kg)

10 $1\dfrac{4}{8}+2\dfrac{7}{8}=3\dfrac{11}{8}=4\dfrac{3}{8}$ (m)

     ⇨ $\square=4\dfrac{3}{8}-3\dfrac{5}{8}=3\dfrac{11}{8}-3\dfrac{5}{8}=\dfrac{6}{8}$ (m)

기본 단원 평가   10～12쪽

01 ⑴ $1\dfrac{4}{7}$ ⑵ $\dfrac{5}{11}$ **02** $\dfrac{1}{9}$, $\dfrac{2}{9}$

03 21, 5, 16, 16, $2\dfrac{2}{7}$ **04** $2\dfrac{4}{5}$

05 (위에서부터) $6\dfrac{2}{9}$, $8\dfrac{3}{9}$

06 $\dfrac{13}{11}$, $\dfrac{14}{11}$, $\dfrac{15}{11}$

07 예 ❶ 분모는 그대로 두고 분자끼리만 더해야 하는데 분모와 분자를 모두 더했습니다.

    ❷ $1\dfrac{5}{9}+3\dfrac{6}{9}=4+\dfrac{11}{9}=4\dfrac{11}{9}$

                 $=4+1\dfrac{2}{9}=5\dfrac{2}{9}$

08 >   **09** $15\dfrac{2}{13}$ cm   **10** $2\dfrac{4}{7}$

11 ㉢   **12** $4\dfrac{2}{7}$ kg   **13** $2\dfrac{5}{6}$

14 ㉮쪽, $5\dfrac{2}{10}$ g   **15** $1\dfrac{1}{3}$ m   **16** $\dfrac{1}{6}$

17 예 ❶ 차가 가장 크게 되도록 하려면 세 분수 중 가장 큰 분수와 가장 작은 분수의 차를 구해야 합니다. 가장 큰 분수는 $6\dfrac{1}{11}$ 이고, 가장 작은 분수는 $4\dfrac{8}{11}$ 입니다.

    ❷ $6\dfrac{1}{11}-4\dfrac{8}{11}=5\dfrac{12}{11}-4\dfrac{8}{11}=1\dfrac{4}{11}$ / $1\dfrac{4}{11}$

18 $12\dfrac{3}{8}$

19 예 ❶ $\dfrac{18-\square}{19}<\dfrac{10}{19}$ 에서 $18-\square<10$ 이므로 $\square$ 안에 들어갈 수 있는 수는 8보다 큰 자연수입니다.

    ❷ $\square$ 안에 들어갈 수 있는 가장 작은 자연수는 9입니다. / 9

20 $\dfrac{5}{7}$

풀이

07 채점 기준	❶ 계산에서 잘못된 이유 쓰기	2점
	❷ 바르게 계산하기	3점

08 $\dfrac{13}{19}+\dfrac{8}{19}=\dfrac{13+8}{19}=\dfrac{21}{19}=1\dfrac{2}{19}$ ⇨ $1\dfrac{2}{19}>1\dfrac{1}{19}$

10 가장 큰 수는 8, 가장 작은 수는 $5\dfrac{3}{7}$ 이므로

$8-5\dfrac{3}{7}=7\dfrac{7}{7}-5\dfrac{3}{7}=2\dfrac{4}{7}$ 입니다.

11 ㉠ $1\dfrac{3}{5}+1\dfrac{4}{5}=2\dfrac{7}{5}=3\dfrac{2}{5}$

    ㉡ $5-1\dfrac{4}{5}=4\dfrac{5}{5}-1\dfrac{4}{5}=3\dfrac{1}{5}$

    ㉢ $5\dfrac{1}{5}-1\dfrac{2}{5}=4\dfrac{6}{5}-1\dfrac{2}{5}=3\dfrac{4}{5}$

    ⇨ $3\dfrac{4}{5}>3\dfrac{2}{5}>3\dfrac{1}{5}$

13 $\square=5-2\dfrac{1}{6}=4\dfrac{6}{6}-2\dfrac{1}{6}=2\dfrac{5}{6}$

14 ㉮<㉯이므로 ㉮쪽에 $50\dfrac{8}{10}-45\dfrac{6}{10}=5\dfrac{2}{10}$ (g) 의 추를 더 올려놓아야 합니다.

15 정사각형은 네 변의 길이가 모두 같습니다.

$\Rightarrow \dfrac{1}{3}+\dfrac{1}{3}+\dfrac{1}{3}+\dfrac{1}{3}=\dfrac{4}{3}=1\dfrac{1}{3}$ (m)

16 $1-\dfrac{2}{6}-\dfrac{3}{6}=\dfrac{6}{6}-\dfrac{2}{6}-\dfrac{3}{6}=\dfrac{4}{6}-\dfrac{3}{6}=\dfrac{1}{6}$

무궁화는 전체의 $\dfrac{1}{6}$입니다.

17

채점기준		
❶ 가장 큰 분수와 가장 작은 분수 찾기		2점
❷ 차가 가장 크게 되는 두 분수의 차 구하기		3점

18 분모가 8인 대분수 중 가장 큰 수는 $7\dfrac{6}{8}$이고, 가장

작은 수는 $4\dfrac{5}{8}$입니다. $\Rightarrow 7\dfrac{6}{8}+4\dfrac{5}{8}=11\dfrac{11}{8}=12\dfrac{3}{8}$

19

채점기준		
❶ □ 안에 들어갈 수 있는 수의 범위 찾기		2점
❷ □ 안에 들어갈 수 있는 가장 작은 자연수 구하기		3점

20

$1\dfrac{3}{7}+\dfrac{5}{7}=1\dfrac{8}{7}=2\dfrac{1}{7}$이므로 어떤 수는 $1\dfrac{3}{7}$보다

$\dfrac{5}{7}$ 작은 수입니다.

(어떤 수)$=1\dfrac{3}{7}-\dfrac{5}{7}=\dfrac{10}{7}-\dfrac{5}{7}=\dfrac{5}{7}$

실력 단원 평가 13~15쪽

01 ④

02 $3\dfrac{3}{4}$

03 6, $4\dfrac{2}{5}$

04

05 예 ❶ 분모가 같은 진분수의 덧셈은 분모는 그대로 두고 분자끼리 더해야 하는데 분모까지 더하여 계산하였습니다.

❷ $\dfrac{4}{15}+\dfrac{6}{16}=\dfrac{4+6}{15}=\dfrac{10}{15}$ / $\dfrac{10}{15}$

06 6

07 >

08 $41\dfrac{3}{6}$ L

09 ㉣, ㉡, ㉠, ㉢

10 $\dfrac{4}{5}$ kg

11 3, 1

12 $\dfrac{2}{3}$ 시간

13 $2\dfrac{4}{11}$

14 예 ❶ 가분수를 모두 대분수로 바꾸면

$\dfrac{17}{6}=2\dfrac{5}{6}$, $\dfrac{23}{6}=3\dfrac{5}{6}$입니다. 3과 4 사이

에 있는 수는 $3\dfrac{4}{6}$와 $\dfrac{23}{6}$입니다.

❷ 따라서 $3\dfrac{4}{6}+3\dfrac{5}{6}=6\dfrac{9}{6}=7\dfrac{3}{6}$입니다.

/ $7\dfrac{3}{6}$

15 $\dfrac{1}{7}$

16 $\dfrac{5}{8}$

17 4, 5

18 10

19 $\dfrac{1}{13}$

20 예 ❶ 2에 가장 가까운 덧셈식을 만들려면 수가

2보다 큰 2장은 고를 수 없으므로 $1+1\dfrac{2}{7}$

입니다.

❷ 2에 가장 가까운 뺄셈식을 만들려면

$3\dfrac{3}{7}-1\dfrac{2}{7}$와 $2\dfrac{3}{7}-1$의 계산 결과를 비교

해야 합니다.

$3\dfrac{3}{7}-1\dfrac{2}{7}=2\dfrac{1}{7}$이고, $2\dfrac{3}{7}-1=1\dfrac{3}{7}$이므

로 2에 가장 가까운 뺄셈식은 $3\dfrac{3}{7}-1\dfrac{2}{7}$

입니다. / $1+1\dfrac{2}{7}$, $3\dfrac{3}{7}-1\dfrac{2}{7}$

풀이

05

채점기준		
❶ 계산에서 잘못된 이유 쓰기		2점
❷ 바르게 계산하기		3점

06 가장 큰 분수는 $3\dfrac{2}{13}$이고, 가장 작은 분수는 $2\dfrac{11}{13}$

이므로 $3\dfrac{2}{13}+2\dfrac{11}{13}=5\dfrac{13}{13}=6$입니다.

07 $3\dfrac{3}{8}+1\dfrac{4}{8}=4\dfrac{7}{8}$, $2\dfrac{1}{8}+2\dfrac{3}{8}=4\dfrac{4}{8}$

$\Rightarrow 4\dfrac{7}{8}>4\dfrac{4}{8}$

08 $30\dfrac{4}{6}+10\dfrac{5}{6}=40\dfrac{9}{6}=40+1\dfrac{3}{6}=41\dfrac{3}{6}$ (L)

09 ㉠ $1\frac{2}{7}+1\frac{3}{7}=2\frac{5}{7}$ ㉡ $2\frac{1}{7}+1\frac{3}{7}=3\frac{4}{7}$

㉢ $4\frac{4}{7}-2\frac{1}{7}=2\frac{3}{7}$

㉣ $5\frac{1}{7}-1\frac{2}{7}=4\frac{8}{7}-1\frac{2}{7}=3\frac{6}{7}$

⇨ $3\frac{6}{7}>3\frac{4}{7}>2\frac{5}{7}>2\frac{3}{7}$

11 $2\frac{2}{8}-\frac{11}{8}=\frac{18}{8}-\frac{11}{8}=\frac{7}{8}$이므로

$\frac{\square}{8}-\frac{18}{8}=\frac{7}{8}$입니다.

⇨ $\frac{\square}{8}=\frac{7}{8}+\frac{18}{8}=\frac{25}{8}=3\frac{1}{8}$

13 (어떤 수)$=4-1\frac{7}{11}=3\frac{11}{11}-1\frac{7}{11}=2\frac{4}{11}$

14
채점기준	❶ 3보다 크고 4보다 작은 분수 찾기	2점
	❷ ❶에서 찾은 분수의 합 구하기	3점

15 겹치는 부분을 포함한 거리는

$1\frac{4}{7}+2\frac{2}{7}=3\frac{6}{7}$ (km)입니다.

⇨ $\square=3\frac{6}{7}-3\frac{5}{7}=\frac{1}{7}$ (km)

16 분모가 8인 가장 큰 진분수는 $\frac{7}{8}$이고, 가장 작은 진

분수는 $\frac{2}{8}$이므로 $\frac{7}{8}-\frac{2}{8}=\frac{5}{8}$입니다.

17 $\frac{5}{9}$보다 크고 $\frac{8}{9}$ 작은 분수의 분자가 될 수 있는 수

는 6, 7입니다.

$2\frac{2}{9}-1\frac{\square}{9}$에서 분자가 6 또는 7이 되려면 $1\frac{\square}{9}$를

가분수로 바꾸었을 때 분자가 13 또는 14가 되어야

합니다. 따라서 $\frac{13}{9}=1\frac{4}{9}$ 또는 $\frac{14}{9}=1\frac{5}{9}$가 될

수 있으므로 □ 안에 들어갈 수 있는 자연수는 4, 5입

니다.

18 진분수는 분자가 분모보다 작아야 하므로

$\frac{3}{8}+\frac{1}{8}=\frac{4}{8}$, $\frac{3}{8}+\frac{2}{8}=\frac{5}{8}$, $\frac{3}{8}+\frac{3}{8}=\frac{6}{8}$,

$\frac{3}{8}+\frac{4}{8}=\frac{7}{8}$이 됩니다.

⇨ □$=1, 2, 3, 4$이므로 $1+2+3+4=10$입니다.

19 어떤 수를 □라고 하면 $\square+\frac{5}{13}=\frac{11}{13}$,

$\square=\frac{11}{13}-\frac{5}{13}=\frac{6}{13}$입니다.

어떤 수는 $\frac{6}{13}$이므로 바르게 계산하면

$\frac{6}{13}-\frac{5}{13}=\frac{1}{13}$입니다.

20
채점기준	❶ 2에 가장 가까운 덧셈식을 만든 경우	2점
	❷ 2에 가장 가까운 뺄셈식을 만든 경우	3점

🐢 연습 서술형 평가

16~17쪽

01 예 ❶ $\frac{4}{7}+\frac{\square}{7}=\frac{4+\square}{7}$이므로 $\frac{6}{7}<\frac{4+\square}{7}<\frac{12}{7}$

입니다.

❷ $6<4+\square<12$이므로 $4+\square$는 7, 8, 9,

10, 11이 될 수 있습니다. 따라서 □ 안에

들어갈 수 있는 수는 3, 4, 5, 6, 7입니다.

/ 3, 4, 5, 6, 7

02 예 ❶ 화단에 물을 주는 데 사용한 물의 양은

$3\frac{2}{9}$ L이고 청소하는 데 사용한 물의 양은

$5\frac{5}{9}$ L이므로 사용한 물은 모두

$3\frac{2}{9}+5\frac{5}{9}=8\frac{7}{9}$ (L)입니다.

❷ 사용하고 남은 물의 양이 12 L이므로 물통

에 들어 있었던 물의 양은

$12+8\frac{7}{9}=20\frac{7}{9}$ (L)입니다. / $20\frac{7}{9}$ L

03 예 ❶ 노끈을 묶기 전의 두 노끈의 길이의 합은

$2\frac{4}{5}+1\frac{2}{5}=3\frac{6}{5}=4\frac{1}{5}$ (m)입니다.

❷ 노끈을 묶은 후의 길이는 묶기 전의 길이

의 합보다

$4\frac{1}{5}-3\frac{4}{5}=3\frac{6}{5}-3\frac{4}{5}=\frac{2}{5}$ (m) 더 줄었

습니다. / $\frac{2}{5}$ m

04 ⑩ ❶ 학교에서 병원까지의 거리는

$$3\frac{4}{12}+2\frac{7}{12}=5\frac{11}{12}\,(km)입니다.$$

❷ 학교에서 집까지의 거리는 $10\frac{2}{12}$ km이

므로 집에서 병원까지의 거리는

$$10\frac{2}{12}-5\frac{11}{12}=9\frac{14}{12}-5\frac{11}{12}=4\frac{3}{12}\,(km)$$

입니다. / $4\frac{3}{12}$ km

풀이

01

채점 기준	❶ $\frac{4}{7}+\frac{\square}{7}$의 범위 구하기	10점
	❷ □ 안에 들어갈 수 있는 수 모두 구하기	15점

02

채점 기준	❶ 사용한 물의 양 구하기	10점
	❷ 물통에 들어 있었던 물의 양 구하기	15점

03

채점 기준	❶ 묶기 전의 두 노끈의 길이의 합 구하기	10점
	❷ 묶기 전 길이와 묶은 후 길이의 차 구하기	15점

04

채점 기준	❶ 학교에서 병원까지의 거리 구하기	10점
	❷ 집에서 병원까지의 거리 구하기	15점

실전 서술형 평가 18~19쪽

01 ⑩ ❶ $\frac{2}{9}◎\frac{1}{9}=\frac{2}{9}+\frac{2}{9}+\frac{1}{9}=\frac{5}{9}$,

$$\frac{1}{5}◎\frac{3}{5}=\frac{1}{5}+\frac{1}{5}+\frac{3}{5}=1,$$

$$\frac{3}{8}◎\frac{1}{8}=\frac{3}{8}+\frac{3}{8}+\frac{1}{8}=\frac{7}{8}이므로$$

계산 규칙은 ㉠◎㉡=㉠+㉠+㉡입니다.

❷ $1\frac{2}{4}◎\frac{3}{4}=1\frac{2}{4}+1\frac{2}{4}+\frac{3}{4}=\frac{6}{4}+\frac{6}{4}+\frac{3}{4}$

$=\frac{15}{4}=3\frac{3}{4}$입니다. / $3\frac{3}{4}$

02 ⑩ ❶ 현철이가 정상까지 가는 데 걸린 시간은

$$20-2\frac{3}{10}=19\frac{10}{10}-2\frac{3}{10}=17\frac{7}{10}\,(분)$$

입니다. 태민이가 정상까지 가는 데 걸린

시간은 $20+1\frac{2}{10}=21\frac{2}{10}\,(분)$입니다.

❷ 현철이는 태민이보다

$$21\frac{2}{10}-17\frac{7}{10}=20\frac{12}{10}-17\frac{7}{10}=3\frac{5}{10}\,(분)$$

더 빨리 정상에 도착했습니다. / $3\frac{5}{10}$ 분

03 ⑩ ❶ $\frac{1}{8}+\frac{1}{8}=\frac{2}{8}$, $\frac{1}{8}+\frac{2}{8}=\frac{3}{8}$, $\frac{2}{8}+\frac{3}{8}=\frac{5}{8}$,

$\frac{3}{8}+\frac{5}{8}=\frac{8}{8}=1$, $\frac{5}{8}+1=1\frac{5}{8}$, …이므로 나

란히 놓인 두 분수의 합은 바로 뒤의 분수

가 되는 규칙이 있습니다.

❷ 여덟 번째 분수: $1+1\frac{5}{8}=2\frac{5}{8}$

아홉 번째 분수: $1\frac{5}{8}+2\frac{5}{8}=3\frac{10}{8}=4\frac{2}{8}$

열 번째 분수: $2\frac{5}{8}+4\frac{2}{8}=6\frac{7}{8}$ / $6\frac{7}{8}$

04 ⑩ ❶ ㉮의 분자를 □라고 하면 ㉯의 분자는

□+2입니다. ㉰의 분자는 ㉯의 분자보다

2가 더 크므로 □+4입니다.

❷ (㉮의 분자)+(㉯의 분자)+(㉰의 분자)

$=□+(□+2)+(□+4)=21$이므로

□+□+□=15, □=5입니다.

조건에 알맞은 세 분수는 $\frac{5}{25}$, $\frac{7}{25}$, $\frac{9}{25}$입

니다. / $\frac{5}{25}$, $\frac{7}{25}$, $\frac{9}{25}$

풀이

01

채점 기준	❶ 계산 규칙 찾기	15점
	❷ $1\frac{2}{4}◎\frac{3}{4}$의 계산 결과 구하기	10점

02

채점 기준	❶ 현철이와 태민이가 정상까지 가는 데 걸린 시간 각각 구하기	10점
	❷ 현철이와 태민이가 정상까지 가는 데 걸린 시간의 차 구하기	15점

03

채점 기준	❶ 분수의 규칙 찾기	10점
	❷ 열 번째에 올 분수 구하기	15점

04

채점 기준	❶ ㉮의 분자를 □라고 할 때 ㉯의 분자와 ㉰의 분자 나타내기	15점
	❷ 조건에 알맞은 세 분수 구하기	10점

2 삼각형

01 (○) (   )   **02** 가, 나, 다, 라
03 이등변삼각형   **04** (예)

05 45, 45
06 70°, 40°
07 40°   **08** 35 cm
09 6   **10** 40°

풀이

02 이등변삼각형은 두 변의 길이가 같으므로 가, 나, 다, 라입니다.

03 반으로 접은 종이를 겹쳐서 잘랐으므로 잘려진 부분의 길이가 같기 때문에 펼쳤을 때 이등변삼각형이 됩니다.

05 삼각형의 세 각의 크기의 합이 180°이고 두 각의 크기는 같으므로 $\square$°＋$\square$°＝180°－90°＝90°, $\square$°＝90°÷2＝45°입니다.

06 이등변삼각형의 두 각의 크기는 같으므로 ㉠＝70°이고, 삼각형의 세 각의 크기의 합이 180°이므로 ㉡＝180°－70°－70°＝40°입니다.

07 이등변삼각형은 두 각의 크기가 같으므로 ㉠＝40°입니다.

08 이등변삼각형의 두 변의 길이는 같으므로 세 변의 길의 합은 10＋15＋10＝35 (cm)입니다.

09 삼각형의 세 각의 크기의 합은 180°이므로 나머지 한 각의 크기는 45°입니다. 두 각의 크기가 같으므로 이등변삼각형임을 알 수 있고, 이등변삼각형의 두 변의 길이는 같습니다.

10 접은 종이를 펼쳤을 때 다른 쪽 한 각도는 50°입니다. 삼각형의 세 각의 크기의 합은 180°이므로 ㉠의 두 배에 해당하는 각의 크기가 180°－50°－50°＝80°이므로 ㉠의 크기는 40°입니다.

01 나, 라   **02** 60
03 60   **04** 43, 43
05 60, 60   **06** 21 cm
07 120°   **08** 14
09 120, 120   **10** 120°

풀이

06 정삼각형의 세 변의 길이는 모두 같으므로 7＋7＋7＝21 (cm)입니다.

07 정삼각형은 세 각의 크기가 모두 60°로 같으므로 ㉠＋㉡＝120°입니다.

08 정삼각형은 세 변의 길이가 모두 같으므로 한 변의 길이는 42÷3＝14 (cm)입니다.

09 정삼각형은 세 각의 크기가 모두 60°로 같으므로 $\square$°＝180°－60°＝120°입니다.

10 정삼각형은 세 각의 크기가 모두 60°로 같으므로 (각 ㄴㄱㄹ)＝60°＋60°＝120°입니다.

01 (   ) (○) (   )   **02** 가
03 (예)   **04** 예각삼각형

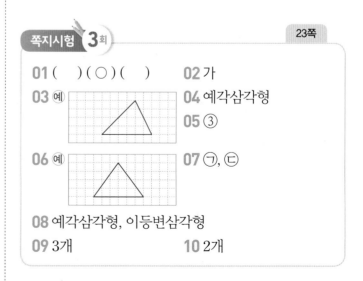

05 ③
06 (예)   **07** ㉠, ㉢
08 예각삼각형, 이등변삼각형
09 3개   **10** 2개

풀이

06 예각삼각형이면서 이등변삼각형이 되도록 그립니다.

07 삼각형의 나머지 한 각의 크기를 구합니다.

㉠ $180° - 55° - 40° = 85°$

ㄴ $180° - 15° - 50° = 115°$

ㄷ $180° - 60° - 35° = 85°$

ㄹ $180° - 35° - 50° = 95°$

세 각이 모두 예각인 삼각형은 ㉠, ㄷ입니다.

08 나머지 한 각의 크기는 $180° - 55° - 70° = 55°$입니다. 세 각 모두 예각이므로 예각삼각형이면서 두 각의 크기가 같기 때문에 이등변삼각형입니다.

09~10

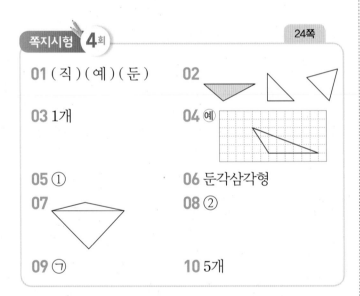

• 예각삼각형: 3개
• 직각삼각형: 2개

쪽지시험 **4**회   24쪽

01 (직) (예) (둔)

02

03 1개

04 예

05 ①

06 둔각삼각형

07

08 ②

09 ㉠

10 5개

풀이

04 둔각삼각형은 한 각이 둔각이 되도록 그립니다.

09 나머지 한 각의 크기가 둔각인 삼각형을 찾습니다.

㉠ (30°, 40°) ⇨ $180° - 30° - 40° = 110°$ (둔각)

ㄴ (30°, 60°) ⇨ $180° - 30° - 60° = 90°$ (직각)

ㄷ (30°, 80°) ⇨ $180° - 30° - 80° = 70°$ (예각)

10

작은 삼각형 1개짜리: ①, ③ ⇨ 2개

작은 삼각형 2개짜리: ①+②, ②+③ ⇨ 2개

작은 삼각형 3개짜리: ①+②+③ ⇨ 1개

⇨ $2 + 2 + 1 = 5$(개)

기본 단원 평가   25~27쪽

01 (   ) (○) (   )

02 (왼쪽에서부터) 11, 60

03 12 cm

04 45°

05 ⑤

06 가, 다

07 라, 마, 사

08 다, 바

09 36 cm

10 21 cm

11 35°, 35°

12 예 ❶ 삼각형의 세 각의 크기의 합은 180°이므로 나머지 한 각의 크기는
$180° - 60° - 60° = 60°$로 정삼각형입니다.

❷ 정삼각형의 세 변의 길이는 모두 같으므로 세 변의 길이의 합은 $9 + 9 + 9 = 27$ (cm)입니다.

／ 27 cm

13 50°, 75°, 70°, 40°

14 ㄴ, ㄷ

15 ㄴ

16 ❶ 정삼각형은 예각삼각형이라고 할 수 있습니다.

❷ 예 정삼각형은 세 각의 크기가 모두 60°이고 60°는 예각이기 때문에 정삼각형은 예각삼각형이라고 할 수 있습니다.

17 이등변삼각형, 둔각삼각형에 ○표

18 예 ❶ 이등변삼각형의 두 변의 길이는 같으므로 나머지 한 변의 길이는 15 cm입니다. 이등변삼각형의 세 변의 길이의 합은
$15 + 21 + 15 = 51$ (cm)입니다.

❷ 따라서 정삼각형의 세 변의 길이의 합도 51 cm이므로 한 변의 길이는
$51 ÷ 3 = 17$ (cm)입니다.

／ 17 cm

19 50°

20 14개

풀이

04 삼각형의 세 각의 크기의 합은 180°이므로
(각 ㄱㄴㄷ)+(각 ㄱㄷㄴ)=180°-90°=90°,
(각 ㄱㄴㄷ)=(각 ㄱㄷㄴ)=90°÷2=45°입니다.

09 정삼각형의 세 변의 길이는 모두 같습니다.
⇨ 12+12+12=36 (cm)

10 이등변삼각형의 두 변의 길이는 같으므로
(변 ㄴㄷ)=8 cm입니다.
⇨ (세 변의 길이의 합)=5+8+8=21 (cm)

11 ㉠+㉡=180°-110°=70°이고 이등변삼각형이
므로 ㉠=㉡=70°÷2=35°입니다.

12

채점 기준		
❶ 어떤 삼각형인지 알기	2점
❷ 삼각형의 세 변의 길이의 합 구하기	3점

13 삼각형의 세 각의 크기의 합은 180°이므로 180°에
서 주어진 두 각을 빼서 구합니다.

14 예각삼각형은 세 각이 예각이어야 하므로 ㉡, ㉢이
예각삼각형입니다.

15 ㉠ 직각삼각형: 직각 1개, 예각 2개
㉡ 예각삼각형: 예각 3개
㉢ 둔각삼각형: 둔각 1개, 예각 2개
⇨ 예각의 수가 다른 하나는 ㉡ 예각삼각형입니다.

16

채점 기준		
❶ 정삼각형이 예각삼각형이 될 수 있는지 확인하기	2점
❷ 정삼각형이 예각삼각형이 될 수 있는 이유 쓰기	3점

17 지워진 부분의 각의 크기는
180°-40°-100°=40°입니다.
한 각이 둔각이므로 둔각삼각형이고 두 각의 크기
가 같으므로 이등변삼각형입니다.

18

채점 기준		
❶ 이등변삼각형의 세 변의 길이의 합 구하기	3점
❷ 정삼각형의 한 변의 길이 구하기	2점

19 직사각형의 한 각의 크기는 90°이므로
(각 ㄴㄱㅁ)=90°-25°=65°입니다.
이등변삼각형은 두 각의 크기가 같으므로
(각 ㄱㅁㄴ)=(각 ㄴㄱㅁ)=65°입니다.
⇨ (각 ㄱㅁㄴ)=180°-65°-65°=50°

20
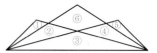

작은 삼각형 1개짜리: ①, ②, ③, ④, ⑤ ⇨ 5개
작은 삼각형 2개짜리:
①+②, ②+③, ③+④, ④+⑤, ②+⑥, ④+⑥
⇨ 6개
작은 삼각형 3개짜리:
①+②+③, ③+④+⑤ ⇨ 2개
작은 삼각형 4개짜리: ②+③+④+⑥ ⇨ 1개
⇨ 5+6+2+1=14(개)

실력 단원 평가   28~30쪽

01 예각, 둔각   **02** 6 cm

03 40°   **04** ①, ③

05 나, 라   **06** 다, 마

07 ㉡   **08** ㉠

09   **10** 30°

11 25 cm   **12** 8

13 ㉠, ㉡, ㉢   **14** 120

15 ②, ④

16 예 ❶ 이등변삼각형은 두 각의 크기가 같으므로
나머지 한 각의 크기는
180°-45°-45°=90°입니다.
❷ 한 각의 크기가 직각이므로 이 이등변삼각
형은 직각삼각형입니다.
/ 직각삼각형

17 34 cm

18 예 ❶ 작은 삼각형 1개짜리: 14개
작은 삼각형 4개짜리: 4개
❷ 따라서 찾을 수 있는 크고 작은 정삼각형
은 모두 14+4=18(개)입니다. / 18개

19 예 ❶ 정삼각형의 한 각의 크기는 60°이므로
㉡=60°이고, (각 ㄴㄱㄷ)=(각 ㄴㄷㄱ)=
60°입니다. 직선이 이루는 각도는 180°이
므로 ㉠=㉢=180°-60°=120°입니다.

❷ ㉠+㉡+㉢=120°+60°+120°=300°
입니다.
/ 300°

20 135°

풀이

03 두 변의 길이가 같으므로 주어진 삼각형은 이등변
삼각형입니다. 이등변삼각형은 두 각의 크기가 같
으므로 ㉠=40°입니다.

04 이등변삼각형은 두 변의 길이가 같으므로 ①, ③이
이등변삼각형입니다.

07 정삼각형은 세 각이 크기가 모두 60°로 같고 예각
입니다.

09 주어진 삼각형은 두 변의 길이가 같은 이등변삼각
형이고, 세 각이 모두 예각인 예각삼각형입니다.

10 이등변삼각형은 두 각의 크기가 같으므로
(각 ㄱㄴㄷ)=(각 ㄴㄱㄷ)=75°입니다. 삼각형의
세 각의 크기의 합은 180°이므로
(각 ㄱㄷㄴ)=180°−150°=30°입니다.

11 이등변삼각형은 두 변의 길이가 같으므로 세 변의
길이의 합은 7+7+11=25 (cm)입니다.

12 정삼각형의 세 변의 길이는 모두 같으므로 한 변의
길이는 24÷3=8 (cm)입니다.

13 삼각형의 나머지 한 각의 크기는
180°−60°−60°=60°입니다. 세 각의 크기가 모
두 같으므로 정삼각형이며 정삼각형은 세 변의 길이
가 같으므로 이등변삼각형이 될 수 있습니다. 또한
세 각이 모두 예각이므로 예각삼각형이기도 합니다.

14 정삼각형은 세 각이 모두 60°이므로
(각 ㄱㄷㄴ)=60°이고 □=180°−60°=120°입니다.

15 삼각형의 나머지 한 각의 크기를 구해 보면 ① 90°,
② 60°, ③ 60°, ④ 45°, ⑤ 95°입니다. 예각삼각형
은 세 각이 모두 예각이므로 ②, ④입니다.

16

채점 기준		
❶ 나머지 한 각의 크기 구하기	2점	
❷ 각의 크기에 따라 삼각형 분류하기	3점	

17 종이를 반으로 접고 잘랐기 때문에 잘린 종이의 길
이는 같으므로 자른 삼각형을 폈을 때 이등변삼각
형이 됩니다. 이등변삼각형은 두 변의 길이가 같으
므로 세 변의 길이의 합은
12+12+10=34 (cm)입니다.

18

채점 기준		
❶ 작은 삼각형 1개와 4개로 이루어진 정삼각형의 개수 각각 구하기	3점	
❷ 크고 작은 정삼각형의 개수 구하기	2점	

19

채점 기준		
❶ ㉠, ㉡, ㉢의 각도 구하기	2점	
❷ ㉠+㉡+㉢ 구하기	3점	

20 (각 ㄱㄷㄹ)+(각 ㄱㄹㄷ)=180°−30°=150°
(각 ㄱㄷㄹ)=(각 ㄱㄹㄷ)=150°÷2=75°
삼각형 ㅁㄴㄷ도 이등변삼각형이므로
(각 ㄷㅁㅁ)=(각 ㄴㅁㄷ)=75°입니다.
사각형의 네 각의 크기의 합은 360°이므로
(각 ㄴㅂㄹ)=360°−75°−75°−75°=135°입니다.

01 예 ❶ 삼각형의 세 각의 크기의 합은 180°이므로
나머지 한 각의 크기는
180°−80°−50°=50°입니다. 두 각의 크
기가 같으므로 이등변삼각형입니다.
❷ 이등변삼각형의 두 변의 길이는 같으므로
□=65입니다.
/ 65

02 예 ❶ 삼각형 ㄷㄹㅁ은 이등변삼각형이므로
(각 ㄷㄹㅁ)=(각 ㄷㄹㅁ)=75°입니다.
삼각형의 세 각의 크기의 합은 180°이므로
(각 ㅁㄷㄹ)=180°−75°−75°=30°입
니다.
❷ 삼각형 ㄱㄴㄷ은 정삼각형이므로
(각 ㄱㄷㄴ)=60°입니다. 직선이 이루는
각은 180°이므로
(각 ㄱㄷㅁ)=180°−30°−60°=90°입니다.
/ 90°

03 예 ❶ 굵은 선의 길이는 정삼각형의 한 변의 길이
가 7번 더해진 길이와 같으므로 정삼각형의
한 변의 길이는 $56 \div 7 = 8$ (cm)입니다.

❷ 정삼각형은 세 변의 길이가 같으므로 세
변의 길이의 합은 $8 \times 3 = 24$ (cm)입니다.
/ 24 cm

04 예 ❶ 작은 삼각형 1개짜리: ②, ⑤ ⇨ 2개

❷ 작은 삼각형 2개짜리: ③＋④ ⇨ 1개

❸ 작은 삼각형 3개짜리: ③＋④＋⑤ ⇨ 1개

❹ 크고 작은 둔각삼각형은 모두
$2 + 1 + 1 = 4$(개)입니다. / 4개

풀이

01 채점기준	❶ 삼각형의 이름 찾기	10점
	❷ □ 안에 알맞은 수 구하기	15점

02 채점기준	❶ 각 ㅁㄹㄷ의 크기 구하기	10점
	❷ 각 ㄱㄷㅁ의 크기 구하기	15점

03 채점기준	❶ 정삼각형의 한 변의 길이 구하기	15점
	❷ 정삼각형 한 개의 세 변의 길이의 합 구하기	10점

04 채점기준	❶ 작은 삼각형 1개로 이루어진 둔각삼각형 찾기	5점
	❷ 작은 삼각형 2개로 이루어진 둔각삼각형 찾기	5점
	❸ 작은 삼각형 3개로 이루어진 둔각삼각형 찾기	5점
	❹ 크고 작은 둔각삼각형의 개수 구하기	10점

실전 서술형 평가 33~34쪽

01 예 ❶ 두 변의 길이가 같은 경우는 $(1, 1, 16)$,
$(2, 2, 14)$, $(3, 3, 12)$, $(4, 4, 10)$, $(5, 5, 8)$,
$(6, 6, 6)$, $(7, 7, 4)$, $(8, 8, 2)$의 8가지입니다.

❷ 삼각형이 되려면 가장 긴 변의 길이가 나머
지 두 변의 길이의 합보다 짧아야 하므로
$(5, 5, 8)$, $(6, 6, 6)$, $(7, 7, 4)$, $(8, 8, 2)$의 4가
지입니다. / 4가지

02 예 ❶ 원의 반지름의 길이는 모두 같으므로 선생
님과 현주와 은석이 이루는 삼각형은 선생
님과 현주의 거리와 선생님과 은석이의 거
리가 같은 이등변삼각형입니다.

---

❷ 삼각형의 세 각의 크기의 합은 $180°$이므로
나머지 두 각의 크기의 합은
$180° - 70° = 110°$입니다.
이등변삼각형은 두 각의 크기가 같으므로
□$= 110° \div 2 = 55°$입니다. / 55°

03 예 ❶ 정삼각형을 반으로 접었으므로 각 ㄴㄱㄷ
의 크기는 $60° \div 2 = 30°$입니다.

❷ 삼각형 ㄱㄴㄷ은 직각삼각형 모양에서 직
각을 다시 반으로 접은 것이므로 각 ㄱㄷㄴ
의 크기는 $90° \div 2 = 45°$입니다.

❸ 삼각형의 세 각의 크기의 합은 $180°$이므
로 각 ㄱㄴㄷ의 크기는
$180° - 30° - 45° = 105°$입니다.
/ 105°

04 예 ❶ 0단계에서는 정삼각형이 1개이고 1단계에
서는 작은 정삼각형이 4개 늘어나서 $(1 + 4)$
개입니다. 2단계에서는 더 작은 정삼각형
이 4개 더 늘어나서 $(1 + 4 + 4)$개입니다.
단계가 늘어날수록 정삼각형이 4개씩 늘어
납니다.

❷ 5단계에서 찾을 수 있는 크고 작은 정삼각
형은 모두 $1 + 4 + 4 + 4 + 4 + 4 = 21$(개)
입니다.
/ 21개

풀이

01 채점기준	❶ 두 변의 길이가 같은 경우 구하기	10점
	❷ 만들 수 있는 이등변삼각형의 가짓수 구하기	15점

02 채점기준	❶ 삼각형의 이름 알기	10점
	❷ □ 안에 알맞은 각도 구하기	15점

03 채점기준	❶ 각 ㄴㄱㄷ의 크기 구하기	10점
	❷ 각 ㄱㄷㄴ의 크기 구하기	10점
	❸ 각 ㄱㄴㄷ의 크기 구하기	5점

04 채점기준	❶ 단계가 높아질수록 크고 작은 정삼각형이 몇 개씩 늘어나는지 규칙 찾기	15점
	❷ 5단계에서 찾을 수 있는 크고 작은 정삼각형의 개수 구하기	10점

3 소수의 덧셈과 뺄셈

01 6

02 $\dfrac{47}{100}$, 0.47

03 3

04 0.358

05 =

06 (위에서부터) 영점 영팔사, 1.509

07 0.225

08 소수 셋째, 0.005

09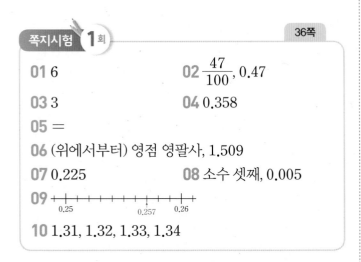

10 1.31, 1.32, 1.33, 1.34

풀이

02 모눈 한 칸은 $\dfrac{1}{100}$ = 0.01입니다. 색칠한 부분은 100칸 중 47칸이므로 $\dfrac{47}{100}$ = 0.47입니다.

05 5.4와 5.40은 같은 수입니다.
> **참고** 소수는 필요한 경우 오른쪽 끝자리에 0을 붙여 나타낼 수 있습니다.

09 0.25와 0.26 사이는 10칸으로 똑같이 나누어져 있으므로 한 칸은 0.001이고 0.25부터 7번째 칸을 찾아 표시합니다.

10 1.30은 1.3과 같은 수입니다. 1.3보다 크고 1.35보다 작은 소수 두 자리 수를 모두 씁니다.

01   **02**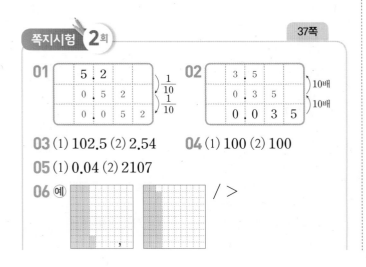

03 (1) 102.5 (2) 2.54

04 (1) 100 (2) 100

05 (1) 0.04 (2) 2107

06 예   / >

07 (1) > (2) <

08 0.24, 0.34, 0.37, 0.41

09   / 1.247

10 5, 6, 7, 8, 9

풀이

04 (1) 1은 0.01의 수가 왼쪽으로 두 자리 이동한 것이므로 0.01의 100배입니다.
(2) 0.001은 0.1의 수가 오른쪽으로 두 자리 이동한 것이므로 0.1의 $\dfrac{1}{100}$배입니다.

05 (1) 1 cm = 0.01 m ⇨ 4 cm = 0.04 m
(2) 0.001 kg = 1 g ⇨ 2.107 kg = 2107 g

06 0.32는 0.01이 32개이고, 0.29는 0.01이 29개이므로 0.32가 0.29보다 더 큰 수입니다.

09 수직선에서 수가 오른쪽으로 갈수록 커집니다.

10 소수 첫째 자리까지 수가 같고 소수 셋째 자리 수를 비교하면 3 > 1이므로 □ 안에 들어갈 수는 4보다 큰 수입니다. □ = 5, 6, 7, 8, 9

01 0.8

02 1.4

03 (위에서부터) 8, 2, 0, 6, 6

04 (1) 1.4 (2) 0.8

05

06 0.4, 0.7, 1.1

07 1.1, 0.6, 0.5

08 3.7 kg

09 2.4

10 예림, 0.3 kg

풀이

04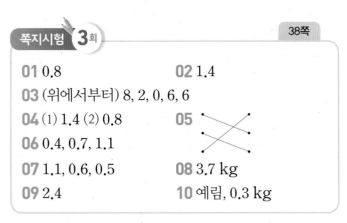

05 $0.2+0.5=0.7$, $0.3+0.6=0.9$, $0.8+0.6=1.4$
$1.2+0.2=1.4$, $0.8-0.1=0.7$, $1.2-0.3=0.9$

06 0.4에서 0.7만큼 오른쪽으로 너 간 수는 1.1입니다.
⇨ $0.4+0.7=1.1$

07 1.1에서 0.6만큼 왼쪽으로 간 수는 0.5입니다.
⇨ $1.1-0.6=0.5$

08 $0.2+3.5=3.7$ (kg)

09 $\square=6.2-3.8=2.4$

10 $25.2>24.9$이므로 예림이가
$25.2-24.9=0.3$ (kg) 더 무겁습니다.

쪽지시험 4회 39쪽

01 0.48 **02** (1) 0.89 (2) 0.15
03 (1) 0.68 (2) 0.7
04 (위에서부터) 0.43, 0.8, 0.41, 0.82
05 0.27 **06** 0.79
07 1.62 kg **08** 우유, 0.37 L
09 3.57 km **10** 0.17 km

풀이

01 모눈 한 칸의 크기는 0.01이고 그림에서 ×로 지우고 남은 칸은 48칸입니다. ⇨ $0.7-0.22=0.48$

02 소수점의 위치를 맞춘 다음 자연수의 덧셈(또는 뺄셈)과 같이 계산한 후, 소수점에 맞추어 계산 결과의 소수점을 찍습니다.

03 (1) $\begin{array}{r}0.15\\+0.53\\\hline0.68\end{array}$ (2) $\begin{array}{r}0.24\\+0.46\\\hline0.7\end{array}$

04 $0.15+0.28=0.43$, $0.26+0.54=0.8$,
$0.15+0.26=0.41$, $0.28+0.54=0.82$

05 $0.46-0.19=0.27$

06 가장 큰 수는 0.64이고 가장 작은 수는 0.15입니다.
⇨ $0.64+0.15=0.79$

07 $0.48+1.14=1.62$ (kg)

08 $0.95>0.58$이므로 우유를 $0.95-0.58=0.37$ (L)
더 마셨습니다.

09 $1.7+1.87=3.57$ (km)

10 $1.87-1.7=0.17$ (km)

기본 단원 평가 40~42쪽

01 1.78 **02** 12, 1.2
03 (1) 1.69 (2) 2.12
04 (위에서부터) 0.5, 0.3, 1.4, 0.6
05 0.4 **06** 48.5
07 0.9, 0.78, 0.585, 0.543
08 ㉠, ㉢
09 ❶ $\begin{array}{r}11\\0.63\\+0.88\\\hline1.51\end{array}$

❷ 예 소수점의 위치를 맞춘 다음 자연수의 덧셈을 이용하여 계산하고 원래의 위치에 소수점을 찍어야 하는데 소수점의 위치를 잘못 찍었습니다.

10 27.1 cm **11** ㉡, ㉢ **12** 4.94
13 예 ❶ 필요한 재료 중 가장 많이 필요한 재료는 감자로 0.54 kg이고, 가장 적게 필요한 재료는 카레 가루로 0.22 kg입니다.
❷ 당근과 카레 가루의 무게의 차는
$0.54-0.22=0.32$ (kg)입니다. / 0.32 kg

14 0.73 L **15** 100배
16 (위에서부터) 2, 5, 5 **17** 38 m
18 3 **19** 6
20 예 ❶ 주방세제를 담은 용기의 무게가 0.84 kg이고, 빈 용기의 무게가 0.05 kg이므로 주방세제의 무게는 $0.84-0.05=0.79$ (kg)입니다. 세탁세제를 담은 용기의 무게가 0.57 kg이고 빈 용기의 무게가 0.03 kg이므로 세탁세제의 무게는
$0.57-0.03=0.54$ (kg)입니다.
❷ 주방세제와 세탁세제의 무게의 합은
$0.79+0.54=1.33$ (kg)입니다. / 1.33 kg

풀이

01 1.78은 0.01이 178개인 수입니다.

02 0.4는 0.1이 4개, 0.8은 0.1이 8개인 수입니다.
0.1이 12개인 수는 1.2입니다.

04 0.9−0.4=0.5, 0.5−0.2=0.3, 0.9+0.5=1.4,
0.4+0.2=0.6

05 4는 소수 첫째 자리 숫자이므로 0.4를 나타냅니다.

06 소수를 100배 하면 소수점을 기준으로 수가 왼쪽으로 두 자리 이동합니다.

07 소수 첫째 자리의 숫자가 같으면 소수 둘째 자리의 숫자를 먼저 비교하고, 둘째 자리의 숫자가 같으면 소수 셋째 자리 숫자를 비교합니다.

08 ㉠ 0.7+0.8=1.5　㉡ 0.4+0.7=1.1
㉢ 0.6+0.9=1.5　㉣ 0.9+0.1=1

09

채점기준	❶ 계산이 잘못된 곳을 찾아 바르게 계산하기	2점
	❷ 계산이 잘못된 이유 쓰기	3점

10 12.5+5.2+9.4=17.7+9.4=27.1 (cm)

11 ㉠ 0.039　㉡ 0.39　㉢ 0.39　㉣ 39

12 ㉠=4.78+2.47=7.25
㉡=4.78−2.47=2.31
⇨ ㉠−㉡=7.25−2.31=4.94

13

채점기준	❶ 가장 많이 필요한 재료와 가장 적게 필요한 재료 구하기	2점
	❷ ❶에서 구한 재료의 무게의 차 구하기	3점

14 1 L=0.001 mL이므로 980 mL=0.98 L,
250 mL=0.25 L입니다.
⇨ 0.98−0.25=0.73 (L)

15 ㉠이 나타내는 수는 50이고, ㉡이 나타내는 수는 0.5이므로 ㉠은 ㉡의 100배입니다.

16 소수 둘째 자리의 계산: □+10−4=8, □=2
소수 첫째 자리의 계산: 3−1+10−□=7,
12−□=7, □=5
일의 자리의 계산: 8−1−2=□, □=5

17 화단의 세로는 11.9−4.8=7.1 (m)입니다.
화단의 네 변의 길이의 합은
11.9+7.1+11.9+7.1=38 (m)입니다.

18 소수 둘째 자리의 계산: 6−㉡=3, ㉡=3
소수 첫째 자리의 계산: 10+㉠−8=5, ㉠=3
일의 자리의 계산: 4−1−0=㉢, ㉢=3
⇨ ㉠+㉡−㉢=3+3−3=3

19 4.88−1.19=3.69이므로 3.□7은 3.69보다 작은 수가 되어야 합니다. 따라서 □ 안에 들어갈 수 있는 가장 큰 자연수는 6입니다.

20

채점기준	❶ 주방세제와 세탁세제의 무게 각각 구하기	3점
	❷ 주방세제와 세탁세제의 무게의 합 구하기	2점

실력 단원 평가　　　　43~45쪽

01 0.2
02 (위에서부터) 35, 44, 0.44
03 (1) 8.23 (2) 3.1　　　**04** <
05 0.03, 30
06 (위에서부터) 3.96, 3.72, 0.1, 0.14
07 3.254에 ○표　　　**08** 0.62, 0.51
09 (1) < (2) >　　　**10** 0.66, 3.47
11 ㉡　　　　　　　**12** 4.8, 100
13 0.66　　　　　　**14** 6.7 km
15 0.56
16 예 ❶ 아버지가 지원이보다 3.19 kg 더 많이 땄으므로 아버지가 딴 귤은
2.59+3.19=5.78 (kg)입니다.
❷ 지원이와 아버지가 딴 귤은 모두
2.59+5.78=8.37(kg)입니다.
/ 8.37 kg
17 ㉢, ㉡, ㉠　　　**18** (위에서부터) 5, 8, 9
19 예 ❶ 2, 8, 6으로 만들 수 있는 가장 큰 소수 두 자리 수는 8.62이고, 가장 작은 소수 두 자리 수는 2.68입니다.

❷ 가장 큰 수와 가장 작은 수의 합은
8.62＋2.68＝11.3입니다.
／ 11.3

20 예 **❶** 어떤 수에서 0.19를 뺀 값이 0.57보다 커
야 하므로 어떤 수는 0.19＋0.57＝0.76보
다 커야 합니다.
0.□가 0.76보다 큰 소수 한 자리 수는 0.8
과 0.9입니다.
❷ □ 안에 들어갈 수 있는 한 자리 자연수는
8과 9이므로 합은 8＋9＝17입니다.
／ 17

풀이

04 1.427＜1.43
　 2＜3

05 3의 $\frac{1}{100}$은 0.03이고, 3을 10배 한 수는 30입니다.

06 1.38＋2.58＝3.96, 1.28＋2.44＝3.72,
1.38－1.28＝0.1, 2.58－2.44＝0.14

07 소수 첫째 자리 수를 비교하면 1＜2이므로 가장
작은 수는 3.197입니다. 3.254와 3.249의 소수 둘
째 자리 수를 비교하면 5＞4이므로 가장 큰 수는
3.254입니다.

08 0.87－0.25＝0.62, 0.76－0.25＝0.51

09 (1) 0.87－0.54＝0.33＜0.43
(2) 1.57＋0.24＝1.81＞1.8

10 0.18＋0.48＝0.66, 0.66＋2.81＝3.47

11 ㉠ 4.88＋0.9＝5.78　㉡ 5.58＋0.84＝6.42
㉢ 1.78＋3.52＝5.3　㉣ 2.78＋2.15＝4.93
⇨ ㉡＞㉠＞㉢＞㉣

12 소수를 10배, 100배 하면 소수점을 기준으로 수가
왼쪽으로 한 자리, 두 자리씩 이동합니다.

13 ㉠ 0.1이 3개이면 0.3이고, 0.01이 7개이면 0.07입
니다.

㉡ 0.029의 10배인 수는 0.29입니다.
⇨ 0.37＋0.29＝0.66

14 2.8＋3.9＝6.7 (km)

15 0.25부터 0.01씩 커지고 있으므로
㉠＝0.26＋0.01＝0.27,
㉡＝0.28＋0.01＝0.29입니다.
⇨ ㉠＋㉡＝0.27＋0.29＝0.56

16

채점 기준	❶ 아버지가 딴 귤의 무게 구하기	2점
	❷ 지원이와 아버지가 딴 귤의 무게 구하기	3점

17 ㉠＝0.88＋0.28＝1.16, ㉡＝2.54－1.26＝1.28,
㉢＝1.15＋0.27＝1.42 ⇨ ㉢＞㉡＞㉠

18 소수 둘째 자리의 계산: 3＋□＝11, □＝8
소수 첫째 자리의 계산: 1＋□＋6＝12, □＝5
일의 자리의 계산: 1＋4＋4＝□, □＝9

19

채점 기준	❶ 가장 큰 소수 두 자리 수와 가장 작은 소수 두 자리 수 구하기	3점
	❷ 만들 수 있는 가장 큰 수와 가장 작은 수의 합 구하기	2점

20

채점 기준	❶ 0.□ 구하기	2점
	❷ □ 안에 들어갈 수 있는 한 자리 자연수의 합 구하기	3점

연습 서술형 평가 46～47쪽

01 예 **❶** 물통 가를 가득 채웠을 때 3 L의 물이 있었
고, 3 L의 $\frac{1}{10}$은 0.3 L이므로 물통 나에
넣은 물의 양은 0.3 L입니다.
❷ 물통 나에 0.3 L의 물을 넣은 후 0.7 L가
되었으므로 물통 나에 처음에 있었던 물의
양은 0.7－0.3＝0.4 (L)입니다.
／ 0.4 L

02 예 **❶** 잘못 말한 사람은 지원입니다. 0.048을
1000배 하면 소수점을 기준으로 수가 왼
쪽으로 세 자리 이동하므로 48이 됩니다.
❷ 바르게 고쳐 쓰면 0.048의 1000배는 48입
니다. (또는 0.048의 100배는 4.8입니다.)

03 예 ❶ 1 m는 100 cm이므로 0.004 m는 0.4 cm입니다.

❷ 소율이의 키는 동건이의 키보다 0.4 cm 더 크므로 132.6+0.4=133 (cm)입니다.

/ 133 cm

04 예 ❶ 3.5는 3.500과 같습니다. 3.496과 3.500 사이의 소수 세 자리 수는 3.497, 3.498, 3.499입니다.

❷ □ 안에 들어갈 수 있는 수는 7, 8, 9입니다.

/ 7, 8, 9

풀이

01 채점 기준

❶ 물통 나에 넣은 물의 양 구하기	10점
❷ 물통 나에 처음 있던 물의 양 구하기	15점

02 채점 기준

❶ 잘못 말한 사람 찾기	10점
❷ 바르게 고쳐 쓰기	15점

03 채점 기준

❶ 0.004 m를 cm 단위로 나타내기	10점
❷ 소율이의 키 구하기	15점

04 채점 기준

❶ 3.496과 3.500 사이의 소수 세 자리 수 구하기	10점
❷ □ 안에 들어갈 수 있는 수 모두 구하기	15점

실전 서술형 평가 48~49쪽

01 예 ❶ 민아는 1.51보다 0.03 더 크다고 했으므로 민아의 소수 카드는 1.51+0.03=1.54입니다.

❷ 규진이는 민아가 가진 소수 1.54의 10배라고 했으므로 15.4입니다.

❸ 주이는 규진이가 가진 소수 15.4의 $\frac{1}{100}$ 이라고 했으므로 0.154입니다.

/ 1.54, 15.4, 0.154

02 예 ❶ 코끼리가 마신 물의 양은 160 L의 $\frac{1}{100}$ 이므로 1.6 L입니다.

❷ 하마가 마신 물의 양은 0.016 L의 1000배이므로 16 L입니다.

❸ 16 L는 1.6 L의 10배이므로 하마는 코끼리가 마신 물의 양의 10배만큼 물을 마셨습니다. / 10배

03 예 ❶ 정사각형을 25개의 작은 정사각형으로 똑같이 나누었고 작은 정사각형을 4개의 직각삼각형으로 똑같이 나누었으므로 직각삼각형 1개의 크기는 분수로 $\frac{1}{100}$이고 소수로 0.01입니다.

❷ 색칠한 부분은 작은 직각삼각형 43개이므로 분수로 나타내면 $\frac{43}{100}$이고, 소수로 나타내면 0.43입니다.

/ $\frac{43}{100}$, 0.43

04 예 ❶ 8.648과 자연수 부분부터 소수 첫째 자리까지 같게 만들면 8.6□□이므로 □ 안에 들어갈 수 있는 숫자 카드는 1, 3, 5입니다.

❷ 8.6⎡1⎤⎡3⎤, 8.6⎡1⎤⎡5⎤, 8.6⎡3⎤⎡1⎤, 8.6⎡3⎤⎡5⎤, 8.6⎡5⎤⎡1⎤, 8.6⎡5⎤⎡3⎤ 중 8.648에 가장 가까운 수는 8.6⎡5⎤⎡1⎤입니다.

/ 8.651

풀이

01 채점 기준

❶ 민아가 가지고 있는 소수 구하기	8점
❷ 규진이가 가지고 있는 소수 구하기	8점
❸ 주이가 가지고 있는 소수 구하기	9점

02 채점 기준

❶ 코끼리가 마신 물의 양 구하기	5점
❷ 하마가 마신 물의 양 구하기	5점
❸ 하마가 마신 물은 코끼리가 마신 물의 양의 몇 배인지 구하기	15점

03 채점 기준

❶ 직각삼각형 1개의 크기 구하기	15점
❷ 색칠한 부분을 분수와 소수로 나타내기	10점

04 채점 기준

❶ 8.6□□을 만들고 □ 안에 들어갈 숫자 카드 찾기	15점
❷ 8.648에 가장 가까운 소수 세 자리 수 구하기	10점

4 사각형

쪽지시험 **1**회　　51쪽

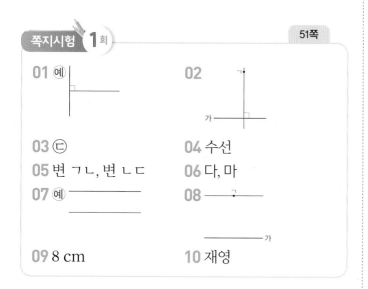

01 (예)
02
03 ㉢
04 수선
05 변 ㄱㄴ, 변 ㄴㄷ
06 다, 마
07 (예)
08
09 8 cm
10 재영

풀이

05 직각삼각형에서 직각으로 만나는 두 변은 서로 수직입니다.

06 한 직선에 수직으로 그은 두 직선은 서로 평행합니다.

07 삼각자의 직각 부분을 이용하여 주어진 직선과 평행한 직선을 긋습니다.

08 한 점을 지나고 한 직선과 평행한 직선은 1개뿐입니다.

09 도형에서 직각인 부분을 찾으면 15 cm인 변과 9 cm인 변이 서로 평행하므로 평행선 사이의 거리는 8 cm입니다.

10 평행선 사이의 거리는 항상 같습니다.

쪽지시험 **2**회　　52쪽

01 사다리꼴
02 가, 나, 다, 라
03 나, 다
04 (예)
05 9 cm
06 평행사변형
07 가, 다
08 (예)
09 (위에서부터) 12, 9
10 (왼쪽에서부터) 105, 75

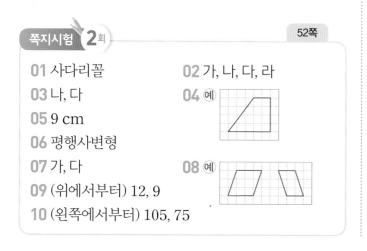

풀이

03 평행한 변이 한 쌍이라도 있는 사각형은 나, 다입니다.

04 평행한 변이 한 쌍이라도 있는 사각형을 그립니다.

05 평행사변형은 마주 보는 두 변의 길이가 같으므로 (변 ㄴㅁ)=(변 ㄱㄹ)=6 cm입니다.
➡ (선분 ㅁㄷ)=15-6=9 (cm)

07 두 쌍의 마주 보는 변이 서로 평행한 사각형을 찾으면 가, 다입니다.

08 두 쌍의 마주 보는 변이 서로 평행한 사각형을 두 개 그립니다.

09 평행사변형의 마주 보는 두 변의 길이는 같습니다.

10 평행사변형의 마주 보는 두 각의 크기는 같습니다.

쪽지시험 **3**회　　53쪽

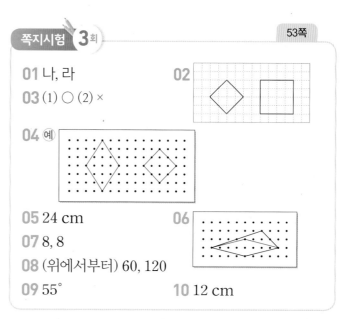

01 나, 라
02
03 (1) ○ (2) ×
04 (예)
05 24 cm
06
07 8, 8
08 (위에서부터) 60, 120
09 55°
10 12 cm

풀이

02 네 변의 길이가 모두 같은 사각형을 그립니다.

03 (2) 마름모는 마주 보는 두 각의 크기가 같습니다.

04 네 변의 길이가 모두 같고, 마주 보는 각의 크기가 같도록 그립니다.

05 마름모는 네 변의 길이가 모두 같으므로 네 변의 길이의 합은 $6 \times 4 = 24$ (cm)입니다.

06 네 변의 길이가 모두 같고, 마주 보는 두 각의 크기가 같도록 꼭짓점을 움직입니다.

07 마름모는 네 변의 길이가 모두 같습니다.

08 마름모는 마주 보는 두 각의 크기가 같습니다.

09 마름모는 이웃한 두 각의 크기의 합이 $180°$이므로 ㉠$= 180° - 125° = 55°$입니다.

10 마름모는 네 변의 길이가 모두 같으므로 한 변의 길이는 $48 \div 4 = 12$ (cm)입니다.

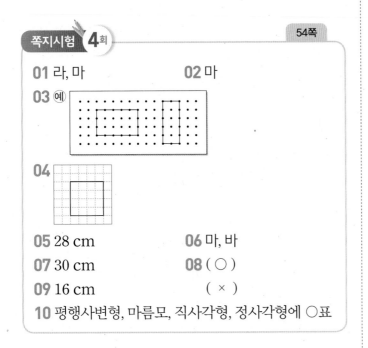

쪽지시험 4회 54쪽

01 라, 마 **02** 마
03 예
04
05 28 cm **06** 마, 바
07 30 cm **08** (◯)
09 16 cm (×)
10 평행사변형, 마름모, 직사각형, 정사각형에 ◯표

풀이

01 네 각의 크기 모두 같은 사각형은 직사각형이므로 라, 마입니다.

02 네 변의 길이가 모두 같고 네 각의 크기가 모두 같은 사각형은 정사각형이므로 마입니다.

03 네 각이 모두 직각이고 마주 보는 변의 길이가 같도록 그립니다.

04 네 각이 모두 직각이고 네 변의 길이가 모두 같도록 그립니다.

05 정사각형은 네 변의 길이가 모두 같으므로 네 변의 길이의 합은 $7 \times 4 = 28$ (cm)입니다.

06 정사각형은 네 각이 직각이고 네 변의 길이가 같으므로 마, 바입니다.

07 직사각형은 마주 보는 두 변의 길이가 같으므로 네 변의 길이의 합은 $9 + 6 + 9 + 6 = 30$ (cm)입니다.

08 직사각형은 네 변의 길이가 항상 같지 않으므로 정사각형이라고 할 수 없습니다.

09 정사각형은 네 변의 길이가 같으므로 한 변의 길이는 $64 \div 4 = 16$ (cm)입니다.

10 사다리꼴은 한 쌍의 마주 보는 변이 서로 평행하고, 평행사변형, 마름모, 직사각형, 정사각형은 두 쌍의 마주 보는 변이 서로 평행합니다.

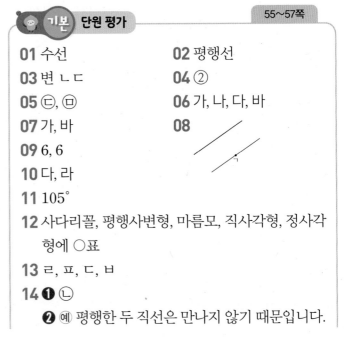

기본 단원 평가 55~57쪽

01 수선 **02** 평행선
03 변 ㄴㄷ **04** ②
05 ㉢, ㉤ **06** 가, 나, 다, 바
07 가, 바 **08**
09 6, 6
10 다, 라
11 105°
12 사다리꼴, 평행사변형, 마름모, 직사각형, 정사각형에 ◯표
13 ㄹ, ㅍ, ㄷ, ㅂ
14 ❶ ㉡
 ❷ 예 평행한 두 직선은 만나지 않기 때문입니다.

15 윤아   **16** 18 cm

17 예 ❶ 평행선 사이의 거리는 가장 짧은 것을 의미합니다. 평행선 사이를 수직으로 지나는 선분이 가장 짧습니다.
❷ ㉡이 평행선 사이의 거리입니다.
/ ㉡

18 9 cm   **19** 60

20 예 ❶ 변 ㄷㄹ과 변 ㅇㅅ은 서로 평행하므로 평행선 사이의 거리는 변 ㄷㄴ과 변 ㄱㅇ의 합으로 4+18=22 (cm)입니다. 또 변 ㄹㅁ과 변 ㅂㅅ의 길이의 합도 평행선 사이의 거리가 됩니다.
❷ (변 ㄹㅁ)+15=22 (cm)이므로 (변 ㄹㅁ)=22−15=7 (cm)입니다.
/ 7 cm

풀이

05 평행선 사이의 거리는 어디에서 재어도 모두 같습니다.

06 평행한 변이 한 쌍이라도 있는 사각형은 가, 나, 다, 바입니다.

07 두 쌍의 마주 보는 변이 평행한 사각형은 가, 바입니다.

09 마름모의 네 변의 길이는 모두 같습니다.

10 두 변이 직각으로 만났을 때 수직이라고 합니다. 수직으로 만나는 변이 있는 도형은 다, 라입니다.

11 평행사변형의 마주 보는 각의 크기는 같으므로 (각 ㄱㄴㄷ)=(각 ㄱㄹㄷ)=105°입니다.

12 주어진 사각형은 두 쌍의 변이 평행하고 네 변의 길이와 네 각의 크기가 같으므로 사다리꼴, 평행사변형, 마름모, 직사각형, 정사각형입니다.

13 주어진 자음자 모두 수직인 선분과 평행인 선분이 있습니다.

14
채점 기준	❶ 수직과 평행에 대해 잘못 설명한 것 찾기	2점
	❷ 수직과 평행에 대해 잘못 설명한 이유 쓰기	3점

15 직사각형은 네 변의 길이가 다를 수도 있으므로 정사각형이라고 할 수 없습니다. 마름모는 마주 보는 한 쌍의 변이 평행하므로 사다리꼴이 될 수 있습니다. 평행사변형은 네 변의 길이가 항상 같지 않으므로 마름모가 될 수 없습니다.

16 마름모는 네 변의 길이가 모두 같으므로 한 변의 길이는 72÷4=18 (cm)입니다.

17
채점 기준	❶ 평행선 사이의 거리 알아보기	2점
	❷ 평행선 사이의 거리 찾기	3점

18 평행사변형은 마주 보는 두 변의 길이가 같으므로 변 ㄱㄹ의 길이를 □라고 하면 □+12+□+12=21, □+□=18, □=9 (cm)입니다.

19

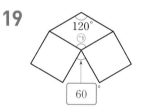

마름모와 정사각형 2개가 한 곳에 모이는 곳의 전체 각의 크기는 360°입니다. 마름모는 마주 보는 각의 크기가 같으므로 ㉠=120°이고 정사각형은 네 각의 크기가 90°이므로
□°=360°−120°−90°−90°=60°입니다.

20
채점 기준	❶ 평행선 사이의 거리 구하기	2점
	❷ 변 ㄹㅁ의 길이 구하기	3점

실력 단원 평가   58~60쪽

01 ( )( )(○)   **02** 5 cm
03 12 cm   **04** 14, 15
05 직선 다, 직선 라   **06** 직선 다, 직선 라
07   **08** 3쌍
    09 10
    10 70
11 성질1 예 ❶ 정사각형은 네 각이 모두 직각입니다.
성질2 예 ❷ 정사각형의 마주 보는 각의 크기가 같습니다.
12 48 cm   **13** 5개   **14** 마

15 ❶ 사다리꼴입니다.

　　❷ 예 사다리꼴은 한 쌍의 변이라도 평행하면 될 수 있으므로 정사각형은 사다리꼴입니다.

16 마름모　　　　　　　**17** 3개

18 35°　　　　　　　　　**19** 56 cm

20 예 ❶ 마름모에서 마주 보는 두 각의 크기는 같으므로

　　　　(각 ㄱㄹㄷ)=(각 ㄱㄴㄷ)=40°입니다.

　　　❷ (변 ㄱㄹ)=(변 ㄷㄹ)이므로 삼각형 ㄱㄷㄹ 은 이등변삼각형입니다.

　　　　(각 ㄷㄱㄹ)=(각 ㄱㄷㄹ)=140°÷2=70° 입니다.

　　　　/ 70°

풀이

02 평행선 사이의 거리는 가장 짧은 거리를 말합니다. 자의 9 cm와 4 cm 눈금 사이의 거리는 5 cm입니다.

05 두 직선이 만나는 각이 직각일 때 두 직선은 수직으로 만납니다. 직선 나와 수직으로 만나는 직선은 직선 다, 직선 라입니다.

08 마주 보는 3쌍의 변이 평행합니다.

10 평행사변형의 이웃하는 두 각의 크기의 합은 180° 이므로 □°=180°−110°=70°입니다.

11

채점 기준		
❶ 정사각형의 성질 한 가지를 바르게 설명하기		3점
❷ 정사각형의 다른 성질 한 가지를 바르게 설명하기		2점

12 정사각형과 마름모는 네 변의 길이가 같으므로 굵은 선의 길이는 6×8=48 (cm)입니다.

13 한 쌍의 변이 평행한 사각형은 가, 나, 다, 라, 마로 모두 5개입니다.

14 평행사변형은 두 쌍의 변의 평행하므로 마입니다.

15

채점 기준		
❶ 정사각형이 사다리꼴이 될 수 있는지 확인하기		2점
❷ 정사각형이 사다리꼴인 이유 쓰기		3점

16 마름모의 네 변의 길이는 모두 같지만 주어진 선분은 네 변의 길이가 모두 같지 않기 때문에 마름모는

만들 수 없습니다.

17

・작은 삼각형 3개짜리:
　　①+②+③, ③+④+⑥ ⇨ 2개

・작은 삼각형 4개짜리: ②+③+④+⑤ ⇨ 1개

⇨ 2+1=3(개)

18 사각형 ㅁㄴㅂㄹ은 평행사변형이므로 이웃한 두 각의 크기의 합은 180°입니다.

⇨ (각 ㄴㅂㄹ)=180°−35°=145°

직선이 이루는 각의 크기는 180°이므로

(각 ㄹㅂㄷ)=180°−145°=35°입니다.

19 마름모는 네 변의 길이가 같으므로 한 변의 길이는 28÷4=7 (cm)입니다. 마름모의 한 변의 길이와 정삼각형의 한 변의 길이가 같으므로 굵은 선의 길이는 7×8=56 (cm)입니다.

20

채점 기준		
❶ 각 ㄱㄹㄷ의 크기 구하기		2점
❷ 각 ㄷㄱㄹ의 크기 구하기		3점

연습 서술형 평가　　　　　　　61~62쪽

01 ❶ 평행사변형입니다.

　　❷ 예 네 각의 크기가 같은 사각형은 직사각형과 정사각형이고 마주 보는 두 쌍의 변이 평행하므로 평행사변형입니다.

02 예 ❶ 직사각형은 두 쌍의 마주 보는 변이 서로 평행하므로 사각형 가, 나, 다, 라는 마주 보는 한 쌍의 변이 평행합니다.

　　　❷ 가, 나, 다, 라는 마주 보는 한 쌍의 변이 평행하므로 공통된 이름은 사다리꼴입니다.

　　　/ 사다리꼴

03 예 ❶ 직사각형은 마주 보는 두 변의 길이가 같으므로

　　　　(변 ㄱㄹ)+(변 ㄱㄴ)=40÷2=20 (cm) 입니다.

　　　❷ (변 ㄱㄴ)=20−12=8 (cm)입니다.

　　　/ 8 cm

04 ⓔ ❶ 평행사변형의 마주 보는 각의 크기는 같으므로 (각 ㄱㄹㄷ)=(각 ㄷㄴㄱ)=70°입니다.
❷ 이등변삼각형은 두 각의 크기가 같으므로 (각 ㄹㅁㄷ)=(각 ㅁㄹㄷ)=70°입니다.
삼각형의 세 각의 크기의 합은 180°이므로 (각 ㅁㄷㄹ)=180°−70°−70°=40°입니다.
/ 40°

(풀이)

01	채점기준	❶ 평행사변형인지 아닌지 쓰기	10점
		❷ 평행사변형인 이유 쓰기	15점

02	채점기준	❶ 가, 나, 다, 라의 공통된 성질 찾기	10점
		❷ 가, 나, 다, 라의 공통된 이름 쓰기	15점

03	채점기준	❶ 변 ㄱㄹ과 변 ㄱㄴ의 길이의 합 구하기	15점
		❷ 변 ㄱㄴ의 길이 구하기	10점

04	채점기준	❶ 각 ㄱㄹㄷ의 크기 구하기	10점
		❷ 각 ㅁㄷㄹ의 크기 구하기	15점

실전 서술형 평가 63~64쪽

01 (성질1) ❶ ⓔ 정사각형은 마주 보는 두 쌍의 변이 서로 평행합니다.
(성질2) ❷ ⓔ 정사각형의 네 변의 길이는 모두 같습니다.
(성질3) ❸ ⓔ 정사각형의 마주 보는 꼭짓점끼리 이은 두 선분의 길이는 같습니다. (또는) 정사각형의 마주 보는 꼭짓점끼리 이은 두 선분은 서로를 둘로 똑같이 나눕니다.

02 ⓔ ❶ 새로 만든 도형은 네 변의 길이가 모두 같습니다. 또한 도형의 마주 보는 꼭짓점끼리 이은 두 선분은 수직으로 만납니다. 점선을 따라 잘랐을 때 만들어지는 삼각형은 이등변삼각형이므로 직각이 아닌 부분의 각의 크기는 모두 45°입니다.

❷ 네 각이 모두 직각이고 네 변의 길이가 같으므로 정사각형입니다.
/ 정사각형

03 ⓔ ❶ 작은 삼각형 2개로 이루어진 사다리꼴은 4개입니다.
❷ 작은 삼각형 3개로 이루어진 사다리꼴은 3개입니다.
❸ 작은 삼각형 4개로 이루어진 사다리꼴은 2개입니다.
❹ 작은 삼각형 5개로 이루어진 사다리꼴은 1개입니다.
❺ 크고 작은 사다리꼴은 모두 4+3+2+1=10(개)입니다.
/ 10개

04 ⓔ ❶ 한결이가 그린 도형의 이름은 사다리꼴, 평행사변형, 마름모가 될 수 있습니다.
민재가 그린 도형의 이름은 사다리꼴, 평행사변형, 마름모, 직사각형, 정사각형이 될 수 있습니다.
❷ 그린 도형의 이름이 될 수 있는 가짓수가 더 많은 사람은 민재입니다.
/ 민재

(풀이)

01	채점기준	❶ 평행에 대한 성질 쓰기	8점
		❷ 네 변의 길이에 대한 성질 쓰기	8점
		❸ 마주 보는 꼭짓점끼리 이은 두 선분에 대한 성질 쓰기	9점

02	채점기준	❶ 네 변의 길이와 네 각의 크기 비교하기	10점
		❷ 도형의 이름 쓰기	15점

03	채점기준	❶ 작은 삼각형 2개로 이루어진 사다리꼴 찾기	5점
		❷ 작은 삼각형 3개로 이루어진 사다리꼴 찾기	5점
		❸ 작은 삼각형 4개로 이루어진 사다리꼴 찾기	5점
		❹ 작은 삼각형 5개로 이루어진 사다리꼴 찾기	5점
		❺ 크고 작은 사다리꼴이 모두 몇 개인지 구하기	5점

04	채점기준	❶ 두 사람이 그린 도형의 이름을 모두 찾기	20점
		❷ 그린 도형의 이름이 될 수 있는 가짓수가 더 많은 사람 찾기	5점

5 꺾은선그래프

66쪽

쪽지시험 1회

01 꺾은선그래프 **02** 강수량의 변화

03 월, 강수량 **04** 꺾은선그래프

05 10 mm **06** 120 mm

07 7월과 8월 사이 **08** 8월

09 월, 해바라기의 키

10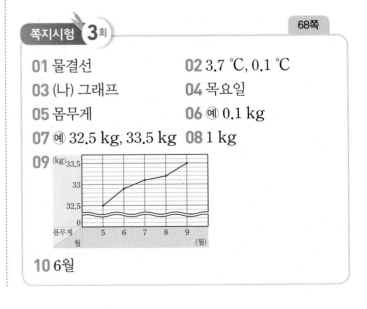

풀이

03 가로는 3월부터 8월까지 월을 나타내고, 세로는 강수량을 나타냅니다.

04 자료를 점(·)으로 나타내어 점의 위치로 수량을 표현하고, 그 점들을 선분으로 이어 그린 그래프를 꺾은선그래프라고 합니다.

06 세로 눈금 한 칸이 10 mm를 나타내므로 5월의 강수량은 120 mm입니다.

07 선이 가장 많이 기울어진 때는 7월과 8월 사이입니다.

08 점이 가장 높게 찍힌 때는 8월입니다.

09 시간의 흐름에 따라 해바라기의 키의 변화를 나타내야 하므로 가로는 월, 세로는 해바라기의 키로 나타낼 수 있습니다.

10 그래프의 가로는 월을 나타내고, 세로는 해바라기의 키를 나타냅니다.

쪽지시험 2회

67쪽

01 예 줄어들고 있습니다.

02 280만 명 **03** 2020년과 2021년 사이

04 2017년과 2018년 사이

05 예 줄어들 것입니다.

06 예 높아지다가 낮아졌습니다.

07 10 ℃

08 오전 10시와 낮 12시 사이

09 22 ℃ **10** 예 내려갈 것입니다.

풀이

02 세로 눈금 한 칸은 200만÷5＝40만 (명)을 나타내므로 2018년 인구는 280만 명입니다.

03 2020년과 2021년 사이에 선이 가장 적게 기울어져 있습니다.

04 선이 오른쪽 아래로 가장 많이 기울어진 때는 2017년과 2018년 사이입니다.

05 선이 오른쪽 아래로 내려가고 있으므로 2021년 이후 인구수는 줄어들 것입니다.

06 운동장의 기온은 오전 8시부터 오후 2시까지 높아지다가 오후 2시부터 낮아졌습니다.

08 오전 10시와 낮 12시 사이에 선이 가장 많이 기울어져 있습니다.

09 기온이 가장 높은 때는 오후 2시로 22 ℃입니다.

10 운동장의 기온은 오후 2시부터 내려가기 시작했으므로 4시부터 6시까지 기온이 더 내려갈 것입니다.

쪽지시험 3회

68쪽

01 물결선 **02** 3.7 ℃, 0.1 ℃

03 (나) 그래프 **04** 목요일

05 몸무게 **06** 예 0.1 kg

07 예 32.5 kg, 33.5 kg **08** 1 kg

09

10 6월

풀이

01 물결선(≈)을 사용하여 필요 없는 부분을 생략하면 수량의 변화하는 모습을 두렷하게 나타낼 수 있습니다.

02 (가) 그래프의 세로 눈금 한 칸은 $18.5 \div 5 = 3.7$ (℃)를 나타내고, (나) 그래프의 세로 눈금 한 칸은 $0.5 \div 5 = 0.1$ (℃)를 나타냅니다.

03 (나) 그래프는 물결선을 사용하여 필요 없는 부분을 생략하여 체온이 변화하는 모습을 두렷하게 알 수 있습니다.

04 점이 가장 높게 찍힌 때는 목요일입니다.

06 몸무게가 변화하는 값이 0.1 kg 단위이므로 세로 눈금 한 칸의 크기를 0.1 kg으로 정합니다.

07 몸무게가 가장 작은 5월은 32.5 kg이고 가장 큰 9월은 33.5 kg이므로 꺾은선그래프를 그리려면 32.5 kg부터 33.5 kg까지가 필요합니다.

08 9월: 33.5 kg, 5월: 32.5 kg
⇨ $33.5 - 32.5 = 1$ (kg)

09 세로 눈금의 크기를 0.1 kg으로 정하고, 5월부터 9월까지 각 월에 해당하는 몸무게만큼 세로 눈금에 표시하여 점을 찍어 선분으로 연결합니다.

10 그래프의 선이 오른쪽 위로 가장 많이 기울어진 때가 몸무게가 가장 많이 늘어난 때이므로 6월입니다.

쪽지시험 4회

69쪽

01 16.7 cm부터 17.5 cm까지

02

---

03 봉선화의 키의 변화　**04** 0.3 cm
05 꺾은선그래프　　　**06** 막대그래프
07 꺾은선그래프　　　**08** 꺾은선그래프
09 월　　　　　　　　**10** 키

풀이

01 봉선화의 키는 월요일에 16.7 cm로 가장 작았으며 토요일에 17.5 cm로 가장 컸습니다.

02 표의 값을 확인하여 월요일부터 토요일에 해당하는 값의 세로 눈금에 점을 찍은 다음 선분으로 이어 그래프를 완성합니다.

03 꺾은선그래프에서 선의 기울기는 봉선화의 키의 변화를 나타냅니다.

04 봉선화 키의 변화가 가장 큰 때는 수요일과 목요일 사이입니다. 수요일의 봉선화의 키는 17.0 cm이고, 목요일의 봉선화의 키는 17.3 cm이므로 0.3 cm가 자랐습니다.

참고 그래프에서 선이 가장 많이 기울어질수록 키의 변화가 가장 큽니다.

05 시간에 따른 변화가 드러나는 자료는 꺾은선그래프로 나타내는 것이 더 편리합니다.

06 항목별 수량을 비교하는 자료는 그림그래프나 막대그래프로 나타내는 것이 더 편리합니다.

07 시간에 따른 변화가 드러나는 자료는 꺾은선그래프로 나타내는 것이 더 편리합니다.

08 시간에 따른 변화가 드러나는 자료는 꺾은선그래프로 나타내는 것이 더 편리합니다.

09 시간의 흐름이 드러나도록 가로 눈금에는 시간(월)을 나타냅니다.

10 시간이 변화할 때마다 키의 변화를 알아보기 위해서 세로 눈금에는 키를 나타냅니다.

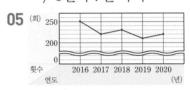 기본 **단원 평가**   70~72쪽

01 월, 붙임딱지 수   **02** 6월

03 4월

04 예 ❶ 그래프에서 붙임딱지가 가장 많이 줄어든
때는 선이 오른쪽 아래로 가장 많이 기울
어진 곳입니다.
❷ 따라서 지현이가 받은 붙임딱지가 가장 많
이 줄어든 달은 6월과 7월 사이입니다.
/ 6월과 7월 사이

05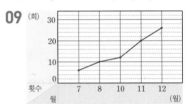

06 10회   **07** 은아   **08** 40회

09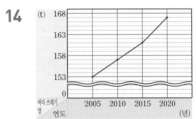

10 6회   **11** 예 11회

12 예 늘어나고 있습니다. **13** 예 152 t

14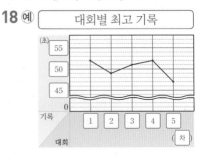

15 예 ❶ 바다 쓰레기 양이 늘어날 것입니다.
❷ 2005년부터 2015년까지 5년 단위로 바다
쓰레기 양이 점점 늘어나고 있으므로 앞으
로도 바다 쓰레기 양은 늘어날 것으로 예
상됩니다.

16 (□) (△)

17 예 52, 49, 51, 52, 47

18 예
대회별 최고 기록
```
(초)
 55
 50
 45
  0
기록     1  2  3  4  5
                    (차)
대회
```

19 19, 23 /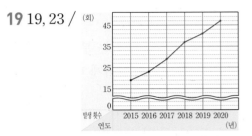
```
(회)
 45
 35
 25
 15
  5
발생 횟수  2015 2016 2017 2018 2019 2020
연도                              (년)
```

20 예 ❶ 2015년은 19회, 2016년은 23회, 2017년
은 29회, 2018년은 37회, 2019년은 41회,
2020년은 47회입니다.
❷ 따라서 2015년부터 2020년까지 황사 발
생 횟수는 모두
19＋23＋29＋37＋41＋47＝196(회)입
니다. / 196회

풀이

02 점이 가장 높게 찍힌 달은 6월입니다.

03 점이 가장 낮게 찍힌 달은 4월입니다.

04
채점기준		
❶ 꺾은선그래프가 가장 많이 기울어진 구간 찾기		2점
❷ 꺾은선그래프가 가장 많이 기울어진 때 찾기		3점

05 연도별 해당하는 지진의 발생 횟수를 세로 눈금에
점을 찍고 점들을 선분으로 이어 그립니다.

06 세로 눈금 5칸은 50회를 나타내므로 세로 눈금 한
칸은 10회를 나타냅니다.

07 지진 발생 횟수는 계속 줄어들고 있지 않습니다.

08 지진이 가장 많이 발생한 해는 2016년으로 250회
이고, 가장 적게 발생한 해는 2019년으로 210회입
니다. 따라서 차는 250－210＝40(회)입니다.

09 월별 해당하는 윗몸일으키기 횟수를 세로 눈금에
점을 찍고 점들을 선분으로 이어 그립니다.

10 7월에 해당하는 세로 눈금은 6회입니다.

11 가로 눈금의 8월과 10월의 가운데 지점을 확인하면
9월의 횟수를 예상해 볼 수 있습니다. 8월에 10회,
10월에 12회이므로 중간 지점은 약 11회입니다.

참고 꺾은선그래프에서는 시간의 흐름에 따라 변화하는 값을 보고 사이의 값이나 이후의 값을 예상할 수 있습니다.

12 선이 오른쪽 위로 올라가고 있으므로 윗몸일으키기 횟수는 점점 늘어나고 있습니다.

13 가장 작은 바다 쓰레기 양이 153 t이므로 152 t까지 물결선으로 생략하면 153 t 이상의 값의 변화를 보다 더 뚜렷하게 나타낼 수 있습니다.

14 153 t 이하의 값은 물결선으로 생략합니다.

15

채점 기준	❶ 꺾은선그래프를 보고 앞으로의 결과를 예상하기	3점
	❷ 앞으로의 결과를 예측한 이유 설명하기	2점

16 도시별 초등학교 수는 항목별로 비교하기 쉬운 막대그래프로 나타내는 것이 편리하고, 월별 강수량의 변화는 시간이 흐름에 따라 변화하는 값을 알기 쉽도록 꺾은선그래프로 나타내는 것이 편리합니다.

17 소수점 아래 자리 숫자가 0, 1, 2, 3, 4이면 버리고 5, 6, 7, 8, 9이면 올림합니다.
1차: 51.6 → 52, 2차: 48.5 → 49, 3차: 50.8 → 51, 4차: 52.1 → 52, 5차: 47.2 → 47

18 47초 이하의 값은 물결선으로 생략합니다. 가로의 차수별 해당하는 기록을 세로 눈금에 점을 찍고 점들을 선분으로 이어 그립니다.

20

채점 기준	❶ 연도별 황사 발생 횟수를 각각 구하기	3점
	❷ 2015년부터 2020년까지 황사 발생 횟수의 합 구하기	2점

 **단원 평가** 73~75쪽

01 2016년　　　　　**02** 2021년

03 ㉔ ❶ 2022년에는 인구수가 줄어들 것입니다.
❷ 2016년에서 2021년으로 해가 지나면서 점점 인구수가 줄고 있으므로 2022년에도 인구수가 더 줄어든다고 예상할 수 있습니다.

04 꺾은선그래프

05

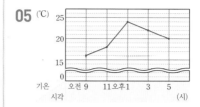

06 22 ℃　　　　　**07** ㉔ 23 ℃

08 14.7초부터 15.6초까지

09

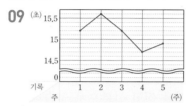

10 4주

11 ㉔ ❶ 기록의 변화가 가장 큰 때는 선분이 많이 기울어진 때이므로 3주와 4주 사이입니다.
❷ 3주는 15.2초이고 4주는 14.7초이므로 15.2−14.7=0.5(초) 차이가 납니다.
/ 4주, 0.5초

12 32, 29, 31, 34, 39　　　**13** 5일

14 2019년과 2020년 사이

15 318명

16 13일, 14일, 12일, 10일, 11일, 15일

17 40명　　　　　**18** 15.7 cm

19 ㉔ 점점 커지고 있습니다.

20 ❶ 그래프 (나)
❷ ㉔ 세로 눈금 한 칸의 크기를 더 작게 하면 토마토 모종의 키의 변화를 더 뚜렷이 알 수 있습니다.

풀이

01 2016년에 해당하는 세로 눈금의 값이 가장 높습니다.

02 2021년에 해당하는 세로 눈금의 값이 가장 낮습니다.

03

채점 기준	❶ 앞으로의 변화될 모습 예상하기	3점
	❷ 앞으로의 변화될 모습 예상한 이유 쓰기	2점

04 시간의 흐름에 따라 변화하는 기온의 값을 알기 쉽도록 꺾은선그래프로 나타내는 것이 편리합니다.

05 가로에는 시각, 세로에는 기온을 나타냅니다.

06 기온이 두 번째로 높은 시각은 오후 3시이며 이때 기온은 22 ℃입니다.

07 가로 눈금의 오후 1시와 3시의 가운데 지점을 확인 하면 오후 2시의 기온을 예상해 볼 수 있습니다.
오후 1시에 24 ℃, 오후 3시에 22 ℃이므로 중간 지점은 약 23 ℃입니다.

08 기록 중 가장 짧은 기록은 14.7초이고 가장 긴 기록은 15.6초이므로 14.7초에서 15.6초까지를 꺾은선그래프로 그릴 수 있습니다.

09 주별 기록에 맞게 점을 찍고 선분으로 잇습니다.

10 점이 가장 낮게 찍힌 때는 4주입니다.

11
채점 기준		
❶ 기록의 변화가 가장 큰 때 찾기	2점
❷ 기록이 몇 초 차이가 나는지 구하기	3점

12 세로 눈금 한 칸은 1일을 나타냅니다.

13 2020년에 눈이 온 날은 39일, 2019년에 눈이 온 날은 34일이므로 5일이 더 많습니다.

14 그래프에서 선이 오른쪽 위로 가장 많이 기울어진 곳은 2019년과 2020년 사이입니다. 2019년의 34 일에서 2020년의 39일로 가장 많이 증가했습니다.

15 6월 11일에 해당하는 세로 눈금의 값을 읽으면 318명입니다.

16 6월 10일: 324명, 6월 11일: 318명,
6월 12일: 332명, 6월 13일: 354명,
6월 14일: 348명, 6월 15일: 314명

17 방문자 수가 가장 많은 날은 6월 13일로 354명이 방문하였고, 가장 적은 날은 6월 15일로 314명이 방문하였습니다.
⇨ 354−314=40(명)

18 표의 3일에 해당되는 키를 확인합니다.

19 1일부터 6일까지 시간이 흐를수록 세로 눈금인 키의 값이 점차 커지고 있음을 알 수 있습니다.

20
채점 기준		
❶ 변화를 더 잘 알 수 있는 그래프 찾기	2점
❷ ❶에서 찾은 그래프의 이유 쓰기	3점

연습 서술형 평가 76~77쪽

01 사실1 ❶ 예 8일 이후 사용량은 줄어들고 있습니다.
사실2 ❷ 예 일회용 비닐 사용량이 가장 많은 때는 8일입니다.

02 예 ❶ 조사한 수 중에서 가장 큰 수는 8이므로 적어도 8송이를 나타낼 수 있어야 합니다.
❷ 따라서 세로 눈금은 적어도 8칸 있어야 합니다. / 8칸

03 예 ❶ 기록이 전년도에 비해서 가장 좋아진 때는 선이 오른쪽 아래로 가장 많이 내려간 때이므로 2019년입니다.
❷ 2018년의 기록은 8.1초이고, 2019년의 기록은 7.6초이므로 기록은
8.1−7.6=0.5(초) 좋아졌습니다. / 0.5초

04 예 ❶ 세로 눈금 한 칸은 10개를 나타냅니다.
❷ 5월의 장난감 판매량은 4월과 6월의 값을 연결한 선분의 가운데 점을 찍고 그 점의 값을 읽으면 약 230개입니다. / 예 약 230개

풀이

01
채점 기준		
❶ 꺾은선그래프를 보고 알 수 있는 사실을 한 가지 쓰기	10점
❷ 꺾은선그래프를 보고 알 수 있는 다른 사실을 한 가지 더 쓰기	15점

02
채점 기준		
❶ 조사한 꽃 수가 가장 많은 경우 알아보기	10점
❷ 세로 눈금이 적어도 몇 칸 있어야 하는지 알아보기	15점

03
채점 기준		
❶ 기록이 전년도에 비해서 가장 좋아진 때 구하기	10점
❷ 기록이 전년도에 비해서 가장 좋아진 때는 몇 초가 좋아진 것인지 구하기	15점

04
채점 기준		
❶ 세로 눈금 한 칸의 크기 구하기	10점
❷ 5월의 장난감 판매량 구하기	15점

실전 서술형 평가 78~79쪽

01 예 ❶ 꺾은선그래프의 제목이 없습니다.
❷ 점과 점 사이가 선분으로 연결되어 있지

않습니다.

❸ 가로 눈금의 단위(월)가 없습니다.

❹ 세로 눈금이 단위(권)가 없습니다.

02 예 ❶ 가장 많이 증가한 달은 6월에서 7월로 120개 증가했고, 가장 적게 증가한 달은 7월에서 8월로 20개 증가했습니다.

❷ ❶에서 구한 증가량의 차는
120−20=100(개)입니다.
/ 100개

03 예 ❶ 혜수는 월요일 84회, 금요일 136회로
136−84=52(회) 늘어났고,
예린이는 월요일 108회, 금요일 156회로
156−108=48(회) 늘어났습니다.

❷ 52회 > 48회로 혜수가 예린이보다 줄넘기 기록이 더 많이 늘어났습니다.
/ 혜수

04 예 ❶ 꺾은선그래프에서 가장 변화가 큰 때는 2005년 220명과 2010년 320명이고 차는 100명입니다.

❷ 다시 그린 그래프에서 100명이 10칸 차이가 난다고 하였으므로 세로 눈금 한 칸은 10명입니다.
/ 10명

풀이

01	❶ 제목 확인하기	7점
채점기준	❷ 점과 점 사이에 연결된 선 확인하기	6점
	❸ 가로 눈금 확인하기	6점
	❹ 세로 눈금 확인하기	6점

02	❶ 제품 판매량이 전달에 비해 가장 많이 증가했을 때와 가장 적게 증가했을 때의 증가량 구하기	15점
채점기준	❷ ❶에서 구한 증가량의 차 구하기	10점

03	❶ 월요일부터 금요일까지 늘어난 줄넘기 횟수 각각 구하기	10점
채점기준	❷ 누구의 줄넘기 기록이 더 많이 늘어났는지 구하기	15점

04	❶ 변화가 가장 큰 때의 학생 수의 차 구하기	15점
채점기준	❷ 세로 눈금 한 칸의 크기 구하기	10점

6 다각형

01 가, 라
02 가, 다, 바
03 나, 다 / 오각형
04 마 / 칠각형
05 바 / 팔각형
06 선분으로 둘러싸여 있지 않습니다.
07 오각형
08 칠각형
09 예

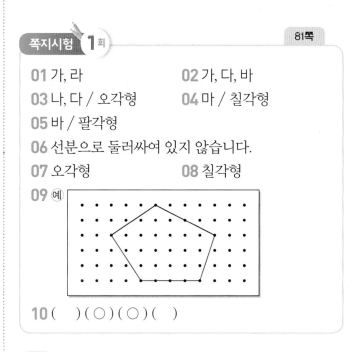

10 ( ) (○) (○) ( )

풀이

06 선분으로만 둘러싸인 도형을 다각형이라고 합니다. 점과 점 사이가 이어지지 않은 부분이 있습니다.

07 변이 5개로 이루어진 도형을 오각형이라고 합니다.

08 변이 7개로 이루어진 도형을 칠각형이라고 합니다.

09 5개의 선분으로 둘러싸이도록 선을 그어 완성합니다.

10 변이 6개로 이루어진 도형을 육각형이라고 합니다.

01 가, 나, 라, 바
02 정다각형
03 삼, 사, 오
04 정육각형
05 20 cm
06 정팔각형
07 예
08 ㉠, ㉢
09 정오각형, 정육각형
10 720°

풀이

01 다와 마는 변의 길이가 모두 같지 않고, 각의 크기도 모두 같지 않습니다.

02 변의 길이가 모두 같고, 각의 크기가 모두 같은 다각형을 정다각형이라고 합니다.

03 변의 길이가 모두 같고, 각의 크기가 모두 같은 다각형은 정다각형이고 변의 개수에 따라 이름이 정해집니다.

04 변이 6개인 정다각형은 정육각형입니다.

05 정다각형의 모든 변의 길이는 같으므로 둘레의 길이는 $4 \times 5 = 20$ (cm)입니다.

06 8개의 변의 길이와 각의 크기가 같고 마주 보는 두 변이 평행한 도형은 정팔각형입니다.

07 6개의 변의 길이가 같고, 6개의 각의 크기가 같도록 점을 이어 그립니다.

08 오각형과 정오각형은 변이 5개, 각이 5개입니다.

09 파란색 도형은 5개의 변의 길이와 각의 크기가 같으므로 정오각형이고, 분홍색 도형은 6개의 변의 길이와 각의 크기가 같으므로 정육각형입니다.

10 정육각형의 모든 각의 크기는 같으므로 합은 $120° \times 6 = 720°$입니다.

풀이

02 꼭짓점 ㄱ을 제외한 다른 꼭짓점은 4개인데 2개는 꼭짓점 ㄱ과 이웃하고 있으므로 이웃하지 않는 꼭짓점 2개로 대각선을 그을 수 있습니다.

04 삼각형은 모든 꼭짓점이 이웃하고 있기 때문에 대각선을 그을 수 없습니다.

05 가: 5개, 나: 2개, 다: 0개

06 나는 대각선이 서로 수직으로 만나고 있습니다.

07 ⇨ 9개의 대각선을 그을 수 있습니다.

08 정사각형의 두 대각선은 수직으로 만나며 한 대각선이 다른 대각선을 똑같이 둘로 나눕니다.

09 두 대각선이 수직으로 만나고 한 대각선이 다른 대각선을 똑같이 둘로 나누는 다각형은 마름모, 직사각형, 정사각형이고 두 대각선의 길이가 서로 다를 수도 있는 도형은 마름모입니다.

10 직사각형의 두 대각선의 길이는 같고, 한 대각선이 다른 대각선을 똑같이 둘로 나누므로
(선분 ㄴㄹ)=$4 \times 2 = 8$ (cm)입니다.
직사각형의 두 대각선의 길이는 같으므로
(선분 ㄱㄷ)=(선분 ㄴㄹ)=8 (cm)입니다.

쪽지시험 3회   83쪽

01 대각선   **02** 2개
03 가   나   다
04 다   **05** 가   **06** 나
07 9개   **08** (위에서부터) 90, 6
09 마름모   **10** 8 cm

쪽지시험 4회   84쪽

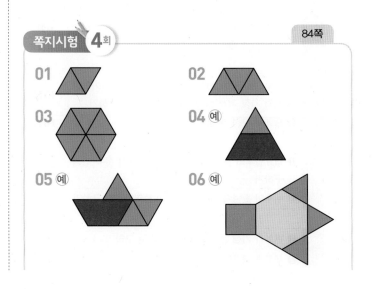

07 ③, ④　　　　　**08** 3개

09
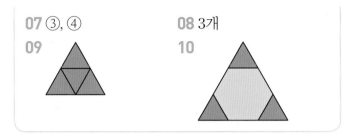

10

풀이

01 모양 조각 가를 2개 이어 붙이면 모양 조각 다가 완성됩니다.

02 모양 조각 가를 3개 이어 붙이면 모양 조각 나가 완성됩니다.

03 모양 조각 가를 6개 이어 붙이면 모양 조각 바가 완성됩니다.

04 모양 조각 가와 나를 이어 붙일 수 있습니다.

05 모양 조각을 겹치지 않게 이어 붙입니다.

06 길이가 같은 변끼리 이어 붙입니다.

07 모양 조각 가는 한 각의 크기가 60°인 정삼각형이므로 한 각의 크기가 90°인 정사각형과 한 각의 크기가 108°인 정오각형은 만들 수 없습니다. 정삼각형 2개를 이어 붙이면 마름모와 평행사변형이 되고, 6개를 이어 붙이면 정육각형이 됩니다.

08 가는 정삼각형, 마는 정사각형, 바는 정육각형으로 모두 3개입니다.

09 모양 조각 가 1개의 세 변에 모양 조각 가 3개를 이어 붙여 만듭니다.

10 모양 조각 바 1개의 세 변에 모양 조각 가 3개를 이어 붙여 만듭니다.

85~87쪽

기본 단원 평가

01 오각형　　　　　**02** 팔각형
03 마　　　　　　　**04** 라, 마
05 나, 마

---

06 예
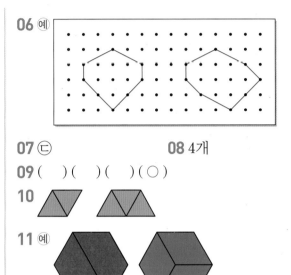

07 ㉢　　　　　**08** 4개
09 (　) (　) (　) (○)

10
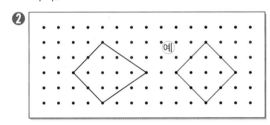

11 예

,

12 4

13 예 ❶ 정다각형은 모든 변의 길이와 모든 각의 크기가 같아야 하는데 주어진 도형은 모든 변의 길이와 모든 각의 크기가 같지 않습니다.

❷

14 정다각형 / 예 주어진 도형은 모든 변의 길이가 같고, 모든 각의 크기가 같습니다.

15 540°

16 예 ❶ 정다각형의 모든 변의 길이는 같으므로 (변의 수)=35÷7=5(개)이므로 정오각형입니다.

❷ 정오각형의 대각선은 모두 5개입니다. / 5개

17 16 cm　　**18** 칠각형　　**19** 30

20 예 ❶ 마름모는 네 변의 길이가 같으므로 마름모의 네 변의 길이의 합은 15×4=60 (cm)이고 정육각형의 모든 변의 길이의 합도 60 cm입니다.

❷ 정육각형은 모든 변의 길이가 같으므로 한 변의 길이는 60÷6=10 (cm)입니다.

/ 10 cm

풀이

03 변의 길이가 모두 같고, 각의 크기가 모두 같은 다각형을 정다각형이라고 합니다.

04 두 대각선의 길이가 같은 사각형은 직사각형과 정사각형입니다.

05 두 대각선이 서로 수직으로 만나는 사각형은 마름모와 정사각형입니다.

07 다각형에서 서로 이웃하지 않는 두 꼭짓점을 이은 선분을 대각선이라고 합니다. ⓒ은 꼭짓점과 연결되지 않았으므로 대각선이 아닙니다.

08 꼭짓점 ㄱ을 제외한 다른 꼭짓점은 6개인데 2개는 꼭짓점 ㄱ과 이웃하고 있으므로 이웃하지 않는 꼭짓점 4개로 대각선을 그을 수 있습니다.

09 주어진 정삼각형, 사다리꼴, 평행사변형의 한 각의 크기는 60° 또는 120°이지만, 한 각의 크기가 90°인 정사각형으로는 한 각의 크기가 120°인 정육각형을 만들 수 없습니다.

10 평행사변형은 정삼각형 2조각을 이어 붙여 만들고, 사다리꼴은 정삼각형 3조각을 이어 붙여 만들 수 있습니다.

11 사다리꼴 모양 조각 2개를 이어 붙여 정육각형 모양 1개를 만들고, 평행사변형 모양 조각 3개를 이어 붙여 정육각형 모양 1개를 만듭니다.

12 마름모의 한 대각선이 다른 대각선을 똑같이 둘로 나누므로 □=8÷2=4 (cm)입니다.

13
채점 기준	❶ 정다각형이 아닌 이유 쓰기	2점
	❷ 정사각형 그리기	3점

15 정오각형의 모든 각의 크기는 같으므로 합은 108°×5=540°입니다.

16
채점 기준	❶ 정다각형의 이름 알기	2점
	❷ 정다각형의 대각선의 수 구하기	3점

17 모든 조각 중의 가장 짧은 변의 길이는 정사각형 조각의 한 변의 길이와 같습니다. 칠교판의 대각선 길이는 정사각형 조각 한 변의 길이의 4배입니다.
⇨ 4×4=16 (cm)

18 와 같이 14개의 대각선을 그을 수 있는 다각형은 칠각형입니다.

19 정육각형의 여섯 각의 크기의 합은 720°이므로 (각 ㄱㄷㄴ)=720°÷6=120°입니다.
삼각형 ㄱㄴㄷ은 이등변삼각형이므로
□°+□°=180°−120°=60°, □°=60°÷2=30° 입니다.

20
채점 기준	❶ 정육각형의 모든 변의 길이의 합 구하기	2점
	❷ 정육각형의 한 변의 길이 구하기	3점

실력 단원 평가 88~90쪽

01 ( )(○)( )( ) **02** 나
03 ( )(○)( )(○) **04** 정팔각형
05 45 cm **06** 90
07 정삼각형, 정육각형 **08** 16개
09 가 **10** 가, 마, 바
11 3개 **12** 예

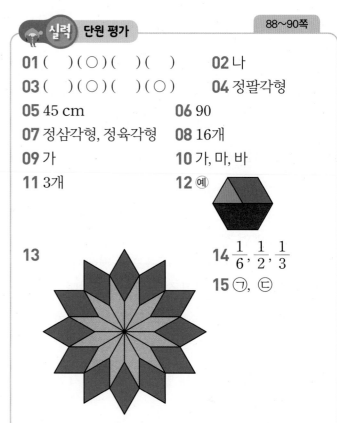

13

14 $\frac{1}{6}$, $\frac{1}{2}$, $\frac{1}{3}$

15 ㉠, ㉢

16 예 ❶ 육각형에 그을 수 있는 대각선의 수는 9개이고, 오각형에 그을 수 있는 대각선의 수는 5개입니다.
❷ 육각형에 그을 수 있는 대각선의 수는 오각형에 그을 수 있는 대각선의 수보다 9−5=4(개) 더 많습니다. / 4개

17 135 **18** 162

19 예 ❶ 각의 수를 구하면 2340°÷156°=15(개) 입니다.

❷ 모든 각의 크기가 같고 15개의 각으로 이루어진 정다각형은 정십오각형입니다.
/ 정십오각형

20 예 ❶ 정십이각형은 이등변삼각형 12개가 이어 붙여진 모양이므로 이등변삼각형에서 가장 작은 한 각의 크기는 $360° ÷ 12 = 30°$입니다. 이등변삼각형에서 $30°$인 각을 제외한 두 각의 크기는 같으므로 한 각의 크기는 $75°$입니다.

❷ 정십이각형의 한 각의 크기는 $75°$인 각 2개의 합과 같습니다. 정십이각형의 한 각의 크기는 $75° × 2 = 150°$입니다.
/ $150°$

풀이

02 가는 사각형이고 대각선의 수는 2개입니다. 나는 오각형이고 대각선의 수는 5개입니다.

03 대각선이 수직으로 만나는 사각형은 마름모와 정사각형입니다.

04 모든 변의 길이가 같고, 모든 각의 크기가 같은 변이 8개인 다각형은 정팔각형입니다.

05 정오각형은 모든 변의 길이가 같으므로 모든 변의 길이의 합은 $9 × 5 = 45$ (cm)입니다.

06 마름모는 한 대각선이 다른 대각선과 수직으로 만나므로 두 대각선이 이루는 각은 $90°$입니다.

07 정삼각형 6개와 정육각형 1개가 있습니다.

08 ⇨ 한 변의 길이가 3 cm인 정삼각형 16개가 필요합니다.

09 삼각형은 모든 꼭짓점이 이웃하고 있으므로 대각선을 그을 수 없습니다.

10 모양 조각 가는 정삼각형, 모양 조각 마는 정사각형, 모양 조각 바는 정육각형입니다.

11 와 같이 모양 조각 다는 3개가 필요합니다.

12 모양 조각 가, 모양 조각 나, 모양 조각 다를 사용해서 만들 수 있습니다.

14 모양 조각 바를 만들기 위해서 모양 조각 가는 6개, 모양 조각 나는 2개, 모양 조각 다는 3개가 필요하므로 각각의 크기는 $\frac{1}{6}, \frac{1}{2}, \frac{1}{3}$입니다.

15 모양 조각 가의 넓이를 1로 보았을 때, 모양 조각 나는 3, 다는 2입니다. 모양 조각 바는 6이므로 모양 조각 크기의 합 6이 되지 않는 경우를 찾습니다.
㉠ 모양 조각 가 6개가 필요합니다.
㉢ 모양 조각 바보다 큰 모양이 만들어집니다.

16

17 정팔각형은 사각형 3개로 나눌 수 있으므로 모든 각의 크기의 합은 $360° × 3 = 1080°$입니다. 정팔각형은 모든 각의 크기가 같으므로 한 각의 크기는 $1080° ÷ 8 = 135°$입니다.

18 정오각형의 한 각의 크기는 $108°$이고 정사각형의 한 각의 크기는 $90°$이므로
$\square = 360° - 108° - 90° = 162°$입니다.

19

채점기준	❶ 정다각형의 각의 개수 구하기	3점
	❷ 정가각형의 이름 구하기	2점

20

채점기준	❶ 정십이각형을 12개로 잘랐을 때 삼각형의 한 각의 크기 구하기	3점
	❷ 정십이각형의 한 각의 크기 구하기	2점

연습 서술형 평가 91~92쪽

01 예 ❶ 삼각형의 대각선은 그을 수 없으므로 0개, 오각형의 대각선의 개수는 5개, 육각형의 대각선의 개수는 9개입니다.
❷ 대각선의 개수가 가장 많은 도형은 육각형입니다. /육각형

02 예 ❶ 다각형이 아닙니다.
❷ 도형의 윗부분이 곡선이기 때문에 선분으로만 둘러싸여 있지 않기 때문입니다.

03 예 ❶ 모양 조각 가만 사용하여 덮었을 때는

와 같이 12개가 필요하고 모양 조각 나만 사용하여 덮었을 때는 와 같이 6개가 필요합니다.

❷ 필요한 가와 나 모양 조각의 수의 차는 12−6=6(개)입니다. / 6개

04 예 ❶ 정십이각형은 변이 12개이고 모든 변의 길이가 같으므로 정십이각형의 둘레는 12×12=144 (m)입니다.

❷ 300 m의 철근 중 울타리를 2개 만드는 데 사용한 철근은 144×2=288 (m)이므로 300−288=12 (m)가 남습니다. / 12 m

풀이

| 01 | 채점 기준 | ❶ 각 도형의 대각선의 개수 구하기 | 10점 |
| | | ❷ 대각선의 개수가 가장 많은 도형 찾기 | 15점 |

| 02 | 채점 기준 | ❶ 다각형 구분하기 | 10점 |
| | | ❷ 다각형이 아닌 이유 쓰기 | 15점 |

| 03 | 채점 기준 | ❶ 필요한 모양 조각 가와 나의 개수 각각 구하기 | 15점 |
| | | ❷ 필요한 모양 조각 개수의 차 구하기 | 10점 |

| 04 | 채점 기준 | ❶ 정십이각형의 둘레 구하기 | 10점 |
| | | ❷ 울타리를 2개 만들고 남은 철근의 길이 구하기 | 15점 |

실전 서술형 평가 93~94쪽

01 예 ❶ 직각삼각형 모양 조각 2개를 이어 붙이면 가로가 4 cm이고 세로가 3 cm인 작은 직사각형 모양 조각이 됩니다.

❷ 작은 직사각형 조각은 큰 직사각형에 가로로 32÷4=8(번), 세로로 24÷3=8(번) 들어가므로 모두 8×8=64(개)가 들어갑니다. 작은 직사각형 조각은 직각삼각형 조각 2개가 합쳐져 있으므로 직각삼각형 조각은 모두 64×2=128(개)가 필요합니다.

02 예 ❶ 오각형의 한 꼭짓점에서는 이웃하지 않는 꼭짓점 2개로 대각선을 그을 수 있습니다.

❷ 꼭짓점이 5개이므로 대각선을 5×2=10(개) 그을 수 있지만 한 대각선이 두 꼭짓점에서 모두 헤아린 셈이니까 오각형의 대각선의 개수를 구하는 식은 2×5÷2입니다. / 예 그렇게 되면 한 대각선이 두 꼭짓점에서 모두 헤아린 셈이니까 그 곱을 2로 나누어야 해.

03 예 ❶ 팔각형의 각 꼭짓점끼리 만나게 모두 접었다 편 모양은 와 같습니다. 접힌 선은 각 꼭짓점에서 이웃하지 않는 두 꼭짓점을 이은 선분인 대각선과 같습니다.

❷ 팔각형의 대각선의 개수는 한 꼭짓점에서 그을 수 있는 대각선이 8개씩 5개가 있으므로 40개를 그을 수 있지만 2번씩 중복되므로 모두 40÷2=20(개)입니다. / 20개

04 예 ❶ 정삼각형의 한 각의 크기는 60°입니다.

❷ 정삼각형 6개를 모으면 360°가 되므로 정삼각형으로 바닥을 빈틈없이 덮을 수 있습니다.

풀이

| 01 | 채점 기준 | ❶ 직각삼각형 모양 조각 2개를 이어 붙여 만든 작은 직사각형 조각의 크기 구하기 | 10점 |
| | | ❷ 작은 직사각형 조각으로 큰 직사각형 모양을 채울 때 필요한 개수 구하기 | 15점 |

| 02 | 채점 기준 | ❶ 오각형의 한 꼭짓점에서 그을 수 있는 대각선의 개수 구하기 | 10점 |
| | | ❷ 오각형의 대각선을 구하는 방법을 식으로 나타낸 이유 찾기 | 15점 |

| 03 | 채점 기준 | ❶ 색종이를 접었다 편 선분이 대각선임을 확인하기 | 10점 |
| | | ❷ 팔각형의 대각선의 개수 구하기 | 15점 |

| 04 | 채점 기준 | ❶ 정삼각형의 한 각의 크기 구하기 | 10점 |
| | | ❷ 정삼각형이 몇 개가 모였을 때 360°가 되는지 설명하기 | 15점 |

초등 수학
자습서 & 평가문제집 **4-2**

평가문제 다잡기